P9-BHT-731

ABHANDLUNGEN ZUR KUNST-, MUSIK- UND LITERATURWISSENSCHAFT, BAND 96

VON HEROISCHEM SEIN UND VÖLKISCHEM TOD

ZUR DRAMATIK DES DRITTEN REICHES

VON UWE-KARSTEN KETELSEN

1970

H. BOUVIER u. CO. VERLAG · BONN

PT
668
.K4

ISBN 3 416 00685 2
Alle Rechte vorbehalten. Ohne ausdrückliche Genehmigung des Verlages ist es auch nicht gestattet, das Werk oder Teile daraus fotomechanisch zu vervielfältigen. © H. Bouvier u. Co. Verlag, Bonn 1970.
Printed in Germany. Gesamtherstellung: G. Hartmann KG, Bonn.

INHALTSVERZEICHNIS

VON HEROISCHEM SEIN UND VÖLKISCHEM TOD
ZUR DRAMATIK DES DRITTEN REICHS

58945

I. DIE DRAMATIK DES DRITTEN REICHS ALS GEGENSTAND LITERARHISTORISCHER UNTERSUCHUNGEN

Die Literatur, die zwischen 1933 und 1945 in Deutschland als *die* deutsche Dichtung propagiert wurde, die sich als die künstlerische Erfüllung deutschen Ingeniums begriff oder zumindest entwarf und von Staats wegen und durch große Leserschichten auch als solche anerkannt wurde, ist seit den überschwenglichen Lobpreisungen vieler Kritiker und gewichtiger Stimmen der deutschen Literaturwissenschaft aus der Zeit des nationalsozialistischen Staates kaum noch Gegenstand literaturwissenschaftlicher Untersuchungen gewesen [1] und unter dem Verdikt, allein Propagandazwecken gedient zu haben und ästhetisch minderwertiges Machwerk zu sein, aus dem Bewußtsein der Literaturwissenschaft und des lesenden Publikums verdrängt worden, wenn sich auch einige Originale und Imitationen in der Gunst zu behaupten vermochten (wie z. B. Blunck oder auch Kolbenheyer); im Bereich des Theaters (anders als übrigens auf dem Gebiet des Films, wo noch so manches Produkt erinnerungsträchtige und „kunst"begeisterte Anteilnahme findet) ist die Bühnenliteratur heute dem Vergessen anheimgefallen [2]. Dabei lohnte sich eine Beschäftigung mit

[1] Hier ist vor allem auf R. Geißler, Dekadenz und Heroismus. Zeitroman und völkisch-nationalsozialistische Literaturkritik, Stuttgart 1964, auf A. Schöne, Über politische Lyrik im 20. Jh., Göttingen 1965, und auf G. Hartung, Über faschistische Literatur, Weim. Beitr. 14, 1968, S. 474—542, Sonderh. 2, S. 121—159, S. 677—707, zu verweisen.

[2] Die Autoren und Kritiker fristen — wenn sie sich treu geblieben sind — nur noch ein Schattendasein am Rande der heutigen Literatur: H. W. Hagens Geburtstag etwa (Hagen war vor 1945 als „Kulturbetrachter" aufgetreten: Deutsche Dichtung in der Entwicklung der Gegenwart, Dortmund 1938; Der Schicksalsweg der deutschen Dichtung, Berlin 1938; Artikel in der Zeitschrift „Die Weltliteratur") ist fast unbemerkt vom „Deutschen Kulturwerk" begangen worden (laut Annonce in den „Deutschen Nachrichten" Nr. 18, 30. April 1967, S. 12, wo auch zwei Würdigungen von H. Härtle und E. Kern erschienen); G. Schumann vertreibt sein Drama „Gudruns Tod" (1944) im eigenen Verlag. Hin und wieder gelangen Autoren durch Preisverleihungen noch einmal zu Publizität (z. B. Fr. Griese: 1964 Mecklenburgischer Literaturpreis, Fr. Büchler: 1968 Erwin-von-Steinbach-Preis). Allerdings sollte man die Anteilnahme nicht unterschätzen, die jene Autoren, die „Kenntnis und Bewahrung des Grundes" (Anrich) erhalten möchten, unterhalb der Schwelle des modernitätsbewußten Literaturinteresses

diesem Gegenstand durchaus. Allerdings, mit Termini wie Ungeist, arteigene Rumpelkammer, Epigonalität, monströse Verquollenheit, trostlose Öde, krude Propaganda, bloße Fungibilität . . ., mit denen vor allem eine Kritik von liberalen Positionen aus diese Literatur weniger erkannte als vielmehr bannte (oder „bewältigte", wie es lange hieß), ist nur ein Geringes auszurichten (so zutreffend diese Charakterisierung auch immer sein mag), ebensowenig kann eine Untersuchung im Zusammenhang mit Entwürfen von Manipulationsschemata wirklich befriedigen, demzufolge eine herrschende Klasse oder gesellschaftliche Gruppe einen (kulturell-literarischen) Unterdrückungsmechanismus entwickelte, um ihre Herrschaft zu stützen, und zwar schon deswegen nicht, weil die Adressaten, an die diese Bühnenliteratur sich wandte, gerade jene gesellschaftlichen Gruppen waren, die die Herrschaft willentlich oder willenlos garantierten und trugen; diese Theaterstücke verließen den Rahmen eines ideologischen Kleinbürgertums auch dort nicht, wo sie sozialistisch sein wollten — gerade dort nicht. Die „Dichtung" des Dritten Reichs — dort, wo sie „echte Kunst" zu sein erstrebte — war ihrer Funktion nach nur selten ausgesprochene Propagandaliteratur, die unverhohlen zu tagespolitischer Gefolgschaft aufforderte; literaturpolitisch kam der konservativ-völkischen und nationalsozialistischen Literatur höchstens Ersatzfunktion für die verbotene und vertriebene „Moderne" zu, um auf diese Weise den Kulturbetrieb darzustellen, der für das traditionelle bürgerliche Selbstverständnis so überaus wichtig ist; am ehesten handelte es sich unter soziologischem Aspekt um künstlerische Autosuggestion, wobei die seit der Volksromantik unzweideutig als echte Kunst sanktionierten (und um einige Züge des Naturalismus und Expressionismus bereicherten) ästhetischen Ausdrucksformen in ängstlicher Verbissenheit restauriert, wiederholt und „zur Anschauung" gebracht wurden.

Die Literatur des Dritten Reichs [3] läßt sich nicht zwischen den Grenzen 1933 bis 1945 fest einschließen, denn sie verdankt ihre Existenz nicht

durch die Vermittlung einschlägiger Zeitungen und Verlage finden. — Eine ganz andere (und sehr lohnende) Aufgabe wäre es zu untersuchen, ob und in welcher Weise sich Vorstellungsinhalte und Ausdrucksweisen der Literatur des Dritten Reichs in der Gebrauchsliteratur der Nachkriegszeit erhalten haben.

[3] Der Terminus soll in diesem Zusammenhang als ein allgemeiner verstanden werden: er kennzeichnet die konservativ-völkisch-nationale Ideologie, wie sie vor allem in den auf restaurative „Erneuerung" gerichteten (klein)bürgerlichen Kreisen der Wilhelminischen Ära und besonders der Weimarer Zeit beheimatet war. Der Nationalsozialismus stellte (unter Einbeziehung z. T. fremder Vorstellungen) eine Verschärfung dieser

allein, ja nicht einmal vorwiegend dem nationalsozialistischen Staat; jene ist vielmehr (zum Teil wesentlich) älter als dieser. Das Jahr 1933 hat nur insofern literarhistorische Bedeutung, als das neue Regime, das sich gemäß seiner ideologischen Grundlagen im Bereich der Kunst und Literatur ungemein engagierte, einen einzigen Faden des bunten Gewebes der deutschen Literatur der ersten dreißig Jahre dieses Jahrhunderts, nämlich den volkstümlich-konservativ-nationalen, wie er sich in den 20er Jahren etwa in Grimm oder Kolbenheyer, Münchhausen oder Griese darstellte, aus der Vielfalt der Zusammenhänge herauslöste und alles andere gemäß der Theorie von den zwei deutschen Literaturen — der eigentlichen, echten deutschen Kunst, die aber bisher verfemt gewesen sei, und der verjudeten, dekadenten Asphaltliteratur der Berliner Cliquen — verdammte, verbrannte und vertrieb. Diese Isolation ausschließlich eines Strangs der literarischen Tradition, den man als den einzig deutschen deklarierte, begründete man mit dem Totalitätsanspruch der völkisch-nationalen Weltanschauung (den man nicht nur politisch verstand) und mit der These, Rasse und Seele seien ihrem Wesen nach identisch und die Kunst — eine wesentliche Äußerung der deutschen Seele — müsse deswegen mit den übrigen politischen und kulturellen Lebensformen der sich von fremder Herrschaft und degenerierenden Einflüssen freikämpfenden völkischen Gemeinschaft übereinstimmen, ja, eine prägende Rolle in diesem Prozeß der Befreiung der um den Bestand und die Reinheit ihres „Seelentums" ringenden Rasse übernehmen. So wird deutlich, wie einerseits die Literatur, und vor allem das Theater, das man als eine volksbildende Anstalt, als „Nationaltheater", verstand, eine bedeutsame Rolle in der Organisation dessen, was man als Volksbewußtsein verstand, zu spielen hatte, und zwar auch dort, wo es nicht allein um die Ausübung von Herrschaft ging, und wie andererseits die Literatur und das Theater, insofern sie sich dem Zusammenhang des Dritten Reichs verbunden fühlten, ihrerseits an die Seite der Macht strebten. Das Verhältnis war ein wechselseitiges und ist in

Position in Richtung auf einen Nationalismus, mit dem ein kämpferischer Rassismus verbunden war, und eine Organisierung der Vertreter dieser Weltanschauung dar; er ist ein engerer Begriff, so daß nicht jeder Autor, der hier als ein Vertreter des „neuen Dramas" behandelt wird, auch unbedingt als nationalsozialistischer Schriftsteller im strengen Sinne zu bezeichnen ist. Grenzziehungen sind äußerst heikel; sie werden oft vom Zufall bestimmt und sind häufig ganz persönlich bedingt (z. B. durch das Alter); es geht in dieser Darstellung nicht um Auseinandersetzungen mit den Autoren als Personen, so aufschlußreich manche ihrer Lebensläufe auch sind, sondern um die Erörterung eines Bereichs des literarischen Bestands des Dritten Reichs.

einem Denkschema, das sich mit der Vorstellung vom Ausweichen vor der Macht oder vom Gehorchen zufrieden gibt, nicht erschöpfend zu begreifen. Eine Beschäftigung mit den Werken der Kunst des Dritten Reichs führt über literaturimmanente Beobachtungen hinaus und betritt den Bereich der völkisch-konservativen Ästhetik, die außer durch geistesgeschichtliche Traditionen wesentlich durch weltanschauliche Setzungen bestimmt ist und auf diese Weise fest mit Herrschafts- und Gesellschaftsformen zusammenhängt. Damit steht das Drama des Dritten Reichs erstens in einem literarhistorischen Zusammenhang; es kennt bestimmte, durch die Tradition und durch technische Notwendigkeiten bedingte Bau- und Sprachformen, stellt einen Schritt in der Geschichte der Gattung dar, ist der Versuch einer teils epigonalen Restauration, teils eklektischen Neukonstruktion; und es zeigt sich zweitens mit ästhetischen, weltanschaulichen und politischen Vorstellungen des extremen (klein)bürgerlichen Konservativismus und der politisch-gesellschaftlichen Situation in Deutschland verbunden und von dorther in seiner Struktur bestimmt. Der erste Aspekt machte eine sprachlich-formale Untersuchung der Literatur des Dritten Reichs nötig; die bevorzugten sprachlichen Konstruktionen, die beliebtesten Sprachfelder, der typische Sprachrhythmus, die Bildlichkeit, die Bau- und Gefügeformen, die Techniken, Raum und menschliche Kommunikationsformen im Drama darzustellen, müßten analysiert [4], die dichterische Sprache im Zusammenhang mit den poetischen Formen und der Wirkungsabsicht ihrer Benutzer gesehen [5] und in ihren historischen, geistesgeschichtlichen, politischen und gesellschaftlichen Rahmen gestellt werden. Dieser zweite Aspekt, der die entscheidende Frage nach der Vermittlung der literarischen Struktur mit der geschichtlichen Situation betrifft, liefert ein besonders schwieriges Problem. Die Literatur des Dritten Reichs begünstigt eine Verfahrensweise, die nach politischen und weltanschaulichen Thesen als Inhalten dieser Texte fragt und sich zufrieden gibt, wenn sie glauben kann, die funktionale Rolle der Dichtung des Dritten Reichs im Herrschaftsgefüge des

[4] Die Literaturwissenschaft hat gerade erst einen Anfang gemacht, die Sprache des Nationalsozialismus zu betrachten, wobei die „poetische" Sprache noch kaum berücksichtigt wurde. Vergl. V. Klemperer, LTI. Notizbuch eines Philologen, Berlin 1946 (als Taschenbuch: München 1969, dtv 575); E. u. I. Seidel-Slotty, Sprachwandel im Dritten Reich. Eine historische Untersuchung faschistischer Einflüsse, Halle 1961; W. Dahle, Der Einsatz einer Wissenschaft. Eine sprachinhaltliche Analyse militärischer Terminologie in der Germanistik 1933—1945, Bonn 1969.

[5] Vergl. U.-K. Ketelsen, Kunstcharakter als politische Aussage. Zur völkisch-konservativen Literatur des Dritten Reichs, Lit. in Wiss. u. Unterr. 2, 1969, S. 159—183.

nationalsozialistischen Staats und seiner Kulturpolitik festgestellt zu haben. Doch erschließt diese Methode nur die Propagandaliteratur und jene Produktion, die sich zumindest auch für politische Zwecke instrumental benutzen ließ, sie versagt aber vor jenen Werken, die gerade die eigentliche Kunst des Dritten Reichs sein wollte und die auch vor dem traditionellen Kunstverständnis hoffen konnte, sich als solche auszuweisen. Dieser „Kunst" gegenüber ist man mit dem Urteil, es mache sich bei den Autoren des Dritten Reichs eben ein Schwund an sprachlichem und ästhetischem Vermögen bemerkbar, und der Einordnung, es handele sich um epigonale Machwerke, schnell bei der Hand, so daß die Beschäftigung damit erst gar nicht lohne. Eine solche Einschätzung mißachtet den Umstand, daß künstlerische Ausdrucksweisen nicht allein einem literarisch immanenten System eingeordnet sind, sondern daß sie eben als künstlerische zugleich einer historischen Situation zugehören und insofern über sich hinausweisen — seit Herder und Goethe ein Grundgedanke der literarischen Wertung; somit wirkt eine veränderte historische Situation zurück auf das Kunstwerk auch gerade, insofern dieses ein ästhetisches Phänomen ist, so daß die Spannung zwischen Kunstwerk und historischer Situation ein wesentliches Merkmal auch der historischen Situation selbst ist. So hat denn H. M. Enzensberger [6] darauf hingewiesen, daß die politische Relevanz politischer Literatur weniger im propagierten Inhalt als vielmehr in ästhetischen Kategorien im weitesten Sinn liegt — wofür er übrigens Goebbels hätte zitieren können und wofür die Filmproduktion des Dritten Reichs sehr einleuchtende Beispiele geben könnte. Theoretische Überlegungen, die sich diesem Problem zuwenden [7], gehen immer vom gelungenen Kunstwerk aus, indem sie die Dialektik von ästhetischer Struktur und gesellschaftlicher Situation sich als diejenige von Besonderem und Allgemeinem entfalten lassen [8], und gerade diese methodische Voraussetzung läßt sich für die Literatur des Dritten Reichs nicht machen. Die Aufgabe besteht also darin, Texten, die den Kanon des Poetischen ein-

[6] Vergl. H. M. Enzensberger, Poesie und Politik, in: H. M. E., Einzelheiten, Frankf./M. 1962, S. 334—353.

[7] Vergl. etwa Th. W. Adorno, Rede über Lyrik und Gesellschaft, in: Th. W. A., Noten zur Literatur I, Frankf./M. 1958, S. 73—104; L. Goldmann, Dialektischer Materialismus und Literaturgeschichte; Der Begriff der sinnvollen Struktur in der Kulturgeschichte, in: G. L., Dialektische Untersuchungen, Neuwied 1966, S. 49—69, 121—132.

[8] Vergl. aber auch: L. Spitzer, Amerikanische Werbung — verstanden als populäre Kunst, in: L. Sp., Eine Methode Literatur zu interpretieren, München 1966, S. 79—99; R. Barthes, Rhetorik des Bildes, Alternative 54, 1967, S. 107—114.

halten, ja, deren Intention es gerade ist, die Ansprüche dieses Kanons ganz zu erfüllen, auch dort noch, wo sie nach den Wertungskategorien einer ästhetischen Theorie (die sich letztlich aus dem 18. Jh. herleitet) nicht die Qualität eines Kunstwerks für sich in Anspruch nehmen können, einen Erkenntniswert gegenüber einem Allgemeinen zuzusprechen, indem die Analyse das herauslöst, was verborgen, aber doch konstruktiv in ihrer ästhetischen Absicht eingeschlossen liegt. Auf eine solche Untersuchung darf nun allerdings nicht der methodische Mangel, der der inhaltlichen Interpretation anhaftet, leichthin übertragen werden, daß nämlich von den formalen Qualitäten (im weitesten Sinn) direkt und unmittelbar auf eine politische, geistesgeschichtliche und gesellschaftliche Situation geschlossen wird, so daß nun — wie zuvor die inhaltlichen — die literarischen Aspekte funktionalisiert werden [9]. Wer politische, geistesgeschichtliche, gesellschaftliche Erkenntnisse gewinnen will, wird zunächst politische, geistesgeschichtliche und gesellschaftliche Studien an den dafür angemessenen Objekten vornehmen müssen; eine literarische Analyse kann zunächst nur Erkenntnisse über literarische Erscheinungen liefern, und sie kann dann erkennen helfen, inwieweit politische, geistesgeschichtliche und gesellschaftliche Situationen zur Konstitution der Texte beigetragen haben, und sie kann schließlich ihrerseits Erkenntnisse über die politische, geistesgeschichtliche und gesellschaftliche Situation unterstützen, insofern diese durch die Literatur und das darin eingeschlossene Bewußtsein mitbedingt sind. Es gilt demnach ein kompliziertes Geflecht von Beziehungen und wechselseitigen Bedingungen aufzulösen.

Als zeitliche Begrenzung des Betrachtungsfeldes wurde hier trotz dem Umstand, daß die Literatur des Dritten Reichs nicht einfach ein Produkt des nationalsozialistischen Staates ist, die Jahre 1933 und 1945 genommen und nur selten Zeugnisse älteren Datums herangezogen; denn der Höhepunkt der Dramenproduktion lag — nach einigen richtungsweisenden

[9] Eine solche Betrachtungsweise könnte sehr schnell von der Beobachtung ästhetischer Gemeinsamkeiten zwischen dem Drama des Dritten Reichs und dem sozialistischen Drama (Vergl. Sozialistische Dramatik. Autoren der Deutschen Demokratischen Republik, Berlin 1968.) zur Behauptung der Identität von Nationalsozialismus und Kommunismus führen, also mit literaturwissenschaftlichen Mitteln die liberale Totalitarismusthese unterstützen. Im übrigen hat diese Vorstellung von der festen Verbundenheit von literarischer Struktur und gesellschaftlicher Situation auch in den Auseinandersetzungen der marxistischen Theorie eine gewisse Rolle gespielt (Vergl. H. Gallas, Ausarbeitung einer marxistischen Literaturtheorie im BPRS und die Rolle von Georg Lukács, Alternative 67/68, 1969, S. 148—173.).

Musterveranstaltungen, wie etwa die Planung des Berliner „Kunstwinters" 1934/35 durch die NS-Kulturgemeinde [10] — in den Jahren 1935 bis 1941. Der erste Eifer der Gesinnungsautoren, die nach der „Machtergreifung" ihre Stunde gekommen glaubten und Bühnen und Verlage mit ihren Stücken überspülten, war erlahmt und durch die offizielle Kulturführung gedämpft, das Verhältnis der amtlichen und privaten, weltanschaulich gebundenen „Kunstkritik" zu den Neuerscheinungen hatte sich eingespielt, das Feld war aber durch die Kriegslage, die zunehmend eine stärkere Konzentration und schließlich ein vollständiges Erliegen von Produktion und Aufführungen brachte, noch nicht eingeengt. Nicht, daß sich im genannten Zeitraum eine einheitliche Bühnenliteratur herausbildete, die man „Das Drama des Dritten Reichs" nennen könnte; das hat es nie gegeben. Hinter diesem Terminus verbirgt sich vielmehr ein wirres Konglomerat von dramaturgischen, theoretischen und praktischen Bestrebungen, in deren Zusammenhang kein einheitliches Konzept zu entdecken ist. Dieses Urteil fällten bereits Zeitgenossen: „Die allerneueste Zeit nun hat eine solche Vielfalt von entgegengesetzten Richtungen geboren, daß allein schon durch diese gegenseitig sich im Konkurrenzwettstreit beäugelnden Formen eine im Grunde genommen völlige Verwirrung der Gedanken entstand. Der Kampf um die Gültigkeit einer jeden Form, propagiert durch Reden und Aufsätze, Entgegnungen und Aussprachen [und praktische Beispiele], ließ ein wirklich nützliches Streben nach einem segensreichen deutschen Nationaltheater auf ein totes Gleis fahren, das mit der Zeit sich derart ausfuhr, daß die Theaterleiter und Dramaturgen zuletzt skeptisch der modernen Dramatik gegenüberstanden [. . .]." [11] Diese Vielstrebigkeit lag nun nicht in der Vielfalt dramatischer Begabungen, sondern in der Vielzahl von Vorbildern begründet, denen sich die Autoren jeweils verpflichtet und verbunden fühlten; die verschiedenen Bewertungen der Tradition resultierten zum großen Teil aus der weltanschaulichen Bindung der Schriftsteller an eine der zahlreichen Strömungen der konservativen und nationalsozialistischen Ideologie, die ja ihrerseits durchaus kein geschlossenes geistiges Gebilde darstellte. Da orientierte man sich an den griechischen Klassikern und interpretierte sie aus dem „Geist der Zeit" [12], schwor auf Shakespeare

[10] Vergl. H. Brenner, Die Kunstpolitik des Nat.soz., S. 90 ff.

[11] H. Günther-Konsalik, Der Ruf nach neuer Klassik, Deutsche Dramaturgie 2, 1943, S. 107.

[12] Vergl. vor allem C. Langenbeck, Die Wiedergeburt des Dramas aus dem Geist der Zeit, Das Innere Reich VI, 1939/40, S. 923—57.

als den nordisch-germanischen Dichter schlechthin [13], entwickelte eine entschiedene Vorliebe für nordische Tragik, oder vielmehr für das, was man gemäß den Theorien vom nordischen Menschen dafür hielt [14], begeisterte sich für die deutsche Klassik [15] oder verdammte sie wütend [16]. Als Vorbilder kann man teilweise sehr deutlich Wagner und das Wormser Festspiel- und Weihetheater bemerken, die Los-von-Berlin-Bewegung (Bartels, Lienhard) hinterließ ihre Spuren [17], das Theater der Jugendbewegung wirkte kräftig nach [18]. Für eine starke Gruppe war dann der Einfluß Paul Ernsts entscheidend [19]; vielberufen, aber faktisch wenig benutzt wurde auch Dietrich Eckart. Daneben wäre auf Georges Reformationsversuch des Theaters zu verweisen. Kaum zu übersehen sind dann expressionistische Stil- und Formeinflüsse, auch das naturalistische Drama, obwohl verfemt, lieferte Formen und teilweise auch Themen, dazu sind im „Thingspiel" Traditionen des sozialdemokratischen Arbeiter-Sängerbundes deutlich erkennbar [20]. Diese vielfältigen Abhängigkeiten verhinderten übrigens nicht, daß nationalsozialistische Theoretiker ganz entschieden die Eigenständigkeit der „neuen" Dramatik betonten [21], wobei vor allem ideologische Gründe ins Feld geführt wurden: wenn, so hieß es, große deutsche Kunst Ausdruck der Rasse sei, dann könne sie nur dann geschaffen werden, wenn die Rasse sich ihrer selbst bewußt geworden sei; da sich die Rasse aber erst im Kampf und Sieg des Nationalsozialismus bewußt geworden sei, könne sich auch die große Kunst, die sich diesen Werten verbunden wisse, erst in der Gegenwart entfalten, so daß es sinnlos sei, nach Vorbildern zu suchen. In der Tat muß man in dieser Bindung an die Weltanschauung des Dritten Reichs — was immer das auch heißen konnte und

[13] Vergl. z. B. H. Johst, Was ist Kulturbolschewismus?, Die Propyläen, 30. Jg., S. 266; Th. von Trotha, Shakespeare und wir, Nat.soz. Monatshefte, 5. Jg., 1934, S. 1146 f.

[14] Vergl. so z. B. W. Deubel, Der Deutsche Weg zur Tragödie, S. 6; C. Langenbeck, Über Sinn und Aufgabe der Tragödie, Völkische Kultur, 3. Jg., 1935, S. 248; A. Rosenberg, Der Mythus des 20. Jh.s, S. 611.

[15] Vergl. I. Pitsch, Das Theater als politisch-publizistisches Führungsmittel im Dritten Reich, S. 208.

[16] Vergl. etwa K. Gerlach-Bernau, Drama und Nation, S. 82.

[17] Vergl. Jul. Petersen, Geschichtsdrama und nationaler Mythos, S. 39 ff.

[18] Vergl. W. Nufer, Volkstheater im Dritten Reich, Völkische Kultur, 2. Jg., 1934, S. 202 f.

[19] Vergl. z. B. H. Wanderscheck, Deutsche Dramatik, S. 12; H. G. Göpfert, Der Dichter und das Drama, Die Neue Literatur 38, 1937, S. 233.

[20] Vergl. A. Schöne, Über politische Lyrik im 20. Jh., S. 33.

[21] Vergl. z. B. W. Best, Völkische Dramaturgie, S. 91; K. Gerlach-Bernau, Drama und Nation.

mochte — den Einheit stiftenden Kern der Erscheinung „Literatur im Dritten Reich" suchen; und auch die Theoretiker der Zeit fanden ihn hier: „Keiner weiß so recht, was unter diesen Schlagworten [der dramaturgischen Diskussion] gemeint ist, wenn auch vielleicht die meisten von ungefähr empfinden, was gemeint sein könnte und wenigstens die Gesinnung kennen, aus der heraus die neuen Forderungen gestellt sind." [22] — Ferner einten Autoren wie Kritiker sowohl die Ablehnung der Theaterverhältnisse vor allem der 20er Jahre, die man als ein genaues Abbild des allgemeinen kulturellen Niedergangs betrachtete, den man als Erbe des Kulturpessimismus allenthalben bemerkte [23], als auch die Verdammung des „Naturalismus", unter welchem Terminus man alles zusammenfaßte, was als „modern" galt und der Großstadt-Kultur entsprang, und für den der Ausdruck „Kulturbolschewismus" geprägt worden war [24].

Die ideologiebewußte Produktion dieser Jahre wurde von einer weitläufigen theoretischen Diskussion begleitet, die ähnlich eklektisch und genau so stark an weltanschauliche Positionen gebunden war wie die Werke; da die Kreise der hier beteiligten theoretisierenden Autoren zumindest in der Kernzone überschaubar sind, läßt sich bei aller vorsichtigen Zurückhaltung eine gewisse Ordnung entdecken: nämlich eine mehr an der Theaterwirklichkeit und an der Theatertradition vor allem in der Nachfolge Shakespeares orientierte Gruppe, die die Darstellung einer in der sinnlichen Anschauung „symbolhaften Realität" erstrebte und zu der in erster Linie Kolbenheyer, Johst, Bethge, Hymmen und Möller zu zählen sind; und eine besonders an der griechischen Klassik orientierte Gruppe, der es besonders um eine überhöhte Typik ging, zu der man vor allem P. Ernst, Bacmeister, Langenbeck und v. Hartz zu rechnen hat. Die erstgenannte Gruppe fand auf der Bühne mehr Echo als die letztgenannte, die mehr das Feld der Theorie beherrschte und die Literaturkritik beschäftigte [25]. Allerdings darf man die Produktion der Zeit nicht allein als eine Verifizierung dieser theoretischen Diskussionen werten. Das gilt nur für einige Autoren, so etwa für Johst und Langenbeck; die große Menge der Dramatiker verfuhr ziemlich prinzipienlos und unbekümmert um theoretische

[22] H. S. Ziegler, Über den Begriff des heroischen Dramas, in: H. S. Z., Wende und Weg, S. 81.

[23] Vergl. z. B. A. Hitler, Mein Kampf, S. 284.

[24] Vergl. etwa H. Johst, Was ist Kulturbolschewismus? Propyläen, 30. Jg., S. 266.

[25] Vergl. U.-K. Ketelsen, Heroisches Theater. Untersuchungen zur Dramentheorie des Dritten Reichs, Bonn 1968, S. 79 f.

Überlegungen. Sie wollten das Dasein aus ihrer weltanschaulichen Sicht „darstellen" und übernahmen wahllos, was sich ihnen an überliefertem Material anbot. Die „Aussage", die „Haltung" — wie es in der Kritik der Zeit hieß — war allemal das Entscheidende.

Selbst wenn man die Grenzen in der angegebenen Weise eng zieht, sieht man sich immer noch einer großen Fülle von Autoren und erheblichen Schwierigkeiten, sie zu ordnen, gegenüber. In den 30er Jahren erblickten Jahr für Jahr knapp 300 neue deutsche Bühnenwerke das Licht der Welt, die meisten davon auch dasjenige der Rampen [26]. Nun ist aber bei weitem nicht alles, was in jenen Jahren auf dem Buchmarkt erschien oder auf dem Theater gespielt wurde, unter dem gewählten Gesichtspunkt überhaupt dem Begriff „Das Drama des Dritten Reichs" zuzuordnen: „Unter den Gegenwartsdramen geht ein rundes Drittel Eheproblemen nach oder beschäftigt sich einfach mit Liebe und Verlobung", urteilt der Chronist 1938 [27] und wiederholt seine Stoßseufzer 1941: „Die Gegenwartsdramen widmen sich wie üblich in der Hauptsache der Liebe und der Ehe, zum Teil in einer geradezu monomanischen Ausschließlichkeit" [28]; wobei es allerdings ganz interessant wäre zu untersuchen, in welcher Weise sich auch diese Werke „dem Geist der Zeit" verbunden wußten.

Aus der Fülle der Autoren sind alle die herauszusuchen, die bestrebt waren, ihr Dichten und Denken im Zusammenhang mit dem „Geist der Zeit" zu sehen und sich eine Funktion im Aufbau einer neuen, politisch-ideologisch verstandenen Kultur zuzuschreiben. Und es ist in der Tat auffallend, wie viele Schriftsteller in jener Zeit im Dienste der Partei oder des Staates standen [29]. Das läßt sich — wie bereits angedeutet — nicht mit der

[26] Vergl. W. Frels, Die deutsche dramatische Produktion 1939, Die Neue Literatur, 41. Jg., 1940, S. 185.

[27] Ders., Die deutsche dramatische Produktion 1937, ebd., 39. Jg., 1938, S. 297.

[28] Ders., Die deutsche dramatische Produktion 1940, ebd., 42. Jg., 1941, S. 150.

[29] Um nur einige Beispiele unter den prominentesten der „neuen" Dramatiker zu nennen: Fr. Bethge: „Frühe Eingliederung in die nationalsozialistische Kampfgemeinschaft. 1930 Mitarbeit im ‚Kampfbund für Deutsche Kultur'. Heute Chefdramaturg und stellvertretender Intendant der Städtischen Bühnen in Frankfurt/Main, SS-Sturmführer." (H. Langenbucher, Deutsche Dramatik der Gegenwart, S. 293); H. Böhme: „In der SA-Gruppe Ostmark mit der Betreuung eines Kulturreferats beauftragt. Obersturmführer der SA. Mitglied des SA-Kulturkreises, Referent der Obersten SA-Führung." (Ebd., S. 294); S. Graff: „Im Mai 1933 durch Reichsminister Dr. Goebbels in die Theater-Abteilung des Reichsministeriums für Volksaufklärung und Propaganda berufen. Zuerst unter Otto Laubinger, jetzt unter Reichsdramaturg Dr. Rainer Schlösser vielfältigen Aufgaben der Reichsdramaturgie zugewandt." (Ebd., S. 305); Fr. W. Hymmen: „Schriftleiter in der Reichsjugendführung. Stellvertretender Hauptschrift-

Schablone erklären: der Nationalsozialismus (und das soll dann am Ende heißen: Hitler und eine kleine Clique von ihm abhängiger Gesinnungsgenossen) engagierte sich willige und für fähig erachtete Federn, ließ mit ihrer Hilfe und unter massivem Schutz politischer Institutionen das Gebiet der „Kultur" mit ideologischer Propagandaliteratur durchsetzen und hielt diese Leute durch wirtschaftliche Abhängigkeit und unter Polizeidruck bei ihrer Aufgabe. Daß es das gab, kann gar nicht bestritten werden, und daß die Literatur im staatlichen Macht- und Herrschaftskalkül eine sehr wichtige Rolle spielte, ist sehr eindringlich dargestellt worden [30]. Wer aber bei dieser Feststellung stehenbleibt, mystifiziert den Kulturbetrieb des Nationalsozialismus zum Horrorfilm. Statt dessen muß man es als ein literarhistorisches Phänomen akzeptieren, daß viele der damals prominenten Autoren sich in der Meinung, in einer alten deutschen Tradition zu stehen, und in dem Glauben, an einem neuen deutschen Nationalstaat, der die Erfüllung traditionell gehegter Wünsche bringen sollte, mitbauen zu müssen, zum nationalsozialistischen Staat bekannten. So ist der Anteil der „freien Schriftsteller" bemerkenswert klein: Der Künstler (wer immer sich auch als ein solcher verstand) wollte nicht Bohème und Bürgerschreck sein, wollte nicht in Opposition zum dominierenden Geist und zum herrschenden System stehen, vielmehr betrachtete er es als einen integrierten Bestandteil seines „Dichtertums", zu bekennen und am Gefüge der Gemeinschaft mitzubauen. Diese Autoren verstanden den nationalsozialistischen Staat — und wohl auch nicht ganz zu Unrecht — viel eher als Funktion ihrer weltanschaulichen Position, als daß sie ihre ideologischen Überzeugungen als Funktion dieses Staats begriffen hätten. Bei G. Schumann,

leiter von ‚Wille und Macht'." (Ebd., S. 308); H. Johst: „1933 Preußischer Staatsrat und Präsident der Deutschen Akademie der Dichtung [. . .]. Seit 1935 Präsident der Reichsschrifttumskammer. Reichskultursenator." (Ebd., S. 309); E. W. Möller: „1934 vollamtlich tätig als Referent der Theaterabteilung des Reichsministers für Volksaufklärung und Propaganda [. . .]. Reichskultursenator und Gebietsführer im Stab der Reichsjugendführung." (Ebd., S. 315); Th. v. Trotha: „Zunächst Mitarbeiter von Reichsbauernführer Darré. Sehr bald Sekretär von Alfred Rosenberg. 1933 Übernahme der Leitung der Abteilung Norden des Außenpolitischen Amtes und der Schriftleitung der ‚Nationalsozialistischen Monatshefte'. Stärkster Anteil am Aufbau der Nordischen Gesellschaft. Bearbeiter der seit 1933 erschienenen Sammelbände von Reden und Aufsätzen Alfred Rosenbergs." (Ebd., S. 321 f.) Bei der Struktur der Theater im nationalsozialistischen Staat sind auch Schriftsteller, die als Dramaturgen arbeiteten (wie z. B. v. Hartz, Langenbeck), in diesen Zusammenhang zu ziehen.

[30] Vergl. H. Brenner, Die Kunstpolitik des Nat.soz.; I. Pitsch, Das Theater als politisch-publizistisches Führungsmittel im Dritten Reich; D. Strothmann, Nat.soz. Literaturpolitik; J. Wulf, Literatur und Dichtung im Dritten Reich.

einem der bekanntesten Lyriker der damaligen Zeit, liest man — um ein Beispiel anzuführen —: „So wird sich echte Kunst nie im Gegensatz zu einer echten, organisch gewachsenen politischen Führung befinden, die den Höchstwert des Allgemeinwohls vertritt, während sie sich natürlich immer in unbeugsamem Gegensatz befinden müßte zu Willkür und Despotie." [31] Sie bekennt und übernimmt damit eine Funktion: „Die Kunst ist ein unausgesprochener Staatsauftrag. Was frühere Zeiten Berufung des Künstlers nannten, nennen wir heute Begabung und Aufgabe, das unserem Volke gemäße Menschenantlitz formen zu helfen [. . .]. Das Drama der Entscheidung antwortet mit der Verbindlichkeit des Politikers, nach welchen Vorbildern wir zu leben haben." [32] Artistische Fragestellungen reduzierten sich diesen Autoren auf das Problem des Abbildens einer Wirklichkeit, die nach den ewigen Grundmustern menschlichen Daseins geprägt sei. Sie rangierten deutlich an zweiter Stelle. „Darum können wir bei der Frage nach der Echtheit eines Künstlertumes nicht mehr nur von *ästhetischen* Voraussetzungen ausgehen. Das, was wir Kunst nennen, kommt nicht vom Können her, sondern beginnt überhaupt erst da, wo alles Können, als ästhetisches Faktum, schon aufgehört hat. Wir stellen nicht mehr die Frage ‚ist der Mann ein Künstler?' nach der Gediegenheit und Sorgfalt seines Handwerkes. Unsere Frage geht nicht ‚ist ein Mensch *ein Künstler*?', sondern: ist dieser Mensch ein *deutscher Künstler*? . . ." [33] Sehr prägnant formulierte H. Johst: „Der ästhetische Raum, das ist ein Hohlraum." [34] Diese Mißachtung der formalen Überlegungen machte sich so negativ bemerkbar, daß etwa Goebbels wiederholt die Gesinnungsautoren zu zügeln und auf die handwerklichen Bedingungen ihres Tuns hinzuweisen versuchte: „Die Kunst kommt vom Können, nicht vom Wollen. Das äußere Merkmal der Kunst ist die Gekonntheit. Es soll also niemand glauben, daß Gesinnung allein es tut. Gesinnung muß zwar dazu gehören, aber sie kann nicht die Kunst durch ihre Gesetze an sich ersetzen." [35]

[31] G. Schumann, Die Freiheit der Kunst, in: G. S., Ruf und Berufung, S. 9.

[32] H. A. Frenzel, Das Drama der Entscheidung, Die Bühne 1938, S. 376.

[33] R. R. Hoppenheit, Das Schrifttum als Ausdruck nat.soz. Lebensgefühls, Deutsche Kultur-Wacht, 2. Jg., 1933, 25. Heft, S. 4.

[34] H. Johst, Standpunkt und Fortschritt, S. 30.

[35] J. Goebbels, Rede vor den Theaterleitern, Das deutsche Drama, 5. Jg., 1933. S. 34. — Wie sehr Goebbels hier aus der Notwendigkeit des Augenblicks ad personam argumentiert, wird etwa aus seinem Brief an Furtwängler deutlich, in dem er ganz andere Akzente setzt (Vergl. H. Brenner, Die Kunstpolitik des Nat.soz., S. 178—180.).

Die Autoren der „neuen" Kunst wollten ideologisch festgelegt und gebunden sein, sie hielten einen allein ästhetisch-formalen Standpunkt für unzureichend und wollten ihre Produktion in der Realität verankern, wobei die Weltanschauung das Mittel sein sollte, die Wirklichkeit zu erkennen und zu deuten. Sie bemerkten allerdings in ihrem Willen zum Engagement nicht — konnten es wohl auf Grund ihres sozialen und geistesgeschichtlichen Standorts auch gar nicht —, welch ein brüchiger Bau diese Ideologie darstellte, wie wenig diese vorgeformten und historisch-sozial bedingten Gedankengänge geeignet waren, die Wirklichkeit, nach der sie strebten, zu erhellen, erkannten nicht, welcher Art die Verantwortung war, die sie sich aufluden. In ihrer weltanschaulichen Vergatterung glaubten sie gerade, die ideologische Gefangenheit der Marxisten gesprengt zu haben, Begriffe und Denkvorstellungen wie: Gesellschaft, Klasse, Produktionsverhältnisse, Arbeitsfunktion, Fortschritt als intellektuelle Perversion der Wirklichkeit entlarven zu können, die ein fremdländischer (speziell westeuropäisch-jüdischer) Kapitalismus vor allem als Folge des verlorenen Kriegs und jüdischer Zersetzungsarbeit nach Deutschland gebracht habe. In der ratlosen Restauration und einer bedingungslosen Hingabe an eine im Grunde völlig akzeptierte Gegenwart glaubten sie, dem schaffenden und denkenden deutschen Volk überschwemmtes Siedlungsgebiet als Neuland zurückgeben zu können. Die Misere in den realen Lebensbedingungen der Zeit wurde durch ein rückhaltloses Engagement überdeckt [36].

Es handelt sich hier um den Ausdruck eines umgreifenden Prozesses: das Bürgertum, vor allem das Kleinbürgertum, schlägt sich in seiner Existenzangst (die nicht nur ökonomische Dimensionen aufweist) auf die Seite des vermeintlich Stärkeren [37]. Gemäß dem Bewußtsein und dem Anspruch auf Totalität konnte die „Kultur" nicht ausgespart bleiben, ja, auf Grund der tiefen, die Weltanschauung mitbedingenden Beziehungen dieser

[36] Dabei ist das Drama in diesem Zusammenhang nicht zu isolieren. Das beschriebene Phänomen trifft man in allen Kulturzweigen: Im Bereich der Literatur in der Romanproduktion (Vergl. R. Geißler, Dekadenz und Heroismus.), wie im lyrischen Schaffen (Vergl. A. Schöne, Über politische Lyrik im 20. Jh.); auf dem Felde der Kunst und Architektur (Vergl. H. Brenner, Die Kunstpolitik des Nat.soz.) und im Bereich der Literaturwissenschaft (Vergl. K. O. Conrady, Deutsche Literaturwissenschaft und Drittes Reich; W. Dahle, Der Einsatz einer Wissenschaft.).

[37] Auf diese Konstante der weltanschaulichen Antworten bestimmter Bevölkerungsgruppen und Klassen hatte übrigens Fr. Engels bereits 1851 hingewiesen (Fr. Engels, Revolution und Konterrevolution in Deutschland, Dietz-Ausgabe VIII, S. 3—108).

Kreise und Schichten zur „Kunst" [38] war deren Neugestaltung, oder besser Umgestaltung, ein wesentlicher Bestandteil der „Machtergreifung".

Es bleibt also aus dem großen Kreis der dramatischen Schriftsteller nur ein gewisser Teil, der sich selbst zum „neuen Drama" bekannte und dem die Kritik und die Kulturführung dieses Prädikat zugestanden [39]. Indes ist auch dieser noch zu groß, um vollständig in eine Darstellung wie diese aufgenommen zu werden; das bedeutet allerdings nicht unbedingt eine unzulässige Beschränkung unter technischem Druck, denn vieles wiederholt sich in ermüdender Eintönigkeit. Wer auf diesem Felde zu weiteren Erkundigungsgängen aufbrechen möchte, sei auf die z. T. sehr ausführlichen zeitgenössischen Darstellungen und Überblicke verwiesen [40].

Neben dieses Problem der zeitlichen und personellen Begrenzung stellt sich das der ordnenden Gesichtspunkte. Die differierenden Erscheinungen nach einem Personalprinzip zu ordnen, verbietet sich: keiner der zu nennenden Autoren gestaltete ein Oeuvre, das sich als ein individuelles bezeichnen ließe. Alle waren sie weltanschaulich mit der Gesamterscheinung verbunden, niemand schöpfte die Problematik systematisch aus, und keiner entwickelte einen wirklich persönlichen Standpunkt oder dramatischen Stil; eine sich an den einzelnen Autoren orientierende Darstellung wäre zu

[38] Auf diese Beziehung machte (freilich eher kultur- als gesellschaftskritisch) Nietzsche aufmerksam, wenn er von einem „Kunstbedürfnis zweiten Ranges" sprach, das weniger dem Selbstgenuß als dem Selbstverdruß entspringe (Vergl. Fr. Nietzsche, Menschliches, Allzumenschliches II 169), und Th. Mann formuliert in seinen „Betrachtungen eines Unpolitischen" nahezu exemplarisch den Zusammenhang von Kunst und Politik im Bewußtsein der konservativen Strömungen des Bürgertums, versucht die Funktion von Kunst für die Formulierung eines politischen Bewußtseins zu bestimmen.

[39] Im übrigen kann man nicht behaupten, das „Drama des Dritten Reichs" habe die Produktion beherrscht; viele Dramatiker erzielten nur lokale Erfolge, und auch die erfolgreichsten blieben weit hinter den Aufführungszahlen der Kassenautoren und der Klassiker zurück. Meistgespielter Vertreter des „neuen Dramas" war H. Johst, der in den sechs Jahren (!) von 1933 bis 1938 1337 Aufführungen erreichte, während — zum Vergleich — Bunjes „Der Etappenhase" allein in der Saison 1936/37 2837mal gespielt wurde (Vergl. W. Frels, Die deutsche dramatische Produktion 1936, Die Neue Literatur 38, 1937, S. 613—616.); gefolgt wurde Johst von E. W. Möller mit 437 Vorstellungen; der künstlerisch bedeutendste Schriftsteller dieser Gruppe, C. Langenbeck, kam auf 82 Aufführungen (Vergl. H. Wanderscheck, Deutsche Dramatik, S. 152 A. 1.).

[40] Zu empfehlen sind für diesen Zweck vor allem: A. Bartels, Geschichte der deutschen Literatur, [16]Braunschweig 1937; H. Langenbucher, Volkhafte Dichtung, [6]Berlin 1941; Fr. Lennartz, Dichter unserer Zeit, [4]Stuttgart 1941; H. Wanderscheck, Deutsche Dramatik der Gegenwart, Berlin 1938. Überhaupt muß man feststellen, daß das Interesse der zeitgenössischen Sekundärliteratur — auch der literaturwissenschaftlichen — an ihrer Dramatik bemerkenswert groß war, zumindest an der Zahl der Publikationen gemessen.

dauernden Wiederholungen verurteilt und personalisierte die Fragestellung in unzulässiger Weise.

Ähnlich hoffnungslos ist der Versuch, das Material nach Arten der dramatischen Literatur zu sondern. Zwar sind „reine" Formen zu finden, z. B. Fr. Bethges „Drama" „Anke v. Skoepen" (aber schon dessen „Marsch der Veteranen" läßt sich hier nicht einordnen); Ungers „Schauspiel" „Opferstunde"; Langenbecks „Hohe Tragödie" „Der Hochverräter" und Bacmeisters „Kaiser Konstantins Taufe"; Möllers „Thingspiel" „Frankenburger Würfelspiel"; Schlossers „Fest- und Weihespiel" „Ich rief das Volk!" Ein solches Ordnungsschema liefe aber auf eine Systematisierung der Texte in einer Typologie des Dramatischen hinaus, die in Wirklichkeit nie bestanden hat; sie ließe sich nachträglich auch nur in sehr begrenztem Maße höchstens für das Thingspiel und die Hohe Tragödie liefern, und so wichtige Werke wie Möllers „Rothschild siegt bei Waterloo" oder v. Hartzens „Ōdrūn" rückten, da sie aus der Systematik herausfielen, in eine exzeptionelle Stellung, die ihnen durchaus nicht zukommt.

Zwar sind, wie bereits angedeutet, alle Dramatiker, die hier zu behandeln sind, sehr deutlich der Tradition der dramatischen Produktion verpflichtet, so daß der restaurative Zug ein charakteristisches Merkmal des Dramas des Dritten Reichs genannt werden muß. Allerdings verfuhr das Gros der Autoren selbst innerhalb eines und desselben Werks so eklektisch, daß sich von hier aus keine eindeutigen Maßstäbe ableiten lassen, um den Wirrwarr der vorliegenden dramatischen Literatur zu ordnen: allein Extreme sind zu formulieren: etwa Deubels „Letzte Festung" als Nachfahre der deutschen Klassik, Heynickes „Neurode" oder Euringers „Totentanz" als Fortsetzung des expressionistischen Dramas im nationalsozialistischen Geiste, Langenbecks „Das Schwert" als Vertreter eines den Griechen nachstrebenden Klassizismus in der gedanklichen Nachfolge Nietzsches, Schadewaldts und Paul Ernsts. Aber die Menge der Produktion ließe sich in dieser Weise — da sie prinzipienlos verfährt — nicht eindeutig festlegen. Auch ist die Stellung zur Tradition nicht immer konstant, vielmehr wechseln die Autoren ihre Vorbilder (am deutlichsten wohl E. W. Möller); so zeigt sich, daß die Bindung an die Tradition wohl wichtig war, nicht aber wirklich den bestimmenden Mittelpunkt im Denken und Schreiben der Dramatiker bildete. Hinzu kommt, daß das weltanschauliche Bekenntnis oft so tiefgreifende Umdeutungen in der Verwendung eines übernommenen Formen- und Begriffsschatzes bedingte, daß die Verbindung des Heute zum Gestern als Tatbestand zwar wesentlich, in seiner Substanz aber ganz äußerlich war.

Die Ideologie spielte eine entscheidende Rolle und griff tief in das Sinngefüge und die Struktur der Werke ein; dennoch ist auch von hier aus das Phänomen „Drama im Dritten Reich" nicht präzise darzustellen, denn erstens sind die Autoren — wie bereits ausgeführt wurde — bei aller Bindung an die Weltanschauung des Dritten Reichs nicht schlechtweg nur Erfüllungsliteraten nationalsozialistischer Vorstellungen, und zweitens stellt diese Weltanschauung selbst kein fest umreißbares Phänomen dar, das es einfach in Bühnenrealität umzusetzen galt, vielmehr ist es für sie charakteristisch (übrigens auch im Selbstbewußtsein ihrer Vertreter), unsystematisch, ja widersprüchlich zu sein.

Diese beiden Aspekte: Gestaltung und Verkündung weltanschaulich bestimmter Ideen und (sich damit verquickend) Bewältigung formaler Gestaltungsprinzipien, die vor allem die Dramentheorie und die Kritik berücksichtigten, sind in gleicher Weise bestimmend für das „neue" Drama des Dritten Reichs gewesen; beide stehen im innigsten Zusammenhang miteinander. So ist z. B. der „Held" ein Terminus der Dramaturgie, seine Bestimmung und Gestaltung ist ein formales Problem, das tief in die Struktur des Stücks eingreift; zugleich ist er Gegenstand der ideologischen Diskussion, so daß eine weltanschauliche Begriffsbestimmung Konsequenzen für die literarische Realisierung haben muß; manche Autoren, Kritiker und Theoretiker waren sogar der Meinung, es herrsche eine besondere Affinität der Weltanschauung des Dritten Reichs und des Nationalsozialismus zum Drama und das Drama könne sich — umgekehrt — gemäß den Prinzipien seiner Struktur nur im neuen Staat so recht entfalten: „Die Voraussetzung zur Erscheinung des großen Dramas ist [. . .] immer der Staat gewesen, d. h. der Staat, der durch sein Hingeordnetsein auf eine höhere Ordnung zur Vertretung einer öffentlichen Sphäre legitimiert war. Da der demo-plutokratische Staat oder der pluralistische Parteienstaat eine solche Legitimation nicht besitzen, so konnte es in ihnen auch keinen echten dramatischen Konflikt und kein großes Drama geben." [41] Ein formales Prinzip der dramatischen Literatur zeigt sich so entschieden mit ideologischen und weltanschaulichen Positionen verbunden.

In der folgenden Darstellung wird weder eine systematische, summierende Vollständigkeit angestrebt, als gelte es, für alle Bau- und Gefüge-

[41] G. Steinbömer, Politische Kulturlehre, S. 51.

formen des Dramas ein Beispiel aus der fraglichen Zeit zu finden und alle möglichen ideologischen Positionen zu dokumentieren, noch wird der Ehrgeiz entwickelt, sämtliche Dramen, die herangezogen wurden, unter den angegebenen Gesichtspunkten zu kategorisieren. Vielmehr wird ausgewählt, was unter dem genannten Blickwinkel relevant erscheint und was — das ist in der Praxis ein bedeutsamer Aspekt — zitierbar ist. Denn um z. B. die tragische Konstellation in E. W. Möllers Drama „Das Opfer" darzulegen, nämlich daß ein Mensch auf Grund seiner positiven Rasseneigenschaften an der Rassengemeinschaft, der er doch alles verdankt, schuldig wird, indem er die im Rassenkampf notwendige rücksichtslose Härte nicht aufbringt, so das Gesetz der Gottheit verletzt und gezwungen ist, im Opfer des eigenen Bluts diese Schuld zu sühnen; um also diese im Sinne der nationalsozialistischen Dramaturgie tragische Konstellation zu dokumentieren, müßte fast das ganze Stück im Zusammenhang zitiert werden, denn schon die Konstruktion der Handlung und ihre Entwicklung ist sehr stark von weltanschaulichen Vorstellungen geprägt.

In diesem Sinn will die Darstellung einen bislang wenig beachteten, aber nicht unwesentlichen Sektor der Literatur des Dritten Reichs, seine Theaterliteratur, in die Diskussion über die Dichtung des Dritten Reichs hereinziehen, markante Zeugnisse vorstellen und Türen zu ihrem Verständnis eröffnen. Sie hofft, in dieser Weise zu einer gegenstandsbezogenen Deutung des Dritten Reichs und zu einem ordnenden Überblick über dieses weitläufige literarische Terrain beizutragen.

II. DIE BÜHNE ALS INSTRUMENT DER PROPAGIERUNG WELTANSCHAULICHER UND POLITISCHER VORSTELLUNGEN

Die Bühnenstücke des Dritten Reichs lassen sich ohne eine genauere Kenntnis der nationalsozialistischen Ideologie und ohne den Hinweis auf Propagandaparolen des Regimes gar nicht verstehen; und der Rückgriff darauf ist auch dort notwendig, wo ausdrücklich „hohe Kunst" geschaffen werden sollte. Ja, oft zeigt sich in den Bühnenwerken die reale Konsequenz einer ideologischen Setzung viel deutlicher als in den weltanschaulichen Schriften, weil dort sichtbar und anschaubar wurde, was hier verwaschen und ohne feste, kontrollierbare Terminologie im Zwielicht einer halbbewußten, auf Emotionen gerichteten Bilder- und Begriffssprache blieb. Die weltanschaulichen Bindungen konnten nach Inhalt und Intensität sehr verschieden sein. Man reproduzierte Gedankengänge der ideologischen und politischen Propaganda; man feierte Verordnungen und Denkschemata der Ideologen und Politiker als Entscheidungen, die mit Ewigkeitswerten zu messen seien; man beurteilte Welt und Menschen mit denselben Maßstäben wie die Weltanschauungspropagandisten; man stellte eine Welt auf die Bühne, die das in künstlerischer Realität herausbildete, was die Ideologie als völkische Wirklichkeit und als Weltgefüge konzipiert hatte. Dieser charakteristische Zug begegnet dem Leser auf jeder Seite, fast in jeder Zeile; deswegen soll zu Beginn der Darstellung ausdrücklich zusammenfassend darauf aufmerksam gemacht werden.

Dem Nationalsozialismus sind die Begriffe Rasse und Volk Grundphänomene allen menschlichen Geschehens, so unpräzise die Vorstellungen davon auch sein mochten und wie problematisch ihre terminologische Abgrenzung auch blieb. Jede Fragestellung wurde schließlich auf diese beiden Werte angeblich letzter Sinngebung menschlichen Individual- und Gemeinschaftslebens reduziert. Das wird z. B. deutlich, wenn Hitler seine Lebensbeschreibung in „Mein Kampf" programmatisch mit den Sätzen eröffnet: „Als glückliche Bestimmung gilt es mir heute, daß das Schicksal mir zum Geburtsort gerade Braunau am Inn zuwies. Liegt doch dieses Städtchen an der Grenze jener zwei deutschen Staaten, deren Wiedervereinigung mindestens uns Jüngeren als eine mit allen Mitteln durchzuführende Lebensaufgabe erscheint! Deutschösterreich muß wieder zurück zum großen deutschen Mutterlande, und zwar nicht aus Gründen irgendwelcher wirtschaftlichen Erwägungen heraus. Nein, nein: Auch wenn diese Vereinigung, wirtschaftlich gedacht, gleichgültig, ja selbst wenn sie schädlich wäre, sie müßte dennoch stattfinden. *Gleiches Blut gehört in ein gemeinsames Reich.*" [1] In fortschreitender Reduktion vom Ich des Schreibers über die politische Konstellation, in die er geboren ist, über ihre völkische Ausdeutung mündet der Gedankengang in einen (durch die Sperrung im Text auch optisch herausgehobenen) ideologischen Grundsatz von unbedingter Gültigkeit. Diese Methode wendet auch K. Eggers in seinem „Spiel aus deutscher Dämmerung": „Schüsse bei Krupp" [2] an, dessen Anfang hier zitiert werden soll:

Chor der Kinder (zieht herauf, singend, jauchzend, blumengeschmückt, Glocken klingen)

Ostern, Ostern, Frühlingssonne!
Gib uns Freude, gib uns Wonne
Jeden jungen Morgen,
Jeden jungen Morgen.
Nimm die Ängste, nimm die Sorgen
Nimm den Hunger, nimm die Pein,
Ängste und Verlassensein nimm von uns fort
Ängste und Verlassensein nimm von uns fort.
Wolken drohten,
Flammen lohten
In der Winternacht.
Doch deiner Strahlen Macht
Wird sie vertreiben,
Die Not, die Not.

(Nach den Kindern ziehen Frauen und Mütter heran)

Eine Mutter

Es ist Ostern nun geworden ...

Eine Frau

Und wieder kommt ein Jahr voller Hoffen und Warten.

Eine 2. Frau

Hoffen und Warten ... Jahr für Jahr geht es so ... aber eine Erfüllung gibt es nicht für uns...

Eine 3. Frau

Für uns gibt's nur immer Darben und Darben ... Erst holen sie uns die Männer für den Krieg, dann nehmen sie uns das Letzte, was wir haben, die Arbeit ...

[1] A. Hitler, Mein Kampf, S. 1.
[2] K. Eggers, Schüsse bei Krupp, S. 4—8.

Eine Mutter

Aber eins haben sie uns lassen müssen ... unsre Kinder ...

Eine Frau

Ach was ... Kinder ... Für wen sollen wir Kinder gebären? Was sollen überhaupt Menschen noch, was sollen junge Menschen! ... Wenn sie der Hunger nicht vorzeitig nimmt, holt sie uns ein Krieg ... Kinder ... es wäre besser für sie und uns, sie blieben ungeboren ...

Die Mutter (drückt ihr ungefähr sechsjähriges Kind an sich)

Still ... schweig doch ... so darfst du nicht vor Kindern sprechen ...

Die Frau (fast schreiend)

Wenn sie's nicht von mir hören, werden sie's von andern in die Ohren geschrien bekommen, vielleicht von ihren Vätern ... vielleicht auch einmal von euch Müttern ... einer wird's ihnen bestimmt immer wieder sagen: der Feind!

Eine Kommunistin

Feind ... warum sagst du Feind? ... Es gibt keinen Feind ... das ist nur ein bürgerlicher Begriff ... der ist nur erfunden worden, damit die Industrie was zu tun hat ... verstehst du? ... Granaten drehen zum Beispiel ... Unsre Mörder stehen im eignen Land, das sind die Herren mit dem Stehkragen, die am Schreibtisch sitzen und rechnen, den ganzen Tag rechnen ... und wir ... wir sind nur die Zahlen ...

Eine junge Frau

Hast du denn immer noch nichts gemerkt? Du redest schon Jahr für Jahr so ... aber bisher ist nur eins klar geworden: daß wir einen Feind haben, der sich nicht kümmert um uns und unsre Kinder, der Arbeiter und Bürger gleichmäßig haßt, weil sie Deutsche sind ... Der Feind am Rhein sieht nur Deutsche hier ... und gegen die kämpft er ...

Die Mutter

Ach, wenn doch endlich einmal Frieden wäre ...

Eine Frau

Ja, Frieden ...

Einige Frauen

Frieden ... Frieden ...

Das Kind

Mutter, was ist das, Frieden?

Eine Frau

Hört doch ... das Kind weiß nicht, was Frieden ist!

Die Mutter (streicht über den Kopf des Kindes und ist sehr ernst)

Frieden ... mein Kind ... vielleicht wirst auch du noch erleben, was er ist, wie er ist ... Frieden, das ist Arbeit haben und sattessen können und keine Ängste haben müssen vor morgen ... Frieden, das ist wieder lachen können und die Sonne sehen und den Himmel ... Frieden, das ist etwa ganz Heiliges, mein Kind ... so heilig wie dein Abendgebet, bevor du deine Augen schließt.

Das Kind
. . . und gar keine Angst haben, Mutter?
Die Mutter
Gar keine Angst.
Die Frauen
Keine Angst!
(Die Frauen haben sich um das Kind gruppiert. Die Glocken beginnen wieder stärker zu läuten. Es entsteht eine kurze Pause. Von weitem hört man angstvolles Rufen. Die Frauen blicken nach Westen, woher das Rufen kommt.)
Ein Arbeiter (blutüberströmt, stürzt herein)
Die Franzosen kommen!
Die Frauen
Die Franzosen?
Die Mutter (aufschreiend)
Franzosen!
Eine Frau
Du blutest ja . . .
Der Arbeiter
Sie haben mich geschlagen, die Hunde . . .
Die Kommunistin
Einen Arbeiter geschlagen?
Der Arbeiter
Ich habe ihnen nichts getan, gar nichts . . . In der Stadt haben sie in die Menge geschlagen . . . und ich stand einer Frau bei, die ein Kolbenhieb getroffen hatte.
Die Kommunistin
Eine Arbeiterfrau?
Der Arbeiter
Ja . . . eine Arbeiterfrau!
(Eine Gruppe Franzosen, unter ihnen einige Schwarze, rücken heran. Einige Frauen beginnen zu weinen. Vor den Franzosen geht ein Spitzel her.)
Der Spitzel
Da ist ja der Mann . . . dort zwischen den Frauen, die sich vor ihn gestellt haben . . .
Der französische Offizier
Hol ihn hierher!
Der Spitzel
Komm her . . . du bist verhaftet . . . wir haben dich wiedererkannt . . .
Der Arbeiter
Schämst du dich nicht . . . du verrätst einen Deutschen an die Franzosen?
Der Spitzel
Komm her, sage ich!
Die Kommunistin (springt vor den Spitzel und spuckt vor ihm aus)
Pfui Teufel . . . du verrätst einen Arbeiter?

Der Offizier
Zurück die Frau dort ... der Mann soll hierherkommen ...
(Der Spitzel stößt die Frau zurück. Der Arbeiter springt vor und schlägt nach dem Spitzel.)
Der Arbeiter
Hund, du ...
Der Offizier
Herkommen sollst du!
Der Arbeiter
Ich hab euch doch nichts getan ...was wollt ihr von mir... wir haben doch Frieden!
Die Frauen
Was wollt ihr von uns ... wir haben doch Frieden!
Der Offizier (höhnisch)
Frieden ...? Ihr seid die einzigen, die vom Frieden reden ...
Eine Frau
Ist denn Krieg?
Der Offizier
Krieg ist auch nicht.
Die Kommunistin
Dann seid ihr Diebe und Mörder ...
Der Offizier (zum Arbeiter)
Los jetzt ... du wirst uns folgen ...
Der Arbeiter
Ich tu's nicht!
Der Offizier
So holt ihn mit Gewalt ...
Die Frauen (schreien auf. Einige, darunter die Kommunistin, stellen sich vor den Arbeiter.)
(Die französischen Soldaten schlagen auf den Arbeiter und die Frauen um ihn ein. Ein Schwarzer tritt der Kommunistin in den Leib, so daß sie schreiend zu Boden sinkt. Die Franzosen schleppen den Arbeiter in westlicher Richtung fort. Die Frauen bemühen sich um die Kommunistin.)
Das Kind
Mutter ... wann ist Frieden?
Die Mutter
Wenn die Franzosen nicht mehr hier sind, mein Kind!

An diesem Beispiel ließen sich einige das Drama des Dritten Reichs bezeichnende Merkmale ablesen; hier sei die Aufmerksamkeit allein auf ein Faktum gelenkt: die Reduzierung einer Situation auf eine nationale Begrifflichkeit. Der Schutz und das Glück des aufkeimenden Lebens (versinnlicht in den religiös verbrämten Klischees: Kinder, Ostern, Osterglocken) sind keine Probleme der wirtschaftlichen Situation oder der gesellschaftlichen Ordnung; der Feind des jungen Lebensglücks, der die Idylle eines spannungslosen, unproblematischen „Friedens" bedroht, ist der völkische (der — wie die Rolle des Negers zeigt — gemäß der nationalsozialistischen Rassengeographie zugleich auch der rassische ist). Das Volk ist ein letzter Wert, vor dem alle anderen minderer Bedeutung sind. Die Anders-Völkischen (in diesem Fall die Franzosen) sehen keine Klassen-, keine Geschlechtsunterschiede, sie sehen nur das eine Volk vor sich, und die negative Figur in dieser Szene ist bezeichnenderweise nicht die Kommunistin, auch nicht eigentlich die Franzosen, sondern der Spitzel, der Volksverräter. Wie in der angeführten Hitlerstelle wird auch hier eine Reduktion zur Parole vorgenommen, wenn die Szene (auf die Frage, wann denn Friede herrschen werde) mit der These endet: „Wenn die Franzosen nicht mehr hier sind, mein Kind!"

Neben den Volksbegriff trat — eng damit verbunden — der Rassebegriff. Rosenberg eröffnet seine Darstellung des „Mythus des 20. Jh.s": Die traditionellen Werte sind zerfallen, so daß eine Rückbesinnung auf den letzten Urgrund menschlichen Seins notwendig geworden ist; und der Autor findet ihn in der Rasse: „Ein neues beziehungsreiches farbiges Bild der Menschen- und Erdengeschichte beginnt sich heute zu enthüllen, wenn wir ehrfürchtig anerkennen, daß die Auseinandersetzung zwischen Blut und Umwelt, zwischen Blut und Blut die letzte uns erreichbare Erscheinung darstellt, *hinter* der zu suchen und zu forschen uns nicht mehr vergönnt ist." [3] Diese in dunklem Tiefsinn schwelgenden und sich in vagen Andeutungen erschöpfenden Darlegungen galt es nun sichtbar vorzustellen, in Gestalt und Handlung zu bringen. Der Rassenkampf nimmt dann allerdings sehr viel krassere Züge an, als Rosenberg sie sich selbst eingestehen mochte. Zur Veranschaulichung sei hier als Beispiel aus Fr. Bethges 1941 (!) erschienener Tragödie „Anke v. Skoepen" eine Stelle angeführt [4]. Der Ordenshochmeister Michael Küchmeister ist so sehr in die Bande der Diplomatie verstrickt, daß er ein feiger Zauderer geworden ist und den Ordensrittern um der Verträge willen verboten hat, gegen die sich um keine Abmachungen kümmernden, räuberischen Polen vorzugehen. Bei Skoepen hat sich das Heer, durch das Beispiel eines jungen Mädchens hingerissen, dennoch gegen die Polen gewandt. Der Polenfreund Heinrich von Vogelsang, Bischof von Ermland, verlangt nun die Verbrennung dieses

[3] A. Rosenberg, Der Mythus des 20. Jh.s., S. 23.
[4] Fr. Bethge, Anke von Skoepen, S. 19 f.

Mädchens, Anke von Skoepen, als Ketzerin; der Söldnerführer Crossin stellt sich auf ihre Seite. Im Verlauf des hitzigen Gespräches kommt es zu dem zitierten Bericht der Amme Barbara, der sich auf Vorgänge bezieht, die zehn Jahre zurückliegen, als der heldenhafte Heinrich von Plauen noch Hochmeister war.

Ermland

[...] oh, es ist sonnenklar, hier ist nicht bloßer Ungehorsam am Werk, der Ketzerei Auflehnung, die schlimmer als der Türke an des Reiches Pforten hämmert, geht um, und der Himmel harrt unserer Zeichen, Hochmeister, — — flammender Zeichen!

Crossin

Bei Skoepen flammten Zeichen — andrer Art!

Barbara

Von wann ihr die Berufung kam, ich will's euch sagen, ihr schönen hohen Herren!

Ermland

Was will uns die sybillische Hexe?

Küchmeister

Nie sahn Wir Garstigeres!

Barbara

Oh, ich war schön, lieber Herr, und hatte die meisten Bewerber im Dorf! — da brach uns reißendes Getier in Gilgenburgs Hürden ein. Es war ein Sommertag — an einem dreizehnten — wenige Tage vor Tannenberg, des Name in eurem Munde schaudernd weiterklingt. Uns sagt er nur, daß gewaltige Heere, deren Waffen in der Sonne erglänzten, miteinander fochten! Die Wälder tönten wider, die Seen aufwühlten ihr Innerstes, Verborgenes, bis die Sonne sank und die Schiefäugigen die Oberhand gewannen! Das war zu jener sehr unheiligen Stunde, als fünf — — heilige Männer — wie jener dort zu Eurer Gnaden Seite, das Sonnenbanner verlassend zu den Nächtigen übergingen. Da ging die Sonne unter und das Sonnenheer — —

Crossin (grimmig)

— — und Mißernten, Seuchen, Mensch- und groß Viehsterben und des Kriegs Brandfackel heimsucht seither dies gottverstoßene Land.

Barbara

— vor Tannenberg jedoch, ihr hohen Herren, war — — Gilgenburg. Da kämpfte kein Sonnenheer, — — da kam an einem schwülen Sommertag der Schwarm über Wehrlose. Rasch fiel das Tor, wie Affen erklommen die Kalmücken die Mauern. Was männlichen Geschlechts in Gilgenburg, ob Kind, ob neunzigjährig, mähte das krumme Schwert, — wie wir — Gras mähen! — Der Vater dieses Mädchens, hohe Herren, der gewaltige Landsedle Albrecht von Skoepen, stand mit fünf tapfren Söhnen beim Sonnenheer, und drei Tage später deckten ihre toten Leichname das Banner des Hochmeisters, das so gerettet war, und das Ihr heute führt, Herr — nach dem Retter des Lands — Plauen. — Die Mutter dieses Kinds, zwei Schwestern ihr, wie Lilien zart und keusch, — waren in Gilgenburg geblieben — ich, die Magd bei ihnen! Als nun der Schreckensruf erscholl: die Wölfe, die tatarischen, sind in die Hürden Gilgenburgs gebrochen, die wehrlose Menschenherde anfallend, floh alles Weibliche aufkreischend in die trutzige Pfarrkirche, die noch jede Feuersbrunst überdauert, deren eichenes Tor, von Manneshand, geharnischter, verteidigt, noch jedem Ansturm standgehalten. Nun aber fehlten uns die Mannesfäuste, die schirmenden, o Herr! — und als die Sonne dieses wüsten Tages Scheitel überschritten, fiel dieses eichene Tor vor Axthieben! — Ein schriller, dünner Schrei schwoll empor — den Chor hinauf, höher, den Turm hinauf — höher, ach, höher Herr, nach *ganz* — — droben! — um einen gnädigen Blitz, alles versengend! Es kam kein Blitzstrahl, Herr, — alles auslöschend in seiner reinigenden Glut, es kam das mächtige Grauen am grellsten Tage, Herr! — die Decken der Altäre wurden zum Brautbett, Herr, für viele hundert Frauen, Jungfrauen, Kinder — zehnjährige, Herr! — über die Wölfe aus der weiten Steppe als hurtige Freier kamen! — Das war ein Hochzeiten, schöne Herren! — der Wein rann breit in roten Strömen aus heilgen Kelchen über die Gepaarten, — Gefolterten. Wie flammte doch — ein strahlend Weizenfeld — das blonde Weiß vor den nächtigen Schwarzen! — bis die Sonne, die grelle, kupplerische sank. Tausend Tataren und Walachen, auch Litauer, Samaiten und Kalmücken — vieltausend! — und vielhundert Frauen und Mägde Gilgenburgs! — bis die Sonne sank, Herr! — Mich rissen sie an Haaren, weil ich mich zu sehr wehrte — mit Biß und scharfen Nägeln — auch schnitten sie die linke Brust mir ab — und damit wohl das Herz heraus — mit krummen Messern! — Die Mutter und die Schwestern dieses Mädchens und noch viel schöne Weiber, zarte Kinder, nahmen sie mit sich zum Troß — als Spielzeug für des Feldzugs Muße. Die andern, beneidenswerten, weil weniger begehrenswert, verstümmelten die Hündischen abscheulich, die Kirche über ihrem Jammer, ein stein- und hölzern Grab mit Pech und Scheiten ansteckend. — Am Morgen drauf — vom Fieber aufgerüttelt, aus blutger Ohnmacht — fand ich die Kleine — rosig und im Schlafe lächelnd — unversehrt in halbverkohlter Kirche — in einem Winkel — wohlverborgen durch zerfetzte Leiber. Das ist, ihr Herren, die „Berufung", die diesem Kinde ward! — die lustge Polenhochzeit von Gilgenburg war's, lieber Herr, — —

Crossin (grimmig)

— im Jahre 1410 des Heils —

Barbara

Und nun, ihr schönen Herren, als vor drei Tagen ein Ruf erscholl — gleich jenem von Gilgenburg —: „Bestien, tatarische, brechen in unsre Hürde ein!" — und als die Männer, selbst die Ritter, das Schwert nicht zogen, nur die Fäuste zum Himmel ballten — oder auch hier gegen Norden zur Marienburg, ich weiß nicht, weil ein Verbot auf ihnen lastete, das uns bewies, wir seien die Angreifer, jene die Angegriffenen — da stand mit eins das Mädchen unter den Zögernden, die Sense, die mächtige, in zarten Händen, die sie kaum meisterten. Die Männer beklommen wichen ihr zurück: „Was willst du doch, du Zarte, uns?" – „Zur Wolfsjagd!" – sagte sie mit hohem Stimmchen – –

Anke

Du nimmst den Schmiedehammer, ihr die Sensen, ihr Dreschflegel! – die Frauen Sicheln wie die krummen Säbel! – die Ritter mit den Schwertern laßt nur! – die wissen nicht, wozu sie Wehren an der Seite tragen!

Barbara

Da flogen mit eins die Wehren heraus, wie flammten da die Sensen in der Sonne – so grell! – da mußten denn an die dreihundert Wölfe viel Wasser zu sich nehmen in der Weichsel Strudeln, daß die Bäuche ihnen schwollen – – (schreiend) für Gilgenburg, ihr hohen Herren!! – und das ist die Berufung, nach der dort jener andre – Schwarze fragt, der noch in keinem Treffen uns voranschritt, das Kreuz, das er uns predigt, schirmend vor uns haltend, wie es die Priester unsrer Väter taten.

Die politischen Auseinandersetzungen im preußischen Osten werden hier zum Rassenkampf verkürzt. (Hinter der historischen Kaschierung ist übrigens der deutliche Bezug auf 1918–20 und die geifernde Rechtfertigung für 1938–41 zu entdecken!) Nicht politische Gegensätze bestimmen die Handlung, sondern rassische. Die rassische Konstellation wird sogleich religiös sanktioniert. Die Ordensritter sind die Edlen, die Heldischen, die Hellen – in Anspielung auf die Ordenspatronin Maria; die Polen, hier als Sammelsurium asiatischer Völkermassen geschildert, sind die Dunklen, Teuflischen, ein Auswurf der Hölle. Sie sind das Böse schlechthin, das zu bekämpfen heilige Tat, Berufung ist – die Anspielung auf Jeanne d'Arc erfolgt nicht von ungefähr. Was bei Rosenberg in der allgemeinen Formulierung der Rivalität der Rassen dunkel bleibt und sich deswegen edel drapieren kann, wird hier – unter dem Zwang bildhafter Eindeutigkeit und dramatischer Verknappung – offenbar, und das Theater bekommt die politische Funktion, den Rassenhaß zu propagieren. Bezeichnend für den Geschichtspessimismus, der die Theoretiker des Dritten Reichs fast durchweg auszeichnet, ist hier – wie auch in anderen Theaterstücken – die dramatische Konstellation: Die Vertreter der „Höchstrasse" sind durchweg in der Verteidigung, die minderwertigen Rassen zeichnen sich durch ungehemmte Vernichtungswut und geile Vitalität aus. So wird die Höchstrasse nicht nur zum Wahrer ihrer eigenen Werte, sondern zugleich zum Hüter des ewigen göttlichen Rechts. Es wird die Grundkonstellation des Märtyrerdramas reproduziert; allerdings wölbt sich der Himmel göttlicher Gnade nicht mehr über der Szene, denn Tod im Heilszusammenhang und damit Erlösung kann es in dieser (trotz aller Berufung auf göttliches Recht und göttliche Ordnung im Sinne des Biologismus ganz diesseitigen) Welt nicht geben, was — wie zu zeigen sein wird — für die Schlußkonstruktion und die Wirkungsabsicht des Dramas sehr entscheidend ist.

In Bethges Tragödie erscheint ein Glaubenssatz der Weltanschauung des Dritten Reichs in historische Ferne gerückt: Die ideologische These — hier jene vom ostisch-asiatischen Untermenschen — bekommt die Weihe der Geschichte: es war schon immer so, es ist ein ehernes Grundgesetz politischer Konstellation: der Pole ist ein Untermensch, er ist der Abschaum der Hölle, das Schlechte an sich; da seine Art in der naturgegebenen Weltordnung liegt, kann er das gemäß dieser Doktrin auch gar nicht ändern. Alles Geschehen wird damit zwangsläufig; dem Urteilenden bleibt keine Entscheidungsfreiheit; das Geschehen ist nicht änderbar, es bleibt nur die Wahl, das Faktische erkennend anzuerkennen oder, es leugnend, den Sinn des Lebens zu verfehlen.

Die Dramatiker kleideten ihr Engagement nicht immer in ein historisches Gewand, obgleich diese Drapierung sehr beliebt war: 1932 fielen auf ein historisches Theaterwerk noch zwei Gegenwartsstücke, 1940 glich sich das Verhältnis nahezu aus [5]. Die Thesen des Nationalsozialismus wurden auch unmittelbar auf die Bühne gebracht und Maßnahmen der Regierung ohne gestalterische Verfremdung diskutiert. So rechtfertigt H. Unger in seinem Schauspiel „Opferstunde" [6] die nationalsozialistische „Rassengesetzgebung". Das Problem für eine wirksame Propagierung politischer Thesen und Maßnahmen besteht nur darin, den Zuschauer auch aufnahmebereit dafür zu machen. Unger versucht das zu erreichen, indem er die Darlegungen in ein Gespräch kleidet, das an einer für den Handlungsverlauf entscheidenden Stelle steht: Die Schwestern Gerda, die auf Besuch aus Amerika zurückgekommen ist, und Hilde haben erfahren, daß ihre Mutter erbkrank sei. Hilde will Fritz heiraten, der Mediziner ist, und sieht den Sinn der Ehe ausschließlich in der Mutterschaft. Nun soll Fritz als Fachmann über die Bedeutung von Erbkrankheiten in der Ehe entscheiden. Dabei wird ihm, der noch ahnungslos ist, der Fall ganz allgemein, ohne Bezug auf die persönliche Konstellation, vorgelegt. Es sei hier der entscheidende Ausschnitt aus dem Gespräch angeführt:

[5] Vergl. die Jahresüberblicke über die deutsche Dramenproduktion von W. Frels in der Zeitschrift: Die Neue Literatur, Jg. 34, 1933, bis Jg. 42, 1941.

[6] H. Unger, Opferstunde, S. 42—46.

Gerda

Bei euch in Deutschland heißt es jetzt allerdings: Letzter Zweck jeder Ehe ist die Familie. Die Aufzucht von körperlich und geistig wertvollen Nachkommen.

Fritz

Richtig.

Gerda

Danach dürfte man bei euch eine kinderlose Ehe überhaupt nicht mehr dulden!

Fritz

Das ist zuviel gesagt, Schwägerin. Aber müssen wir uns denn über solch ein schwieriges Thema unterhalten?

Hilde

Warum nicht?

Fritz

Na schön. Sicher ist es schwer, vorauszusehen, wie sich Ehen einzeln gestalten. Ein Staat, der aufbaut und — sagen wir, in die Zukunft hineinbaut —, wird bevölkerungspolitische Faktoren unbedingt in den Vordergrund stellen müssen. Deshalb kann er niemand unterstützen, bei dem selbstverständliche Voraussetzungen nicht zutreffen.

Gerda

Sehr interessant. Aber ist es durchaus notwendig, so tief in das Schicksal einzelner Menschen einzugreifen?

Fritz

Ja. Auf keinen Fall kann der Staat Ehen, die seinen Erwartungen nicht entsprechen können, auch noch fördern.

Hilde (sehr ruhig)

Dann wäre es doch die Frage, ob Menschen, die nach unserer Erkenntnis zur Familiengründung untauglich sind, überhaupt heiraten sollen!

Fritz

Man kann sie nicht hindern.

Gerda (triumphierend)

Siehst du, Hilde!

Fritz

Doch dem ganzen Volke dienen sie damit nicht.

Gerda

Schließlich sind wir nicht nur zum Dienen auf der Welt.

Fritz (ernst)

Doch. Das sind wir. Jeder von uns.

Gerda

Im Ernst?

Fritz

Im vollen Ernst.

Gerda

In dem neuen Gesetz ... dem Gesetz ... wie heißt es doch gleich?

Fritz

Dem Gesetz zur Verhütung erbkranken Nachwuchses. Meinst du das?

Hilde

Darin sind einige bestimmte Erbkrankheiten aufgezählt, die untauglich zur Ehe machen.

Fritz

Ja. Dies Gesetz wird eins der segensreichsten werden, die jemals erlassen worden sind ... Kinder ... Sowas interessiert euch doch nicht!

Hilde

Doch. Mich interessiert vor allem eins. Wenn bei einem künftigen Ehepartner die Gefahr besteht, daß er erbkrank ist, ist dann mit Sicherheit damit zu rechnen, daß sich Schädigungen auf seine Kinder auswirken?

Fritz

Mit Sicherheit? Nein.

Hilde

Ist er selbst vor dem Erbleiden bewahrt?

Fritz

Auch nicht. Doch die Möglichkeit besteht.

Hilde

Wer ist sicherer, die Mutter oder die Kinder?

Fritz

Die Kinder mehr als die Mutter, wenn die Mutter einen erbgesunden Mann heiratet.

Hilde

Und wie ist es, wenn auch in der Familie des Mannes sowas wie ein altes Erbleiden besteht?

Fritz

Solche Partner dürfen nicht heiraten. Es kann nicht gut ausgehen.

Hilde

Frau und Mann sollten also in diesem Fall auf eine Ehe verzichten?

Fritz

Unbedingt ... Doch du mußt mich recht verstehen ... Niemand will den Erbkranken einen Vorwurf daraus machen, daß sie mit dem Fluch eines unglückseligen Schicksals behaftet sind. Niemand. Sie sind ja völlig schuldlos ... Und jeder Erbgesunde, der vollwertig seinem Vaterlande dienen darf, sollte doppelt glücklich sein, daß ihm das Traurige erspart bleibt. Nichts ist schöner, als gesund zu sein und dem Gemeinwohl nützen zu können. Mit der neuen Form des Staates ist auch der Mensch neu geworden und mit dem Menschen zugleich das Bild der Welt und ihrer Geschichte. Neu – ich möchte sagen, nicht nur sein Wille in die Zukunft hinein, sondern auch der Blick, mit dem er Vergangenes betrachtet. So müssen auch seine Urteile und die Werte neu werden, nach denen er handelt. Der neue Wert, der jetzt endlich siegreich zum Durchbruch kommt, ist das Blut im Sinne der Gesamtheit aller erblichen Anlagen des Leibes und der Seele, die zusammen den Menschen ausmachen. So muß jedem von uns das Bild deutscher Geschichte neu werden und wir begreifen sie plötzlich als einen zweitausendjährigen, stillen, aber erbitterten Kampf zwischen den Kräften einer fremden Art und der Kraft des eigenen Blutes, das dagegen zäh an seiner Eigenart festhielt. Lagarde hat einmal das bittere Wort geprägt: Wir Deutschen haben noch nie eine Geschichte gehabt, es sei denn, man wolle den fortgesetzten Verlust deutschen Wesens deutsche Geschichte nennen. Das ist die große Tragik unseres Volkes.

Gerda

Was hat das mit den Erbkranken, wie du sie nennst, zu tun?

Fritz

Ich sagte, daß sie schuldlos an ihrem Schicksal sind. Mögen sie gut versorgt ihr Dasein zu Ende leben! Mehr als ein Dasein ist es ja nicht. Zuerst jedoch hat den Staat das Schicksal seiner Erbgesunden zu bekümmern, das auch sein Schicksal ist. Kein Volk, auch das allerreichste nicht, kann es sich leisten, unbeschränkt und ohne Ende Millionen nach Millionen an Erbkranke und Geisteskrüppel zu verschwenden, Millionen, die nur unter Opfern von der Volksgemeinschaft aufgebracht werden. Deshalb muß er vorbeugen und durch weise Gesetzgebung verhindern, daß gerade seine Erbkranken sich stärker vermehren als seine Erbgesunden ... Nein, daß seine Erbkranken überhaupt Kinder in die Welt setzen!

Gerda

Ein sehr kühnes Projekt!

Fritz

Ja.

Gerda

Wenn nun aber ein Ehepartner von der Krankheit des anderen nichts weiß?

Fritz

Meine Ansicht ist, daß es die Pflicht eines gewissenhaften Arztes wäre, wenn er überzeugt ist, daß ein einwandfrei erbkranker Ehepartner nicht freiwillig die nötigen Folgerungen zieht, den in Mitleidenschaft gezogenen anderen aufzuklären.

Gerda

Und wo bleibt die ärztliche Schweigepflicht?

Fritz

Die ärztliche Redepflicht muß kommen! Wenigstens in solchen schicksalentscheidenden Fällen! Hier geht es um höhere Interessen. Das Gesundheitsgewissen der Bevölkerung aufzurütteln und sie zu verantwortungsbewußten Menschen zu erziehen, wer könnte das besser als der Arzt!

Gerda

Und wenn der Arzt sich irrt?

Fritz (ernst)

Der Arzt kann sich irren. Ja. Zugegeben. Wie jeder sich irren kann. Um so mehr, wenn er mit der Geschichte einer Familie nicht vertraut ist. Deshalb brauchen wir den alten Hausarzt wieder, nicht den würdigen Hausarzt mit Vollbart und der geistigen Einstellung von gestern, sondern den Arzt, der sich auch seelisch mit dem Schicksal einer Familie verbunden fühlt. Der eingegliedert ist in das Gefühl der großen Gemeinschaft, der er dient. Wenn einmal in dreißig, vierzig Jahren auch die letzten Heime für Schwachsinnige und für Idioten geschlossen werden müssen, weil sie restlos entvölkert sind, weil es in unserem Vaterland geisteskranken Nachwuchs nicht mehr gibt, dann wird uns und der Welt der ganze Segen des Sterilisierungsgesetzes offenbar werden.

Die Propagandathese, und um eine solche handelt es sich, denn es wird nicht im wissenschaftlichen Zusammenhang über Erbkrankheiten geredet, sondern von den Ansichten des nationalsozialistischen Staates darüber, die Propagandathese also wird im Gewand der Objektivität vorgetragen: Fritz redet als Fachmann, als Mediziner; er redet als Unbeteiligter, denn er weiß ja noch nicht, daß er über seine eigene (geplante) Ehe spricht. Der Zuschauer hat persönlich teil; er sieht den individuellen Fall im Zusammenhang seiner „wissenschaftlichen" Tragweite; und bei aller Sympathie für die Betroffenen fällt die Entscheidung in diesem Konflikt nicht schwer; und der Propagandist kann nur hoffen, daß die einmal persönlich getroffene Entscheidung sich ablöst und automatisiert, zumal das Stück selbst eine ähnliche Lösung anbietet. (Die Möglichkeit der kinderlosen Ehe wird von vornherein desavouiert, weil die von Elternhaus und Volk entfremdete Gerda und ihr vollständig amerikanisierter Mann sie vertreten.)

Daß das Leben Kampf sei, war ein anderer Grundsatz nationalsozialistischer Ideologie, den sie aus Lebensphilosophie und Darwinismus übernommen hatte: „Ein stärkeres Geschlecht wird die Schwachen verjagen, da der Drang zum Leben in seiner letzten Form alle lächerlichen Fesseln einer sogenannten Humanität der einzelnen immer wieder zerbrechen wird, um an seine Stelle die Humanität der Natur treten zu lassen, die die Schwäche vernichtet, um der Stärke den Platz zu schenken." [7] Was Wunder also, wenn die Kampfideologie auch von der Bühne verkündet wurde! Auf diesem Hintergrund reflektieren in H. Johsts Schauspiel „Schlageter" [8] die beiden ehemaligen Weltkriegsoffiziere und Freikorpsleute Friedrich Thiemann und Leo Schlageter, die sich nach dem Kriege als Studenten der Wirtschaftswissenschaften in die Gesellschaft einzuordnen versuchen, über ihre derzeitige Lage und gewinnen dieser allgemeine Perspektiven ab, die sich zu Sentenzen verdichten, wie der im Dritten Reich gern zitierten: „Wenn ich Kultur höre ... entsichere ich meinen Browning", deren Prägung Johst selbst so gut fand, daß er sich durch den Mund Leo Schlageters

[7] A. Hitler, Mein Kampf, S. 145.
[8] H. Johst, Schlageter, S. 22—27.

loben mußte: „Das ist ein Satz!“ Der Kampf, gleich in welcher Weise, vor allem aber auch gleichgültig um welche Ziele, die reine Dynamik werden als die Grundsituation allen Lebens gesetzt:

Friedrich Thiemann

Hummel ... Hummel ... Hummel ... dicke Luft ... Das ist doch alles Leitartikel. Recht oder Unrecht ... möglich oder unmöglich, das ist mir doch alles scheißegal! Ich bin Soldat und ich bleibe Soldat, und wenn die Brüder mir meine alte, ehrliche Uniform klauen, dann bin ich schlankweg ein nackigter Soldat!

Ich kieke mit meinem Feldstecher in die Gegend, und was sehe ich da ...? Einen mageren, kleinen Waffenstillstand! Und fünf Minuten vor dreizehn platzt dieser Frieden, der die pure Angst vor Entscheidungen ist, wie eine Bombe. Ich steige in die graue Hose, verkrümele mich unter meine Epauletten, spucke in die Hände und singe den Choral von den drei Lilien auf dem Felde ...

Und gucke da, mein winzig kleiner Leo, das Ochsen — das sehe ich nicht ein! Wozu erlernen wir ergraute Krieger Buchführung?

Leo Schlageter

Halt dich am Stuhle fest! Nimm Deckung! Es kommt eine Phrase: Fürs Vaterland!

Friedrich Thiemann

Seit 1914 geschieht alles fürs Vaterland. Ob du eine Zigarette kaufst oder eine Buddel Kognak, respektive Weinbrand, alles ist Staatsaktion und bezieht sich auf das Werbeplakat: Staatsraison! Und Staatswirtschaft!! Und die Wirtschaft hat eine Kurbel ... und die Kurbel bedeutet Weltwirtschaft, und die Weltwirtschaft hat Krise in Permanenz, und dagegen ist kein Kraut gewachsen, sondern Notverordnungen ...

Leo Schlageter

Und Kontentheorien, mein Junge! Es gibt keine Soldaten mehr, sondern nur noch Arbeitgeber und Arbeitnehmer.

Friedrich Thiemann

... und Nehmen ist seliger denn Geben, denn ein Reicher kommt nur als Kamel in das Himmelreich!

Leo Schlageter

Ganz richtig! Und während Deutschland über diese kirchlichen und nationalökonomischen, sozialistischen und sittlichen Probleme einig wird — vergeht die Zeit, und dein kleiner Waffenstillstand kommt in die Jahre!

Bis zu meinem fünfzigsten Geburtstage möchte ich aber nicht von meinen Kriegserinnerungen zehren.

Friedrich Thiemann (höhnisch)

Nein! Inzwischen muß man als Privatmann, als akademischer Pfahlbürger sein Unterkommen suchen! Muß man ein Examen machen und noch ein Examen, muß man Zeugnisse sammeln, damit man als Arbeitsloser richtiggehend gebucht werden kann!!

Verrat! Leo, Verrat!! Auf Amt und Würde pfeifen! Auf die Straße gehen und trommeln ... trommeln ... trommeln ...!

Leo Schlageter

Ich war Scharfschütze.

Friedrich Thiemann

Wir werden uns streiten! Die Frage ist: Willst du Rententheorien lernen oder trommeln?

Leo Schlageter

Ich bin unmusikalisch. Ich lerne Kontentheorien. Bloß Trommeln ...? Bloß Krach schlagen ...? Mein Bedarf an Trommelfeuer ist gedeckt! Ich bin kein Prophet und kein Staatsmann. Ich war ein kleiner Kriegsleutnant, und jetzt bin ich wieder Leo Schlageter, ein friedlicher Bauernjunge aus dem Schwarzwald.

Friedrich Thiemann

Und wenn in zwanzig Jahren ...?

Leo Schlageter

Keine falschen Töne, Herr Tambourmajor! 1914 gab es Fünfzigjährige in rauhen Mengen, die ihre Reservekluft vom Nagel nahmen und ihren glatzköpfigen Mann genau so jung und so enthusiastisch stellten, wie wir Rotzjungen von der vielzitierten Schulbank ... sogar eine Menge Leute darunter, die die Kontentheorien aus dem Effeff verstanden.

Friedrich Thiemann

Das Ganze nenne ich miese Subordination!

Leo Schlageter

Das Ganze heißt für mich Leo Schlageter!

Friedrich Thiemann

Ein feiner Name! Auf die Weise schreibt sich ein Droschkengaul in die Weltgeschichte, aber kein deutscher Offizier!

Leo Schlageter

Achill hat sogar Weiberkleider getragen, das ist bestimmt schlimmer als Zivil ... und er wurde doch — Achill!

Friedrich Thiemann

Schade ... Du bist unter die Poeten gegangen ... Wenn Soldaten anfangen zu denken ...

Leo Schlageter

... dann wachsen Generalstäbler!

Friedrich Thiemann

Hat sich was! Da gibt es ästhetisches Geschmuse ... da gibt es Teetassen und russische Gespräche!

Leo Schlageter

Russische Gespräche! ... Dein Beispiel spricht trotz allem für mich. Ich wäre zufrieden, wenn aus Rede und Antwort, aus Sätzen und Gegensätzen eine Staatsform, eine politische Wirklichkeit entstünde wie in deinem Rußland!

Friedrich Thiemann

Der Deutsche ist kein Russe!

Leo Schlageter

Nein, er ist kein Franzose und kein Jude und kein Engländer und kein ... und kein ... Ja, zum Teufel, was ist er denn dann ...? Er ist bestimmt auch nicht nur Soldat!

Friedrich Thiemann

Das ist die Frage! Vielleicht ist der tiefste Sinn des Deutschen sein Kampf. Imperialismus, Katholizismus ... alles erfuhr auf deutschem Boden seine Entscheidung! Und jetzt stehen alle Fragen auf einmal zur Diskussion: Marxismus, Liberalismus, Faschismus, Bolschewismus, Parlamentarismus ... Wenn du ein Kerl bist, mußt du Konsequenzen ziehen! Farbe bekennen! Gerade stehen! Kämpfen!! Soldat sein!!!

Leo Schlageter

Oller Fritze! (lachend) Dich lockt kein Paradies aus deinem Stacheldrahtverhau!

Friedrich Thiemann

Ne, bestimmt nicht! Stacheldraht ist Stacheldraht. Da weiß ich, woran ich bin ... Keine Rose ohne Dornen! ... Und zu allerletzt laß ich Ideen mir auf den Leib rücken! Den Kram kenne ich von 18 ... Brüderlichkeit, Gleichheit ... Freiheit ... Schönheit und Würde! Mit Speck fängt man Mäuse. Auf einmal, mitten im Parlieren: Hände hoch! Du bist entwaffnet ... Du bist republikanisches Stimmvieh! — Nein, zehn Schritt vom Leibe mit dem ganzen Weltanschauungssalat ... Hier wird scharf geschossen! Wenn ich Kultur höre ... entsichere ich meinen Browning!

Leo Schlageter

Das ist ein Satz!

Friedrich Thiemann

Und treffsicher! Worauf du dich verlassen kannst.

Leo Schlageter

Du bist zum Schießen!

Friedrich Thiemann

Zu nichts anderem!

Leo Schlageter

Aber die Welt ist doch schließlich keine Schießbude!

Friedrich Thiemann

Genau dafür halte ich sie! Oder kannst du im Ernst irgend etwas nennen, was ohne Blut und ohne klare Fronten hier auf dieser Erde geworden wäre? Überall — ich gebe dir sogar die Theologie vor — müssen ein paar Patrouillen in die Luft gesprengt werden, ehe etwas zustande kommt. Bei jedem Heilmittel noch, in den friedlichsten Laboratorien, müssen erst ein paar dran glauben, ehe es Markenware wird! Nein, mein Liebling, wenn du einen Gedanken richtig zu Ende denkst: es kommt Scharfschießen dabei heraus!

Der Deutsche, der die Werte der nordischen Rasse bewahrt, ist der soldatische Mensch, diesen Grundsatz deutscher Selbstbestimmung wiederholte man sich sehr oft, und so sah man denn viel Heldisches auf den Brettern. Soldatsein hieß Gut-Sein, Edel-Sein, Eigentlich-Sein, während der in der Zivilisation vergesellschaftete Mensch eine schlechtere Spezies war, der als der eigentliche Gegenspieler der Soldaten auftrat und die negativen Werte der Zivilisationsgesellschaft repräsentierte, und zwar unabhängig von aller Nationalität: Soldatsein bedeutet schlechthin Gut-Sein. Solche Gedankengänge gipfeln in der Beurteilung der Revolution von 1918, in der dem heldenhaft kämpfenden Heer eine verjudete, kapitalistische Verbrecherclique das Messer in den Rücken gestoßen und Elend und Verderben über das Volk gebracht habe, dessen militärischer und moralischer Schutzschild die deutschen Truppen gewesen seien. Das folgende Zitat aus R. Euringers „Hörwerk" „Deutsche Passion 1933" [9] liest sich wie eine dramatische Verarbeitung jener berühmten Stelle aus „Mein Kampf", in der Hitler beschreibt, wie er die Revolution erlebt und welche Deutung er ihr gegeben habe: „Es war also alles umsonst gewesen. Umsonst all die Opfer und Entbehrungen, umsonst der Hunger und Durst von manchmal endlosen Monaten, vergeblich die Stunden, in denen wir, von Todesangst umkrallt, dennoch unsere Pflicht taten, und vergeblich der Tod von zwei Millionen, die dabei starben. Mußten sich nicht die Gräber all der Hunderttausende öffnen, die im Glauben an das Vaterland einst hinausgezogen waren, um niemals wiederzukehren? Mußten sie sich nicht öffnen und die stummen, schlamm- und blutbedeckten Helden als Rachegeister in die Heimat senden, die sie um das höchste Opfer, das auf dieser Welt der Mann seinem Volke zu bringen vermag, so hohnvoll betrogen hatte? [. . .] Geschah dies alles dafür, daß nun ein Haufen elender Verbrecher die Hand an das Vaterland zu legen vermochte? Hatte also dafür der deutsche Soldat in Sonnenbrand und Schneesturm hungernd, dürstend und frierend, müde von schlaflosen Nächten und endlosen Märschen ausgeharrt? Hatte er dafür in der Hölle des Trommelfeuers und im Fieber des Gaskampfes gelegen, ohne zu weichen, immer eingedenk der einzigen Pflicht, das Vaterland vor der Not des Feindes zu bewahren? [. . .] Wie aber war diese Tat der Zukunft zur Rechtfertigung zu unterbreiten? Elende und verkommene Verbrecher!" [10]:

Der namenlose Soldat
Du! Hohl von Hunger und Haß, Prophet!
Wer bist du?

[9] R. Euringer, Deutsche Passion 1933, S. 20—25.
[10] A. Hitler, Mein Kampf, S. 223 f.

Prolet

Der Auswurf bin ich. Der Prolet,
Ein Fraß für Trust und Kapital,
Verschachert international,
Irrelichternd vor Neid und Not,
Mit Phrasen gefüttert statt mit Brot,
Von Raffern und Schiebern ausgesogen,
Von den eigenen Bonzen betrogen,
Aufgepeitscht für ein Paradies,
Für das ich Werk und Weib verstieß,
Gegängelt zum Verbrechen,
Gestachelt durch Versprechen,
Gesetzt, zu ruinieren,
Gehetzt, zu sabotieren,
Gedungen zu Totschlag, Mord und Brand,
Ein Mensch ohne Gott und Vaterland,
Getreten, getriezt, versklavt, beraubt.
(Heulender Ausbruch)
Laßt mich! Ich hab euch *einmal* geglaubt!

Vettel

Flennsuse! Tranbalg!
Schaut *mich* an!
Mir fangen die Zähne zu wackeln an.
Der Grind verlaust den alten Kopf.
Die graue Strähne ist mein Zopf.
Aus Müll und Spülicht wie ein Hund
Kratz ich mein Mahl, und bin gesund.
Gib mir ein Küßchen, Muttersohn!
Ich bin die soziale Revolution!

Der namenlose Soldat

Entsetzlich.

Die Mutter

So sieht Deutschland aus.
Ein Trümmerfeld. Ein Irrenhaus.

Der namenlose Soldat

Verzweifelte Menschen, in eurer Menschenwürde verletzt,
Wer hat euch so gräßlich aufgehetzt?
. . . .
Da knurren sie . . ., und hassen.
(aufquellend) Mich erbarmt der Massen,
Sie trug einen Sack statt eines Kleids,
Mutter, mich erbarmt des Leids!
Du, humpelnder Krüppel, Kamerad,
Sag mir — du warst doch auch Soldat —
Wie rett ich sie aus ihrem Wahn?

Wo ist der Teufel, der dies getan?
Wer quält sie, sich zu quälen?

Kriegskrüppel (anfangs abweisend, wortkarg)
Was soll man viel erzählen!?
Man lag da an der Somme und so,
Vor Ypern, Verdun, ich weiß nicht wo,
Da haben sie's angezettelt,
Phantasten und Literaten,
Verbrecher und Demokraten,
Juden und Pazifisten,
Marxisten und Himbeerchristen.
Die einen haben's nicht besser gewußt,
Den andern war es eine Lust,
Den dritten dauerte es zu lang;
Sie kämen noch dran, waren sie bang.
Sie haßten die Herrschaft, das Militär,
Sie wollten keine Wehrpflicht mehr,
Dafür dem Schieber freie Bahn.
So haben sie sich zusammengetan.
Sie nisteten sich in Milch und Mehl,
Sie höhlten das Mark aus Leib und Seel.
Die Obern, statt zu wachen,
Ließen sie wuchern und machen,
Die Weiber krochen auf den Leim,
Dann kamen die Briefe von daheim:
Steckrüben, Marmelade,
Brotmarken, Streik, Blockade.
Man fühlte da draußen: Du fällst als Soldat.
Sie organisieren den Volksverrat.
Wir kämpften nach vier Fronten.
Wir taten, was wir konnten.
Was kümmert Muskoten die Politik.
Sie zerbrachen uns das Genick.

Die Mutter
Mein Junge, ich klopf an meine Brust:
Mea culpa! Wer hat denn gewußt,
Was er mit seinem Weh und Ach,
Seinen Ängsten und Briefen verbrach!
Die Väter starben, es fiel der Sohn.
Wir wollten Frieden, nicht Revolution.
(angstvoll) Kanonen, Schrapnells, Granaten!
Wir haben euch mit verraten
Aus lauter Mitleid und Grauen,
Wir Mütter und wir Frauen.
Im Kochtopf nichts zu kochen.

Kinder ohne Knochen.
Verdamm uns nicht! Da schau sie an!
So wuchsen in Deutschland die Kinder heran!

Kinder

Not — Not — Not —
Hunger. Und kein Brot.
Herd, und kein Brand.
Und kein Vaterland.

Der namenlose Soldat

Kinder des Krieges? Das kann nicht sein.
Und blieben sie Zwerge: die sind ja noch klein.
Da gabt ihr den Krieg schon verloren.
Die sind doch im Frieden geboren.

Mädchen (tonlos. Trostlos)

Wo kommt der her, der fremde Mann,
Daß der von Frieden reden kann?
Wir kennen nur Tanks und Sanktionen,
Besatzung und Kontributionen.
Dem Vater hieb ein Franzos ins Gesicht.
(aufweinend) Mir drohte ein Neger: „Wehr dich nicht!"
Den Onkel haben sie verbannt.
Die Kühe trieben sie aus dem Land.
Wir kennen den Frieden nur als Fluch.
Wir nagen uns groß am Hungertuch.

Der namenlose Soldat

Die Grenze hielt doch. Wir bauten doch all
Aus Totenleibern einen Wall.

Kriegskrüppel

Der Feind, er saß im eigenen Land.
Wir haben ihn nur zu spät erkannt.
Ihr säetet euer Sterben,
Der Böse säete Verderben
Mit Flugblatt, Geschwätz und Gottlosenschrift,
Gerüchten und Zersetzungsgift.
Was hilft uns unser Wissen jetzt:
Sie haben das Blut im Land zersetzt,
Gebrochen jeden Widerstand.
Wir haben im Wahnsinn uns selbst entmannt!

Der namenlose Soldat

Verleumd dich nicht, Bekenner!
Ob Krüppel: ihr seid doch noch *Männer!*
Mit oder ohne Militär:
Die Waffen auf! Volk ans Gewehr!

Kriegskrüppel
Du weißt ersichtlich schlecht Bescheid
In den Methoden der Nachkriegszeit.
Die Flinten sind zerschrotet,
Die Flotte, ausgebootet, rostet auf dem Meeresgrund.
Der Veteran: ein Lumpenhund.
Die deutsche Flagge: abgehängt.
Die Festung: in die Luft gesprengt.
Die Helden als Kriegsverbrecher verschrien,
Die Toten, die Toten als Mörder bespien.
Wir protestieren und gaffen.
Wir *haben* keine Waffen.
Als Rechtsanwalt ein Völkerbund der ungeheuren Lüge
Der Schuld an diesem Kriege.
Das deutsche Wort erwürgt im Schlund.
„Deutsche" richteten Deutschland zugrund.

Der namenlose Soldat (groß)
So wahr ich lebe, mitten im Tod:
Ein Mann, *ein Mann* tut Deutschland not.
Führt mich, Verführte — ich bin rein —
Mitten in den Sumpf hinein!
(Aufbruch hörbar)

Der Text will seine Nähe zur Propaganda nicht verleugnen, ja, er versucht deren Wirkung durch technische Sprachmittel aufreizend zu steigern: hämmernder Viererrhythmus, streng alternierend, an die Kette eines stampfenden Paarreims gelegt, durch Anaphern, Alliterationen, Parallelismen und Häufungen grell aufgereizt: expressive Ausdruckssteigerung, schlagwortartige Übersteigerungen, krasse Bildlichkeit, ordinärer Wortschatz, der provozierende Realität erzeugen soll: das sind Mittel der Emotionalisierung. Propagandathesen der Nationalsozialisten werden direkt ausgesprochen; und die letzten Verse des namenlosen Soldaten, als den die Propaganda Hitler pries, könnten als Aufnahme der Schlußzeile jenes oben aus Hitlers „Kampf" zitierten Absatzes gewertet werden: „Kaiser Wilhelm II. hatte als erster deutscher Kaiser den Führern des Marxismus die Hand zur Versöhnung gereicht, ohne zu ahnen, daß Schurken keine Ehre besitzen. Während sie die kaiserliche Hand noch in der ihren hielten, suchte die andere schon nach dem Dolche. Mit dem Juden gibt es kein Paktieren, sondern nur das harte Entweder-Oder. Ich aber beschloß, Politiker zu werden." [11]

[11] A. Hitler, Mein Kampf, S. 225.

Aber man täte den Dramatikern des Dritten Reichs, etwa Langenbeck, Hartz und Bacmeister Unrecht, rückte man sie alle unmittelbar an die Seite der zuvor Zitierten. Diese wollten die Möglichkeiten der Bühne nutzen, um Thesen der Nationalsozialisten zu propagieren, und die Liste der Autoren und Thesen ließe sich beliebig fortsetzen [12], jene glaubten, „hohe Kunst" ließe sich nicht ohne Orientierung an der Gegenwart gestalten, der „Geist der Zeit" erzwinge gebieterisch bestimmte Formen und Stoffe [13] und der Künstler habe als Medium dieses schicksalhaften Zeit- und Volksgeistes vor der Nation eine heilige Aufgabe und religiöse Pflicht zu erfüllen. Bei näherem Hinsehen erweist sich aber, daß dieser „Geist der Zeit" manche seiner „ewigen Wahrheiten" auch im Goebbelsschen Ministerium formulierte. Die ideologischen Thesen des Nationalsozialismus und das weltanschauliche Selbstverständnis vieler bürgerlicher Künstler strömten aus derselben Quelle der deutschen Geistesgeschichte; es ist hier nicht der Ort, diesen interessanten Verquickungen nachzugehen, sie müssen einfach festgestellt werden. Man klassifizierte Langenbeck oder Grimm, Kolbenheyer, Bacmeister oder E. v. Hartz, Lauckner oder Griese falsch, wollte man sie zu reinen Propagandaautoren des Nationalsozialismus erklären — schrieben sie doch (mit Ausnahme Langenbecks) einen Teil ihrer Werke aus ihrem konservativnationalen Weltbild, als vom Nationalsozialismus und seiner Ideologie noch gar keine Rede war. Die Älteren schwangen 1933 oder früher ein, wozu sie sich prädisponiert glauben konnten, die Jüngeren fanden ihre Auffassung der des politischen Nationalsozialismus parallel. So findet sich in Langenbecks „Tragischem Drama" „Das Schwert" [14] aus dem Jahr 1940 folgendes Gespräch zwischen den beiden Fürsten Gaiso und Evruin, deren Reich im Kampf mit einer Koalition seiner Nachbarn unter Führung Maros liegt. Es hat Schwierigkeiten gegeben, so daß Evruin mit Unterstützung der Kaufmannschaft den Frieden erstrebt, während Gaiso, den die „junge Mannschaft" trägt, den Krieg fortsetzen will:

> Gaiso
> Bruder, ich flehe: nicht besudle mir den Krieg,
> Den seit drei Jahren unser Volk ums Leben kämpft!

[12] Vergl. I. Pitsch, Das Theater als politisch-publizistisches Führungsmittel im Dritten Reich, S. 143—174.

[13] Vergl. C. Langenbeck, Die Wiedergeburt des Dramas aus dem Geist der Zeit, Das Innere Reich VI, 1939/40, S. 923—957.

[14] C. Langenbeck, Das Schwert, S. 31 f.

Evruin

Ach! sagen willst du wohl, daß diese Schlägerei
Notwendig war? — Du warst nicht angegriffen, also
Zum Krieg gezwungen nicht, und also bist du schuldig!
Doch leider kannst du, was du tragen sollst, nicht tragen;
Denn über Menschenkraft geht dieses Unheils Bürde,
Das du besinnungslos erzeugtest aus dir selbst.

Gaiso

Nicht angegriffen ich? Sehr träg ist doch dein Wissen
Und schwimmt wie faules Holz auf stinkendem Gewässer!
Abwürgen uns die Lebenskraft und alle Zukunft:
Das haben sie versucht! Und ich: nicht angegriffen?
Du Narr! Die tödliche Gefahr erkennend, hab ich
Den ersten scharfen Hieb gewagt zu unsrer Rettung,
Und ich bereu auch heute diesen Anfang nicht!

Evruin

Hast du vergessen, daß die Völker, die durch *dich*
Zu Feinden wurden — siegreich jetzt, unüberwindlich —:
Daß sie dich riefen, jahrelang dich riefen, du
Möchtst endlich dich in Freundschaft ihnen anvertrauen?

Gaiso

Nichts andres wäre das gewesen als die Freiheit
Verschachern und das eigne Wesen abtun, so,
Als wär's ein arg befleckter, lästiger Rock! Gewiß,
Sie wünschten sehr, daß ich zu ihnen käme, aber
Nicht aufrecht und mit selbstbewußtem Volk — o nein:
Fügsam, ein Knecht, entmündigt, ungefährlich: So,
Von Grund auf mißgestaltet, sollte ich mich geben,
So und nicht anders waren die Bedingungen!
Warum dann lieber nicht gleich ganze Arbeit tun?
Warum nicht mir und unsrem Volk das Herz ausreißen,
Oder doch wenigstens verstümmeln das Gewissen? —
Wahrlich, ich mußte dieses Angebot verwerfen.
Und sie, von Furcht gejagt und Habgier, sie, die Freunde
Bequemen Lebens, längst entwöhnt vom schweren Opfer
Des eignen Bluts, beschlossen uns zu schlagen, listig
Mit Übermacht. Ich sah wie ihre Rüstung wuchs,
Und ehe sie zu furchtbar wurde, packte ich zu —
Beßres — das glaub ich heute noch — konnt ich nicht tun.

In mythische Ferne verfremdet, werden hier in jambischem Trimeter die Thesen vom Volk ohne Raum und vom würgenden Völkerbund vorgetragen. Wegen seiner Nähe zur Zeit wurde die Aufführung (nicht die Verbreitung auf dem Buchmarkt!) bald verboten, und Langenbeck konnte in seiner Naivität nicht begreifen, daß einem Staat, der sich in einem solchen Krieg befindet wie Deutschland seit 1939, an einer Diskussion über seine Berechtigung — wenn sich diese am Ende auch erweist — gar nichts gelegen sein konnte — auch in jambischen Trimetern nicht. Es ließe sich, wenn auch nicht immer so deutlich wie hier, an vielen Dramen zeigen, wie der so häufig beschworene Geist der Zeit die Vertreter einer reinen Kunst, die sich bei allem Engagement gewehrt hätten, Propagandaschriftsteller genannt zu werden, in eine Propagandistenrolle hineindrängte.

III. DIE SZENERIE

Die Kunst solle nicht Wirklichkeit kopieren, keine Wochenschau sein, so lautete ein Grundsatz der nationalsozialistischen ästhetischen Theorie, sondern habe ein Urbild des Lebens zu geben, das dieses in seiner letzten Wesenheit, in seinem tiefsten Urgrund auslote. Kunst wird aus dem Zusammenhang des Rationalen herausgezogen und dem Bereich des Religiösen zugeordnet. Sie bekommt religiöse Bedeutung; Rosenberg z. B. hatte dafür eine ideologisch-historische Begründung zur Hand: Am Ende ihrer mythischen Periode wurde nach seiner Auffassung die germanische Religion vom artfremden Christentum verdrängt, so daß das arteigene religiöse Fühlen auf das Gebiet der Kunst auswich, und diese nun, während sie in allen anderen Kulturen der Welt im Dienst der Religion steht, im germanisch bestimmten Kulturkreis in der Funktion, Religionsersatz zu sein, ein Eigenleben beginnt. „In Europa ganz allein wurde die Kunst ein echtes Medium der Weltüberwindung, eine Religion an sich." [1] Nordische Kunst wendet sich also wegen dieses Bruchs in der Geschichte der germanisch-deutschen Seele nicht der Welt zu, sondern flieht sie in dem Streben, sie zu überwinden.

Das gilt auch für das Drama; es hat das bloß Daseiende in den Bereich des Idealen, des Ewigen zu überhöhen, und zwar nicht allein wegen der Bedingungen seiner ihm spezifischen Form, sondern wegen der metaphysischen Ansprüche an die Kunst. So heißt es — um nur eine einzige Stellungnahme zu zitieren — in einer Bemerkung des Reichsdramaturgen R. Schlösser zum Weltkriegsdrama: „Bei all diesen Themen [des Weltkriegsdramas] muß man ganz allgemein zunächst einmal wünschen, daß ihre Gestaltung über eine bloße Nachbildung der Wirklichkeit hinaus kommt. Wie überall ist auch hier die plumpe Direktheit vom Übel. [. . .] Abgesehen also davon, daß die Gesetzmäßigkeit des Theaters, die kurze Frist, die einer Aufführung gestellt ist, die besonderen Bedingungen der Interessenerregung, einen jeden Autor zwingen, sich von der Wirklichkeit zu entfernen, muß man obendrein verlangen, daß er außerdem zu einem ‚Mehr' fähig ist,

[1] A. Rosenberg, Mythus, S. 443.

nämlich dazu, Themen, die uns heilig sind, zum Symbol erhöhen zu können." [2]

So versuchte das Theater — jedenfalls in seinen bedeutendsten Richtungen — einen geistigen Vorgang sinnlich zu gestalten. Schon das Bühnenbild, die Szenerie, zielte auf Überhöhung, die dann allerdings von sehr verschiedener Art sein konnte.

Bei Beginn des „Bühnenwerks in drei Aufzügen" „Thors Gast" von Otto Erler steht dem Zuschauer folgendes Bühnenbild vor Augen [3]:

> Steilufer am Meer. Ein freier Platz (Waldboden), von alten Bäumen umstanden. Ein Pfad führt rechts hinten durch Gebüsch hinunter zum Strande. In der Mitte des Hintergrundes, fast am Klippenrande, ein mäßig großer Findling. Hinter dem Klippenrande, etwas über Mannesgröße tiefer, ist ein nicht breiter Vorsprung zu denken, von dem die Klippe steil zur Tiefe abfällt. In den Boden eingelassen, hinter dem Findling, mit Anlehnung an ihn, ragt ein nicht zu großes, dunkles Balkenkreuz auf, das den aus Holz geschnitzten, nicht ganz lebensgroßen, landeinwärts gerichteten Gekreuzigten trägt und frei gegen den fernen Himmel steht. Frühlingstag. Im Verlauf der Handlung kurz anklingender, ferner Gewitterdonner.

Das Bühnenbild dient zunächst dazu, einen Schauplatz abzustecken und die Örtlichkeit für die Handlung zu liefern (Freier Platz, Klippenrand, Vorsprung) und die Requisiten bereitzustellen (Findling, Kreuz); darüber hinaus will es aber auch eine bestimmte Atmosphäre erzeugen: Die Natur spielt nicht nur als Szenerie eine Rolle, sie ist vielmehr stimmungs- und sinntragend: Waldboden, alte Bäume, der Frühlingstag und am deutlichsten der Donner (Die Absicht drückt sich auch in der sprachlichen Schilderung der Bühnenanweisung aus: Der Wortschatz läßt die Dingwelt aktiv erscheinen.). So baut sich ein bedeutsamer Raum auf, in dem sich eine bedeutsame Handlung abspielen kann, an deren Verlauf die Örtlichkeit nicht ganz unbeteiligt ist: ein Mönch-Missionar wird in der Begegnung mit der Welt und den Sitten seiner Väter aus der Verstrickung seiner nichtartgemäßen Religion befreit und tut so einen ersten Schritt zur Rückkehr zu seiner (ihm unbewußten) Religion des Bluts.

In der folgenden Regieanweisung, der ersten von E. v. Hartzens „Tragödie" „Ōdrūn", wird diese Hindeutung des Bühnenbilds über sich hinaus auf einen anderen (hier schicksalsbestimmten) Raum noch deutlicher [4]:

[2] R. Schlösser, Das Volk und seine Bühne, S. 9.
[3] O. Erler, Thors Gast, S. 1.
[4] E. v. Hartz, Ōdrūn, S. 7.

Halle im Haus auf der Insel. Durch das breite, geöffnete Tor im Hintergrund sieht man das Meer. Wind und Wogenrauschen tönen herein.
Im Vordergrund, das geöffnete Tor hinter sich, sitzt Ōdrūn; ihr zu Füßen Thōra, ihr zur Linken, ein wenig zurück, Āslāk. Rechts und links im Halbkreis hinter jenen stehen die Dienstmannen.
Auf ein Zeichen Ōdrūns wird das Tor geschlossen; man sieht auf dem Tor zwei Schwerter befestigt. — Stille

Zunächst wird eine „Ur"stimmung beschworen: Man ist — auch wenn dem Theaterbesucher die Personennamen noch unbekannt sind — in ferne, schicksalsschwangere Zeiten und Länder versetzt: die festgefügte Halle, das Meer und sein Rauschen, das kriegsbewußte Volk, die Schwerter, alles Requisiten voll Bezug in die Brunnentiefe der Zeiten. Darüber hinaus fordert die Regieanweisung eine stumme Szene, die in ihrer Komposition das Geschehen vorwegdeutet. Das Meer, das mythische Weltmeer, wird später eine bedeutsame Rolle spielen; es ist das Element der Götter, hier in „Wind und Wogenrauschen" stimmungsvoll als Lebensmacht gezeigt. Das Schicksal braut sich hinter dem Rücken der Königin Ōdrūn zusammen, um die die übrigen Personen aussagekräftig gruppiert sind. Und endlich die Schwerter; sie sind nicht gleich zu sehen; auch die Handlung bringt sie erst später, dann allerdings ähnlich folgenschwer ins Spiel — und schließlich die Stille, sie weist voraus auf jene Weltenstille, die herrschen wird, wenn die tragische Schuld, die die Personen auf sich geladen haben, gesühnt sein wird; es ist die Stille der Allgerechtigkeit des göttlichen, heilsgewissen Schicksals. Wenn jetzt die Handlung beginnt, so ist ihre Dimension im Bühnenbild und seiner Symbolik bereits abgesteckt.

Das Bühnenbild erzeugt also nicht nur Stimmung, es bedeutet etwas. So auch in Langenbecks „Tragischem Drama" „Das Schwert" [5]; die Strenge der Konstruktion und die wuchtige Kargheit der Bühnenarchitektur, über der — schicksalsüberwölbend und gleichbleibend ungetrübt — ein ewiger Himmel sich spannt, ist in seiner heroischen Sachlichkeit ausdrucksbezogener Schauplatz des tragischen Geschehens, das hier mehr sein will als nur eine Theaterdarbietung; vielmehr soll Schicksal, völkisches Schicksal dargestellt werden:

Das Stück spielt auf einem ansteigenden Platz, der hinten und rechts von einem festungsartigen Palast umschlossen ist. Zwei Tore führen, nach hinten, ins Innere: ein großes, das den Platz beherrscht, links daneben ein kleines. Rechts gibt es keinen Eingang. Die linke Seite des Platzes ist von einer kräftigen, niedrigen

[5] C. Langenbeck, Das Schwert, S. 5.

Mauer begrenzt, die sich hinten mit dem Gebäude verbindet, und in der vorn ein Tor ist, durch das man hinuntergeht in die tiefer gelegene Stadt. Der Himmel ist über dieser Mauer und nach Möglichkeit auch über Teilen des Gebäudes sichtbar und bedeutend.

Diese „heroisierende" Richtung in der Dramaturgie und der Dramatik war nun allerdings nicht die einzige; man zeigte auch durchaus realistische Züge. So spielt etwa S. Graffs Schauspiel „Die Heimkehr des Matthias Bruck" [6] in einem Bühnenbild, das das unverstellte, pralle „Leben" birgt. Hier ist alles direkt, atmet unmittelbar die Luft einer — im Sinne der nationalsozialistischen Blut- und Boden-Doktrin — eigentlich menschlichen Lebensform: des bäuerlichen Seins. Das Bühnenbild will die Illusion unmittelbarer Lebensnähe geben: Brunnentrog und Scheune, Erntewagen und Grünfutterkarren, ausgetretene Holzstufen. Das „Leben" wird sich als so unmittelbar, als so vital erweisen, daß der Heimkehrer Matthias — jener, auf den Bild und Orden weisen — wie ein Schatten aus dem Leben hinausgedrängt werden wird:

Eine Bauernstube. Rechts vorn Türe zum Hausflur. Rechts hinten Tisch mit Stühlen. In der Rückwand zwei Fenster, durch die man auf den Hof blickt. Man sieht dort ein Stück von einer Scheune mit Tor. Nahe an dem einen Fenster befindet sich auf dem Hof ein steinerner Brunnentrog, in den aus einer Holzröhre ständig Wasser läuft. — Links hinten großer Kachelofen mit umlaufender Bank. Daneben kleine Türe. Links vorn führen zwei ausgetretene Holzstufen zu einer anderen Türe und in die anderen Räume des Hauses. — Zwischen den beiden Fenstern hängt an der Wand unter Glas das Bild eines feldgrauen Soldaten und ein Eisernes Kreuz.

Erster Aufzug

Ein schwüler Abend in der Erntezeit. Ein Flügel eines Fensters steht offen. Durch das offene Tor der Scheune sieht man einen hoch mit Garben beladenen Erntewagen. Vor dem Tor steht ein Handwagen mit Grünfutter.

Man scheute sich auch nicht, den Stil des naturalistischen Bühnenbilds zu übernehmen. So fand der Zuschauer in dem bereits erwähnten Stück „Opferstunde" von Unger den altbekannten Salon wieder, wie er ihn bei Strindberg, Ibsen, Hauptmann, Sudermann kennengelernt hatte; auch das Thema war ein durchaus bekanntes: Erbkrankheiten, allerdings jetzt aus der neuen, „wissenschaftlichen" Sicht einer nationalsozialistischen Medizin erörtert. Nüchternheit und Lebensnähe sollten sich auf den abgehandelten

[6] S. Graff, Die Heimkehr des Matthias Bruck, S. 8 f.

Gegenstand übertragen; der Kundige wird allerdings nicht nur das Klischee erblicken, sondern auch die in dieser Fassade von Realität vorgenommene Akzentsetzung [7].

Erster Aufzug

Der Schauplatz der Handlung ist in allen drei Aufzügen der gleiche: Ein modern eingerichtetes Herrenzimmer in der Villa Direktor Bergmanns, mit eingebautem Wintergarten im Hintergrund. Noch ehe der Vorhang aufgeht, hört man Klavierspiel hinter dem Vorhang.

Erste Szene

Hilde, Minna.

Minna (ein älteres, provinzielles Dienstmädchen, ist damit beschäftigt, den Teetisch zu decken. Während sie für Augenblicke dem Klavierspiel im Nebenraum zuhört, haucht sie einen silbernen Teelöffel an und poliert ihn mit der weißen Schürze. Dann nascht sie einen Keks aus der Büchse. Das Klavierspiel bricht ab.)

Hilde (kommt von links. Sie ist 26 Jahre alt, ein nicht sehr hübsches, aber reizvolles junges Mädchen. Besonnen, ruhig, unauffällig aber geschmackvoll gekleidet, ein durchaus mütterlicher Charakter)

Überhaupt zögerte man nicht in der täglichen Arbeit, Praktiken und Stilmittel des traditionellen Theaters zu übernehmen, die man in der Theorie als seichtes und kulturloses Machwerk schmähte. So benutzt etwa Fr. Roth in seinem „Kampfstück" „Der Türkenlouis" [8] Stilmittel des expressionistischen und neuromantischen Theaters, um einen Bühnenraum zu schaffen. Es wird eine magische Beziehung zwischen den Personen hergestellt, in der die nationale Handlung geheimnisvolle Tiefe gewinnen soll:

> Die Bühne hat offene Seitenkulissen. Sie bleibt zuerst dunkel. In ihrer Hinterwand ist eine kleinere Bühne erhöht eingelassen. Diese ist mondhell beleuchtet. Sterne. Sie zeigt eine Quermauer und einen halb abgetragenen Turm, der zu einer Geschützstellung ausgebaut ist. Entlang der Mauer Schützenauftritte. Zwei Soldaten halten Wacht. Ein anderer sitzt kaum sichtbar ganz seitlich und spielt auf einer Rohrflöte melancholische Weisen. Durch den ganzen Teil zieht sich eine seltsame Musik, die von fernem Kanonendonner, Rauschen des Windes und fahrenden Kolonnen herrühren kann.

[7] H. Unger, Opferstunde, S. 7.
[8] Fr. Roth, Der Türkenlouis, S. 31—33.

Stimme (noch während des Spieles der Rohrflöte)
Marlborough!
Die geheimnisvolle Stimme
Ruhe, pst! Das ist die Stimme
Der Königin Anna von Engeland!
(Die Rohrflöte schweigt. Der Bläser verschwindet nach einer Weile.)
Stimme
Lord Marlborough, bei Euch steht Englands Ehre.
Marlborough (unsichtbar)
Ich werde Englands Ehre Ehre machen.
Stimme
Am Rhein, Herzog, am Rhein!
Marlbourough:
Ja, Königin!
Das Gleichgewicht Europas! Stuarts Größe
Soll eine Lilie nicht beschatten. Doch
Der „Türkenlouis" ist müde geworden.
Die Débauche! — — —
(Die geheimnisvolle Stimme kichert.
Der erste Posten summt ein Lied vor sich hin.)
Die geheimnisvolle Stimme
Pst, pst!
Der zweite Posten (spricht)
In der Heimat sind die Sterne von lauter Silber;
Und der Wind, der weht, der weht. — (Dunkel.)
Die vordere Bühne wird magisch erhellt und zeigt überwirkliche Vorgänge.
(Franziska kommt mit Marsigli.)
Marsigli
Eh bien, ma chère, wie hat er Euch verschmäht!
Franziska
Monsieur, verschmäht! —
Marsigli
Sibylle vorgezogen.
Franziska
Was reden Sie! Er ist mein Schwager.
Marsigli
Das werden Sie ihm nie vergessen.
Franziska
Nie!
Marsigli
Und denken Sie noch heute ——?
Franziska
Mon ami!
Marsigli
Une dame von Welt muß hassen können.

Franziska
Sind Sie zum Hasse fähig, Monsieur?
Marsigli (bejahend)
Madame! – Mit ihm, den Auftritt hörten Sie?
Franziska (zugebend, daß sie gelauscht hat)
Ich lausche nicht.
Marsigli
In Wien lernt mans. Facilement!
Ah, Wien, Paris, da weiß man noch zu leben!
Doch wie gesagt, geht er mir erst nach Ulm! –
Franziska
Vertrauen Sie mir?
Marsigli
Der Kaiser sieht Verrat.
Franziska (in leidenschaftlicher Schwere)
Das ist der Liebe Rache.
Marsigli (erfreut)
„Herzogin"!
Nach Süden, Herzogin! Der Norden – – – nüchtern!
Franziska
Was meinen Sie?
Marsigli
Der Herzog von Toskana –
Er ist sehr interessiert für Sie, Madame.
(Beide ab. Dunkel.)
Hintere Bühne erhellt sich wie vorhin.
(Ein anderer Soldat kommt.)
Erster
Holla!
Dritter
Am Sulzbach – (schlägt drei Kreuze)
die in der Schanze, die Dragoner – sind abgelöst.
Erster
Wieso?
Dritter
Die Hexen!
Die plagten sie so Mann als Roß.
Erster
Und nun?
Dritter
Füsiliere sind jetzt in der Stellung.

IV. SPRACHE UND VERS

Die Theoretiker des Dramas des Dritten Reichs und die Theaterkritiker wurden nicht müde, das Bühnenstück, und speziell die Tragödie, als eine antimimische, im Wort, nicht in der theatralischen Aktion begründete Kunst zu bestimmen. Das Drama habe aus dem Wort zu entstehen; dem als dekadent bezeichneten Theater des Naturalismus, Expressionismus und besonders der Neuromantik, das man vor allem in Max Reinhardt verkörpert fand, warf man vor, sich an die reizende Oberfläche des Sichtbaren gehalten, und das „Geistige" verleugnet zu haben. Das „Drama der Aktion" wurde abgelehnt, an seiner Stelle ein Drama aus der Wortgestaltung gefordert [1]. Das war in der Auffassung begründet, die Kunst — und ganz besonders die hohe Dichtung — sei in der Sphäre des Metaphysischen, die alle Bereiche des Formalen und Intellektuellen überwölbe, beheimatet. Dorthin aber reiche nur das im (angeblich unsinnlichen) Medium der reinen Sprache — nicht der bezeichnenden — zu gestaltende Symbol. Im Sinnbild offenbare sich die Welt; auf welche Weise, wurde allerdings eher dem Ahnen andeutend umschrieben als dem Verstande begreifbar dargelegt: „Des Dichters Bestimmung ist es, in Worten zu künden; für ihn wird es immer heißen: Im Anfang war das Wort, und das Wort war bei Gott. Das gesprochene Wort als Ausdrucksmittel hat in organischer Schmiegsamkeit den sinnfälligen Gehalt in plastischer Bildhaftigkeit darzustellen." [2] Wesentliche Funktionen der Sprache, wie ihr Bezeichnungscharakter, ihre Kommunikationsaufgabe, ihre ästhetische Qualität, gab man zugunsten eines ziemlich vagen Sprachdynamismus auf, von dem man nicht recht zu sagen wußte, wo sein bewegendes Moment und sein Ziel zu suchen seien. So heißt es etwa in einer Rezension zu C. Langenbecks Tragödie „Das Schwert": „[. . .] und als künstlerisches Element nicht die Geste, sondern das Wort. Das Wort aber, und hierin zeigt sich das Wesen dieses Werks am schärfsten, ist nicht zwischenmenschliches Verständigungsmittel, auch nicht schönes Ding für sich selbst, sondern aus der Tiefe empor-

[1] Vergl. H. G. Göpfert, Der Dichter und das Drama unserer Zeit, Die Neue Literatur 38, 1937, S. 233.

[2] H.-H. Erdmann, Forderungen zum „nationalen" Drama, Die Neue Literatur, 35. Jg., 1934, S. 267.

geschleuderte und durch die Kraft des Rhythmus gebändigte dramatische Energie." [3] Als Ergebnis solcher Überlegungen erhob man manchen Orts die Forderung, auf dem Theater müsse der Vers als ein besonderes Mittel der Gestaltung, das die oberflächliche Bühnenillusion zur geistigen Urbildlichkeit steigere, wieder eingeführt werden. So schloß etwa Fr. Rostocky aus der angeblichen Tatsache, daß Prosawerke schneller veralteten, „daß sich an der Sprache Sinnbild und Illusion aufs deutlichste scheiden. Der Vers strebt, ob er will oder nicht, dem Sinnbild zu, die Prosa der Illusion [. . .]." [4] „Der Vers als gehobene Sprache wird", nach seiner Meinung, „zweifelsohne der sinnbildhaften Bedeutung der Bühne im hohen Sinne gerechter als die Prosa" [5].

So ist es denn bemerkenswert, daß in einer Zeit, die den Vers auf dem Theater mit äußerster Skepsis betrachtet, viele, ja, die entscheidenden Bühnenstücke in Versen abgefaßt werden. Die Problematik dieser Restauration zeigt sich allerdings unmittelbar. Zwar gelang es durchaus, den Vers wirkungsvoll als ein Mittel der Stilisierung zu verwenden, aber zu seiner Neubelebung kam es nicht. Vielmehr übernahm man in eklektischer Weise, was die Theatergeschichte anbot, und so findet man fast alle Bühnenversformen (mit Ausnahme des Alexandriners) durch die Theater hallen. Ihre Funktion war hauptsächlich die der Stilisierung und der Stimmungssteigerung.

Der Leser trifft sogleich auf den altbekannten Blankvers; als Beispiel sei hier aus der ersten Szene von Laucknres Tragödie „Der letzte Preuße" [6] zitiert:

Pruteno (beschwörend)
Zünde,
Zünde, Perkunos heilige Flamme!
Wecke das Land!
Rufe den Sturm hervor!
Reiße das Blut empor!
Feuergeschwinge, von Turm zu Turm gesandt, –
Männer zur Rache! Männer zur Freiheit!
Wach auf, mein Land!
Kantigerde
Jetzt seh ich's deutlich, Vater!

[3] H. G. Göpfert, Rez. zu C. Langenbeck, Das Schwert, DNL 42, 1941, S. 26.
[4] Fr. Rostocky, Vers und Prosa auf dem Theater, Deutsche Dramaturgie, 2. Jg., 1943, S. 85.
[5] Ebd., S. 87.
[6] R. Lauckner, Der letzte Preuße, S. 9 f.

Pruteno

Präg dir's ein!

Laß diesen Flammenball dein Herz durchglühen,
Daß du's einmal den Kindern kannst erzählen:
Dies Feuer, das von uns zum Nachbarn leuchtet,
Von ihm zum nächsten und so fort und fort,
Dies Feuer brennt, *dein* Leben umzuschmelzen,
Daß du nicht mehr wie ein gefangener Knecht
Die Steine für die Burgen schleppen mußt,
Aus denen sie den Tod dann auf dich jagen!

Kantigerde

Brannt' es nicht einmal schon?

Pruteno

Besinnst du dich? –

Es brannte! – Aber ungeführt, zerrissen,
Flog uns der Sieg davon. – Es wurde dunkel,
Und wir versanken so in Fron und Schande,
Daß schließlich jeder fremde Schuft und Räuber,
Ein Kreuz am Wams, mit Peitschen auf uns schlug! –
Vermagst du heut auch diese Peitschenschläge
Noch nicht am Leib zu spüren, Kantigerde,
Mein Sohn, – merk es dir doch!

Das Prinzip des Alternierens wird gewahrt, die Freiheiten des Metrums nutzt der Autor, so daß die Beschränkungen nicht allzu stark spürbar werden. Die Verssprache klingt erhabener als Prosa, verpflichtet auch zu gewählterer Spache und Bildlichkeit, dennoch wird sie nicht zum gestaltenden Stilmittel. Sie bleibt, von wenigen Ausnahmen, wo trochäische Verse eingestreut werden, abgesehen, schmückendes Beiwerk.

Das Prinzip des fünfhebigen, reimlosen Verses konnte denn auch sehr gelockert werden; so schimmert das Grundmuster eines fünfhebigen, reimlosen Verses etwa in Hymmens Drama „Beton" [7] als das den Sprachfluß organisierende Prinzip noch schwach durch. Man könnte diese Verse als Prosa lesen. Die Sprache hebt sich nur ein wenig vom Umgangston ab, und die Versgliederung erscheint allein im Druckbild einem Leser sichtbar:

Neugieriger (zu einem Wachhabenden)

Da kommen sie zurück vom Friedhof. Das
Begräbnis ist vorbei.

Wachhabender

Vorbei? Sie meinen, hundertzwanzig Tote
Könnte man an einem Tag begraben?
Das braucht Jahre!

[7] Fr. Hymmen, Beton, S. 5 f.

Neugieriger
Gewiß, natürlich!
Stimmt es etwa, hundertzwanzig Tote?
Man hört, es müßten hundertdreißig,
Wenn nicht hundertfünfzig sein.
Wachhabender
Das hängt davon ab, wie man sie zählt!
Ich zähle mehr als tausend.
Drüben: alles Tote!
Neugieriger
Arme Menschen! Diese Frauen tun mir leid.
Bedauernswert! Ein fürchterliches Schicksal!
Ist wirklich ein Minister
Zu der Trauerfeier eingetroffen?
Wachhabender
Meinetwegen das gesamte Kabinett!
Was kann es helfen? (Wendet sich, geht.)
Stimmen von rechts
Platz da! Zurück bitte!

Selbst dem „Vater" des Blankverses, dem vers commun, kann man begegnen, so in E. W. Möllers „Die Verpflichtung" [8]:

Dier vier Herolde
Hier steht die Jugend und sie neigt ihr Haupt
Zum Schwur, den wir der Fahne leisten sollen.
Sprecht, was ihr saht, und kündet, was ihr glaubt,
Daß wir bekennen, was wir glauben wollen.

Die erste Verkündung

Wir sahen einen Gott im Himmel stehn,
Gepanzert, groß und ernst, und rings umher
Braust endlos die Unendlichkeit um den
Gewaltigen gewaltig wie ein Meer.

Er steht auf einem Schilde, den die Hand
Von Tausenden empor zum Himmel stemmt,
Die starben für den Gott und für ihr Land.
Aus ihren unvernarbten Wunden schwemmt

Das Feuer ihres Bluts, das nie versiegt,
In hellen Flammen hoch zu seinen Knien.
Auf seinem Haupt und seinen Schultern liegt
Ein Schnee von Tränen wie ein Hermelin.

[8] E. W. Möller, Die Verpflichtung, S. 7 f.

So zwischen Eis und Glut und Qual und Lust,
Indes sich die Gestirne um ihn drehn,
Hebt er die Sterbenden an seine Brust
Und läßt die Lebenden zu Grabe gehn.

Und wie ein Herzog, der für seine Welt
Bereit ist, sich zu opfern, hält er das
In seiner Hand, was unsrer Hand entfällt:
Der Erde ganze Liebe, ganzen Haß.

Alle

Wir glauben an den Gott, den ihr gesehn
Und der ein Herzog ist in Ewigkeit,
Aus dessen ungeheurer Hand wir den
Sterblichen Leib empfangen wie ein Lehn,
Mit dem er uns ein Lebenlang beleiht.

Allerdings wird auch dieser Vers nicht mehr in seiner strengsten Form gebraucht: es wird keine Zäsur nach der vierten Silbe gesetzt. Der Reim soll diese Verse einer „Feierdichtung" fester machen und damit gesteigerter gestalten.

Langenbeck kopierte in seinen den griechischen Klassikern in Nietzscheschem Verständnis nachempfundenen Tragödien nicht nur deren Strukturformen, sondern auch die Sprachgestaltung. So schrieb er seine tragischen Dichtungen in jambischen Trimetern [9]:

Skona

Bald werden wir in Leiden ganz geborgen sein,
Ja, das befürcht ich nach drei Jahren harten Kriegs.
Denn Evruin und Gaiso, meine lieben Brüder,
Die Fürsten dieser Stadt, von Grund auf sind sie uneins;
In jedem ist dem andern alles fremd und feindlich:
Ich aber steh inmitten, und die Angst bewegt
Mit unaufhörlichen Wogen dunkel mir das Herz.

Evruin

Gaiso hat uns den Krieg verfügt. Wenn endlich jetzt
Des lang erwarteten Unheils wutgeladne Faust
Ihn niederschlägt, so frag doch *ihn* um Rat und Hilfe,
Den du am meisten liebst, und frag nur niemals mich.
Hat *er* nicht alles Unglück uns gestiftet, ja,
Sogar auch großgezogen mit Bedacht und Trotz?
Dann muß wohl er am besten selbst die Wurzel kennen
Des eisigen Verderbens, das uns jetzt beschleicht —
Wenn überhaupt in unsrer gottverlassnen Welt

[9] C. Langenbeck, Das Schwert, S. 7 f.

Ein Täter sein Verschulden noch erkennen kann.
Ich aber habe offen ausgesprochen stets,
Wie furchtbar dieses Kampfs qualvoller Widersinn
Mich aufgeregt hat immer und mich leiden ließ
Bis auf den heutigen Tag —: das alles weißt du, Schwester.
So wisse auch, daß nunmehr ich entschlossen bin,
Die Tobsucht dieses Frevels ruhig zu ersticken
Im starken Arm des Friedens. Hindre *du* mich nicht.

Skona
Willst du bestreiten, Evruin, daß unser Bruder
Mit Mut und Glück die Übermacht bestanden hat
Im ersten wie im zweiten Jahr?

Dies ist der Beginn der Tragödie, ein Gespräch zwischen dem Fürsten Evruin und seiner Schwester Skona. Der lange Vers soll den Sprachfluß stauen und dann breit strömen lassen, um so eine erhabene Rede zu erzeugen, die den Gegensatz über alle Realität hinaus in den Bereich des Ewigen erhebt: nicht die Geschwister, sondern Haltungen, durch die ein höheres Ethos hindurchtönt, stehen sich gegenüber. Die Betrachtung des Langenbeckschen jambischen Trimeters, der notwendig Reminiszenzen an Spitteler (Olympischer Frühling), Schiller und Goethe wachruft, zeigt, wie wenig seine kunstvolle Form gestaltet, wie die Schwierigkeiten, ihn zu benutzen, nicht gemeistert werden, wie im Gegenteil Langenbeck den Verführungen der langen Form, in leeren Füllungen und hohlen Phrasen zu schwelgen, erliegt; was formaler Ausdruck tragischen Lebensgefühls sein sollte, stellt sich dem kühl musternden Leser als hohles Pathos dar und als äußerliches Mittel, Stimmung zu erzeugen und im Zitieren gesicherter traditioneller Sprach- und Ausdrucksformen dem Text einen Kunstcharakter beizulegen [10].

Nach antikem Vorbild trennt Langenbeck die einzelnen Tragödienabschnitte durch Chorlieder. Hier werden andere Metren verwandt, z. B. trochäische Maße. Als Beispiel sei hier aus Langenbecks „Tragischem Schauspiel" „Das Schwert" zitiert [11]:

Delanoy
Wo ist Schicksal,
Außer bei Menschen
In edler Schuld?

[10] Vergl. U.-K. Ketelsen, Kunstcharakter als politische Aussage, Lit. in Wiss. u. Unterricht 2, 1969, S. 170—177.

[11] C. Langenbeck, Der Hochverräter, S. 116 f.

Der erste Alte
Hart büßen die Guten,
Weil sie nicht besser waren.

Der zweite
Grausam zu sterben
Werden sie gerufen
Und zahlen mit Leiden
Für die andern mit.

Der dritte
Schmachvoll aber ist
Nicht gerufen werden.
Seinen Helden
Hat der Herr
Mit heiligem Lächeln
Ewig Gedächtnis
Schützend gestiftet.

Delanoy
Mancherlei wehren die Menschen
Von sich ab,
Nicht Gott.

Erinnerungen an sophokleische Chöre und — die Schicksalstragödie werden hier geweckt.

Aber die Autoren des Dritten Reichs hatten sich durchaus nicht alle dem Vers verschworen, obwohl seine Restauration überaus typisch für ihre Dramenproduktion ist. Ein anderer Traditionsstrang führt in den Expressionismus zurück. Das wird z. B. deutlich in dem „Spiel" von K. Eggers „Schüsse bei Krupp" [12]: Eine expressiv gesteigerte Sprache, die immer gleiche, knapp gefügte rhythmische Segmente mit verteilten Stimmen als grelle Reize (unterstützt von anderen Stilmitteln wie Anapher und Parallelismus) herausschleudert, bekommt etwas Oratorienhaftes, soll aufpeitschend wirken und den zu übermittelnden Inhalt, zu dem die Form wenig innere Beziehung hat, emotionalisieren:

Eine Frau
Da kommen Arbeiter, deutsche Arbeiter.
Eine 2. Frau
Helft uns doch . . . kommt her.
Ein Arbeiter
Was habt ihr denn?

[12] K. Eggers, Schüsse bei Krupp, S. 11 f.

Eine 3. Frau
Die Franzosen kamen über uns!
Die Arbeiter
Franzosen?
Das Kind
Und Schwarze waren auch dabei.
Ein Arbeiter
Schwarze gegen deutsche Arbeiter?
Die Arbeiter
Wie kann Frankreich schwarze Menschen gegen deutsche Arbeitsmänner hetzen? Wie kann Frankreich einen Frieden brechen, den es selbst uns aufgezwungen hat? Frankreich?
Die Arbeiter und Frauen
Wir haben gehofft und geharrt
Auf den Frieden!
Wir wurden getäuscht und genarrt
Vom Frieden!
Arbeiter
Wir haben geblutet.
Frauen
Wir haben gedarbt.
Arbeiter
Wir haben geopfert.
Frauen
Wir haben gehungert.
Alle
Für den Frieden!
Frauen
Wir haben vor leeren Läden gelungert,
Und unsre Kinder schrien nach Brot.
Ihr habt uns sterben, ihr habt uns krepieren lassen!
Ihr höhntet über unseren Hungertod!
Arbeiter
Wir lernten euch hassen!
Frauen
Wir können es niemals vergessen!
Ein Arbeiter
Wer dem feindlichen Feuer, den giftigen Gasen entrann, fand seine Heimat wie eine Steppe nach dem Brande vor. Das frische Grün des lachenden Sieges war verwelkt, und Schutt lag in grauen Schichten überm Rasen, ein grauer Schleier ärgster Not.
Ein 2. Arbeiter
Unsre Kinder kannten uns nicht mehr und streckten voller Angst und Scheu die knochenmagern Ärmchen gegen uns.

Ein 3. Arbeiter

Aus den Augen unsrer Frauen starrte das Grauen aller Sorgen, – Augen, wie sie Frauen und Mütter haben, denen schwerste Not das Kreuz des Bittgebetes aus der Hand geschlagen hat.

Auch dort, wo die Autoren Prosa benutzten, galt die zu Beginn dieses Abschnitts zitierte Forderung nach sprachlich stilisierender Gestaltung. So ist jenes oben bereits zitierte [13] Bühnenwerk „Thors Gast" [14] in einer Prosa abgefaßt, die es meidet, in einen alltäglichen Tonfall zu verfallen. Der gestrandete Mönch Thysker, der durch einen Unfall sein Gedächtnis verloren, seine Retterin Thurid geheiratet hat und schließlich zur Religion seiner Väter zurückgekehrt ist, wird von seinem Bischof Ullstreng gesucht. Vor dem Hochsitz Thors in der Halle des Hauses der jungen Eheleute kommt es zu einem Gespräch zwischen dem Bischof und der Germanin:

Thurid (erscheint in der Tür)

Ich hörte euch bis in die Kammer. Gut, daß *er* euch nicht hörte. (zu Thorolf) Ich will mit diesem Manne reden. (mit Kopfbewegung nach drinnen, bittend) Bleib' bei ihm unterdessen. (Thorolf sieht die Tochter an, nickt und geht langsam hinein. Sie steht einen Augenblick wortlos, dann gewaltsam-ruhig) Du willst mir nehmen, was mir gehört.

Ullstreng

Dieselben Worte könnte ich *dir* sagen. Und spräche aus heil'gem Recht, vor dem du und dein Wünschen nichtig sind.

Thurid (klar und bestimmt)

Ich weiß. So sprächst du, wenn du der Herr hier wärst. Kommst du, um es zu werden?

Ullstreng

Ich komme im Namen Eines, der über allen Herren ist.

Thurid (nickt)

... des fremden Krist. Von dem sprach er mir auch damals, draußen ... auf der Klippe, wo das Kreuz stand an Thorolfs Stein.

Ullstreng (mit verhaltener Freude)

Er hat es dort errichtet? (Thurid nickt) Steht es noch da?

Thurid

Nein.

Ullstreng (enttäuscht)

Warum nicht?

Thurid

Es fiel von selber und hätte ihn beinah' erschlagen.

[13] Vergl. S. 44.

[14] O. Erler, Thors Gast, S. 108–112.

Ullstreng (in überlegnem Tone)
Und daher glaubst du, Grund zu haben, dem Krist am Kreuze feind zu sein?

Thurid
Ich ... feind? Warum? Ich hätte Grund nur, ihm zu danken. Denn so gewann ich mir den Thysker, wie ich ihn sonst vielleicht niemals für mich gewonnen hätte.

Ullstreng (autoritativ)
Dann hättest du zuerst das Kreuz dort draußen wieder aufrichten sollen.

Thurid (den Kopf schüttelnd)
Dort nicht.

Ullstreng
Weshalb nicht?

Thurid (in sich hinein)
Dort mußte mein Vater auf Tod und Leben kämpfen ... mit seinem Freunde. (nach kurzer Pause) Doch hätt' ich's, um des Kranken willen, damals wohl wieder aufrichten lassen ... an einer andern Stelle, als er im Fieber immer rief: Das Kreuz ... das Kreuz!

Ullstreng
Und warum tat'st du's nicht?

Thurid
Mein Vater wollt' es nicht. Mit Recht. Und die Gesippen auch nicht. Er sagte: Kannst du das anseh'n, Tag für Tag?

Ullstreng
Was ...

Thurid (naiv-schlicht)
Nun ihn ... den grausam gemarterten, schuldlosen Gott! Da haben die Männer die Nägel herausgezogen, die Hände und Füße ihm durchbohrten und die Bande durchschnitten, die ihn ans Kreuz schnürten und wir Mädchen haben den Wagen, mit dem ich an Freijas Tag zur Klippe draußen kam, mit Laub und Blumen hergerichtet und ihn darauf gelegt. (nach kurzer Pause) Im waldumschlossenen Ahnenberge, dessen Boden nie Haßblut beflecken darf, war ihm das Grab bereitet. Dort ruht er nun auf weichem Lager aus.

Ullstreng (nach einer Pause)
Und das Kreuz?

Thurid
Weil Thysker in seiner Krankheit darnach rief, bat ich den Vater, es für ihn zu bewahren.

Ullstreng
Wo ist es?

Thurid
Du stehst davor.

Ullstreng (überrascht-ungläubig)
Ich?

Thurid (nach dem Tore zeigend)

Dort ist es eingebaut ... am Tor (erst auf den Hinweis hin wird das Kreuz erkennbar) ... durch das die Gäste kommen. Der Krist kam auch hierher als Gast ... Thors Gast! ... So heißt er nun bei uns. Wir haben ihn aufgenommen, so gut wir konnten.

Ullstreng (unwillkürlich berührt, doch etwas von oben herab)

Gott wird nicht zürnen, daß ihr nach eurer Einfalt gehandelt habt.

Thurid (schlicht-selbstverständlich)

Wir taten, wie wir mußten.

Ullstreng (sich härtend)

Und damit wär' das abgetan, nicht wahr! Krist liegt im Grabe und was das Kreuz da in der Wand bedeutet, weiß bald keiner mehr! Doch (auf den Hochsitz deutend) was das hier bedeutet, weiß von euch jeder!

Thurid

Freilich. Seit über tausend Jahren. Doch werden wir Thors Gast auch nicht vergessen. Nie kam vordem ein fremder Gott zu uns. So wird er bei uns weiterleben.

Ullstreng

Er kann nicht leben wie er muß, solange Thor lebt.

Thurid

Warum nicht? Können nicht Götter Freunde sein, wenn es die Menschen sind?

Ullstreng

Die Menschen! War dein Vater nicht Freund des Mannes, mit dem er auf Tod und Leben kämpfte? Und er erschlug ihn!

Die Sprache ist „normal", aber mit Hilfe des streng gehandhabten Prinzips des Alternierens, das zuweilen durch gewaltsame Ellisionen eingehalten wird [15], löst sie der Autor aus der Sphäre des alltäglich Gewöhnlichen, und indem er sie einem ordnenden Sprechprinzip unterwirft, soll auch die Auseinandersetzung zwischen Christentum und artgebundener germanischer Seelenreligion, die das Drama symbolhaft darstellt, über den Vorgang der Alltagsbezogenheit hinausgehoben werden und in sprachlicher Ordnung überzeitliche Gestalt gewinnen.

Zum Schluß dieser Passage soll noch auf eine naturalistisch bestimmte Art, Sprache im Drama zu verwenden, hingewiesen werden, nämlich auf den Dialekt und den Jargon. S. Graff will in seinem Stück „Die Heimkehr des Matthias Bruck" unverfälschtes, im Urgrund des Daseins wurzelndes bäuerliches „Leben" darstellen. Dem ist auch die Sprache angemessen. Handlung gibt es in diesem Werk kaum; Absicht ist es, deutsches Wesen

[15] Vergl. z. B. S. 59: „Und warum tat'st du's nicht?"

in seiner unalltäglichen Alltäglichkeit, seiner gottgegebenen Gebundenheit zu zeigen. Dem ordnet sich auch der (bayerische) Dialekt ein. Die gewählte Szene — eine Kaffeetafel zur Kindtaufe — hat für den Handlungsablauf und die Problemstellung gar keine Funktion, wie übrigens die meisten Szenen; es wird bäuerliches Leben in seiner angeblichen Einfachheit und Gesundheit entfaltet, und dem dient auch — und zwar sehr wesentlich — die kernige Mundart. Sie ist derb, aber doch differenziert genug, das zu Sagende — und das sind die einfachen Dinge des Lebens — auszudrücken [16]:

Der Bauer (wendet sich nach rückwärts)
Also Leitln, stehts auf so langsam ... Etz' trinken mer in Kaffee, net —?

1. Nachbar (erscheint mit einem vollen Weinglas in der Tür. Mit nicht ganz sicherer Stimme)
Bloß austrinken möcht' i no! Dös derf i doch no austrinken, net? Dös erlaubst doch ...

Der Bauer (klopft ihm auf die Schulter)
Natürli sollst austrinken, Maxl! Wär' doch a Sünd', net ...

1. Nachbar
Dös moan' i aa ... Prost, Anderl —

Der Bauer
Geh', setz' di liaber noch amol, sonst verschüttst's!

1. Nachbar
Dös wär' noch a größere Sünd' als wenn i's steh' lasset — net? Hahahaha!
(Er geht in das Nebenzimmer zurück.)

Franzl (ist neben dem Bauer in der Tür erschienen.)

Der Bauer (legt den Arm um den Jungen, herzlich)
No, wie g'fallt der dös heit' dahoam?

Franzl
Schön is!

Der Bauer
Sixt, dös hab' i g'wußt, daß der dös Freid' macht. Deswegen hab' i ja 'neig'schriab'n in d' Stadt, daß s' di rauslassen sollen. Und am Sonntag, do fahr' i di selber aff Lauterbach, göll? Daß d' widder richti 'neikommst ...

Franzl
Joo ...

Der Bauer (wendet sich in das Zimmer zurück, wo sich die Stimmen jetzt verstärken und man Stühle rücken hört)
Prost, Maxl! Schön, daß der's schmeckt ... Ah geh', Mudder, streng' di net an. I helf' der scho ... (Ab nach links.)

Franzl (hinter dem die Türe halb offen bleibt, geht die Stufen herab in die Stube. Er steht einen Augenblick allein vor der gedeckten Tafel.)

[16] S. Graff, Die Heimkehr des Matthias Bruck, S. 40—42.

Die Bäuerin (kommt mit einer großen bäuerlichen Kaffeekanne von links hinten.)
Magd (folgt ihr mit einem großen Kuchenberg).
Die Bäuerin (stellt den Kaffee ab)
So. — Und etz' bringst dös ander' Zeug rein . . .
Magd (hat die Kuchenschüssel auf die Tafel gesetzt und geht rasch nach links hinten ab)
Joo, glei' —.
Franzl (zur Bäuerin)
Der Vadder will mi selber aff Lauterbach fahr'n am Sonntag, hat er g'sagt.
Die Bäuerin
Wos redst 'n do heit' scho dervo? Sin doch noch drei Toog hin! — Laß' der liaber den Kuchen und den Kaffee do schmecken, statt daß d' all'weil simmelierst, wie's d' am schnellsten widder fort kimmst!
Franzl
So moan' i dös net.
Die Bäuerin
Wie 'n dann?
Franzl
I möchet halt überhaupts nimmer 'nei in d' Stadt.
Die Bäuerin
Wos? Aff d' Schull willst nimmer 'nei? — Aber Franzl, dadervo hast doch no niemals wos —
Der Bauer (führt von links vorn seine Mutter herein)
Geb' acht, Mudder! Zwoa Stufen sans, göll? — — So . . .
Die Mutter
Dank' schö. Geht scho . . .
Die Verwandte (die hinter der Mutter herauskommt)
Solchene Stufen wie da tät' bei uns in der Stadt glei d' Polizei verbieten.
Der Bauer
Noja, in der Stadt . . . Do is halt anders als wia bei uns.
Die Verwandte
An manch's könnt' i mi scho gar nimmer g'wöhnen, dös muß i offen sagen.
Die Bäuerin (hat die Mutter in der Mitte der Stube in Empfang genommen und führt sie zum Ehrenplatz an der Tafel)
Kommen S', Frau Mudder — glei da oben her, göll? Oder sitzen S' do lieber? — Komm', Resl, setz' di!
Die Mutter
Naa, naa, is scho guat. (Sie setzt sich an den Ehrenplatz.)
Der Bauer (wendet sich ins Nebenzimmer zurück)
No, wos is? Kommts ihr aa jetz'?
Die Mutter (zur Bäuerin)
G'sund schaust widder aus, wos?
Die Bäuerin
Ohjoo. Geht mer scho widder guat, Frau Mudder.

Die Mutter

Nacha kannst di etz' aa widder richti um d' Leit' kümmern und um Stall, net –?

Der Bauer

Dös tut s' scho, Mudder! Do brauchst di gar nix drum z'sorg'n. Dös tut s' scho vill z' vill, moan i.

Wie in diesem Beispiel der Dialekt dazu dienen soll, ein deutsches Leben gestaltend zu charakterisieren, so läßt er sich, zum Jargon verstümmelt, zur negativen Zeichnung des Feindes im Drama verwenden. In dem Stück „Stürmer!" von Ewers/Beyer, das in der „Kampfzeit" spielt, stehen sich Nationalsozialisten und Kommunisten gegenüber. Die Nationalsozialisten sind alle „feine Kerle", ein wenig rauhbeinig, aber sonst ehrliche Jungen. Die Kommunisten dagegen sind verkommene Ganoventypen. Der erste Aufzug hat den Zuschauer ins SA-Heim geführt, der zweite zeigt die Kommunisten-Kaschemme, die „Moskau-Säle", ein übles Lokal, in dem sich die „Roten" treffen, die die einleitende Regiebemerkung als „Gestalten" dargestellt verlangt. Der Zuschauer wird Zeuge des folgenden Auftritts [17]:

Stanek (tritt zu den dreien)

Saukälte draußen. Ober – een kleen' Jilka! Rot' Front! Wann komm' denn die andern?

Erdmann

In einer guten halben Stunde.

Wirt

Rot' Front!

Stanek

Haste jeheert?

Erdmann

Was denn?

Stanek

Mit 'n Stürmer? – (von draußen herein Dombrowsky.)

Dombrowsky

Tag!

Alle

Tag!

Dombrowsky

Molle un 'n Korn.

Erdmann

Was ist denn mit Stürmer?

[17] H. H. Ewers u. P. Beyer, Stürmer! S. 47–51.

Dombrowsky
Wer is 'n det nu wieder: Stürmer?
Alle (lachen)
Stanek
Det sieht dir ähnlich! Nich mal Stürmern kennste!
Dombrowsky
Woher soll ick denn den kenn'? Wo ick doch die janze Zeit uff Urlaub war —
Alle (lachen)
Emil
Uff Urlaub im „Zet"! Wa?
Stanek
Na weeste — da is allahand jeschehn, wie du den letzten Knast jeschoben hast. Dieser Faschistenhund, der Stürmer, der is jroß jeword'n inzwischen, janz jroß. Den „Schrecken von' Osten" nenn' sie ihn.
Emil
Du, Dombrowsky, det is so 'n Brocken für dich — bei deine Kraft. Mensch, da kannste zeijen, det de für Moskau bist.
Erdmann
Na — und was ist nun mit dem Stürmer?
Stanek
Von die Eva wees ick's, det Mädchen, weeste, die für uns spioniert. Dem Stürmer, dem Nazihund, ham se von die Partei 'ne höhere Stellung anjeboten.
Emil
Da kommt der endlich wech von unsern Bezirk.
Stanek
Irrtum, Freundchen, der bleebt.
Emil
Bleebt?
Stanek
Ja, vastehste, der is varickt! Konnt een' feinen Posten kriejen inne bessre Jejend. Hat er abjelehnt, der Ochse. Will hier blei'm! Wees doch janz jut, wie wir 'n uff de Pelle sitzen. So 'n Hammel!
Erdmann (mit starker Drohung)
Sollte lieber die Finger von lassen — könnt' sie sich mal eklig verbrennen! Was meinst du, Rangs?
Rangs (langsam)
Schade um den Jungen! Der müßte zu uns in die Kommune.
Wirt (blickt zur Eingangstür)
Pscht! Da kommt wat! (Alle drehn sich vorsichtig um. Von draußen sind Stürmer und Riedel eingetreten. Stürmer voran. Riedel folgt ihm; dieser in S.A.-Uniform (Bärenstiefel, Hose, Braunhemd); Stürmer ist im dunkelblauen Anzug, Mantel und Hut.)
Stürmer
Komm, Riedel!

Riedel

Was willst du denn hier in dem blöden Lokal? Hier wird einem ja erst recht triste bei der geplatzten Funzel und den verblichenen Girlanden! (Sie setzen sich.)

Stürmer

Ist ja gleich! Nur ein Glas Bier — mir ist so schal im Mund. Wenn du wüßtest, was ich erlebt habe — (stockt.)

Kellner (kommt an den Tisch)

Was jefällig, die Herrn?

Stürmer

Zwei Helle, schnell.

Kellner (zur Theke ab. Dort neigen sich die Köpfe flüsternd zusammen. Man hört Worte wie: „Det is er — det is er — der Jroße — der is aber keß!")

Riedel

Du bist ja ganz außer dir! So kenn' ich dich gar nicht.

Stürmer

Wenn ich einen Haufen Kommune vor mir sehe, werd' ich ganz ruhig. Aber was ich heute gesehn habe ... da kommt einem die Galle zum Halse raus!

Neben der Stimmung des Bühnenbilds wird hier die Sprache zum entscheidenden Gestaltungsmittel. Sie ist, im Unterschied zu jener der SA-Leute, gemeinster Gassenjargon. Die Aussprache ist ordinär, der Wortschatz sehr begrenzt und roh, die Konstruktion primitiv. Die beiden SA-Männer, vor allem Stürmer, sprechen dagegen gewählt: „Mir ist so schal im Mund." Auch dort, wo Stürmer erregt ist und seine Ausdrucksweise krasser wird, will sie doch nie zum Jargon sinken.

V. DER „HELD" IM DRAMA DES DRITTEN REICHS

Die literarische Bühnenproduktion des Dritten Reichs, in deren Mittelpunkt die fortwährende Bemühung um die „Hohe Tragödie" stand, maß der Gestaltung des „Helden" eine überaus große Bedeutung bei, ja, sie sah ihre wichtigste Aufgabe darin, den heroischen Menschen als Sinn- und Leitbild germanisch-deutscher Lebensweise auf die Bühne zu stellen. Die Tragödie sollte die Darstellung des mit dem Göttlichen ringenden und in diesem Kampf heldisch siegenden oder heroisch untergehenden Menschen sein. Das Heroische sei der eigentliche Gegenstand der Tragödie: „Jede Tragödie ist heroisch. Aber auch das Umgekehrte gilt: jeder wahre Heroismus ist eine Erscheinungsform des Tragischen." [1] Das Heroische bestimmte sich (auch dort, wo es — wie bei Bacmeister — rein geistig verstanden werden sollte) aus dem élan vital, dem elementaren Lebensantrieb, der im Sinne des völkischen Biologismus religiös gedeutet wurde, und manifestierte sich gemäß dem ideologischen Pessimismus weniger in gesteigertem, vitalem Siegesbewußtsein als vielmehr in gläubiger und opfernder Todesbereitschaft, im „Sein zum Tode". So wurde der Held, wie unterschiedlich die Theoretiker diesen Begriff im einzelnen auch bestimmen mochten, durchweg als eine Gestalt gezeichnet, die in metaphysische Bereiche hineinreicht. Die Tragödie soll „angriffswillige Lichtträger [des Geistes] als Befürworter und Aufschließer der tragischen Daseinsschönheit gegen jede Verfinsterung und Verengung der Seelen [darstellen]. Fackelschwinger des erhelltesten Bewußtseins, tiefer und selbstloser zum Tode im Kampfesgefilde bereit als unsere edelblütigen Ahnen. Siegfriede, wie sie die Sage noch nicht gebären konnte; denn uns Heutigen erst ist ja die göttliche Seligkeit der götterlosen Allschau, als Geschenk klärender Jahrtausende der Wissenschaft und philosophischen Kritik, verliehen." [2] So wurde denn die Tragödie um den Helden gruppiert, und die Dramatiker sahen in seiner Darstellung ihre vornehmste Aufgabe und glaubten, auf diese Weise eine künstlerische Gestaltung der wirkenden Kräfte unserer Zeit zu liefern.

[1] W. Deubel, Der deutsche Weg zur Tragödie, S. 6.
[2] E. Bacmeister, Der deutsche Typus der Tragödie, S. 53 f.

a) *Heldische Männergestalten*

In seiner „Religionstragödie" „Kaiser Konstantins Taufe" [3] versucht Bacmeister einen positiven Helden, einen Fackelträger des Geistes zu zeichnen: Kaiser Konstantin hat Byzanz als neue Hauptstadt des Reichs vollendet; nun will er auch die Bewohner zu einem neuen Reichsvolk läutern und sie aus der Verdunkelung ihrer Religionen herausführen. Er hat eine Säule aufstellen lassen, auf deren Spitze sein Standbild zu sehen ist, das eine gefesselte Moira auf der ausgestreckten Hand trägt, und deren Fuß sein Wahlspruch ziert, der die Sonne als seine Genossin grüßt. Vor den Byzantinern hält er nun diese Rede:

Kaiser (wendet sich der Säule zu)
Hier steht zwar schon mein kaiserliches Wort:
Hinausgesprochen über Land und Meer.
Hinauf, hinab: — der Erde und dem Himmel
Die menschgewalt'ge Mitte. — —
(Tritt auf den Sockel)
Byzantiner!
Ihr, die zuerst mir diesen Namen tragt
Vor allen, die ihn künftig tragen werden,
Und also seinen Ruhm beginnen sollt,
Aufsteigend aus dem Niederstieg der Römer:
Ihr, meine ersten Bürger von Byzanz,
Das eurem sinnesreichen Tun entsprang
In aller Schöne, die es auf und ab
Die sieben Hügel überprangend hat,
Und ließet mir's erstaunenswert gelingen:
Nun, von der stolzen Mauer stark umringt,
Im unbedrohten Glück der schönen Stadt,
Laßt uns die Tat, die wir getan, erneut
Und nun erst völlig groß und schön vollbringen.
Kein anderes Byzanz! — Doch dieses anders:
Als unsre so getane Tat — durchdacht.
Des Kopfes und der Hände Werk nach innen
Auf ihre Ursprungsmacht zurückgeleitet:
Was heißt das denn: daß *wir* das Werk vollbracht,
Daß *wir* Byzanz gewollt, geplant, gebaut
Und in den Raum der Welt hineingeschaffen —
Wo kahler Boden, Feld und Weide war,
Und ewig weiter so geblieben wäre,
Dies Hochgestaltete erzwungen haben —

[3] E. Bacmeister, Kaiser Konstantins Taufe, S. 52—58.

Freihin, aus unserm Wunsche, daß es sei? — —
Ich will euch sagen, Bürger, was das heißt.
Ich will's euch zeigen. Dazu dies Gebilde.
Die Säule, die jetzt hier steht, stand in Rom.
Bevor sie Säule war, lag in Ägypten
Das ungeborene Gestein. — Nun seht
Das schön Geschaffene, besiegt vom Geist:
Der schwere, schwarze Marmor licht und leicht.
Begreift das Wunder! Fühlt auf euch gezielt,
Was so gen Himmel aufschießt. Diese Säule
Spricht Offenbarung aus: die Überkraft
Des schöpferischen Menschen. Sie schon. — Aber mehr!
Es gibt ein schwereres Gestein als dies,
Das unsre körperliche Faust bezwingt
Und schafft aus einem groben Block so Feines,
Durchdrungen von dem feingewillten Wollen,
Das unsre Fäuste leitet. Ist nicht auch
In uns ein Urgestein von dunkler Schwere
Und wartet auch, daß es der Geist durchdringt?
Ich meine: wie wir sind an den Altären,
Die dumpfgebeugten Beter, hingeneigt
Der Gunst und Widergunst geträumter Mächte,
Die uns die Seele pressen, weil sie schläft.
Indes die wachende den Traum zerstäubt.
Der Seelenschlaf: auf *diesen* Marmelstein
Gilt es, die feinste Schöpferkraft zu richten,
Auf daß ihm eine freie, klare Säule:
Der selbstgewisse, wache Geist, entsteigt.
Auf ihrer Höhe dann —
(da die Blicke, seiner Hand folgend, nach oben gehn)
Nein, *mir* den Blick!
Das Erz da oben denen, die mich nicht
Mehr lebend sehn, in Fleisch und Blut, wie ihr.
Euch will ich selber noch mein Denkmal sein.
Und sollt mich *hören.* — — Bürger von Byzanz!
Ihr Menschen meiner Stadt, — ihr, jetzt und hier
Im freien Raume der bezwungenen Welt —:
Die Tempelhallen und die Kirchendächer,
Der ganze Götterwirrwarr unter uns —
Nur dieser lichte Sonnenpfeil zu Häupten —
Sollt meine letzte, kühnste Gründung werden.
Ihr in euch selbst. Nun horcht auf meinen — Wahn.
Ich will euch, euch als ersten starken Samen,
Der sich in alle Völker weiterstreut —
Frei von der Menschenschwachheit: — *Gott* genannt.
(Bewegung)

Kaiser
Noch staunt ihr auf. Die Menschenschwäche – Gott!!
Doch seht mich, Aug' in Auge, Byzantiner:
Ich habe diese Schwäche abgestreift
Mit soviel Glück, als ihr ja alle wißt.
Ich habe längst nur noch an *mich* geglaubt.

Fünfter Bürger
Und an die Sonne!

Kaiser
Glaubt ihr an die Sonne?
Ihr wißt sie und ihr fühlt sie. So auch ich.
Und grüße ihren Machtgang brüderlich,
So wie sie meinen: sie als mein Gedicht.

Fünfter Bürger
Apollo dein Gedicht?

Kaiser
Wie deines, Freund,
Wenn du mit diesem Namen von ihr sprichst.
Doch gilt es mehr, als: Göttliches zu dichten.
Denn wißt, es gilt,
Ein Göttliches zu *sein*: die Brudersonne
Zu der dort oben – als ein Schöpfungsquell
Lebend'ger Taten aus dem Feuer: – Geist.
Sie – Baum und Tier und Blume. Wir – die Tat,
Wenn unser Wille in das Dunkel greift
Und reißt Gestalt heraus, wo keine war,
Bis wir sie schufen. So schuf ich mit euch –
Wer sonst als wir? Das strahlende Byzanz
Als Gegenbild des Geistes, der wir sind.

Erster Bürger
Ja, das ist wahr. Wieso nicht wir?

Mehrere
Ja, wir!

Kaiser
Warum noch hinter uns ins Leere fassen?
Warum noch Gott? Da dies durch uns geschehn!
Ihr seid nicht stolz genug, ihr Menschensöhne.
Ihr wagt euch nicht, mit allem was ihr könnt
Und was ihr seid, – ihr sein könnt, wenn ihr wollt.
So nehmt denn mich als Maßstab, Byzantiner,
Der ich das Reich aus Trümmern wiederschuf,
Gesicherter und größer als es je
Die Welt gesehn. Ich als mein eigner Gott.

Sechster Bürger
Du wirst ihn noch erfahren – über dir.

Kaiser

Ihr wißt, wie ich ihn ausgefordert habe.
Wenn irgendeiner wäre über mir,
Der dies vollbrachte. — Doch die Leere schweigt —
Indes ich euch von meiner Fülle rede.

Einer aus der christlichen Gruppe (ekstatisch)

So sprach auch Satan, bis er stürzte.

Kaiser

Wohl,

Gott stürze mich. Da bin ich. — — Männer! Bürger!
Ihr seid nicht stolz genug. Ihr seid zu bange.
Weil euch nicht alles glückt, glaubt ihr den Teufel
Und klagt das Schicksal an. — Deshalb da oben
Auf meiner Hand, gebunden, die Lemure:
Das Dämonsweib, — den Griechen unter uns
Die Moira, die die Götter selbst bezwang.
Solange Götter waren. — — Jetzt der Mensch!
Und seine Gottgewalt. Er selber Schicksal,
Und alles wartet seiner freien Tat,
Um seines Geistes Untertan zu werden. —
Und so mein Testament an euch: Seid Schöpfer.
Wie überall die Sonne — so auch ihr.
Und jeder schaffe sich, wie ich, sein Reich —
(zum Ersten Bürger gewendet)
Und sei es nur die Werkstatt, wo er waltet
Und schafft das Rohe um in Wohlgestalt.
Sich selber obendrein zum klaren Meister,
Der, was er kann, auch weiß: — der Kopf die Hand.
Und so ist jeder stolz in sich beisammen.
Sein Glück so hoch, wie Kraft und Mut es heben. —
Dann dienen euch die Götter statt ihr ihnen.
Die grimme Moira duckt gehorsam nieder,
(Zur christlichen Gruppe gewendet)
Und Satan wedelt mit dem Drachenschwanz.
(Gelächter)

Erster Bürger und viele mit ihm

Heil Kaiser Konstantin!

Kaiser

Heil Byzantiner!

Ich wußte, daß ihr heitre Helden seid
Und helft mir, diesen dunklen Götterspuk
Aus eurem Hirn und meiner Mauer höhnen.
So wird Byzanz die helle Stirn des Reiches.

Zweiter Bürger

Hei wahrlich, dies ist kaiserlich gedacht!
Jetzt seid auch so und helft dem Kaiser *denken.*

Die Lehre vom heldischen Geistesleben entwirft, indem sie Elemente eines nachklingenden philosophischen Idealismus und der Lebensphilosophie verbindet, ein Bild vom handelnden Menschen. Die Welt erscheint auf ein tätiges Ich konzentriert, das sie im Handeln dem Begriff des „Geistes" unterwirft. So wird sich der heroische Mensch selbst zum Mittelpunkt der Welt, und alles nicht in seiner unmittelbaren Gewalt Stehende, wie die kosmischen Erscheinungen, erklärt er sich zum Genossen in einem götterlosen All, so daß alle transzendenten Größen irreal werden, ohne daß allerdings das Reale zum Widerpart des Menschen würde.

In Kolbenheyers Giordano-Bruno-Tragödie „Heroische Leidenschaften" [4] wird eine ähnliche Konzeption sichtbar, allerdings tritt hier ein „pantheistisches" Moment stark in den Vordergrund. Aber hier wie dort steht ein Individuum im Mittelpunkt des Universums, vollendet sich die Welt für alle in dem Einen. Während Bacmeister den sich aus seiner eigenen Geistigkeit bestimmenden Menschen darstellt, zeichnet Kolbenheyer den Mann, der aus „wesenhafter" Beziehung zum Göttlichen seine Lebenskraft gewinnt, wobei der Begriff des Göttlichen sehr ins Ungewisse gerückt wird, wenn ausgerechnet der Papst Giordano Bruno neben Christus und die Märtyrer stellt, ohne daß die Vorstellung vom Göttlichen, die die altbekannte Fruchtmetapher eher verschleiert als erhellt, bestimmt würde. In Wirklichkeit ist dieser „Offenbarungsheld", der seine eigene Wahrheit verkündet, eine Figur eines götter- und wertlosen Kosmos wie auch Kaiser Konstantin in Bacmeisters Tragödie, nur daß ein verwaschener Pantheismus eine jenseitige Sphäre vortäuscht, die keinerlei metaphysische Realität besitzt. Die (in anderem Zusammenhang zitierte) [5] Schlußkonstruktion dieser Tragödie macht das recht deutlich, wenn Sokrates und Jesus Giordano Bruno als Dritten im Bunde der Künder der ewigen Wahrheiten aufnehmen. Hier mag das Ende des Gesprächs zwischen Giordano Bruno und Papst Klemens zitiert werden, in dem Bruno am Schluß des gegen ihn geführten Ketzerprozesses das Martyrium auf sich nimmt, ohne daß aber recht deutlich wird, warum und wozu er sich opfert. Im Tod als dem notwendigen Ende seines Reifungsprozesses soll sich eine unmittelbare Verbindung zum Numinosen zeigen, das aber in dunklen Andeutungen vergeheimnist wird.

[4] E. G. Kolbenheyer, Heroische Leidenschaften, S. 61—64.
[5] Vergl. unten S. 363 f.

Klemens

[. . .] Bruder Jordanus, du warst in Venedig bereit, dich zu unterwerfen, und man hat bedachterweise deine Unterwerfung nicht angenommen, weil der Friede, den du schließen wolltest, allzu rasch und eilfertig erschien.

Giordano

Ich habe mich in Venedig der Gemeinschaft wegen unterwerfen wollen. Damals war die Gemeinschaft noch mächtig in mir. Ich war aus dem Leben gekommen, das sein höchstes Glück in der Gemeinschaft hat, auch das höchste Glück des Geistes. An diesem Glücke habe ich noch gehangen, die drängende Offenbarungssehnsucht der Menschen ließ es mich fühlen, sie, die den Seher umgibt, daß er ihr Mund werde. Vielleicht war dieses Glück von der Sünde der Eitelkeit vergiftet, die eine der größten Sünden des Geistes ist. So war noch jede Gemeinschaft vor meinem Herzen mächtig, auch die der Kirche. Es sind viele Jahre seither. Ich habe diese Jahre gebraucht, um von meiner äußeren Wahrheit, die nur die Form gefunden hatte, zu meiner inneren Wahrheit zu kommen, die Wesen ist.

Klemens (in starker Erregung)

Zu deiner inneren Wahrheit? Ich weiß, was du Wahrheit nennst. War es nicht schon deine ganze Wahrheit damals, geschrieben und gesagt? Du hast kein neues Wort hinzugefunden seither, du bist auf deinen Irrtümern stehen geblieben. Dasselbe, dasselbe, damals und heute. Und du hast widerrufen wollen. Eine paradoxe Meinung, ein trügerisches Sophisma hält dich jetzt, und du opferst ihm deine lebendige Seele!

Giordano

Ich war in jener Zeit kaum erst Mund geworden.

Klemens

Wie meinst du das?

Giordano

Die schreibende Hand Gottes und seine redende Zunge war ich. Wohl habe ich gewußt und erkannt, was da von mir geschrieben und ausgesprochen war, und ich habe erlebt, daß es unerhört und gewaltig gewesen ist. Doch war ich Werkzeug nur. Mir ist geschehen wie dem Granatbaum in seiner Blüte. Auch er spricht schon von der Frucht in seinen feurigen Farben und Düften, aber er weiß von der Frucht noch nichts. Davon weiß er erst im Herbst, wenn sich die Frucht abzuschnüren beginnt und endlich abfällt. Ohr, Hand und Mund der Offenbarung bin ich gewesen, die Frucht hat mir gefehlt. Wenn aber die Zeit gekommen ist, wirft der Granatbaum seine Blüten ab.

Klemens (in großer Spannung weit vorgebeugt)

So ist es, Bruder Jordanus. Auch du wirf ab! Was waren deine Blüten? Schriftzeichen, Worte. Laß sie fallen und kehre zu den heiligen Zeichen und Worten zurück, die ihre Mängel überwunden haben und Frucht geworden sind! Deine Buße soll so sein, daß du nicht verzweifelst über der Qual deines Leibes. Laß mich an dir nicht zum Richter werden!

Giordano

Wie könnte ich das, Heiliger Vater?

Klemens

Du kannst es. Vertraue dir selbst. Du kannst es! Wirf ab die Blüten, die eine trügerische Farbe und einen berückenden Duft tragen. Wirf sie ab, widerrufe! Dann hast du es vermocht.

Giordano

Wirft der Granatbaum seine Früchte ab, wenn er die Blütenblätter fallen läßt? Weshalb sind jene Worte und Zeichen heilig geworden, die die Kirche heilig heißt? Nicht weil sie vom Anbeginne heilig waren; weil sie geholfen haben, daß die Frucht reife, darum sind sie heilig. Die Frucht muß reifen. Nach der Worte Taubheit und Verblendung muß Wahrheit werden, sonst bleiben alle Worte taub und blind.

Klemens

Und Wahrheit sollte an *deinen* Worten geschehen?

Giordano

Nicht anders als an den heiligen Worten der Kirche, da sie erst Frucht werden mußten.

Klemens (erhebt sich, sehr erregt)

Was willst du, Bruder Jordanus?

Giordano

Was ich muß: reif machen, austragen.

Klemens

Dann *willst* du deinen Tod.

Giordano

Ich muß meinen Tod wollen.

Klemens (erschüttert)

Eine ungeheure Lästerung des heiligsten Opfertodes steht auf deiner Stirn geschrieben!

Giordano

Ich bin bereit, es auf mich zu nehmen, daß die Kirche meinen Tod lästert, sei es auch nur, um das Zittern zu überwinden, das sie befällt, wenn sie meinen Tod verhängen *muß*.

Klemens (sinkt langsam auf den Thronsessel zurück)

Du hast noch nicht das Urteil gehört. Du hast die letzten Versuchungen des Lebens noch nicht gefühlt. Deine Wahrheit ist nicht die der heiligen Märtyrer, die Gottes köstliche Frucht auf der Zunge geschmeckt haben, da sie gestorben sind.

Giordano

So ist es, Heiliger Vater. So ist es. Die letzten Versuchungen des Lebens sind noch vor mir. Wahrheit muß Frucht werden. Sie kann es nur durch mich. Aber ich schmecke doch ihre Reife schon. (Langsam.) Denn ich habe die Wahrheit nicht aus der Gemeinschaft erhalten wie die heiligen Märtyrer. Sie ist aus mir gewachsen mit Gottes Offenbarungswillen durch mich. Ich muß Frucht werden für die andern, denen Gott sich offenbaren will.

Klemens (lauscht bei den letzten Worten hoch auf)

Für — die — andern — werden? Für die andern?

Giordano

Ja.

Klemens

Nun lästerst du nicht mehr durch deinen Tod, Bruder Jordanus. — Christus, die leibgewordene Person Gottes, ist für Menschen gestorben. Die heiligen Blutzeugen sind für Gott gestorben. Du stirbst als Mensch für *andere* Menschen. So mag mit deinem Tode deine Wahrheit in die Welt kommen: Menschen werden sie richten!

Giordano

Das will ich. Das hoffe ich. Das ist mein Glaube und meine Frucht.

Klemens (tief bewegt)

Du hast mich meines Richteramtes entbunden, da du in diesem Menschenglauben den Tod willst. Ich danke dir in deinem Tode. Ich würde mein Dasein preisen, wenn ich dich deines Glaubens entbinden könnte, wie du mich des Richteramtes entbunden hast. (Erhebt sich.) Mein Arm ist müde vom Segnen. Tausende und Tausende habe ich gesegnet. Dich kann ich nicht segnen. Daß ich es nicht kann, soll dir zeugen, wie schwer auch ich zu tragen habe.

Die Retraktion ins Ich, die diese Pseudometaphysierung im Grunde bedeutet, ist überaus typisch für das Drama des Dritten Reichs: der Mensch wird nicht als ein soziales Wesen begriffen, das sich mit anderen Mitgliedern der Gesellschaft auseinandersetzt oder sich zumindest von einem mechanischen Gesellschaftsprozeß erfaßt sieht; diese Konstellation sei nur Akzidens. In Wirklichkeit finde der Kampf in der Brust des Helden zwischen dessen Vitalkräften und einem nicht näher präzisierten Schicksal statt, das die Autoren versuchen, mit christlichen Termini zu erfassen. Als Beispiel soll ein Beleg aus Langenbecks Tragödie „Der Hochverräter" [6] angeführt werden. Der deutschstämmige provisorische Kommandant von New York, Leisler, ist vom neuen Gouverneur Sloughter wegen angeblicher Rebellion zum Tode verurteilt. Er wird nun zusammen mit Stoll, einem einfachen, ehrlichen Soldaten zur Exekution vorgeführt; außerdem ist Meisje, seine Tochter, anwesend:

(Das Tor öffnet sich. Die vier Alten kommen zuerst. Dann Leisler; er hat Stoll bei der Hand genommen; sie gehen sehr langsam, feierlich, ohne irgendeine Wendung des Kopfes; das Tor bleibt geöffnet; der Leutnant geht nach links ab; Sloughter steigt auf die Rathausstufen; Nicolls steht vorn)

Leisler (leise und mit höchstem Ausdruck, aber, dem Erhabenen seines Zustands angemessen, nicht etwa weich, nicht lächelnd verklärt)

[6] C. Langenbeck, Der Hochverräter, S. 105—107.

Es ist geschehen, daß ich sterben will. Denn Gott
Hat mich gestürzt in seine Wahrheit. Tief in Wehen
Geheiligter Verwandlung stand ich an der Mauer
Bewußtlos. Nie geglaubte Kraft entriß mich stürmisch
Dem Notgeflecht der Taten, die ich wirkte, und
Mit sanftem Donner rauschte mir die Nacht vom Auge.
Ich sah. Ich sehe. Schneller Tod ist mir Gewinn.
Furchtbare Heiterkeit erfüllt mich. Schuld und Leid
Im Ursprung eins bei Gott: ja, das erkenn ich. Keiner,
Der hier nicht alles litt, wird je berufen. Amen. –
Nun will ich beichten, denen, die mich lieben.

Meisje (ohne sich aufzurichten)
Du lebst. Mit ungeheurer Ruhe quälst Du mich.
Erbarm Dich. Denn an diesem Holz verzagt mein Herz.
Ich fasse nicht, was Dir geschah. Mein armer Vater –.

Leisler (mit mehr Härte; wie ein Mensch, der zum erstenmal ausdrücklich und endgültig mit sich ins Gericht geht)
Mit meinem Glauben habe ich geprunkt und habe
Gott nicht gekannt. So tat ich alles aus mir selbst
Und nahm doch Gott zum Zeugen für mein gutes Recht.
Der Stolz wuchs auf. Ich pries die eigne Rechtlichkeit,
Und meine Taten waren mir nicht fehlerhaft.
Am Ende hatt ich viel geleistet, nichts geopfert.
Und als die große Probe kam, verlor ich mich,
Weil ich mich halten wollte, und geriet in Schuld
Vor Gott, vielleicht vor Menschen auch — wer kann das wissen.
Nun zahle ich die bittre Buße — und bin frei.

Sloughter
Recht gut, daß kein Gesuch um Gnade mich bestürmt.
Ich bin's zufrieden, daß Ihr Euch erkennt und züchtigt.

Leisler
Herr Gouverneur, daß ich hier enden muß, steht nicht
Bei Euch. Auch wurde ich an Euch nicht schuldig. Das
Verkennt Ihr. Unbezwingbar ist das Schicksals Hoheit:
Und *sie* befiehlt mir nun, durch Euch zu sterben *für*
Den *König, weil* ich ihm *zu ehrlich* diente, ja,
Doch mit der Demut nicht, die uns das stolze Herz
Zu solchem Dienst befreit. Gebt keine Antwort, Sir;
Denn nimmermehr reicht Ihr hinab in meine Seele.

Diese Sucht zum Tode, die als Streben zum Schicksalhaft-Wesentlichen verstanden wird, ist tief im pessimistischen Rassenbiologismus der Weltanschauung des Dritten Reichs verwurzelt; sie findet sich immer wieder in diesen Dramen. Der Held im Drama nimmt den Spruch des Schicksals an, dem er sich als einzelner, meist stellvertretend für eine Gemeinschaft, ausgeliefert findet. Auf eine Gnade des Göttlichen kann er nicht hoffen, obwohl die Gottheit immer wieder magisch beschworen wird.

Vom Begriff des Göttlichen leitet sich auch das Führungsbewußtsein dieser Helden ab; sie sind charismatische Führer. So etwa auch der deutsche Ingenieur Münnich in Fr. W. Hymmens „Petersburger Krönung" [7], der Rußland auf ein neues, höheres kulturelles Niveau gehoben hat. Die Zarin Anna ist gestorben, der Usurpator Biron gestürzt; Münnich hat Rußlands Geschick in den Händen; er will Elisabeth, die rechtmäßige Erbin des Zarenthrons, ausschalten, weil er sie für zu unrein befunden hat, den Thron zu besteigen. Statt ihrer möchte er die sanfte Anna von Mecklenburg als Regentin gewinnen. Er überzeugt die Zögernde von seiner Berufung. Daß er diese falsch deutet, darin liegt seine Tragik: nicht den andersrassischen Russen gilt sie, sondern seiner Heimat. Dieses verkennend, verfehlt er seine Aufgabe:

Münnich
Ich habe die Regierung übernommen,
Um Rußland zu erneuern und zu heilen.
Mir fehlt jedoch die kaiserliche Vollmacht,
Das Zarensiegel, das mein Werk beglaubigt.
Der kleine Zar braucht einen Prinzregenten.
Nun bitte ich im Namen der Armee,
Im Namen eines unglücklichen Volkes,
Ich bitte Sie, für Iwan die Regentschaft
Zu übernehmen.

Anna
Das ist viel, und dunkel.

Münnich
Ich stehe Ihnen bei.

Anna
Ein fremdes Volk
An meinen Willen binden?

Münnich
Ein verwaistes
und armes Volk.

Anna
Aus Mitleid also?

Münnich
Wäre
Das schändlich? Doch aus Mitleid nicht, — aus Ehre.
Verwaistes Land heißt: Arbeit, Führung, Größe.

[7] Fr. W. Hymmen, Petersburger Krönung, S. 73—75.

Anna
Um Ihretwillen? Weil ein General
Den Ehrgeiz hat, ein ganzes Volk zu führen?
Elisabeth
Sie weiß Bescheid.
Münnich
Um meines Amtes willen.
Anna
Verzeihen Sie, daß ich die Zeit vergaß.
Sie suchten damals. Heute haben Sie
Gefunden, was schon immer Ihnen zukam.
Münnich
Das ist mein großes Glück: ich bin berufen!
Ich bin geboren, um hier zu regieren.
Anna
Berufen auch zu Sorgen und Gefahren . . .
Münnich
Soll ich mich davor fürchten? Vor den Sorgen?
Anna (fest)
Ich weiß. Es hilft kein Sträuben gegen Gott.
Er hat Sie herberufen, das ist Wahrheit.
Münnich
So glauben Sie an meine Sache?
Anna
Ja,
Ich glaube. Deshalb will ich Sie begleiten.
Ich will es wagen, und ich will mich fügen.
In Furcht, in Glück.

Die vom Schicksal Berufenen handeln nicht aus sich selbst, sie sind das Medium einer stärkeren Macht, der sie ihr Dasein widmen und ihre Stimme leihen. Und sie handeln auf eine Gemeinschaft hin, auf eine höhere Menschheit, auf das Volk, dem sie der Autor wesensmäßig zuordnen will, ja, sie sind die Verkörperung des Wesens und Geistes dieser Gemeinschaft. Das wird z. B. deutlich in H. Böhmes Schauspiel „Volk bricht auf" [8]: Auf dem Kreuzzug nach Jerusalem liegt das normannische Volk von der Pest befallen vor Byzanz. Herzog Guiskard hält sich bereits seit acht Tagen in seinem Zelt verborgen; Abälard, sein junger Neffe, empfindet ihn als volksfremd, da er seine Kraft nicht auf Jerusalem, sondern auf das fremde Byzanz gerichtet habe. Im folgenden Streitgespräch entwickelt Abälard die Theorie des rechten Volksführers: das Blut (als mythische Seinsmacht)

[8] H. Böhme, Volk bricht auf, S. 44—46.

verbinde Volk und Führer, seine Seele sei die Seele des Volks. Reiche seine Kraft nicht, das Heil des Volks zu bewahren, so trage er die mythische Heilskraft der Herzogswürde zu unrecht. Die weitere Entwicklung der Handlung gibt dieser Argumentation Abälards recht.

Guiskard
[. . .]
Der Herzog Guiskard siegt nur noch im Kampf!

Abälard
Wofür, Guiskard, wofür?

Guiskard
Für mich, für meine Sehnsucht!

Abälard
Und trägst Du nicht des Volkes Herzogtum?
Ein wahrer Führer gibt sein Leben auf,
Wenn er nur einmal *seinem* Wunsche diente.
Ein wahrer Führer trägt als Spiegelbild
Des Volkes Sehnsucht tief in seiner Brust.

Guiskard
Willst *Du* mir sagen, was ein Herzog ist?

Abälard
Das will ich Dir sagen!

Guiskard
Du Bube!

Abälard
Guiskard! Siegen oder sterben,
Das können die Tiere auch. Wir aber –
Wir – wir siegen oder sterben für das Blut,
Das uns zusammenhält. Für die Verbundenheit
Seit ewigen Jahren.
Und über ewig Jahre weit hinaus.
Damit das Volk besteht.
Das Volk muß siegen oder sterben, Guiskard!
Byzanz jedoch, das Dir die Krone gibt,
Nimmt Dir die wahre Krone dieses Volkes.
Byzanz ist Reichtum, Frevel, ist Begierde.
Byzanz löst unsere Blutgemeinschaft auf.
Du locktest uns zum Kreuzzug, wilder Herzog,
Wo bleibt Jerusalem, das frag ich Dich!
Verwandelst Du das Kreuz in eine Krone?
Ich warne Dich vor Gott!

Guiskard
Bist Du mein Priester?

Abälard
Du solltest Priester sein für Dich, für mich,
Für uns, die wir in vielen heißen Tagen
Pestkrank an fremdem Strande lagern müssen.
Guiskard erwache! Gib das Volk zurück!
Guiskard
Du kniest auf meiner Seele, Abälard!
Abälard
Das will ich, ja! Wolltest Du Schmerzen spüren
Um das, was Du wie blankes Geld verschenkst,
Zum Kaufe bietest, Du! Das wird Dein Schicksal.
Weh, wenn das Volk bei Dir zur Masse wird,
Der Führung, die betrog, sich jäh entreißt,
Und der Empörung Fackel wütend zündet,
Es kommt zu Dir, es fordert Dein Gericht,
Es tritt mit tausend Füßen Deinen Leichnam,
Und lehrte Dich im Sterben, was es heißt,
Die Sehnsucht eines Volkes zu verschenken,
Das Blut, die Freiheit, alles zu verschenken.
Für eine Kaiserkrone von Byzanz.
Guiskard
Warst Du es nicht, der die Empörung schürte?
Abälard
Wenn Du der Herzog bist, der uns verkauft,
Der nicht die Pest in sich mehr überwindet ...
Der nicht mehr nach Jerusalem sich sehnt,
Guiskard
Ich bin nicht pestkrank,
Will nicht pestkrank sein.
Abälard
So geh und wandle Dich zu Dir zurück,
Mach dieses Volk gesund. Was ist Byzanz
Für dieses junge Herz in Deiner Hand
Von tausend Männern, die Dich lieben wollen.
Guiskard
Ich will Byzanz, ich wandle mich nicht mehr.
Abälard
Und wenn Du nicht den Willen wandeln kannst,
Sei stark und überwinde, gib *mir* das Volk.
Guiskard
Wo denkst Du hin?
Kann ich denn teilen, was ich selber bin?

Es ist bereits deutlich geworden, daß es sich hier nicht um psychologisch verstandene Individuen handelt, daß ihr Charisma keiner psychologischen

Erklärung bedarf. Sie sind seinsmächtige Typen des Menschen, speziell des nordisch-deutschen. Psychologische Menschendarstellung war den Kunsttheoretikern streng verpönt, sie galt als Stilmittel einer dekadenten Zeit, der das eigene, angeblich heroische Lebensgefühl entgegengesetzt wurde. So hieß es etwa bei Rosenberg: „Das 19. Jh. betrieb Psychologie nicht weil es seelisch gesund, sondern gerade weil es *krank* war. Wie ein Verwundeter immer seine Schwären betasten wird, so auch der Dostojewskische Mensch sein morsches Inneres. Das ist vorüber! Uns bewegt nicht mehr der kranke, sondern der kämpfende, gesunde Mensch — sei es im Siege, sei es in der Niederlage." [9]

Unter diesem Aspekt läßt sich die Typologie des positiven Helden im Drama des Dritten Reichs noch etwas erweitern. Neben den gesteigerten Ich-Menschen aus idealistischer und lebensphilosophischer Denktradition (Konstantin), den Offenbarungshelden (G. Bruno), den schicksalsgläubigen Helden (Leisler), den charismatischen Führer (Münnich) und den Volksführer (Abälard) tritt der blonde Siegfried-Held, wie ihn Langenbeck in „Das Schwert" [10] zeichnet: Der Fürst Gaiso, der seinen Bruder aus Staatsnotwendigkeit ermordet hat, prüft die Bereitschaft Gerris, des Führers der „Jungen Mannschaft", den Kampf um das Lebensrecht des Volks weiterzuführen; denn er will sich, den Brudermord sühnend, dem Schicksal opfern. Gerri erweist sich als ein strahlender, siegbewußter Held, der ohne innere Brechung das Recht des Volks erkämpfen wird. Er weiß nichts von seinem Heldentum, er lebt es:

> Gaiso (nach einer Weile)
> Gerri — in euch ist nichts mehr das noch zweifeln kann?
> Gerri
> Wo fehlten wir, daß dein Vertrauen schwanken darf?
> Gaiso
> Ihr seid des Lebens ganz gewiß das ich verhieß?
> Gerri
> Verheißen hast du's nicht. Du hast es uns erkämpft.
> Wir leben und wir glauben. Dieser Sieg ist dein.
> Gaiso
> Und nichts mehr treibt euch weg von dieser guten Bahn?
> Gerri
> Wenn du mich prüfen willst, kann ich dir Rede stehn.
> Wenn aber Ungewißheit und Besorgnis dich
> So ängstlich fragen lassen, weiß ich keine Antwort.

[9] A. Rosenberg, Revolution in der bildenden Kunst?, S. 4.
[10] C. Langenbeck, Das Schwert, S. 75—77.

Gaiso
Gerri ich sag dir, diese Stunde wiegt so schwer
Für mich und euch, daß wohl zu solchen Fragen ich
Das Recht mir graben darf aus meinen Wunden allen.

Gerri (nach einiger Zeit)
Wenn du als einen Mann mich achten kannst, der sich
An dir erprobt hat, und du fandst ihn rein: so höre
Von uns, aus meinem Mund, und halt das Wort in Ehren:
Männer der Erde sind wir und des Himmels, hell
Im Sein; treu und bestimmt im Kampf, freudig in Not,
In Freuden ernst; wir leiden ehrlich, lachen gern
Und haben Feinde fünferlei: Heuchler und Lügner
Erstens und zweitens; Feiglinge: die drittens; viertens,
Die garnichts achten, die Verzweifelten; und fünftens
Die Schwätzer allesamt, gleich, ob sie betteln oder
In hohen Würden ausgespreizt sich selbst bewundern.
Das, Gaiso, das ist deine Mannschaft die dich liebt,
Und Weiber liebt sie auch, nur anders, und am meisten
Die blanken saubren Kinder, dieses liebliche,
Buntblühende, sanft sinnende Gesindel: das
Bei weitem ist ja wohl das allerschönste und
Ergreift am tiefsten, wenn es nachfühlt, jedes Herz.

Gaiso (recht leise)
Glücklichster Mörder! [11] Ach, — wie steigt in mir ein frisches
Noch nie gespürtes Wohlgefühl herauf und heilt mich!
Empfindend nur noch Dankbarkeit: bin ich am Ziel?

Gerri
Was sonst ich dir bekennen sollte, Gaiso, das
Bedeutende, das Große: das vom Volk, vom Dienst,
Vom Glauben und von Gott, und von der Ehre das:
Du mußt verzeihn: Ich kann nicht sagen, was wir *sind*.

Gaiso
Lieber, es dringt mit dir ein würziges Licht herein. —

J. M. Wehner, ein führender Kritiker des Theaters des Dritten Reichs, schreibt zu diesem Stück: „[. . .] so oft auch der hin und her schwingende Zeitsinn an die Glocke des Weltkrieges schlägt, immer wieder entführen schon die Namen Awa, Gaiso, Evruin die Phantasie in den vom Dichter gemeinten zeitlosen Gedankenraum, in dem er seine Gegensätze zum Gleichnis abspinnt. Die Schauspieler sind Allegorien deutscher Spannungen, wie sie nicht nur im Weltkriege auftraten, wie sie vielmehr in jedem

[11] „Glücklichster Mörder": Da Gerri sich als fähig erweist, das Volk zu führen, kann Gaiso seinen Plan ausführen, den Brudermord mit dem eigenen Tod zu sühnen.

Kriege, ja in jeder deutschen Auseinandersetzung gegenwärtig sein müssen." [12]

Die Enthistorisierung des „Helden", die als eine Reduktion alles Geschichtlichen und Konkreten auf ein „Wesentliches" begriffen wurde, das aus Sprachmangel in ein biologisch-vitalistisches oder religiös-christliches Vokabular gekleidet ist, ist ein zentraler Zug der Theaterproduktion aus dem Geiste der Zeit des Dritten Reichs; sie resultiert aus der Aufgabe, die die Literatur, und besonders die Bühnenliteratur, gemäß der Kunsttheorie, die hinter diesen Konstruktionen steht, und ist so Bestandteil des ideologischen Gebäudes, in dem sie beheimatet ist: Der nordische Mensch, der sich in schicksalhaftem Kampf mit den Mächten des Chaos befindet, hält in heroischem Sein deren Gewalt stand und geht unter im völkischen Tod; hinter der kämpferischen Heldengeste verbirgt sich der erschreckende Geschichtspessimismus des völkisch-konservativen Heroenkults, der, was sich ihm in der Erfahrung geschichtlicher Realität als Erkenntnis und damit auch als Handlungsmaxime entzieht, ins angeblich Zeitlos-Ewige umdeutet und als Fügung eines unausweichlichen Schicksals der eigenen Verantwortlichkeit entreißt. Nicht das Individuum im psychologischen Sinne, auch nicht der vergesellschaftete Mensch in den Bedrängnissen und Bedrohungen der modernen Industriewelt steht auf den Brettern, vielmehr flüchten die Autoren vor den Problemen gegenwärtiger Lebensformen in die Welt des angeblich Ewigen, wie es die Urzeit oder die Natur über alles Tagesgebundene gestellt habe, wo der Mensch noch ganz mit seinem Wesen übereinstimme. Die gesellschaftliche Situation bekommt in dieser Fluchtreaktion, die den Menschen als zeitlosen Helden zeichnet, gestaltende Funktion im weltanschaulichen Kunstwerk, und es spricht der „Geist der Zeit" sehr vernehmlich aus diesen Werken, freilich anders, als die Schriftsteller selbst glaubten, und möglicherweise deutlicher als in vielen wirklichkeitsengagierten Zeitstücken.

b) *Vorbildliche Frauengestalten*

Frauen spielten nur selten eine zentrale Rolle im Drama des Dritten Reichs, das Interesse konzentrierte sich vorwiegend auf den männlichen Helden, der kämpferisch mit den Schicksalsmächten ringt. Die konservative Ideologie schränkt die Rolle der Frau ohnehin stark ein und reduziert sie auf die Funktion der biologischen Arterhaltung, und so läßt die Dramatur-

[12] J. M. Wehner, Vom Glanz und Leben deutscher Bühne, S. 14.

gie des Dritten Reichs sie — nach bewährtem Traditionsmuster — mit den Urmächten „wesensmäßig" verbunden, ja sogar identisch sein. Sie steht selten im Zentrum des Geschehens und nimmt meist Randpositionen ein; auch ist die Variationsbreite der weiblichen Typologie viel schmaler. Eine kleine Anzahl von Grundmustern wird abgewandelt wiederholt.

Eines dieser Grundmuster ist die Frau als schicksalsbewußte Seherin, die über dem Kampf des Augenblicks, den meist Männer austragen, dem nornischen Urgrund des Schicksals, wo das Sein noch unberührt von aller Vereinzelung des Daseins dunkel und unkenntlich, aber drohend und fordernd ruht, in tiefster Seele verbunden ist. So ist in Langenbecks nun schon mehrfach zitierter Tragödie „Das Schwert" [13] die Mutter der feindlichen Brüder, Awa, dem momentanen Geschehen ganz entzogen, als Mutter und Greisin, unbestimmbar in Alter und Gefühl, ist sie dem Grund des Schicksals nah; dunkel und hart, jeder Individualität entkleidet (sie redet von sich in der zweiten Person) wird sie zur Seherin und Sagerin. Sie deutet das Schicksal und leidet seine Gewalt. Fast wie aus einem anderen Bereich kommend, geht sie durch das Geschehen, dessen schicksalhaftes Grundmuster sie erkennt. Bereits das trochäische Versmaß sondert ihre Rede von den anderen Handlungsteilen:

Awa
Also, Weib, gebierst du dem Leben
Kinder, und das Leben raubt sie dir.
Ahnend, hoffend alles schaust du
Lang den entlaufenden nach,

Deinen Wesen,
Die ein begieriger
Mann ehmals
Zeugte in dir.

Warm aus dunklem Gewölk der Erde
Blickst du den blitzenden Himmel an,
Rings herab umwölbt er dich,
Und kein Wissen verwundet ihn dir.
Draußen jagen die Söhne; Freiheit
Wittern sie lachend, aber
Auch den Zwang, und sie staunen.

Glück umbrandet mit reicher Gefahr
Helldrohend die jungen Kämpfer.
Schrecklich packt der Schrecken die Starken,

[13] C. Langenbeck, Das Schwert, S. 50—52.

Peinlich umschlingt er die Schwächeren —: alle
Drängen hinaus zu entrückten Gewalten,
Darbietend alle das Herz, und die Augen
Wandern geheimnisvoll sehend mit dahin.

Aber wer unterwegs und so geweiht
Nicht des ewigen Herrschers
Hohen Ruf erhört:
Dem verhärtet die enttäuschte
Seele alle Sinne; unwert
Treibt er umher, launischen
Winden hingeschleudert und
An sich selbst verloren.

Wünsche nur, Mutter, jedem
Deiner Söhne ein Schicksal.

Weh dir wenn du nicht Kraft hast
Einzubüßen alles
Was dein Schoß gebar.

Denn es wird ja keinem
Unberufnen der Sinn gegönnt seines Lebens.

Wehe mir selbst am meisten!
Leben ums Leben immer
Muß ich fordern
Meiner Söhne.

Nichts gehört ja dem Menschen ganz; was
Könnte er *nicht* verlieren? Aber
Eins bleibt ihm treu:
Das reine Herz.

Was sich hier allerdings als Blick in die Tiefe ausgibt, ist schließlich nichts als Bestätigung des ohnehin Geschehenden, und der Dramatiker schafft sich auf diese Weise selbst eine Instanz, mit deren Hilfe er hofft, die Ereignisse in einen mythischen, unterrationalen Bereich projizieren zu können. Auch dort, wo die weibliche Rolle enger mit der Handlung verbunden ist, reicht sie immer über diese hinaus und wird zur absoluten Figur, zum priesterlichen Mund eines unabwendbaren Schicksals. So greift die Mutter in E. W. Möllers „Spiel" „Das Opfer" [14] in die Handlung ein: Agneta, die Frau des Richters und Schwiegertochter der Mutter, hat gegen das Gesetz der Rasse verstoßen, als sie vor langer Zeit mit einem Slawenjungen, dessen Tod die Götter um der Reinheit der Rasse willen verlangten, Mitleid hatte

[14] E. W. Möller, Das Opfer, S. 78—79.

und ihm zur Flucht verhalf. Dieser Junge ist nun als plündernder Woiwode zurückgekommen und verlangt, daß ihm seine damalige Retterin ausgeliefert werde. Die Alten wollen — Agneta zur Strafe — dem Begehren stattgeben; die Mutter erhebt im Namen der Rassenehre Einspruch und verlangt ein Schuldurteil der Rassengemeinschaft über ihr frevelndes Mitglied. Auch sie ist die Stimme des Absoluten, sie verkündet die Wahrheit des Gesetzes, das über den Einzelfall hinausreicht:

Der Richter

O Mutter, rate mir, ich bin am Ende.
Das Unerhörte soll geschehn, daß einer
Die eigne Frau —

Die Mutter

Nichts weiter! Sprich nicht aus,
Was schon als Wort der Frauen Ohr beleidigt!
Ich habe nichts gehört und will's nicht wissen.
War das der alten Weisen ganze Weisheit,
Und schämtet ihr euch nicht, für solchen Preis
Der Schändung eures Heiligsten, des Bluts
Und eurer Weiber Ehre, euer Blut
Und eure Ehre schimpflich zu erkaufen,
So stehen eure Frauen selber auf
Und rufen: pfui! und immer wieder: pfui!
Ihr Männer seid erbärmlich, wenn ihr rechtet
Anstatt zu handeln; und wie Krämer handelt,
Wenn ihr mit euerm Recht nicht weiter könnt.
Und noch erbärmlicher ist jener Fremde,
Der mit sich handeln läßt, mit seinem Recht,
Dem guten Recht des Stärkern, wuchern will,
Aus seiner Macht die Wollust niedrer Triebe,
Die Sättigung gemeiner Lust erpreßt
Und aus dem Anspruch, euer Herr zu sein
Und euer Richter, listig Zinsen zieht.
Und diesem feilen Burschen wollt ihr Würde,
Entscheidung und Vollstreckung überlassen?
Dem Mann verkauft ihr eure Erstgeburt
Für einen schäb'gen Teller Linsen? Seid
Ihr freie Männer noch und seid ihr Männer?
Und sagen muß euch erst ein altes Weib,
Daß auch der Tod ein Recht der Herren ist,
Das nur den Freien ansteht, nicht den Knechten?
Wollt ihr das Recht dem Fremden überlassen
Und seiner Laune, ob es ihm gefällt,
Aus Unschuld Schuld, aus Willkür Recht zu machen,

So wär es besser, daß wir alle doch
Erschlagen unter unsern Häusern lägen,
Als daß nur einer lebte.

Der Richter

Mutter, Dank —

Die Mutter

Nein, danke nicht, du könntest es bereuen.
Die Frauen der Gemeinde wollen nichts
Voraus vor ihren Männern haben. Nicht
Als Mutter komm ich her, um diese da
Dem wohlverdienten Schicksal zu entreißen,
Den Richter such ich, nicht den Sohn, und diese
Klag ich wie irgendeine andre an
Im Namen aller Mütter und im Namen
Von allen Fraun, die Mütter werden sollen
Und Kinder haben, welche Deutsche sind.

Der Richter

Du klagst sie an? Auch du?

Die Mutter

Vor der Gemeinde.
Und fordre, daß du richtest, [. . .].

Der zweite Grundtyp der positiven weiblichen Gestalt ist die zarte, innerliche Frau. Dafür mag die Anna von Mecklenburg aus Fr. W. Hymmens Schauspiel „Petersburger Krönung" [15] als Beispiel stehen.

Anna von Mecklenburg hat sich entschlossen, die Regentschaft in Rußland zu übernehmen, da sie Münnichs Berufung erkannt und die Notwendigkeit seiner Aufgabe begriffen hat. In der zitierten Szene trifft sie mit Elisabeth, der rechtmäßigen Throninhaberin, die Münnich aber nicht für berufen gehalten und deswegen ausgeschaltet hat, in ihrem Arbeitszimmer zusammen. Es kommt dabei zu folgendem Gespräch:

Elisabeth (tritt verstohlen ein.)

Anna

Wie kamen Sie herein?

Elisabeth

Ich habe Freunde
Im Schloß, die mir die Türen öffnen, wenn ich
Es will. Es freut Sie doch, daß ich zu Ihnen
— als Ihre Schwester, wie Sie sagten — komme?

[15] Fr. W. Hymmen, Petersburger Krönung, S. 78—80.

Anna (mit zarter Bissigkeit)
Durchaus! Ihr unvermuteter Besuch
Macht mich sehr glücklich. Darum wünschte ich,
Daß Ihnen auch die rechte Höflichkeit
Gezollt wird.

Elisabeth
Danke, ich bin nicht verwöhnt.

Anna
Das dachte ich mir schon. Ich schätze Derbheit
An Frauen sehr ...

Elisabeth
Sie scheinen gar zu schreiben!
Die Politik ist mühsam.

Anna
Meine Arbeit
Macht mir bei allen Sorgen große Freude.

Elisabeth
Es ist nicht Ihre Arbeit, es ist meine.

Anna
Wenn Sie so schwesterlich mit mir die Sorgen
Zu teilen wünschen, wenn Sie meine Last
Auch als die Ihrige empfinden, werden
Sie sicherlich mich gern beraten wollen ...

Elisabeth
Ich dachte, die Regentin kann regieren,
Und weist den Weg sich selber.

Anna (als ob sie begütigen wolle)
Nicht so hastig!
Sie sollen ja nur raten, nicht entscheiden.
Der Weg ist längst gewiesen, nicht durch mich,
Durch Münnich –

Elisabeth
Münnich ist Ihr Vorgesetzter?

Anna
Das Recht des Mannes ist, die Politik
Zu machen, doch das Recht der Frau ist immer,
Die Politik zu heiligen. Wer ist
Da Vorgesetzter? Münnich ist der Staatsmann,
Ich helfe ihm, wo ich's vermag, ich folge,
Wenn er beschließt.

Elisabeth
Warum soll ich dann raten?

Anna
Was meinen Siegel trägt, will ich auch kennen.
Ich prüfe, und ich horche. Der Bericht,
Den ich hier habe, — sehen Sie —, betrifft
Das Elend unsrer Bauern. Hungersnöte
Und Seuchen, schlechte Ernten, böse Herren.
Was ist zu tun? Sie wissen sicher Rat,
Denn es ist Ihre Arbeit, wie Sie sagten.

Elisabeth
Gar nichts ist da zu tun.

Anna
Das wäre wenig.
Wir planen, Pflüge, bessere Geräte
Und andre Arbeitsweisen einzuführen.
Das Land wird falsch bebaut, das ist das Übel.

Gegenüber der verkommenen, aber herrschaftsbewußten Elisabeth leuchtet die sanfte Weichheit Annas, die sich nicht zur Tat berufen weiß, sich aber in der Politik als die „Hüterin der Mitte" begreift. Sie erkennt ihre Aufgabe, die ihr die Ideologie zuweist, durchaus, die nicht darin besteht zu herrschen, sondern die Ausübung der Gewalt gefühlhaft an den Bereich des Göttlichen zu binden. Hier wie überall bleibt dunkel, was darunter zu verstehen sei; aber gemäß dem Dogma des Irrationalismus ist auch gar nichts zu begreifen sondern alles zu erfühlen.

Diese Innigkeit, die sie in der Welt fremd werden läßt, prädestiniert die Frau zur Mutterschaft als der eigentlichen Erfüllung ihres Wesens. Steht dem etwas im Wege, eröffnet sich der Weg zur Tragik. So etwa in H. Ungers „Opferstunde" [16], woraus das folgende Gespräch zwischen der weichen, innigen Hilde und der in Amerika vollständig ihrer Natur entfremdeten und emanzipierten Schwester Gerda zitiert werden soll:

Hilde
Ich habe mir nur einen Beruf ausgesucht, weil ich das Nichtstun nicht ertragen konnte.

Gerda
Und hast in einem Kinderhort verwahrloste und uneheliche Kinder pflegen und warten helfen ... Entschuldige, bitte, für solche Liebhaberei fehlt mir jedes Verständnis.

Hilde
Und gerade du solltest doch die Bedeutung meines Berufes verstehen. Du hast doch auch keine Mutter gehabt und weißt, was wir entbehrt haben. Du müßtest selbst Kinder haben, Gerda!

[16] H. Unger, Opferstunde, S. 35—40.

Gerda
Wenn alles so viel Zeit hätte wie das!

Hilde
Weshalb hast du denn geheiratet?

Gerda
Na erlaube mal, du bist köstlich! Kinder! Fred kann Geschrei überhaupt nicht vertragen und wenn er aus seiner Office nach Hause kommt, will er ausspannen und mit mir vergnügt sein, ausgehen, Gäste haben, aber nicht den Familienvater spielen. Und welcher Mann, der eine junge, lebenslustige Frau hat wie mich, verzichtet nicht gern auf Kinder, um ihr ein angenehmes Leben bieten zu können.

Hilde
Ich habe eine andere Vorstellung von der Ehe. Eine glückliche Ehe ohne Kinder! . . . Es fehlt doch das Beste darin.

Gerda
Denkt dein Bräutigam auch so?

Hilde
Selbstverständlich.

Gerda
Man macht in Deutschland den Frauen das Kinderkriegen jetzt ja schmackhaft genug. Daß nur die Wiege nicht leer steht!

Hilde
Dein Instinkt als Frau müßte dir doch sagen . . .

Gerda
Ich begreife nur, daß die Frau bei euch keinerlei Rechte mehr besitzen soll, ausgenommen das der Mutterschaft.

Hilde
Also das schönste.

Gerda
Lächerlich. Hinter dem Kochtopf stehen, Kinder großzuziehen und die Dienerin des Mannes zu sein. Das wünscht ihr euch doch nicht im Ernst!

Hilde
Du siehst alles verzerrt. Nicht die Dienerin, die Kameradin des Mannes möchte sie sein.

Gerda
Fang nur nicht an zu politisieren! Ich habe ein bißchen mehr erlebt wie du, Kindchen, das ist es. Schließlich gibt es in der Welt noch andere Ideale wie die euren. Und die sind mir lieber. Streiten wir uns nicht darum.

Hilde
Streiten? Ich begreife nicht, daß du gerade auf die höchste Freude verzichten willst!

Gerda (nach längerer Pause)
Hilde! (Sie an den Armen fassend) Und wenn du auch darauf verzichten müßtest?

Hilde
  Ich? Wieso? . . .
Gerda
  Wenn es irgendwelche zwingenden Gründe gäbe . . .
Hilde
  Dafür gibt es doch keine Gründe!
Gerda
  Eine Verlobung zum Beispiel kann zurückgehen, aufgehoben werden, weil der eine Partner bisher falsch unterrichtet war.
Hilde (starrt Gerda an)
  Bezieht sich das auf Fritz?
Gerda
  Ja.
Hilde
  Was für ein Unsinn.
Gerda
  Er weiß von unserm Bruder? Dem Selbstmord?
Hilde
  Natürlich.
Gerda
  Auch, daß eine Geistesstörung die Ursache war?
Hilde
  Sprich doch endlich, Gerda! Was ist denn geschehen?
Gerda (zögernd)
  Vater sagte . . . Unsere Mutter ist gar nicht tot, Hilde.
Hilde (starr).
Gerda
  Sie befindet sich seit deiner Geburt in einer Heilanstalt.
Hilde (schweigt noch immer).
Gerda
  Sie ist geisteskrank.
Hilde (tonlos)
  Das wußten wir nicht? . . .
Gerda
  Man hat uns die schöne Erinnerung an sie nicht zerstören wollen.
Hilde
  Ich habe leider keine Erinnerung mehr. Wie sie ausgesehen hat, weiß ich nur von dem Gemälde in Vaters Zimmer.
Gerda
  Auch ich weiß gar nichts von ihr. Es wäre besser gewesen, er hätte uns auch jetzt nichts erzählt!
Hilde (erschüttert)
  Er muß doch einen Grund haben.
Gerda
  Ja. Und Fritz muß es selbstverständlich auch erfahren.

Hilde

Fritz ist Arzt. Der hat soviel menschliche Not und menschliches Leiden gesehen. Er wird mich nur noch lieber haben ... Darf man Mutter besuchen?

Gerda

Vater war jetzt bei ihr.

Hilde

Und?

Gerda

Sie hat ihn nicht mehr erkannt.

Hilde

Unheilbar?

Gerda

Ja.

Hilde (auf)

Daß die eigene Mutter lebt, die man längst gestorben glaubte. Wieviel Liebes und Gutes hätte man ihr erweisen können!

Gerda

Sie soll irgendwo im Schwarzwald in bester Pflege sein. Vater hat alles getan, ihr trauriges Los zu erleichtern.

Hilde (nach kurzem Überlegen)

Ist Vater zu Haus?

Gerda

Nein. Er wollte es dir auch nicht selbst sagen.

Hilde

Dann wollen wir Fritz um Rat fragen. Er als Arzt weiß besser Bescheid als wir.

Gerda

Warte doch! Zunächst müssen wir erst mal mit der traurigen Angelegenheit fertig werden.

Hilde (am Telephon. Schaltet eine Nummer ein)

Hallo! Ist dort die Charité? Bitte Abteilung drei ... Abteilung drei? ... Bitte Station Siebzehn ... Schwester? Ist Oberarzt Dr. Reit zu erreichen? ... Hier ist Hilde Bergmann ... Sobald er kommt, bestellen Sie ihm doch, bitte, daß ich ihn dringend erwarte. Hier, zu Haus. Ja ... Nur während der Mittagspause; ja, vielen Dank, Schwester. (Sie hängt ab.)

Gerda

Fritz wird auch nicht helfen können.

Hilde

Ich brauche ihn.

Gerda

Die Ärzte haben Vater gesagt, es müsse sich auch bei Hermann um das gleiche Leiden gehandelt haben und sein Selbstmord sei nur eine Folge davon gewesen ... (Zögernd.) Und nun fürchtet Vater, daß auch uns beiden das gleiche Schicksal nicht erspart bleiben wird. Mutters Krankheit kam ja erst nach deiner Geburt. Du siehst, wie gut es ist, daß ich keine Kinder habe ... Und du ...

Hilde (noch nicht ganz begreifend)

Ein Leiden, das sich vererbt?

Gerda

Mutters Großmutter soll an der gleichen Krankheit gestorben sein. Das hat man erst später durch Nachfrage festgestellt. Früher hat man es noch nicht so verstanden.

Hilde (tonlos)

Nein. Früher hat mans noch nicht verstanden, aber jetzt wissen die Ärzte Bescheid. (Sie sinkt plötzlich am Tisch zusammen. Ihr Körper schüttert in lautlosem Weinen.) O Gott!

Gerda (hilflos)

Hilde! ... Mein Gott, wenn ich geahnt hätte, wie nahe es dir geht. Mich trifft es doch nicht weniger als dich ... Und ich bin ganz ruhig. Hildchen! Es besteht nur die Gefahr, haben die Ärzte behauptet, mehr nicht. Damit muß man fertig werden können!

Hilde (wimmernd)

Deshalb darf ich kein Kind haben! ... Weshalb gerade ich nicht.

Gerda

Du bist überempfindlich.

Hilde (aufblickend)

Du hast nicht begriffen! ...

Gerda

Ich habe sehr gut begriffen. Wir sind doch unschuldig daran. Ich wünsche mir Mutters Schicksal nicht. Ich möchte nicht auch in einer Heilanstalt enden. Nein. Und wenn das überhaupt zu vermeiden ist. Fred darf kein Wort von allem erfahren.

Hilde

Du lebst in einer ganz anderen Welt.

Gerda

Komm mir nur nicht mit eurer verteufelten deutschen Sentimentalität. Die habe ich mir allerdings gründlich und zu meinem Vorteil abgewöhnt.

Hilde (müde)

Ein Todesurteil ist das.

Gerda

Nur daß der Verurteilte nicht aufs Schafott geht. Einer Gefahr, die mich bedroht, gehe ich aus dem Wege. Und die Gefahr ist vorbei.

Hilde (ins Grenzenlose sprechend)

Jahr um Jahr habe ich für fremde Kinder gelebt, für Kinder, die keine Eltern mehr hatten oder von ihren Müttern vergessen waren. Ich habe sie betreut, als ob es meine eigenen waren. Und immer habe ich an das eine gedacht, daß ich selbst einmal Kinder haben würde, die ich lieben durfte. Unbändig. Auf einmal soll das nicht mehr sein? ... Auf einmal nicht mehr? Niemals?

Warum wird gerade mir das versagt? Was habe ich denn getan? ... Womit habe ich denn gesündigt?

Gerda (hart)

Was erwartest du eigentlich vom Leben? Wenn ich dir einen guten Rat geben darf ... Es gibt kinderlose Ehen genug, die auch glücklich sind. Wenn du erst verheiratet bist, Hilde, wird alles gut werden. Du bist überreizt, weiter nichts. Es bleiben dir noch genügend schöne Pflichten zu erfüllen.

Hilde

So will ich nicht leben! So kann ich nicht leben. Nein.

Variante dieses naiv-innigen weiblichen Typs ist das Mädchen Thurid in O. Erlers „Thors Gast" [17]. Der Mönch Thysker (!) hat auf einer Missionsreise zu einer heidnischen Germaneninsel Schiffbruch erlitten und ist mit einem großen Holzkreuz als einziger von der Besatzung an Land gespült worden. Er hat das Kreuz aufgerichtet, sich dabei aber den Fuß verletzt. Es ist der Tag der Freija, und die festlich geschmückte Thurid, die Tochter des Sippenältesten Thorolf, findet ihn am Steilufer. Sofort erblüht ihre reine und zarte Seele. Diese Szene klingt entfernt an die Nausikaa-Episode an; in unschuldig-naiver Unmittelbarkeit verliebt sie sich in den Mönch und entfaltet die schönsten Seiten einer zarten, germanischen Mädchenseele, die allerdings auch — wie die weitere Handlung zeigt — energisch-kämpferisch sein kann (Dabei bekommt die christliche Lehre vor dem gesunden, offenen Wesen Thurids eine bemerkenswerte, abwegige Verschrobenheit.):

Thysker

Das Schiff, auf dem ich heranfuhr mit meinen Gefährten, zerbrach draußen an der Klippe. Ich warf das Kreuz ins Meer, sprang ihm nach, umklammerte es, und es trug mich ans Land ...

Thurid

Und deine Gefährten?

Thysker

Ich habe keinen mehr gesehen. Nur der hölzerne Spaten da trieb mir nach ans Land ...

Thurid

Wurde euer Schiff hierher verschlagen?

Thysker (den Kopf schüttelnd)

Wir wollten hierher, um euch (Blick zum Kreuz) den Gott zu bringen ...

Thurid

Wollte man ihn nicht mehr in euerm Lande?

Thysker (lächelnd)

Man verehrt ihn dort in hohen Hallen aus Stein. Und in einem Steinhaus daneben wohnen wir, Gottes Knechte, die ihm dienen.

[17] O. Erler, Thors Gast, S. 11—20.

Thurid (enttäuscht)

Du bist ein Knecht? (mit Blick) Freilich, dir ist ja das Haar geschoren. Wir sind nicht Thors Knechte, wir sind seine Freunde und wir verehren ihn im hohen Walde, wo der heilige Quell aus der Erde bricht, zu dem heute die jungen Mütter gehen ...

Thysker

Warum die?

Thurid (erstaunt über seine Unkenntnis)

Das weißt du nicht? ... Zur Wasserweihe! ... Sie benetzen die Neugeborenen mit dem heiligen Wasser, daß sie lauter bleiben wie das ...

Thysker (überrascht-anteilnehmend)

Das tun sie ... hier?

Thurid

In deinem Lande nicht?

Thysker

Sie bringen die Kinder in die hohe Halle aus Stein, wo ein Becken mit geweihtem Wasser steht ...

Thurid

... aber kein heiliger Quell aus der Erde springt ...

Thysker

Nein ... das nicht.

Thurid (etwas zaghaft)

Wieviele Kinder brachte dein Weib dorthin?

Thysker

Ich habe nicht Weib noch Kind.

Thurid (in naiver Freude)

Du hast noch nicht Brautlauf gehalten?

Thysker

Was ist das?

Thurid (eifrig)

Das weißt du auch nicht? (Thysker schüttelt den Kopf) Nein? So hör': Die du zum Weibe willst, läuft auf ein Zeichen weg von dir, und auf ein andres Zeichen du hinter ihr drein, und holst du sie ein, so küßt du sie als deine Braut ...

Thysker (einfach)

Ich werde niemals Braut noch Kinder haben.

Thurid

Warum nicht?

Thysker

Weil ich ein Knecht Gottes bin.

Thurid

Verbietet das dein Gott seinen Knechten? Da sind unsere Knechte freier.

Thysker

Wir wollen es von selbst, damit wir Gott ganz dienen können ...

Thurid (nach einer Überlegung)
Gut, daß nicht alle so denken in deinem Land. Sonst hätte dein Gott bald niemanden mehr, der ihm diente.
Thysker (lächelnd)
Da hast du wohl recht.
Thurid (in instinktiver Hartnäckigkeit)
Aber wie kamst *du* dazu, Knecht deines Gottes zu werden?
Thysker
Ich war dazu bestimmt. Schon als Kind.
Thurid (befremdet)
Bestimmt? Von wem?
Thysker
Von meiner Mutter.
Thurid
Warum tat sie das?
Thysker
Das weiß ich nicht.
Thurid
Und dein Vater?
Thysker
Ich habe nie von ihm gehört. (kurze Pause)
Thurid
Hat deine Mutter das nicht bereut . . . später . . .
Thysker
Sie starb, als ich noch Kind war.
Thurid (ihn anblickend)
Die meine auch. Gleich, als ich geboren war. (erleichtert) Aber das weiß ich nun: Du wurdest nicht Knecht aus eignem Willen.
Thysker
Aber ich blieb es. Und diente dem Herrn redlich und gern und zog deshalb aus . . . fort von meinem Bischof . . .
Thurid
Ist das der Herr, der euch befiehlt?
Thysker
Er dient auch Gott.
Thurid (mit fremdem Staunen)
Seid ihr alle Knechte in eurem Land? Sag' das nicht unsern Männern, sie achten euch dann gering. Und sag' ihnen auch nicht, daß der Sohn deines Gottes nur litt und sich nicht wehrte. Sonst sehen sie einander an und lachen über deine Worte. Und das will ich nicht.
Thysker (sie ansehend)
Warum nicht?
Thurid (schlicht)
Ich bin dir freundgesinnt, als kännte ich dich schon länger. Und wem ich freundgesinnt bin, den haben die anderen zu achten wie mich selber!

Thysker (sie erstaunt betrachtend)
So denkst du?

Thurid (selbstverständlich)
So denken alle Frauen und Mädchen, die rings auf den Höfen wohnen. Warum erstaunst du da?

Thysker
Man hat mir die Menschen anders geschildert, die hier leben ... kaum mit Fellen bekleidet und in Höhlen hausend wie die Tiere ...

Thurid (lacht hell auf)
Ja ... so was erzählt man wohl den Knechten!

Thysker (getroffen)
Ich will nicht, daß du mich Knecht nennst!

Thurid (naiv-erstaunt)
Du nennst dich doch selber so ...

Thysker
So wurde ich gelehrt und erzogen ... von meinem Bischof, den ich verehre ...

Thurid (schlicht)
Ich freue mich, daß du nicht Knecht sein willst.

Thysker
Ich will es, doch (zum Kreuze aufblickend) nur vor ihm.

Thurid (seinem Blicke folgend, dann nach einer Überlegung)
Ich glaube nicht, daß du Knecht sein kannst vor dem und ein Freier vor mir. Ich würde dann nur den Knecht in dir sehen. (als Thysker schweigend vor sich hinblickt, wie entschuldigend, fortfahrend) Ich kann dich nicht anders sehen als ich unsere Männer sehe, denen du ähnlich bist in Gesicht und Gestalt ...

Thysker (unwillkürlich mitgehend)
Bin ich das?

Thurid (vor sich hin)
Darum war ich dir wohl freundgesinnt, gleich als ich dich sah ... (ihn anblickend) nur das Haar müßte dir noch wachsen ... bis in den Nacken ... (sie bemerkt Thyskers Blick, der bewundernd über ihr langes Haar gleitet) ... ja ... es ist mein Stolz, daß ich es so in den Gürtel stecken kann ... (sie zieht das Haar auf der rechten Seite aus dem Gürtel) ... und hier ist es so stark, du umspannst es kaum mit der Hand ... (sie hält ihm das Haar hin) ... versuch' es! (er berührt das Haar, aber wie streichelnd) ... Du tust es ja nicht ... (er läßt die Hand sinken)

Thysker
Ich will es nicht.

Thurid (schlicht)
Warum nicht?

Thysker
Mir ist gelehrt worden: das Weib ist ... nein, das spreche ich nicht aus vor dir.

Thurid

Sind es böse Worte? Gut, daß du sie nicht sagst. Mich verlangt auch nicht zu wissen, was man in euerm Land den Knech ... (jäh abbrechend) Sieh, nun schweig' ich auch ... (sie lehnt, halb sitzend, den Kopf an den Stamm des Kreuzes)

Thysker

Ich dank' es dir. (er blickt sie an) Du lächelst und hast die Augen zu?

Thurid

Mich freut die Sonne und der warme Wind ... und daß ich dich hier traf ... grad' hier ...

Thysker

Warum grad' hier?

Thurid (bedeutsam)

Das ist sein Platz ... (erklärend) meines Vaters Platz. Hierher kommt er öfter abends ... allein ... ich durfte nie mit ihm gehen ...

Thysker

Warum nicht?

Thurid (geheimnisvoll)

Er ist scheu, wenn es Abend wird und niemand traut sich dann, ihn anzureden ... oder gar hierher zu kommen.

Thysker

Warum ist er so? (da Thurid schweigt) Du hast ihn gefragt?

Thurid

Nein. Andre wollten mir davon sprechen, aber ich wollte von anderen nicht davon hören. Er wird es mir schon sagen, wenn er es will. Einmal, als er abends fortging und ich ihn ansah, sagte er zu mir: die Stunde kommt auch für dich. Daß nur dann die Fylgien stark genug sind in dir ...

Thysker

Fylgien? Was bedeutet das?

Thurid

Das sind die Glückskräfte in uns.

Thysker (mit leiser Bitterkeit)

Ihr sucht nur Glück auf eurer Erde und nicht das Heil im Jenseits.

Thurid

Jenseits ... was heißt das?

Thysker

... den Blick wegwenden von der Erde ... dem Himmel zu ...

Thurid (naiv zustimmend)

Oh, ich weiß: Hinauf zur Wolkenburg Thors, in deren Säle man nachts hinein sehen kann, wenn die vielen Lichter drin funkeln. Aber das ist sein Reich und dieses Land gab er uns. Und er hilft uns gegen die Midgardschlange, die weit draußen im Wasser liegt ... (mit Geste) ringsum ... und stückweis das Land losreißen will ...

Thysker (lächelnd)

So? Will sie das? Und das glaubst du?

Thurid (eifrig, halblaut)

Da! Hör' doch! ... (sie lauscht nach rückwärts, man hört die Brandung von unten herauf) Wenn das Meer aufschäumt ... unten ... dann bewegt sie sich draußen im tiefen Wasser ... und wenn sie sich aufbäumt in ihrer Wut, dann heulen die Wellen und springen gegen das Land an wie Rudel hungriger Wölfe. Aber Thor ist da und wir sind da und sie hütet sich wohl, aus dem Wasser zu tauchen ... sie hat Furcht vor seinem Hammer!

Thysker (ironisch)

Vor seinem Hammer? Sie wird nicht den Kopf auf die Klippe legen, daß er zuschlagen kann wie auf einen Amboß.

Thurid (auflachend)

Zuschlagen? Er *schleudert* den Hammer und der Hammer trifft und kehrt zurück in seine Faust. Und wenn der Hammer fliegt, siehst du ihn blitzend die Wolken zerreißen und hörst ihn treffen, wenn die Lüfte donnern. Kampf ist Thors Leben wie unsres auch!

Thysker (sie in ihrem Feuer unwillkürlich bewundernd)

Und gegen wen kämpft er?

Thurid (im Tone des Selbstverständlichen)

Gegen die Eisriesen, die das Leben erstarren machen wollen auf seiner Erde. Und weil sie nichts vermögen gegen ihn, solange er den Hammer hat, suchen sie, ihm den zu stehlen. Und das gelingt ihnen immer wieder, denn Thor ist so arglos! Und haben sie den Hammer, dann hat auch der Erdriese Macht, ihr Gefährte. Und kann Freija rauben, Thors und der Erdmutter Kind. Aber wenn Thor den Hammer wiedergewinnt, wird auch Freija frei, die frühlingsschöne! Und jetzt ist die Zeit! (auf ihr Gewand deutend) Und wir schmücken uns für sie und ziehen durch Wiesen und Wälder und rufen nach ihr!

Thysker (dunkel)

Warum ...

Thurid (mit leisem Spott über seine Unwissenheit)

Warum? Sie bringt uns den Segen der Fruchtbarkeit! (ihn groß ansehend) Wo lebtest du denn, daß du von alldem nichts weißt? (Der Platz liegt jetzt im Wolkenschatten. Ferner, leiser, dann kurz darauf stärkerer, verhallender Donner. Thurid fährt beim ersten Donner vom Sitz auf, tief erregt) Da! Hörst du! (sie streckt mit jauchzendem Laut die Arme empor) Thor hat ihn wieder ... den Hammer!

(Draußen antwortet ihrem Ruf das Jauchzen der Mädchen. Ferne, sich grüßende Hornrufe) ... Die Wächter rufen's einander zu! Nun wird auch Freija frei! Heute noch, heute!

c) *Negative Figuren*

Die negativen Figuren des Dramas des Dritten Reichs erscheinen ähnlich typisiert wie die positiven Helden. Es gibt einige, wenige Grundformen, und diese werden, geringfügig variiert, in ermüdender Folge wiederholt. Der Maßstab, nach denen sie bewertet werden und der ihre Rolle innerhalb des Kräftespiels des Theaterstücks bestimmt, ist ideologischer Natur; die Gegner der Propagandisten und die Feinde der Weltanschauungsprediger übernehmen im Drama die Funktion, Vertreter des Negativen zu sein. Sie sind, und das ist für die Dramaturgie eine entscheidende Aussage, keineswegs die eigentlichen Gegenspieler der Helden; sie stehen im Mittelpunkt des dramatischen Geschehens, weil sie Begriffe verkörpern, die gemäß der Weltanschauung positiv zu bewerten sind. Da sie ihre Art in metaphysischen Tiefen begründet finden, kann eine Gestalt, die als Negation dieser positiven Helden definiert ist und der damit vor allem die schicksalhafte Notwendigkeit ihres So-Seins fehlt, ihnen gegenüber kein Gewicht haben. Die negative Figur ist durch einen Mangel gekennzeichnet, auf Grund dessen sie angeblich zum Spiegel der vom Urgrund der Rasse entfremdeten Moderne wird. Sie stellt allein den dunklen Hintergrund dar, vor dem sich der positive, durch Art und Schicksal legitimierte Held — auch wenn er scheitert — strahlend abhebt. Die negative Figur ist nicht Gegenspieler sondern Kontrast. Das ist für das Gefüge der Bühnenwerke von großer Bedeutung, denn der dramatische Zusammenstoß findet nicht zwischen gleichberechtigten Handlungsfiguren statt sondern allein in der Brust des Helden; der Konflikt ist ein innerlicher und — gemäß der Definition der Autoren — ein metaphysischer geworden. Der Gegner des Helden läßt sich nicht mehr individualisieren, das Gegenspiel bleibt anonym, wie im Grunde der exemplarische Held selbst. Hier zeigt sich wohl noch deutlicher als im Versuch, einen beispielhaften, sich nach seinem artgemäßen Lebensgesetz entfaltenden Menschen als Leitbild für die Gegenwart zu setzen, wie sehr der überkommene Idealismus verflacht und brüchig geworden ist, wie sehr in Wirklichkeit das Bild vom entindividualisierten Menschen der modernen Industriewelt das Drama des Dritten Reichs prägt. Man war dem Geist der verhaßten modernen Gesellschaft viel näher, als man sich jemals einzugestehen wagte, ja, man verlor sich, indem man sich deren Problematik nicht bewußt machte, nur desto tiefer in den Zusammenhängen, die man als überfremdende Gesellschaftsformen und Gefährdung der Rasse so wütend bekämpfte. Diese Entindividualisierung des Gegenspielers, die den Helden in anonyme, angeblich schicksalhafte Zusammenhänge führte, wurde teilweise auch ideologisierend erkannt und begrüßt: „Und hier tritt auf einmal klar der größte Gegenspieler des Dramas auf: der Widerstand der Zeit! Harte Zeiten fordern harte Menschen. Doch ist diese Härte nicht eine Abwehrstellung gegen den Feind, der unser höchstes seelisches Gut, eben den Idealismus, vernichten will, um Materialismus, Nihilismus und

LEWIS AND CLARK COLLEGE LIBRARY
PORTLAND, OREGON 97219

Expressionismus an seine Stelle zu setzen und das Weltbild unseres germanischen Blutes zu zerstören?" [18] Daß auf diese Weise das Gefüge des Dramas entscheidend verändert werden mußte, sah man teilweise durchaus. So heißt es in einer Kritik an Bacmeisters Dramentheorie: Die Handelnden „unterliegen nicht in einem Kampfe, der mit gleichen Waffen ausgetragen wird, sie brechen auch nicht überwältigt zusammen an der Schwelle, hinter welcher der Machtbereich der Götter beginnt; sie gehen zugrunde am ‚Widerstand der stumpfen Welt'. Wenn wir ihnen auch feurigen Herzens die unbezweifelbare menschliche Überlegenheit zuerkennen, so meinen wir doch, daß ihre hellstirnige Schau einer verwandelten Welt in dem auf das Handeln begründeten Drama fremd wirkt. Ihnen ist die Lyrik zugewiesen. Spielfeld ihres seligen Heldentums ist die Hymne [. . .]." [19] Aus diesem Grunde sind die Grenzen zwischen den verschiedenen Arten der Bühnenwerke des Dritten Reichs so überaus fließend; eine Form geht in die andere über, ohne daß sich eindeutige Grenzen ziehen ließen. Der Hohen Tragödie, dem Schauspiel, dem Drama, dem Spiel, dem Weihespiel, der Feierdichtung, dem Thingspiel, die alle den Dialog verwenden, ist dieser hymnische Ton eigen, der allenthalben Verbindungen stiftet.

Obwohl also die negative Figur dramaturgisch als Gegenspieler des Helden keine bedeutende Rolle spielt sondern die Funktion des Kontrasts erfüllt, ist sie für die Theaterstücke des Dritten Reichs wichtig, weil sich in ihr vieles von der Anschauung, die sich die Ideologie von der unmittelbaren Gegenwart gebildet hatte, abspiegelt und weil die Atmosphäre der Stücke durch diese Figuren, zu denen die Helden als Positivum konturiert sind, teilweise entscheidend mitbestimmt wird. Es soll hier beispielhaft ein Überblick über die häufigsten Typen der negativen Figur gegeben werden.

Eine immer wiederkehrende Gestalt ist der Rassenfeind, wie er z. B. in Möllers Stück „Das Opfer" zu finden ist [20]. An der Ostgrenze sind die Slaven unter der Führung ihres Woiwoden in das deutsche Siedlungsland eingebrochen. Flüchtlinge beschreiben dessen Wüten und seine gemeine Art. So tritt er zunächst nicht selbst auf, sondern nur mittelbar im Urteil der Rechtschaffenen: der Schatten seiner minderen rassischen Substanz fällt seinem Erscheinen voraus. Er ist die Inkarnation des Niederen: von

[18] H. Günther-Konsalik, Der Gegenspieler im Drama, Deutsche Dramaturgie, 2. Jg., 1943, S. 174.

[19] F. E. Peters, „Die Tragödie ohne Schuld und Sühne", Niederdeutsche Welt, 16. Jg., 1941, S. 20.

[20] E. W. Möller, Das Opfer, S. 17—21.

widerwärtigem Äußeren, mordend und plündernd, ohne alles Erbarmen. Seine Figur wird in Kontrast zum rechtschaffenen deutschen Richter, der als Gestalt sogleich selbst auftritt, gezeigt, der erst bei seinen Landsleuten eine Verfehlung sucht, ehe er die Existenz des Bösen überhaupt zu denken vermag:

Agneta
Du bist aus Tartlau, tu den Mund auf, rede!
Der Tartlauer
Herr, Tartlau brennt und Honigberg und Brenndorf,
Desgleichen Heldsdorf und Marienburg,
Von Nußbach steht kein Haus mehr, keine Scheune,
Ja selbst die Felder steckten sie in Brand
Und wüteten weit ärger als die Türken.
Der Richter
So habt ihr sie gereizt, wart ungehorsam
Und euch geschah, wie ihr verdient habt?
Der Tartlauer
Herr,
Wir wußten gar nicht, daß sie kamen.
Der Richter
Nicht?
Ihr habt nicht Sturm geläutet, als ihr's merktet?
Der Tartlauer
Als wir es merkten, war es schon zu spät.
Der Richter
So wart ihr unaufmerksam; einem Fürsten,
Dem man Ergebenheit bezeigen soll,
Geht man entgegen, steht nicht da und gafft
Und bringt den Hut nicht von den Köpfen runter.
Ihr hättet ihn um Freundschaft bitten müssen,
Nicht ihn um eure lange betteln lassen.
Er kennt euch nicht, kommt mit Verdacht gepanzert
Und Eifersucht, woran soll er erkennen,
Ob ihr ihm feindlich oder freundlich seid
Und euch ihm unterwerft?
Agneta
Sprich du aus Grossau!
Ihr gingt ihm doch entgegen, unterwarft euch?
Der aus Grossau
Was sollten wir wohl anders tun? Des Mittags,
Als einer kam, es wäre Rauch am Himmel,
Und alles durcheinanderlief zu sehn,
Was dieser Rauch bedeute, ließ der Pfarrer
Die Ältesten zusammentreten, sagte,

Es wäre Staub, von Reitern auf der Straße,
Doch sollten sie getrosten Mutes sein.
Wer nichts zu leugnen hat, hat nichts zu fürchten,
Und wenn wir schon nicht Schutz noch Waffen hätten,
So sei auch das Gewissen eine Burg
Und Friedlichkeit und Unschuld eine Waffe,
Die noch den Mörder milde stimmen kann.
So rief er tröstend, als wir ängstlich waren,
Hieß die Gemeinde sich zum Zuge ordnen,
Ging selbst voran, ihm hintennach die Kinder,
Die Mädchen drauf, die Fraun, zuletzt die Männer,
Und zieht dem Feind entgegen wie zur Kirche.
Den macht der feierliche Aufzug stutzig;
Die Reiter halten, bilden eine Gasse;
Wir sehn nicht rechts und links und schreiten weiter,
Beherzter schon, wie wir das Staunen merken,
Und schon erkennen wir auf kleinem Pferd,
Den Zaum aus Gold, doch schmutzig, die Schabracke
Zerschlissen, doch bestickt mit Edelsteinen,
Den vor uns haltenden Woiwoden selbst
In greller Tracht, halb Türke, halb Tatar,
Umringt von Leuten, prächtig wie Bojaren,
Mit speckig roten runden Apfelbacken;
Und anderen wieder, wie Zigeuner lumpig,
Mit wüsten Knebelbärten, augenrollend
Und zähneknirschend wie die Komödianten,
Und so nach Haltung, Kleidung und Gefolge
Ein bunter Popanz, wunderlich gemischt
Aus Strolch und Paschah, Ritter und Banditen,
Aus Stolz und Tücke, Räubertum und Hoheit,
Aus Gutem, Fremdem, Eigenem und Plunder,
Daß man nicht sagen kann, aus welchem Land
Und welchem Volk er käme.

Die Flüchtlinge

Ja, das ist er.

Der aus Grossau

Kommt ihr, mir abzubitten? ruft er.

Der Richter

Seltsam,

In unsrer Sprache?

Der aus Grossau

Ja, in hartem Deutsch:
Habt ihr mir abzubitten? Drauf der Pfarrer:
Herr, abzubitten nichts, ich wüßt nicht was,
Es sei denn, daß wir Deutsche. Der Woiwode

Starrt ihn aus halbgeschlitzten Augen an,
Sein Blick verschleiert sich, sein Mund wird schlaff,
Als käme eine Schwäche über ihn,
Ein fremder Zwang, der ihm die Sinne raubt,
Dann sagt er tonlos: Daß ihr Deutsche seid,
Vergeßt ihr nie, mußt du mich dran erinnern,
Daß mich kein deutsches Weib geboren hat?
Gibt seinem Pferd die Sporen, daß es steigt,
Und reitet mitten auf die Kinder zu.
Herr, wir sind alle Menschen, ruft der Pfarrer
Und stellt sich schützend vor sie. Wenn ihr schon
Uns, die wir euch nichts tun, zertreten wollt,
Erbarmt euch wenigstens in diesen Kleinen
Der Unschuld, die euch nichts getan hat. Da —
Lacht der Woiwode gräßlich, winkt den andern
Und schreit: Wenn ich ein Kind wie diese wäre,
Dann hättest du mit mir Erbarmen, wie?
Und wo du siehst, daß ich kein Kind mehr bin,
Da fällt dir ein, daß alle Menschen sind?
O räuchert mir die Rattennester aus!
Auch diese sind nicht besser als die andern;
Und tut ihr es, so nehmt die Brut zuerst,
So haben sie's mich selbst gelehrt, als ich
Noch kindlich war und unerfahren:
In seiner Brut muß man den Stamm zertreten.
Was danach folgt, vermag kein Mensch zu schildern,
Der Kinder hat; kein einziges blieb leben,
Und was nicht schnell genug war, das ertrank
In einem Sturz von Spießen, Schrein und Metzeln,
Daß ich's mein Leben nicht vergessen werde.
Den Pfarrer aber schleppten sie zurück,
Durchbohrten ihm das Kreuz mit einem Bohrer
Und hängten in der Sakristei ihn auf,
Daß er lebendig wie ein Hund im Wasser
Mit allen Vieren rudernd zwischen Himmel
Und Erde, blutig speiend, durch den Qualm
Der Feuersbrunst dahintrieb.

Agneta (lehnt sich erschaudernd an die Mutter)

Mutter!

Dieser Unmensch steht nun allerdings nicht im Mittelpunkt des Geschehens; er gibt nur den Anlaß, daß der Konflikt, der — nach der Ideologen Meinung — in jeder deutschen Seele tobt, nämlich der Gegensatz zwischen germanischer Rechtschaffenheit und harter Notwendigkeit im Rassenkampf, in Agneta, der eigentlichen Heldin dieses Stücks, aufbricht.

Ein wenig anders ist die Situation in E. W. Möllers „Schauspiel" „Rothschild siegt bei Waterloo" [21]. Hier wird eine negative Figur, die versucht hat, als „Held" und Patriot zu erscheinen, als „Zivilisationsheld" entlarvt. Der feige, gerissene Jude Rothschild vernichtet in seiner wurzel- und ehrlosen Artung heldisches Leben; er ersetzt Mannesmut und Kämpferehre durch Finanzaktionen und Schachspielerkniffe. Mit Hilfe seiner Finanzstrategie hat er Napoleon besiegt und durch eine schamlose Falschmeldung sich persönlich bereichert; nun wird er vom offiziellen England gefeiert; er ist der Erfinder einer neuen Strategie. Aus dem Hintergrund der Anonymität steuert er den Finanzkrieg, der die Taktik der zukünftigen Gesellschaft sein wird; Heere tapferer Soldaten werden nicht mehr den Ausschlag geben. O'Pinnel, sein biederer, aber rechtgesonnener Buchhalter, legt die infame Gesinnung des Bankiers bloß. So wird Rothschild zum unheroischen Zivilisationsstrategen, zum Gegenbild des strahlenden Siegfriedhelden.

Dienstbote (meldet)
Die Herren.
Rothschild
Wie? Schon? Ich bitte ... ja, bitte ... na, bitte. (Der Finanzkommissar Herries und Begleitung)
Herries
Mein Lieber.
Rothschild
Wie gefällt es Ihnen?
Herries
Ganz prächtig.
Rothschild (weist durch das Fenster auf die Dekorationen)
Und auch die Fahnen?
Herries (immer sehr wohlwollend)
Das Stichwort. Ein erhebendes Schauspiel und eine große Minute. (setzt zur Rede an. Die Herren stehen feierlich im Kreise) Mein Lieber, im Namen des Königs ... (Der Jubel der die Straße hinabstürzenden Menge übertönt ihn)
Rothschild
Ich schließe doch lieber das Fenster.
Ein Herr
Unmöglich.
Herries
Mein lieber Bankier, es ist mir eine besondere Ehre, gerade heute, am Tage des Einzugs der Sieger, Ihnen, mein lieber Bankier ...
Rothschild (und alle Herren verbeugen sich)

[21] E. W. Möller, Rothschild siegt bei Waterloo, S. 116—127.

Herries

Mein sehr verehrter lieber Bankier, die Anerkennung Seiner Majestät aussprechen zu dürfen.

Rothschild

Nicht der Rede wert.

Herries

Waren Sie es doch gerade, der durch seine umsichtigen Finanzoperationen entscheidend zum Erfolge unserer ruhmreichen Truppen beigetragen, ja, ich möchte behaupten, den Erfolg erst ermöglicht, um nicht zu sagen, den Erfolg überhaupt selber errungen haben.

Rothschild

Aber bitte.

Herries

Ich kenne Ihre Bescheidenheit und weiß, daß Sie es vorziehn, im Hintergrunde zu bleiben. Aber es muß einmal offen gesagt sein: Was wäre aus Wellingtons Invasionsarmee in Spanien geworden, wenn Sie nicht gewesen wären, der mit so einzigartiger Geschicklichkeit ihr die nötigen Gelder auf dem einzig sicheren Wege über Paris, durch die Sperre des Feindes hindurch, zugeführt hat. Ja, meine Herren, das soll nur mal einer verstehen.

Rothschild

Lappalie.

Herries

Doch das Ei des Columbus. Wer wäre ferner auf den Einfall gekommen, das Operationsgebiet Napoleons von Bargeldern zu entblößen und so den Gegner im eignen Lande zu lähmen. Ein Einfall des Teufels, man lacht sich doch scheckig.

Rothschild (schlicht)

Finanzkrieg.

Herries

Eine neue Methode.

Ein Herr

Strategisch erstmalig.

Herries

Was ist die geschlossene Phalanx, was ist das elastische Zentrum, was ist der bewegliche Flügel des preußischen Friedrich dagegen? Meine Herren, wir stehn an bedeutender Wende: ein Mann bestimmt die Geschicke der Welt durch Berechnung. Ich möchte nicht prophezeien, aber was für ein Ausblick, wenn man sich überlegt, daß man sich dereinst die Geheimnisse der Natur auf dem Papier auszurechnen vermöchte. Ein Blick in die Zukunft ... das Ende des Kaffeegrundlesens.

Rothschild

Sehr einfach.

Ein Herr

Das Geheimnis der Astronomie.

Rothschild

Nach den Regeln des Schachspiels.

Herries

Welche Kraft des Verstandes, sage ich nur, und schließlich und endlich, welcher Mut auch. Sie haben, mein lieber Bankier, an der Schlacht teilgenommen. Sie haben es sich nicht nehmen lassen, selber dabei zu sein, wenn sich das Wohl und Wehe der Völker entscheidet. Sie sind unter Einsatz des eigenen Lebens herübergeeilt, um das englische Wirtschaftsleben vor einer Katastrophe zu warnen und zu bewahren. Das alles ...

Rothschild

Lassen wir das!

Herries

Nein, lassen Sie mich. Das alles veranlaßt mich ...

Rothschild

Keinen Umstand!

Herries

Veranlaßt mich heute ...

Rothschild

Es ist gedeckt. Ich danke. Vielleicht beim Frühstück ...

Herries

Auszurufen ...

Rothschild

Erst einen Bissen und ein Glas Wein zur Begrüßung.

Herries

Sehr gerne, doch vorher ...

Rothschild

Ich weiß ja.

Herries

Bitte ich Sie, meine Herren, miteinzustimmen, wenn ich sage: der eigentliche Sieger von Waterloo, der heimliche unbekannte Sieger ...

(Draußen zieht, mit Pauken und Trompeten alles übertönend, die Marschmusik vorüber)

O'Pinnel (ist in kariertem, ziemlich abgetragenem Anzug etwas linkisch, doch entschlossen eingetreten)

Rothschild

Na endlich. Sie kommen wie immer zu spät.

O'Pinnel

Ich komme, um wieder zu gehen.

Rothschild

Was heißt das?

O'Pinnel

Ich kündige, Herr Bankier.

Rothschild

Doch jetzt nicht.

O'Pinnel
Leider jetzt erst.
Rothschild
Meschugge.
O'Pinnel
Ich mache nicht länger ...
Rothschild
Was?
O'Pinnel
... das mit.
Rothschild
Ja, was denn?
O'Pinnel
Sie sind ein Halunke.
Die Herren (unter sich)
Was ist er?
Rothschild (heult auf, als hätte er Zahnweh)
O'Pinnelchen, aber O'Pinnel!
O'Pinnel
Sie haben ganz genau gewußt, daß es nicht Grouchy war, sondern Bülow.
Rothschild
Das interessiert ja doch keinen.
O'Pinnel
Doch, doch. Das wird die Herren sehr interessieren, was Sie für ein Spiel gespielt haben.
Rothschild
Bin ich ein Spieler.
O'Pinnel
Falschspieler, Herr Bankier.
Herries (für sich)
Merkwürdig.
O'Pinnel
Sie sind hinübergefahren und wußten voraus, was Sie taten.
Rothschild
Weiß man das nicht? Weiß das ein Kaufmann nicht immer?
O'Pinnel
Nicht immer.
Rothschild
In diesem Fall ...
O'Pinnel
Hätten Sie ausgesprengt, daß Wellington siege, wenn Sie Grouchy erkannt hätten, hinter dem Wäldchen.
Rothschild
Entschuldigung, meine Herren, der Mann ist nicht ganz bei Verstande.

O'Pinnel

Das zieht nicht. Einmal haben Sie mich zu Boden geredet, das zweite Mal rede ich.

Rothschild

Lauter Unsinn.

O'Pinnel

Die Wahrheit. Einer muß sie doch sagen.

Rothschild

Warum denn?

O'Pinnel (außer sich)

Weil ich ein guter Mensch bin.

Rothschild

Das sieht Ihnen ähnlich.

Herries (leise zu den anderen)

Was ist das?

Rothschild

Ein Zwischenfall, meine Herren. Ich bitte, sich nicht stören zu lassen.

Herries

Durchaus nicht.

Rothschild (will O'Pinnel beiseite nehmen)

Gehaltszulage.

O'Pinnel

Für was noch?

Rothschild

Für Ihr Vertrauen zu mir. Es hat mir die Augen geöffnet. Ich bin Ihnen dankbar. Ich habe Ihnen Unrecht getan.

O'Pinnel

Mir, Herr Bankier?

Rothschild

Wem anders?

O'Pinnel (bleckt die Zähne und kichert böse)

Haha.

Rothschild

Alberner Bursche.

O'Pinnel

Den Toten.

Rothschild (wird ausfallend)

Was gehn mich die Toten an?

O'Pinnel

Die Toten sind nicht gefallen, damit Sie Ihr Geld mit ihnen verdienen. Und auf so eine schäbige Weise.

Rothschild

Sie Lügner.

O'Pinnel

Mit Schimpfen verteidigen sich Diebe. Sie haben die Toten bestohlen.

Rothschild
Um was denn?
O'Pinnel
Um ihr ehrenvolles Begräbnis.
Rothschild
Zum Lachen. Die Lebenden sind meine Bürgen.
O'Pinnel
Die haben Sie auch geprellt mit dem Vorsprung von wenigen Minuten.
Herries
Was hat er?
Rothschild
Ein Querulant, meine Herren.
Herries
Nein, bitte, ganz deutlich: was hat er?
O'Pinnel
Wenn Sie es wünschen. Ich habe nichts zu verbergen. Er hat die Auszeichnung verdient, die ihm höchsten Ortes zuteil wird. Meinen Glückwunsch.
Rothschild
Da sehn Sie.
O'Pinnel
Denn kein andrer hätte das fertig gebracht, mit einer erlogenen Nachricht die Börse zu sprengen und Millionen daran zu verdienen.
Rothschild (schreit)
Jetzt gehn Sie endlich.
O'Pinnel
Gewiß. Was hätte ich hier verloren, was nicht ganz England verloren hätte.
Herries
Allerdings.
Ein Herr
Mir wird jetzt vieles erklärlich.
Rothschild
Meine Herren . . .
Herries
Das ändert freilich die Lage.
Rothschild (auf O'Pinnel zu)
Sie Schurke, Sie ehrloser Schurke!
O'Pinnel
Herr Bankier, die Ehre ist etwas, was nichts mit Geschäften zu tun hat. Sie haben das, wie ich langsam begriffen habe, bei Waterloo leider verwechselt.
Rothschild
Und darum verraten Sie mich?
O'Pinnel
Was ist da noch zu verraten?

In Fr. Roths „Kampfstück" „Der Türkenlouis" werden Held und negative Figur, der Soldat und der höfische Intrigant, im Widerspiel gezeigt: Ludwig Wilhelm, Markgraf von Baden, der sich gegen die Türken große Verdienste erworben hat, ist der Feldherr des Reichs gegen Ludwig XIV. Er führt seinen Krieg für Deutschland, als dessen Schützer und Mehrer er sich betrachtet. Am Hofe Kaiser Leopolds indessen herrscht eine ausländische Clique, die der Kriegsratspräsident, der böhmische Fürst Lobkowitz, und dessen italienischer Gehilfe, Graf Marsigli, anführen, während die Deutschgesinnten, wie etwa der Hofkammerrat, Graf Jörger, und der schwäbische Gesandte Kulpis, wenig Einfluß ausüben. Die folgende Szene [22] zeigt die beiden Parteien vor einer entscheidenden Sitzung beim Kaiser Leopold. Die ganze intrigante Gerissenheit der rassenfremden Höflinge und der gerade Biedersinn der deutschen Soldaten kommt zum Ausdruck, und die Qualitäten der Deutschen erstrahlen vor diesem finsteren Hintergrund, und desto größer ist die Tragik, wenn die Helden, obwohl sie das Richtige erkennen, scheitern.

Lobkowitz
Er war in Ulm, sagt Ihr?
Marsigli
Jawohl, mein Fürst!
Lobkowitz
Ein Waffenstillstand?
Marsigli
Max wird ihn nicht halten.
Lobkowitz
Das gibt ein leichtes Spiel bei Leopold.
Hier bei der Tafel, wo man conversiert — —
Sie rechnet mit Toskana? — Kleiner Preis — —
Was macht die — na?
Marsigli
Die Prolowitsch?
Lobkowitz
Ich sah sie jüngst im Prater.
Marsigli
Sie schläft mit ihren Hündchen.
Lobkowitz
Um so besser.
So marmelbleich! — Ein trefflich décolleté —
Das wär' die rechte Tinte für den Kaiser.
Er wird zu triste, der Mann. Der Weihrauch!

[22] Fr. Roth, Der Türkenlouis, S. 41—44.

Marsigli
Ja!
Lobkowitz
Ihr macht mir das.
Marsigli
Da kommt der Fürstenberg!
Lobkowitz (mit spöttischem Pathos)
Des Kölner Bischofs Erzabgesandter.
Fürstenberg
Meine Herrn, Pardon!
Lobkowitz
Willkommen stets! — Doch hier mit Vorsicht, Herr!
Man sieht Euch selten. Sagt, wie lebt Ihr?
Fürstenberg
Gut!
Und wie Ihr selbst?
Lobkowitz
Das Spiel, die Jagd, die Weiber! — —
Fürstenberg
Man hört, der General vom Rhein — —
Marsigli
Ist da.
Lobkowitz
Macht Euch das Sorgen?
Fürstenberg
Nein. — Doch überdies:
Der große Ludwig schickt Euch ein Geschenk.
Pariser Arbeit! (überreicht ein Kästchen.)
Lobkowitz
Seht, sehr schön!
Marsigli
Sehr schön!
Fürstenberg
Und außerdem, mein Herr, der Bischof, dies!
Lobkowitz
Sehr schön! — Ja, ja, des Badeners Schicksal rollt.
„Der Kriegsratspräsident ist unser Unglück" — — —
(Jörger, groß, hager, mit langem weißem Haupthaar und Kulpis treten ein.)
Lobkowitz (mit veränderter Stimme)
Mein Fürst,
Sie sind ein Hochverräter! — Marsigli! — —
Fürstenberg (fügt sich in die Rolle)
Ich bitt' um Eure und des Kaisers Gnade!
Marsigli
Die Wache!

Jörger (zu Kulpis)
Denkt Euch Euer Teil. Gespielt.
(Fürstenberg wird abgeführt.)
Lobkowitz (an Jörger gerichtet)
Sehr dreist der Herr, die Hofburg zu betreten!
Jörger
So saht Ihr Ludwig Wilhelm schon?
Kulpis
Noch nicht! (Beide ab. Jörger mit einem mißtrauischen Blick auf Lobkowitz.)
Lobkowitz
Der Zahlenfuchser und der Herrgottsschwabe!
Langweilig, diese Biederkeit!
Marsigli
Langweilig.
Lobkowitz
War dieser Schwab Professor nicht in Straßburg?
Marsigli
Bis einundachtig!
Lobkowitz
Jetzt Gesandter Schwabens?
Lobkowitz [sic!]
Ob dieser Rechtsgelehrte wohl Sibylles Erbteil — —?
Du weißt doch, Spitz, sie ist verwandt mit mir!
Was juckt dich? Diesen Fürstenberg! — Eunuchen,
Eunuchen hielte er — —
Marsigli
Wen meint Ihr?
Lobkowitz
Wen? Den „Türkensieger"!
Marsigli
Den!
Lobkowitz
Was wollt' ich sagen? —
Den Fürstenberg laß morgen wieder los.
Verpfleg ihn gut! Kapaunen, Krammetsvögel.
Hätt' er sein Weibchen hier der „Türkenludwig"! —
Glaubt ihr, sie widerstände Lobkowitz?
Der Markgraf (tritt ein, steil. Sieht die beiden Intriganten, übersieht sie merkbar)
He, Page, wann beginnt das würdige Mahl?
(an die beiden gerichtet)
Vor Jahren, als man diesen Krieg begann,
war man noch sehr willkommen hier. — Sieh, Jörger!
Jörger (kommt)
Mein edler Feldherr, endlich seid Ihr da!

Markgraf
Eurer Lieb sei Dank! Ihr seid sehr alt geworden.
Jörger (anzüglich)
Des Reiches Feinde! – Kommt, machts Euch bequem!
Markgraf
Man kann wohl hier nicht denken ohne Essen.
Marsigli
Nun seht Ihr selbst!
Lobkowitz
Sein Stolz ist maßlos.
Wir werden diesen Pudel tanzen lehren.
(Zum Pagen)
Geh hin und sag, ich lasse Jörger bitten.
(Page ab. Kavaliere treten auf, machen vor Lobkowitz ehrerbietig Reverenz)
Einer
Man sagt, der Kaiser schriebe eine Oper.
Lobkowitz
Der Kaiser ist ein Künstler, tout, partout!
Jörger (kommt)
Herr Präsident?
Lobkowitz
Graf Jörger, auf ein Wort!
Die Stunde ist bedeutungsvoll.
Jörger
Das ist sie.
Lobkowitz
Ihr seid der Redliche genannt.
Jörger
Was soll das?
Lobkowitz
Bringt Euren Namen nicht in falsches Licht.
Jörger
Womit?
Lobkowitz
Mit ihm!
Jörger (will gehen.)
Lobkowitz
Halt! Bleibt! Bleibt, ich befehls!
Jörger
Ihr mir?
Lobkowitz
Er unterhandelt mit dem Feinde!
Jörger
Der Bayer ist ein Deutscher!

Lobkowitz
Hörts, ihr Herrn! –
Des Kaisers Gnade, Jörger –!
Jörger
Vergebt Ihr sie?
Lobkowitz
Ihr habt wohl Grund, es mit dem Grafen –
Jörger
Zu halten! Sprecht es aus! –
(greift an seinen Degen, beherrscht sich.)
Lobkowitz
Mein lieber Jörger!
(Jörger ab.)
Lobkowitz
Je ehrlicher, je größerer Narr.
(lacht; die Kavaliere stimmen liebedienerisch ein.)
Hofmarschall (tritt ein)
Der Kaiser!

Die Soldaten sind die Vertreter der Werte echter, germanischer Lebensart; um so schlimmer, wenn ein Unwürdiger so dreist ist, sich diese Berufung anzumaßen. Anspruch und Erfüllung stehen in offensichtlichem Kontrast. In Langenbecks Tragödie „Der Hochverräter" erscheint an Stelle des verhinderten Gouverneurs Sloughter, der die Befehlsgewalt von Leisler, den die Bürger wegen Vakanz zum provisorischen Kommandanten gewählt haben, übernehmen soll, der Major Ingoldsby, der nur durch gute Beziehungen bei Hofe seine Stellung erlangt hat. Er hat sich bereits unangenehm eingeführt, als er in der Kolonie erschien. Nun betritt er persönlich die Szene [23]: arrogant, unhöflich, ich-bezogen und anmaßend versucht er, das Kommando zu übernehmen. Sein Verhalten wirkt um so unangenehmer, als ihm in Delanoy ein würdiger Greis, der Älteste der New Yorker, entgegentritt. Diese pervertierte Soldatenfigur läßt den Helden des Stücks, der in dieser Szene nicht auftritt, im hellsten Licht erscheinen, und es wird zugleich deutlich, daß in der Lebenstragik Leislers die Gegenpartei der Bühnenhandlung gar nicht der wirkliche Gegenspieler sein kann:

Ingoldsby
Ich werd schon nach dem Rechten sehn, verlaßt Euch drauf!
Das wär doch toll, wenn so ein hergelaufner Bürger
Einfach zum Kommandanten sich erheben könnte!
Wo steckt des Herrn von Nicolls Sekretär? Warum

[23] C. Langenbeck, Der Hochverräter, S. 45–49.

Hab ich den Lümmel mit Burgunder mir traktiert?!
Er sollte Auskunft geben! Steh ich nicht, pfui Teufel,
Hier wie der Ochs vorm Berg und weiß nicht mal, wohin
Die Leute scheißen?

Leutnant

Herr Major, der Schreiber ist
Verschwunden, unbemerkt, wohin.

Ingoldsby

Was! Unbemerkt!
Verflucht! Mein Leutnant ist beauftragt, zu bemerken,
Wohin die Kerls verschwinden in New York! Verstanden?

Leutnant

Er dürfe, auf Befehl des Herrn von Nicolls, in
Der Stadt sich neben Euch nicht zeigen, sagt er.

Ingoldsby

Kein Mensch hätt neben *mir* den guten Mann bemerkt!
(Zu Delanoy)
Das ist die Festung? Antwort! Altes Runzeltier!

Delanoy (schweigt)

Ingoldsby

Steht nicht der Kerl mit einem Bein im Grab und trotzt
Noch immer? Werter Greis, ich möchte wissen, ob
Ich dort die Festung zu vermuten habe! Wird's?

Delanoy

Unmißverständlich, Herr Major, ist das die Festung.
Euch aber scheint ein Mißverständnis irrzuführen.
Wär's nicht viel besser, wenn Ihr mich erhörtet und
Den Zustand unsrer guten Stadt begreifen lerntet?

Ingoldsby

Was gäb's hier zu begreifen! Wir sind unterrichtet!
Ich bin in dieser Kolonie die rechte Hand
Des Königs, und wo ich erscheine, da herrscht Ordnung!
Meint Ihr, der König hätte mich so schnell — obwohl
Ich nur ganz nebenbei Soldat gewesen bin —
Zum ersten Offizier des Gouverneurs ernannt,
Wenn er nicht meine Fähigkeiten ganz besonders
Zu schätzen Ursach hätte? Außerdem ist mein
Herr Vater von unendlichem Gewicht bei Hofe.
Nun wißt Ihr wohl, mit wem Ihr's hier zu tun habt, Leute!
Wer mich nicht reizen will, der kultiviere mich!

Delanoy

Unmöglich ist es, nicht zu sehn, wer vor uns steht.

Ingoldsby

Das will ich meinen! Aber ohne Ironie!
Ich kann die Ironie nicht leiden, denn sie ist —

Wie mein Minister Shrewsbury zu sagen pflegte –
Wehrlosen Hochverrätern eine freche Waffe!
Der Gouverneur kommt nur formell. Ich bin es, der
Die Hauptverantwortung zu tragen hat. Das merkt Euch. –
Dort drinnen also, wie ich hörte, schmachtet elend
Der Herr von Nicolls – Nun, mein guter Alter, stimmt's?

Delanoy

Der Feind der Stadt und Hochverräter Nicolls liegt
Seit kurzem in der Festung hinter Gittern. Wie
Der Herr Major erfahren wird, mit gutem Recht.

Ingoldsby

Aus blindem Hochmut meinem Urteil vorzugreifen,
Verbitt ich mir! Erfahren hab ich längst genug!
Ein Wink – und Herr von Nicolls lebt in schönster Freiheit!
Was ist das für ein Haus hier?

Delanoy

Herr Major belieben,
Das Rathaus zu erkennen.

Ingoldsby

Nun, der das gebaut hat,
War wohl ein großer Affe vor dem Herrn, sonst hätt ich's
Erkennen müssen. Vorsichtshalber werd ich's gleich
Besetzen lassen. – Und das Häuschen dort, was ist's?

Delanoy

Das Haus des Gouverneurs, mein Herr Major. Zur Zeit
Des Kommandanten Wohnung.

Ingoldsby

Alle Hagel, Herr!
Es gibt hier keinen Kommandanten außer mir!
Wo steckt denn Euer „großer" Leisler?

Delanoy

Herr Major,
Der Kommandant ist in der Festung zu vermuten.
Ihr solltet ihm erklären, meine ich, warum
Mit Waffen Ihr das Rathaus sichern wollt für uns.
(Er stellt sich auf die Treppe)

Ingoldsby

Hat nicht der Kerl schon wieder „Kommandant" gesagt?
Bei Gott, barbarischer und frecher, als ich dachte,
Hat sich das allgemeine Freveln hier verbreitet!
So will ich denn den Anfang machen mit dem Alten:
In Königs Namen hier verhaft ich Euch, Verräter!

So wie Langenbeck im „Hochverräter" den pervertierten Soldaten vorführt, stellt H. Böhme in „Volk bricht auf" die gemäß der Theorie von Volk und Führer negative Herrschergestalt auf die Bühne: Der Normannenherzog Guiskard liegt totkrank vor Byzanz, das Volk leidet unter der Pest und will zurück in die Heimat; in dieser Situation erwächst ihm in Abälard ein wahrer Volksführer; Helena indes, Guiskards Tochter, soll und will Kaiserin in Byzanz werden und strebt selbst nach Ruhm und Macht. Das Volk ist ihr vollständig gleichgültig, sie benutzt alle Mittel, ihren Ehrgeiz zu befriedigen, und schreckt, wie die weitere Handlung zeigt, selbst nicht vor einer Leichenschändung zurück. Sie ist ein wurzelloses Mannweib, das die Beziehung zum Urgrund verloren hat und ihre Grenzen nicht kennt. Sie ist recht eigentlich die Perversion des Herrscherinnentyps, wie ihn Anna von Mecklenburg in Hymmens „Petersburger Krönung" darstellt [24]. Der zweite Akt von Böhmes Stück beginnt mit einem Monolog Helenas und setzt sich in einem Dialog fort, in dem die Herzogstochter versucht, ihren nicht weniger machtlüsternen, aber feigen Bruder zu entschiedenerem Vorgehen zu bewegen [25].

Helena (bestürzt)
Wo seid Ihr hin, Normänner?
Der Tambour und die Wachen? Niemand hier,
Der mir Gewißheit auf die Frage gibt,
Ob Ihr zur Nacht und für den Kampf Euch rüstet?
Normänner!
Antwortet keiner?
Als schlüg der Blitz in unser Lager ein,
So jagtet Ihr einher wie Zügellose
Und folgtet jedem Zuruf wie Befehl?
Was will den Abälard als Euch von Euch!
Ich aber will nichts andres als Byzanz
Und lege Euch dafür die Welt zu Füßen.
Könnt Ihr nicht folgen? Ist denn Euer Sinn
So zwiefach schon geteilt und zwiefach Zweifel
In Euern Wünschen eingekehrt?
Der Herzog
Befiehlt den Sturm kaum, stürzt er selber nieder,
Des Herzogs Sohn, wenn der nicht feige wäre . . .
Wer bleibt denn noch, der Euch der Siege mahnt
Und lockt und aufruft? Wär' ich doch ein Mann
Und nicht ein Weib, zur Schwächlichkeit verdammt!
Herrgott! Byzanz! Kann ich denn nicht, Verlockende,

[24] Vergl. oben S. 86—88.
[25] H. Böhme, Volk bricht auf, S. 31 f.

Den Blick abwenden von dir hin zum Meer?
Nicht, Helena! Wer haderte, verlor
Den Kampf von je. Ich will ihn zwingen.
Noch ist das Volk erst halb gewonnen. Gut.
Um Mitternacht seh ich das ganze Volk!
Was will dann Abälard noch? Ha! Der Bube!
Und wenn der Vater selbst es nicht mehr zwingt,
Ich klage nicht mehr drum, daß ich ein Weib bin.
Dort drüben in Byzanz lebt Liebe, Haß,
Dort drüben in Byzanz thront Frieden, Glück.
Um jede Schlacht gäb' ich dem Volke nach,
Nicht aber um Byzanz!
Und Ihr, Normänner?
Von fern her hör ich hastend Eure Schritte,
Noch Eure Stimme: Wasser, Brot und ...
Nein! Das war es nicht, nicht Heimkehr!
Was zaudre ich, was glaube ich es nicht,
Daß Ihr noch Sehnsucht habt nach Guiskards Taten
Und Eure Waffe schwingt für Guiskards Ruhm?
Und Guiskard, wißt Ihr das: Der glaubt an Euch!
Guiskard verläßt sich ganz auf Euch, versteht Ihr,
Sagt, Ihr seid seine Brüder, hört Ihr das?
(Robert, der schon vordem hinter Helena stand und ihr zuhörte, kommt bei den letzten Worten Helena so nahe, daß sie ihn bemerkt.)

Helena
Wir müssen uns beeilen, Schlag auf Schlag.
Der Vater könnte sich noch wandeln lassen.

Robert
Sich wandeln lassen?

Helena
Ja, er ist doch krank,
Wer weiß, ob er zum Abend sich noch aufhält;
Ob er den Angriff selber wagt, ich zweifle.

Robert
Um Gott des Himmels willen, meinst Du, Schwester?
Er hat doch aber seine Prophezeihung.

Helena
Glaubst Du daran?

Robert
Nein, aber er!
Er wird mit ungebeugter Kraft zum Siege stürmen,
Solange er das Wort im Innern spürt,
Bis vor die Tore von Jerusalem.
Der Glaube ist die beste Arzenei.

Helena
Wenn nun das Volk indessen –
Eile Dich, Du mußt im Lager Gegenreden halten.

Robert
Das wäre plump.

Helena
Mußt Worte finden, die dem Volke wohltun,
Die heilsam sind und überzeugen können.
Lerne von Abälard, geh, eile Dich!

Robert
Ich mag nicht betteln!

Helena
Bruder, sei vernünftig.
Die Kaiserkrone ist das Opfer wert!

Robert
Ich mag das nicht,
Das Volk ist zu gewöhnlich!

Helena
Für unsern Kampf ist es noch wahrlich gut!
Diesmal der Sieg, und unser ist die Welt!
Was kümmern uns noch Rom, Jerusalem!

Robert
Der Vater hat die Macht,
Soll *er* es zwingen.

Helena
Guiskard ist krank!
Doch Abälard –

Robert
Gefangen!

Helena
Gefangen ist der Mensch,
Sein Geist ist flüchtig,
Hat schon Gestalt auf wildem Wort gewonnen.
Und rast durchs Lager hin.
Du mußt, Du mußt, wir brauchen sie zum Sturm!
Mußt an den Ruhm von unbegrenzter Zukunft,
Von tausend frohen, neuen Dingen reden.
Byzanz ist Reichtum, Freiheit, Liebe, Glück,
Gib ihnen Sehnsucht nach Ruhm!

Robert
Ich kann nicht!

Helena
Du mußt!

Robert

Ich will nicht betteln gehen, sag ich Dir!

Helena hat keine Verbindung mehr zum Volk, und deswegen ist ihr Machttrieb ohne jede Legitimation; denn der wirkliche Führer wird nach der ideologischen Herrschaftstheorie aus der Seele des Volks geboren. Er kommt nicht durch irgendwelche politischen Umstände an die Macht, sondern sein Sein bestimmt ihn, die Artikulation der sich selbst nicht bewußten Seele des Volks zu werden.

Gemäß der Geschichtstheorie, daß Historie die unwandelbaren Grundmuster des rassischen Wesens zeige, die nun auf der Bühne „Anschauung" werden, sollen auch die zeitgenössischen Ereignisse von diesem Horizont her gedeutet werden, wie die Figur des intellektuellen Revolutionärs Alex in Schumanns „Die Entscheidung", das in der „Kampfzeit" spielt, zeigt. Der Student Bäumler hat sich auf die Seite der Kommunisten geschlagen, weil er seine Vorstellung von der Revolution, die vom isolierten Ich zum eingeschmolzenen Wir führen soll, dort verwirklicht glaubt. Alex, der Führer des Kommunistenaufstands, gibt ihm den Auftrag, seinen Freund und ehemaligen Kriegskameraden Schwarz, der eine Kompanie konterrevolutionärer Truppen befehligt, zu überfallen und zu ermorden. Er ist ein kalter Intellektueller — zwar voll Feuer und von seiner Sache brennend erfüllt (darin unterscheidet er sich von den anderen „Roten"), aber ohne Gemütsbeziehungen zu Volk und Leben —, er befehligt den Mechanismus der Macht, die keinen „jenseitigen" Bezug kennt und jagt einer leeren Idee nach, die ihn im Sinne der Weltanschauung des Dritten Reichs unmenschlich erscheinen läßt. Der tiefe, suchende Bäumler, der Held dieses Stücks, steht so im Kontrast zu dieser Figur [26]:

Bäumler (tritt ein, grüßt kurz. Er hat eine Binde um die Stirn. Er ist unsicher).

Alex

Genosse Bäumler, ich habe einiges von dir gehört. Die Wunde, die du an der Stirn trägst, wird einmal dein höchstes Ehrenzeichen sein. Ich spreche dir meine Anerkennung aus.

Bäumler

Ich will — keine — Anerkennung. Aber ich will anständige Soldaten um mich. Ich will mit diesem Gesindel nichts zu tun haben, das da herumbrennt und herumhurt. Ich habe blutige Hände — und ich wollte doch —

Alex

Du darfst dich nicht beirren lassen. Bei gewaltigen Umwälzungen treibt der

[26] G. Schumann, Die Entscheidung, S. 60—67.

Abschaum hoch. Auch diese Schreckenstaten sind notwendig. Wir müssen die Freiheit durch ein Meer von Blut erlösen.

Bäumler

Soldaten der Revolution — nicht Banditen —

Alex

Junger Mann. Ich könnte mit einem klugen alten Wort sagen: Wer die Hand an den Pflug legt ... — Hier kann keiner auf halbem Weg stehenbleiben. Die Revolution frißt ihre ungehorsamen Kinder. Es gibt kein Zurück. —

Bäumler

Ich will nicht zurück. Ich will nicht — hinunter!

Alex

Ich sage dir: wir haben den Mechanismus der Disziplin nunmehr noch straffer durchgeführt als die Armee. Die Leute werden in den Tod gehen wie Automaten.

Bäumler

Nein. Sie sollen sich opfern.

Alex

Wir reißen ihnen ihr sinnloses Herz aus der Brust. Wir reißen ihnen die kleinen Gedanken aus dem Hirn. *Ein* Herz muß in ihnen schlagen. *Ein* Hirn muß aus ihnen denken. Und wenn es Angst ist. Jetzt stürmen die Bataillone noch in Begeisterung gegen den Feind. Sie müßten auch stürmen, wenn hinter ihnen die eigenen Maschinengewehre sie in den Kampf hämmerten.

Bäumler

Das ist — gegen die Idee. Das ist Empörung von oben —

Alex (lächelnd)

Genosse. In meiner Hand liegt die Verwirklichung der Idee. Ich bestimme den Gang der Revolution. Nicht junge Genossen, die erst seit kurzem ihr Herz fürs Volk entdeckt haben.

Bäumler

Aber so kann man doch keinen neuen Menschen —

Alex

Es ist jetzt nicht Zeit vom neuen Menschen zu träumen. Es ist Zeit, eine neue Macht zu schaffen. — Doch nun genug der Philosophie. Du denkst zuviel, nicht wahr? Das legt sich aufs Handeln. Ich habe einen Auftrag, der dich besonders auszeichnen soll. Von seinem Gelingen hängt sehr viel für unseren weiteren Vormarsch ab. Seine Durchführung verlangt letzten Einsatz.

Bäumler (wie nach einem Strohhalm)

Den Auftrag — ja —

Alex (zur Karte)

In diesen beiden Orten liegt das Bataillon Schwarz.

Bäumler

Schwarz? Schwarz, sagst du? Was habe ich mit diesem Menschen zu schaffen?

Alex

Einen Augenblick, Genosse. Es handelt sich um jenen berüchtigten Bluthund Schwarz, jenen Freikorpsführer, der so erbarmungslos unter der Arbeiterschaft gewütet hat. Kennst du ihn etwa persönlich?

Bäumler (zerrissen lachend)

Kennen? Ich werde ihn vielleicht einmal flüchtig gekannt haben. Ein bißchen Weltkrieg. Er hat vielleicht einmal für mich seinen Kopf verbürgt. — Sicher nur flüchtig. Denn sonst stünde ich jetzt nicht hier.

Alex (lauernd)

Gut. Nach sicheren Nachrichten rückt Schwarz mit einer Kompanie auf dieser Straße heute nacht vor, um hier Quartier zu beziehen. Unsere vorderste Linie ist von dort noch über vierzig Kilometer entfernt. Der Gegner ist also völlig ahnungslos. Du erhältst drei durchaus bewährte Genossen, ein Maschinengewehr, ein Auto. Dein Auftrag: An einer günstigen Stelle aus dem Hinterhalt durch Feuerüberfall Schwarz und einen möglichst großen Teil der ahnungslosen Kompanie erledigen. Dann wie der Teufel zurück.

Bäumler (bebt, hält sich am Schreibtisch)

Wie — der — Teufel. So — hart — ist — das — Gericht —

Alex

Ich bin mir der Schwierigkeit des Auftrages voll bewußt. Ich wußte keinen besseren als dich, Genosse Bäumler —

Bäumler (wie aufwachend)

Genosse — wieso Genosse? Was habe ich mit dir zu schaffen?

Alex (lächelnd)

Das liebe ich. Alles mit Temperament —

Bäumler (schreiend)

Das ist ja Mord — niemals — niemals! Es war mein — einziger Freund —

Alex

Mord? Wieso Mord? Hier spricht der kleine Bürger Bäumler. Diese Sentimentalitäten hätte ich nicht erwartet. Ich nehme an, daß du dir deinen Schritt überlegt hast. Was ist das für ein Rückfall in eine Moral von vorgestern?

Bäumler

Schick mich wohin du willst — in die Hölle — aber offen — auf die Barrikaden — angreifen — das ist meine Sache — aber nicht dieser Mord — das ist kein Auftrag! Das ist blutige Teufelei!

Alex (hart)

Hier wird das Schicksal einer Welt entschieden. Hier kann man nicht über Begriffe kleiner Leute stolpern.

Bäumler

Ihr redet — und ich — soll morden!

Alex

Junger Mensch, ich pflege mich sonst über meine Aufträge nicht zu unterhalten. Sie werden ausgeführt. Aber ich habe ein gewisses Interesse an dir. Deshalb sage ich dir: Das ist das Neue, daß nicht mehr ein einzelner — daß nicht mehr du die Verantwortung trägst. Du vollziehst den Willen der Gemeinschaft. Die Verantwortung trägt das stumme Heer der Brüder. Nachts, wenn du einen Augenblick atmen und ruhen willst, kannst du es sehen. Nah und unendlich, ein dunkles Heer, flehende Augen in bleichen Gesichtern, auffragende Münder, aufgekrallte Hände, im unendlichen Gleichschritt des Leids, im unendlichen Jahrtausende alten Takt der Verzweiflung. — Und dann vergißt du deine kleine Person. —

Bäumler (wie abwesend)

Das unendliche Heer — Friedrich — Friedrich Schwarz — warum habe ich dich verlassen?

Stummer (herein, gibt dem auffahrenden Bäumler ein Blatt)

Hier die Einzelheiten deines Auftrags. Die Genossen warten draußen (ab).

Bäumler (nimmt das Blatt, versucht zu lesen)

Straßenkreuzung vier Kilometer vor — Friedrich — das — ist — das Ende —

Furchheimer (herein)

Entschuldige die Störung, Chef. Ich brauche drei Unterschriften.

Alex (überfliegend)

Muß denn immer gleich erschossen werden?

Furchheimer

Exempel, Chef, unumgänglich —

Bäumler (sieht auf Alex)

Unterschreiben — immer unterschreiben —

Furchheimer (legt vor)

Dieses Mensch hat den Bataillonsführer Wolpert im Bett ermordet. Im Auftrag der Reaktion natürlich. Ein schöner Tod zwar —

Alex (unterschreibt)

Weiter.

Furchheimer

Dieser Student warf eine Handgranate in das Quartier unserer Leute. Glücklicherweise nur einige Verletzte —

Alex (unterschreibt)

Dieses Volk — Was ist das denn: Volk? Woher kommen diese Leute immer wieder? Man soll in Zukunft die soziale Stellung solcher Attentäter genau nachprüfen.

Furchheimer

Alles fürs Geld. — Der hier hat Nachrichten ans Militär gegeben.

Alex (unterschreibt)

Weiter —

Bäumler (zerrissen)

Weiter? — Das meine noch —

Furchheimer

Ich denke, wir machen es groß auf. Die Revolution richtet erbarmungslos alle Saboteure, oder so?

Alex

Gut.

Furchheimer

Vielen Dank, Chef (ab).

Bäumler (schreiend)

Wo sind die andern Urteile? Weiter unterschreiben, weiter! Schreib doch den Namen unter das Todesurteil der Idee!

Alex (steht auf, sieht Bäumler zwingend an, berührt wie von ungefähr die Fahne)

Die Idee, sagst du. Die Idee ist die Fahne. Sie ist das Tuch, das die Massen sehen. Wir sind allein. Wir wissen mehr. Wir träumen nicht von der Idee. Wir greifen nach der Macht. — Auch bei uns glüht sie im innersten Winkel des Herzens. Aber wir denken nicht an sie. Wir verschmähen es, unsere blutigen Hände an ihr sauber zu waschen, unsere Begeisterung an ihr aufzuwärmen. Wir scheiden da. Wir verzichten auf diese Erhebung. Wir sind sehr nüchtern. Wir sind die Wirklichkeit. Wir arbeiten mit Spion, Mord, Dynamit. Wir wissen nicht, ob wir noch die neue Ordnung erleben. Aber wir handeln für ihre Zukunft. Wir sind sehr allein, junger Mensch. *Ich* bin sehr allein. Geh jetzt. Und tu deine Pflicht.

Dort, wo unmittelbares Zeitgeschehen dargestellt werden soll, zeigt sich am deutlichsten, wie unfähig diese Autoren sind, zu begreifen, welchen Prozeß Geschichte darstellt, welche Rolle sie selbst, welche ihre Gegner darin spielen. Sie erfassen in ihren Konstruktionen, die Deutungsschema sein sollen, nicht das Spannungsverhältnis von allgemeiner Zeitsituation und individuellem Handeln in der realen Situation und tauchen so alles Geschehen in eine rassengebundene Metaphysik, die ihren Scheincharakter bloßlegt, wenn sie keinen Gegenpol in der Realität findet. Auch Anleihen bei berühmten Autoren (im letzten Beispiel bei Lessing) verdecken nicht die Konturenlosigkeit der Gedankengänge und die Hohlheit der dramaturgischen Konstruktionen — im Gegenteil.

d) *Das „Wollen" als Qualität des Helden*

Es ist aus den angeführten Beispielen hinlänglich deutlich geworden, daß die Helden im Drama des Dritten Reichs ihre Antriebskräfte nicht aus individuellen Charakterkonstellationen bekommen oder aus dem Zusammenstoß mit den übrigen Figuren des Spiels, die anderen, konträren Impulsen folgen; die Helden sind nicht Persönlichkeit im Sinne einer Individualpsychologie sondern Typen. Demgemäß muß auch ihre Mobilität aus anderen Quellen als aus Leidenschaften, persönlich bedingten Impulsen oder individuellen Neigungen resultieren. Nach den Vorstellungen der Dramaturgie des Dritten Reichs findet der entpersönlichte Held die Motorik seines Wesens im Bereich einer über- oder unterindividuellen Dynamik der Natur und des Lebens. Es ist ja gemäß der Rassenseelenkunde das besondere

Merkmal des nordisch-germanischen Menschen, den Kampfcharakter des Seins deutlich zu spüren und ein dynamisch Wollender zu sein [27]. Heroisch und tragisch gestimmt sein bedeutet, am dynamischen Prinzip der Welt teilzuhaben, ja, es in sich einzukörpern: „Ein ‚Wozzek' wäre wohl als Nebenfigur in der Tragödie möglich, zur Zentralgestalt aber fehlt ihm Halt und Mitte, weil ihm die aktive Gespanntheit des tragischen Weltgefühls abgeht. Der tragische Mensch kämpft, und tragischer Held wird nur, wer großartig will und sich dadurch zum hinlänglichen Gleichnis des tragischen Weltkampfes auswächst". [28] Nach dem Inhalt dieses Wollens zu fragen, wäre im Sinne der Ideologie und der aus ihr resultierenden Dramaturgie verfehlt; es handelt sich um einen vollkommen formalisierten Dynamismus, der Grund und Ziel in sich selbst findet. So ist denn die eigentliche Qualität des Helden — über alle Akzidentien und abgeleiteten Bestimmungen seines Wesens hinaus —, ein Wollender zu sein.

Wie sehr sich dieses Wollen über alle Realität hinwegsetzt, ja, als tieferes Prinzip diese überhaupt erst setzt, mag die folgende Auseinandersetzung in Fr. W. Hymmens „Drama" „Beton" zeigen [29]: Wegen widriger Bodenverhältnisse ist die Überbrückung eines Tals mißlungen. Da der Bau aber für einen Teil des völkischen Lebensraums existenznotwendig ist, wäre das Gelingen des Projekts, das die Experten für unmöglich halten, ein bedeutsames ökonomisch-nationales Ereignis. Deswegen hat sich der junge, dynamische Brückenbauer Krüger bereit erklärt, noch einmal einen Versuch zu wagen, und zwar gegen das Verdikt des erfahrenen Brückeningenieurs Fischer, seines Schwiegervaters, sowie der Experten und der Baubehörde. Nicht neue Techniken, Materialien oder Konstruktionspläne motivieren seinen Entschluß recht eigentlich, sondern sein kämpferischer Wille, über den mathematischen und physikalischen Sachzusammenhang — also über das nach Auffassung der Lebensphilosophie Tote, Materielle — lebensvoll zu triumphieren.

Fischer
Noch hat man nicht mal
Halb so große Spannweiten erprobt!
Krüger (höhnisch)
Das ist wohl ein Beweis?

[27] Vergl. z. B. A. Hitler, Mein Kampf, S. 145, 147; L. F. Clauß, Die nordische Seele, pas.; A. Rosenberg, Mythus, S. 134; D. Klagges, Idee und System, pas.; K. Eggers, Die kriegerische Revolution, pas.

[28] E. v. Hartz, Wesen und Mächte des heldischen Theaters, S. 17.

[29] Fr. W. Hymmen, Beton, S. 26—29.

Weil man es bisher nicht versucht hat!
Weil es noch nicht dagewesen ist!

Fischer

Jawohl! Man muß sorgfältig, langsam und
Gewissenhaft, Stufe für Stufe die
Entwicklung aller Technik pflegen. Nicht so unbesonnen.
Solide und genau, und ohne solche Experimente.
Das ist mein Grundsatz.

Krüger

Heroisch ist der Grundsatz.

Fischer

Man muß erst Erfahrung sammeln,
Muß die Erfahrungen verwerten, darf
Sich dann erst weitertasten.
Und die Erfahrung spricht dafür, daß man
Mit den bisher gebauten Weiten schon
Das Äußerste, den absoluten Nullpunkt
Längst erreicht hat.

Oberbaurat

Sehr richtig!

Fischer

Vierhundert Meter sind als Spannweite
Für einen Bogen noch undenkbar.
Schon unser schweres Material erlaubt das nicht.
Ich habe mich seit zwanzig Jahren bis
In jede Einzelheit damit beschäftigt.

Krüger

Dann hast Du Dich dabei geirrt.
Denn eine solche Brücke kann man bauen.
Es kostet einige Verbesserungen
In der Konstruktion,
Die allein ich kenne. Und es kostet Glauben.

1. Sachverständiger

Mit Romantik kann man keine Brücke bauen.

Krüger

Nur mit Stahl und mit Beton genau so wenig.

Fischer

Verachte nicht das Material.
Es kann sich rächen. Hier geht es
Um mathematische Gesetze.

Krüger

Hier geht es um Religion.
Ihr laßt Euch vom Material beherrschen,
Ich will es überwinden.

Oberbaurat
Köstlich! Sind das Argumente?
1. Sachverständiger
Ihr Plan ist lachhaft, und er lohnt nicht mal den Streit.
Krüger
Ein Streit lohnt unter Feiglingen sich nie.
Fischer (mit Krüger abseits)
Es wird ein neues Unglück geben, ganz gewiß!
Georg, hast Du die Bahren nicht gesehen?
Eine nach der anderen,
Mit Zeltbahnen und Tüchern zugedeckt?
Ein grauenvoller Jammer!
Und hast Du's nicht gehört und nicht begriffen:
Ein Gottesurteil? Diese Brücke darf
Nicht aufgerichtet werden,
Sie wäre zu gewaltig, eine Lästerung.
Krüger
Die Brücke brach, damit wir um so herrlicher
Sie wieder bauen. Das ist unser Auftrag.
Fischer
Schweig endlich! Und versteife Dich nicht auf
Den übereilten Einfall, der Dir kam.
Du bringst Dich nur in's Elend und auch Deine Frau!
Denk daran, daß sie meine Tochter ist.
Laß dies verrückte Experiment. Schau die Ruinen!
Krüger
Die Welt wird nur mit Risiko erobert,
Nur mit Wagnissen! Ich baue!

Das Handeln des „Helden" ist in den sachlichen Gegebenheiten nicht gerechtfertigt und motiviert; es gehört vielmehr zum Wesen des Kämpfers, diese nicht als ein Faktum zu akzeptieren. Seine Kraft gründet in einem Prinzip, das jenseits des Bereichs des Real-Gegenständlichen und aller Gesetzmäßigkeiten liegt. An diesem Beispiel wird kraß deutlich, wie sich unzureichender Realitätssinn in sich heldisch dünkenden Aktionismus verlängert.

Die „Seins-Mächtigkeit" des Helden strömt aus Quellen, die nicht dem pragmatischen Zusammenhang und dem Gesetz der Ordnung entstammen; sie pulsieren jenseits der Grenzen, die der Mensch erreichen kann; umgekehrt: der Mensch ist die Realisierung der dunklen, alle Begrenzung sprengenden Kräfte und Mächte des „Lebens". Sehr extrem tritt das in Fr. Grieses „Drama" „Mensch, aus Erde gemacht" hervor [30]. In einer zeit-

[30] Fr. Griese, Mensch, aus Erde gemacht, S. 14—18.

genössischen Kritik ist über Heinrich George in der Hauptrolle des Stücks zu lesen: „Heinrich George kam daher als buntbeschmierter [31] Alpdruck, hinkend wie der Böse, mit massigem Fleische und dumpf wie das Laster. Hinter der Szene schon klirrte er mit der Viehkette und kündete damit Herrschsucht des Gefesselten an. Der Bauer Biermann stöhnt in seinem Fleische." [32] Dieser Hans Biermann, dem vor Jahresfrist die Frau, die Schwester des Küsters, gestorben ist, begehrt seine Magd Lena zum Weib, die ihrerseits aber mit dem Knecht Godem durchbrennen will, weshalb die beiden Biermann Geld gestohlen haben. Eben in diesem Augenblick erscheint der Bauer mit seinem Schwager.

Küster
Du bist auch ein Mensch, Schwager, Mensch und sterbliche Kreatur.

Biermann (Er legt sein Haar an der Stirn auseinander, Blut kommt zum Vorschein; er schiebt sein Gesicht dem Küster dicht vor die Augen)
Ich find's nicht, Küster, wo das Sterben sitzt. (Er pocht mit dem Finger in die Wunde) Das geht bis auf den Knochen. (Er lacht, legt wieder ein paar Haarsträhnen über die Wunde) Ein Knecht hat mir das gerissen, Küster, ein elender Knecht, nun sing' und schrei einmal. Wir kennen die Hand, Lena? Die ist schon anderswo gewesen?

Lena
Ich weiß es nicht, Bauer.

Biermann
Du weißt es auch. (Er tritt jetzt zurück und drängt Konrad Godem, als ob er ihn nicht sähe, rücklings aus der Tür, schließt sie auch so) Pf, pf! Auf, Lena! So, das wär' geschafft, ein Kalb mehr im Stall; der neue Amtmann mag Pate sein. (Er schiebt die Geldstücke wie unachtsam unter den Tisch.)

Küster
Zeichen und Wunder werden geschehen, sagt die Schrift, damit der Mensch glaubt.

Biermann
La la la, Küster, du bist mir beschwerlich heute abend mit deinen Reden. Was du vorhin alles schon geschnattert hast, will hier niemand hören. Auf, Lena! (Er schiebt auch das Laubwerk mit dem Fuß beiseite.)

Küster
Die Tote war meine Schwester; und du weißt, daß der Lebende für den Toten zeugen soll.

[31] Dem Bauern hat nämlich just eine Kuh gekalbt, und er tritt vom Stall aus auf die Bühne; dazu hatte er eine Auseinandersetzung mit seinem Knecht, der ihn mit der Axt vor den Schädel geschlagen hat, ohne ihn allerdings ernsthaft zu verletzen!

[32] J. M. Wehner, Vom Glanz und Leben deutscher Bühne, S. 363.

Biermann (Drückt ihn auf die Bank)

Du trittst uns noch den Tod aus den Dielen. (Er wirft eine hänferne Schlinge, die er in der Hand trug, auf den Tisch.) Z, z, Küster, wenn sie auch deine Schwester war. Nun lauf', Lena! Der Küster will sich sauber machen, und ich hab' auch bis zum Ellbogen dringesessen.

Lena

Ja, Bauer.

Biermann

Das ist also die Lena. (Er hinkt seitwärts, sieht mit schiefem Halse hinter ihr her, ruft sie an) Zurück, Lena! Noch einmal vorbei! Zum Tisch, Lena! Nun so herum! Gut, Lena; nun hol' uns Wasser herein.

Lena (Die Augen auf Hans Biermann gerichtet)

Ja, Bauer. (Ab.)

Biermann (Schwer nachdenkend)

Heh, Küster, das ist eine? Die hat —. (Er faßt die Beine des Küsters) Das seh' ich nicht zum erstenmal, hörst du? Das ist mir immer vorbeigelaufen, ein langes Jahr hindurch, und ich hab's ausgehalten. Das wär' so eine? Ein Jungtier ist mir geboren, du warst ja dabei. Heh, Küster?

Küster

Beelzebub, Hans Biermann! Das Jahr ist kaum herum.

Biermann

Davon nun nichts mehr Schwager. Alles ist geschehen, was nötig war. Sie hat eine Einfriedigung bekommen rund um das Grab herum, von gutem Eisen, gezogen und geschmiedet, und Blumen und ein Kreuz, und alles ist bar bezahlt. (Lena tritt wieder ein) Ich hab' mein Jahr gewartet; sag' Lena, hab' ich nicht gewartet? (Er streicht ihr schwer über den Rücken) Da stell' hin, Lena. Du hast es gut gemacht, Lena.

Lena

Ja, Bauer.

Biermann

Nun wollen wir uns sauber machen und jung, Küster; ich fühl' mich heute wie mit zwanzig.

Küster (Sauer)

Sodom ist untergegangen und Gomorrha. Gott hat alles mit Feuer verbrannt, und nur ein Rauch ist nachher gewesen wie von einem Ofen.

Biermann

Lot ist übriggeblieben, Küster. Wie lange bist du nun schon auf dem Hof, Lena?

Lena

Von klein auf an, Bauer; wir werden in unsern Arbeitsort hineingeboren. Wir sind eigene Leute.

Biermann

Richtig, Lena; ihr werdet hineingeboren, ihr seid eigene Leute. Du bist immer gern hier gewesen?

Lena

Nein, Bauer, immer nicht.

Biermann

Du möchtest noch lange bleiben, Lena?

Lena

Wo soll unsereins hin?

Biermann

Als Mädchen, Lena?

Lena

Als was sonst? Wenn ich mich freiarbeiten könnte? Freikaufen können wir eigenen Leute uns ja nicht.

Biermann

Freikaufen kannst du dich noch in dieser Nacht. Du weißt, wie es gemeint ist.

Küster

Die Tote wird sich im Grab umdrehn, Hans Biermann!

Biermann

Am Jüngsten Tag kehrt Gott alle wieder herum; und bis dahin kann's jedem gleich sein. Nun, Lena, willst du hier Frau werden? Der Bauer fragt nur einmal.

Lena

Ich kann nicht, Bauer; ich gehör' schon einem.

Biermann

So, du gehörst schon einem?

Lena

Wir wollen heute nacht fortlaufen. (Sie stellt sich mit dem Rücken gegen die Wand) Ja.

Biermann

Fortlaufen? Ihr könnt euch doch freikaufen. (Er streicht mit dem Fuß ein Geldstück unter dem Tisch hervor, hebt es auf, betrachtet es, schnippt es gegen die Tür) Will er dich damit freikaufen? Mit Hans Biermanns eigenem Geld?

Lena

Ich geh' mit ihm.

Biermann

Ihn wird man halten können, und du gehst dann auch nicht; so gut kenn' ich dich. Sag, Küster, was steht eigentlich auf Diebstahl? Auf einen ordentlichen, braven Diebstahl?

Küster

Auf einen Dieb, Schwager Biermann?

Biermann

Auf einen Dieb, der seinen Herrn bestiehlt.

Küster

Den köpft man, oder am Ende hängt man ihn gar. Die Gesetze sind scharf.

Biermann

So, sind sie scharf? Wenn man da herumkommen könnte, Küster? Da würde einer schon etwas tun müssen, Lena? (Er nimmt ein anderes Stück, betrachtet es, nimmt dann die hänfene Schlinge, befestigt sie am Türpfosten) Damit kann man ein Kalb ziehen, die trägt auch einen Knecht. (Er sieht auf Lena) Ich meine, wir werden in dieser Nacht Langnacht machen müssen.

Lena

Es gibt hinter dem Krautgarten ein Wasserloch, Bauer.

Biermann

Und er? Was hast du ihm zugedacht? Denkst du nur an dich? Das Wasserloch steht jedem frei. (Er zeigt auf die Geldstücke) Damit wäre aber noch nichts gut.

Lena

Ich laufe zum Amtmann.

Biermann

Der gilt in diesem Falle nicht. Dafür haben wir das Gericht, und da bin ich bekannt. (Nicht ohne Wärme) Zum Tisch, Lena! Noch einmal! Wieder vorbei! Gut, Lena, hast's gut gemacht. (Er legt ihr die entblößten Arme um den Leib) Verstehst du denn nicht? Du sollst hier Frau werden. Du sollst Lena Biermann heißen.

Küster (Wirft verstört beide Arme hoch)

Gott ist die Liebe, Hans Biermann!

Biermann

La la la, Schwager. (Nimmt das Spiegelglas herab, zerschlägt es am Tisch) Damit Hans Biermanns Braut sich nicht darin sehen kann.

Lena (Leise)

Zu spät, Bauer; ich hab' mich schon darin gesehen.

Biermann

Konntest du dein Beilager nicht mehr erwarten? (Breit heraus) Hast du schon bei einer solchen Brautwerbung zugehört, Küster?

Der vitale Biermann läßt sich durch nichts von seinem Plan abbringen, die Magd Lena zu besitzen. Es ist weniger er selbst, der hier handelt, als vielmehr die Mächte der Erde, die in seiner Begierde durch ihn hindurchgreifen; und Biermann ist nur die Einkörperung dieser Lebenskräfte. So werden die Figuren der Handlung (und nicht nur Biermann) zu „Wollungen" reduziert [33]: Biermann hat Lena angeboten, den Knecht Godem freizulassen, wenn sie sich an ihn binde. Das Verhältnis der drei Personen wird nun in der folgenden Szene (für's erste) bereinigt:

Lena

Du gehst nun fort, Godem.

[33] Fr. Griese, Mensch, aus Erde gemacht, S. 32—37.

Godem

Ich geh' fort.

Lena

Du hast es mir versprochen. Wir wollen es nicht wieder vergessen. Du gehst, und bloß Tag und Nacht bleiben, und der Wind und der Himmel bleiben und der Platz hinter dem Krautgarten, wo wir immer gelegen haben. Er hat gesagt, daß du fort mußt, in dieser Nacht noch, und du mußt es auch. Ich hab's ihm gesagt, daß du mich gehabt hast, aber er hat mich doch nicht verstanden und kann's auch nicht. (Sie legt ihm die Hand auf den Mund) Sag, nun nichts mehr dazu, Konrad Godem. Ich hab' mich ihm heute nacht geschworen und muß es halten. Ich werde hier Frau auf dem Hof, ich werde Lena Biermann; und du bist überall frei, aber du darfst nicht wiederkommen.

Godem

Ich hab' ihn einmal getroffen –

Lena

Und du kannst ihn öfter treffen; aber es hilft uns nun nichts mehr, er fällt nicht, und wenn er fiele, hätte ich dich ja auch nicht mehr, und du hättest nichts, und was hätte ich dann Gutes an dir getan? Denke einmal an den Platz hinter dem Krautgarten, wir haben da gelegen, im Frühjahr, und du sagtest: Siehst du den schwarzen Strich hinter dem Baum? Nein, sagte ich, ich seh' da nichts. Es ist etwas da, sagtest du, Hände und Stimmen, hörst du nichts?

Godem

Ich wach' schon auf, Lena.

Lena

Ich hab' nichts gesehen und nichts gehört, Konrad, aber ich habe doch so hinübergesehn, als ob ich's sähe. Und in mir hat es gerauscht und geschrien, und ich habe auch gewußt, was in mir ging wie ein Feldbach. Ach, sag's mir noch einmal, Godem, daß ich schön bin und daß ich dein Mädchen bin. Ich habe immer gemeint, daß wir Zeit haben, viele Zeit, alle Zeit, die uns jungen Leuten gehört. Und nun bin ich Lena Biermann, und wir haben keine Zeit mehr. Sag' mir noch einmal, daß ich dein Mädchen bin, dann will ich es nie wieder hören.

(Biermann kommt bei Lenas letzten Worten herein. Er trägt ein Fäßchen, das Haar liegt ihm strähnig in der Stirn. Er steht gebückt, als ob er auf Lenas Worte horche. Dann wirft er das Faß auf die Dielen, stößt es mit dem Fuß in die Ecke, hinkt an den Tisch.)

Biermann

Den Godem, sieh einer den Godem! Ist der noch da?

Fressedich saß auf Leckedichs Haus,
Flog Leckedich zum Schornstein hinaus.

Bist du immer noch da, Godem? Sing' das Lied weiter, Leckedich! Hast mich lieb, Godem? Ich hab' dich auch lieb. Pf, pf, kein Gesicht! Das ist ein Elend! Ein Elend ist das mit dir! (Stützt sich schwer auf den Tisch) Alles ist mein, der

Hof ist mein, das Vieh ist mein, und das Weib ist mein. Hab' ich nicht ein hübsches Weib, Godem, ein schönes Weib? (Er greift nach Lena)

Godem

Laß die Hand da fort, Bauer.

Biermann

Nicht schlagen, Brüderlein! (Er befühlt Konrad Godems Hand) Der hat eine feste Hand, der Godem, eine harte Hand. Die hat sich ausgewachsen, die hat man früher nicht gespürt. Du mußt dem Hans Biermann doch nicht weh-tun, Godem. Ich hab' die Kraft, ich hack' sie dir ab, es kommt mir nicht darauf an. (Er sieht beide an, fällt dann auf die Bank) Lena, ich hab' dem Godem vorhin gesagt, daß ich ein ernsthaftes Wort mit ihm reden will, und ich will's auch; er kann im Guten vom Hof, wenn er selber es will. Hörst du mir zu, Godem?

Godem (Schweigt.)

Biermann (Konrad Godems Ton von vorhin nachäffend)

Ja, Bauer! – Ich weiß, daß du bei Lena Biermann gewesen bist, als sie noch Mädchen war und sich mir noch nicht geschworen hatte. Ich weiß, wie ihr zusammen gelegen habt, ich weiß alles, so etwas riech' ich durch Wände und Türen hindurch, und ich hab's zugelassen, weil ich wußte, wann mein Tag da sein würde. Du hast dich zu ihr getan und deinen Kopf unter ihren Arm gelegt und auf deine Stimmen gehört. Das gibt es, Godem, solche Dinge gibt es, ich bin nicht der, der sie dir absprechen will. Deshalb trag' ich dir auch nichts nach, dir nicht und Lena Biermann nicht. Aber nun sollst du mir sagen, daß du mir mein Geld genommen hast und zum Dieb an mir geworden bist. Ich brauch' es, Godem.

Lena (Legt ihren Kopf an Konrad Godems Kopf)

Ich brauch' es auch, Konrad.

Biermann

Ich will's dir offen sagen, in dieser Nacht will ich ehrlich mit uns sein. Noch hab' ich die Kraft, ich kann tun mit euch, was ich will, niemand hindert mich, ich auch nicht. Aber für später will ich es von dir hören, daß du vom Hof mußtest, weil du dich an meinem Eigentum vergriffen hattest. Ich muß es wissen.

Lena

Ich muß es auch wissen, Konrad Godem.

Biermann

Vor der Frau will ich es hören. Zum letztenmal: Sag', daß du ein Dieb warst, und gib die Hand darauf! So, mit Handschlag, habe ich immer Kuh und Pferd verkauft und hab' dann gewußt, daß alles richtig war und nichts widerrufen werden konnte. So will ich auch dies klar haben. Da, leg' deine Hand hinein, Godem!

Godem (Stößt die Hand zurück.)

Biermann (Hinter dem Tisch, trübe brütend, und es ist, als ob er jetzt nur mit sich selber spräche)

Ich bin ein Mensch, siehst du, ein Mensch, aus Erde gemacht, aus einem

Erdenkloß, wie die Schrift es sagt. Ich kann mich nicht anders machen, als ich bin. Ich könnt' mir Erde hinter die Zähne stopfen, ich würde sie kauen, und sie würde mir schmecken.

Lena (In ihr kommt jetzt etwas wie Mitleid mit Hans Biermann auf)

Konrad, hast du's getan?

Biermann (Überhört die Frage)

Wir wissen, wie du es hast; ich hab's auch, anderes als du, aber ich hab's. Ich hör' auch Stimmen, sie sind anders als deine, aber sie sind mir gegeben, wie dir keine gegeben sind. Deshalb muß Lena Biermann hier Frau werden. (Er schiebt die Hand zu Konrad Godem hinüber) Nun sag', was du sagen sollst, und gib mir die Hand darauf.

Godem (Zieht die Hand vom Tisch.)

Biermann (Seine Hand greift auf dem Tisch herum, als ob sie Konrad Godems suche)

Nicht, Godem? Gut, bleib' noch und hör' mir zu. Ich könnte mich auf den Bauch legen und so über mein Land kriechen, durch Busch und Graben und über den Kleeacker, und ich würde nicht müde dabei werden. Ich bin so geboren und werde so sterben, wie du in deinen Leib hineingeboren bist und so sterben wirst. (Er hebt die Hand mit einer übermenschlichen Anstrengung, aus seiner Stimme klingt eine Mischung von drohendem Groll und einem Bitten um Verstehen und Verzeihung) Ein Mensch, aus Erde gemacht, aus einem Erdenkloß, Godem, Lena!

Lena (Nur mit Konrad Godem sprechend)

Du kannst frei gehen, wohin du willst, das Gericht kann dir nichts anhaben, und niemand weiß noch etwas, alles ist fortgeschafft. Nun mußt du mir sagen, daß du es getan hast. Wir beide wissen, wie es war; aber ich muß es von dir hören, ich allein, damit ich weiß, wofür ich alles tue.

Godem

Willst du mich auch —

Lena

Ach, ach! Ich muß es *hören*, Konrad Godem, ich muß es doch *hören!* Verstehst du mich nicht?

Godem

Willst du mich auch zum Dieb machen?

Lena

Ich hab' so viel sagen müssen in dieser Nacht und muß wissen, wofür ich es getan habe und wem und daß es einen Sinn hat. Sonst war es nicht für dich und für nichts, und ich kann dann nicht glauben, daß es recht war, und muß denken, alles war schlecht, was ich tat; und dann bleibt mir doch nur das Wasserloch hinter dem Krautgarten. Davor habe ich keine Angst, Godem, aber was bleibt dann dir? Deshalb sollst du es sagen, mir allein; dann war's gut und recht, und alles kann getragen werden. Sag', hast du's getan?

Godem

Du fühlst nichts, wenn du so fragst.

Lena

Oh, man fühlt wohl etwas, Godem. Wenn ich nachts so liegen werde, und ich weiß, wie es ist und wie es sein könnte, da weiß man wohl, ob man etwas fühlt.

Biermann (Ist wieder zu sich gekommen)

Hörst du mir noch zu? Verdammt und verflucht, willst du in Gutem vom Hof oder als Dieb?

Lena (Eintönig)

Sag', sag', Konrad Godem!

Godem (Reißt sein Hemd entzwei)

Ich bin ein Dieb! (Schreiend) Ich bin ein Dieb, ein Dieb, ein Dieb! (Stürzt ab.)

Lena (Mit einer großen Mütterlichkeit)

Du bist kein Dieb, Konrad Godem. Lena Biermann hat dafür gesorgt, daß du keiner bist. (Fällt an den Tisch, schlägt das Gesicht dagegen, unter schütterndem Weinen lachend) Er hat's getan! Er hat gesagt, daß er es getan hat.

Pause

Biermann (Dumpf)

So, geschafft!

Lena (Geht langsam bis an die Tür.)

Biermann

Wir haben es geschafft.

Angesichts dieses dumpfen Vitalismus wurde allerdings auch der zeitgenössischen Kritik angst und bange. Man fühlte sich hier, wo die Prinzipien der trivialisierten Lebensphilosophie auf ihren Kern banalisiert sind, an einem Endpunkt angelangt. „In einer unerbittlichen Gegensätzlichkeit sind die Charaktere bis an die Grenzen der bäuerlichen Dumpfheit gesteigert. Man kann diese Menschen nicht als menschlich, man muß sie als übermenschlich ansehen. [...] Griese dichtet die Tragödie des Fleisches aus den zerstörerischen, nächtlichen Kräften der Erde. Die Sehnsucht des aus Erde Gemachten nach Licht und Erlösung gewinnt nur mühsam dramatische Gestalt. Das Drama ist kein Sinnbild für die Wiedergeburt eines ganzen schaffenden Landes, es zeigt auch kein Menschentum der bäuerlichen Werte. Ein Dichter hat sich in die dämonischen Bereiche der Erd- und Naturtriebkräfte gewagt, um das Schicksal des Menschen unter das Gericht der Ewigkeit zu stellen." [34] Und noch schärfer formuliert Wehner seine Reserve: Der Dämon hat Biermann „Macht statt Größe" geschenkt, „[...] und das ist das furchtbarste Geschenk, das die kleingewordene europäische Seele in Gestalt ihrer Millionen kleinen Tyrannen sich von der bolschewistisch-demokratischen Weltordnung aufschwatzen ließ. Geilheit statt

[34] H. Wanderscheck, Deutsche Dramatik, S. 240 f.

Liebe, Besitz statt Kampf, Sicherheit statt Vertrauen, Genuß statt Opfer, Stellung statt Berufung; ‚auf daß er satt werde' ist die letzte Formel seines Lebens [. . .]." [35]

Daß der Held mit seinem Wollen über die realen, als vordergründig klassifizierten Konstellationen hinausreicht und sich im dynamischen Weltgrund legitimiert findet, erlaubt ihm, die Grenzen des Gegebenen, des Erleb- und Berechenbaren zu überschreiten, ohne als ein Abenteurer und Wagehals zu erscheinen. Er ist, indem er, ja gerade wenn er den Zusammenhang des Gesicherten überschreitet, im Einklang mit der Struktur der Welt; und das gibt ihm recht, ob er nun Erfolg hat oder scheitert. In H. Johsts „Schauspiel" „Thomas Paine" ist die amerikanische Armee, die im Freiheitskampf gegen die Engländer steht, von diesen eingeschlossen. Nur nach Westen gäbe es einen Fluchtweg; aber dort ist die Karte noch weiß. Th. Paine nun reißt durch sein Wollen zuerst den General Washington und dann die Soldaten mit, nach Westen, ins Unbekannte, vorzustoßen [36]. Dieser Plan entspringt nicht strategischen Überlegungen, seine Durchführung wird auch nicht als militärische Operation betrachtet und entsprechend vorbereitet, noch nicht einmal Kundschafter werden vorausgeschickt; das Wollen überwindet alle möglichen Hemmnisse, ja, läßt diese erst gar nicht entstehen. Über allen realen Zusammenhängen soll die Sache „mit dem Herzen vor ihre [der Soldaten] Herzen" getragen werden. Die ratio ist nicht fähig, die Pobleme der Wirklichkeit — und seien sie auch so pragmatischer Natur wie strategische — zu lösen. Sie ist nur eine abgeleitete Größe; aber die „natürliche" Kommunikation zwischen Welt und Mensch, das Gefühl, Herz, Instinkt, oder wie immer die Termini der Irrationalität lauten mögen, eröffnet dem Menschen in diesen Denkgebilden den (irrationalen) Grund allen Seins.

Washington [hat eine Karte vor sich]

Da . . . rücken sie im Norden vor . . . gut, daß die Kanonen eingeschlafen sind. . . . Im Osten, hier . . . halten sie die Höhen besetzt. . . . Der Süden Sumpf. . . . Seht selbst! . . . Wißt Ihr nun Bescheid?

Paine

Weswegen ist der ganze Westen auf der Karte weiß?

Washington

. . . unbekannt . . . unbekanntes Gelände . . . da hört die Welt auf. . . .

[35] J. M. Wehner, Vom Glanz und Leben deutscher Bühne, S. 363.
[36] H. Johst, Th. Paine, S. 45—49.

Paine

Für die Alte Welt ... die Neue heißt Amerika, nicht wahr? Das alles ... hier ... heißt Amerika ... nicht wahr? ...

Washington

Das heißt Wahnsinn! ... Irrsinn!! ... Nein, nein!! ... Was weiß ich, was da kommt? ... Hier ... hier ... hier steht der Engländer. ... Da ist Wirklichkeit. ... Das ist ein Posten, mit dem ich rechnen kann. ... Da, im Westen, weiß keine Menschenseele, was ihr bevorsteht!

Paine

Land! ... Land!! Washington! Erde ... Gebiet, für das wir kämpfen ... Vaterland!

Washington

Romantik! ... Mit Mann und Maus in der Wildnis verschwinden. ...

Paine

Amerika erobern!

Washington

Auf der Flucht vor dem Engländer. ...

Paine

... die Karten Englands hören auf. ... Amerika hat sich noch nicht in die Karten gucken lassen! Unser Vorteil!!

Washington

Wer sagt mir, daß die Welt da nicht mit Brettern vernagelt ist?

Paine

Kolumbus nahm phantastischeren Kurs auf viel phantastischeres Land ...!

Washington

... wir gewönnen Zeit ... das Innere steht für England außer dem Reglement ... der alte Tornay hielte es für eine gerissene Falle. ... Aber, zum Henker, das ist es auch für uns, Paine!

Paine

Unsere Heimat heißt nicht nur Boston ... Philadelphia ... New York. ... Man sagt, hinter den White Monts schlüge der Lorenzostrom einen Bogen ... Pfadfinder wußten vom Ontariosee ... vom Eriesee Wunder zu erzählen. ... Der Huron und der Michigan werden jubeln, wenn an ihren Ufern endlich Amerikaner biwakieren. ...

Washington

... verdammter Musikante! ... Das Weiße fängt an zu locken ... und zu rufen. ... Flüsse zeichnen sich ein, mit Fischen, die gefangen sein wollen. ... Wälder zeichnen sich ein, mit Wild, das gejagt sein will. ... Prärie wuchert ... mit Gras für die Gäule. ... Der Engländer ... sollte er wirklich folgen ... verzettelt sich an Etappe. ... Wir sind aus der Umklammerung. ... Vom Westen her können wir, wann und wo wir wollen, vorstoßen. ... Aber die Leute sind abgehetzt ... haben Heimweh. ...

Paine

Das laßt meine Sorge sein! — Die Menschen, Washington, ob sie tapfer sind oder feig, wenn man ihnen eine Sache feierlich macht und mit dem

Herzen vor ihre Herzen trägt, was es auch sei ... es wird groß, rein, gewaltig. ... Und wenn ich ihnen sage ... aus meinem tiefsten Glauben sage, daß hier (er fährt mit der Hand über den Westen auf der Karte), hier die Heimat ihrer Kinder und Kindeskinder, ihr Sieg und ihre Zukunft liegen ... sie glauben es ... und Glaube, Washington, versetzt Gefahr, Wälder, Wildnis ... Berge!

(Er wirft die Karte vom Trommelfell und schlägt einen Wirbel.)

Paine (ruft)

Jungs! Kameraden!! (Erneuter Wirbelschlag.)

(Die Vorigen kommen zurück. Paine spricht im hymnischen Rhythmus, die Trommel skandiert.)

Paine

Was wäre das Meer,
Wenn es die Flüsse nicht speisten ...
Die Flüsse Amerikas! ... ?

(Er reißt mit beiden Armen die Kameraden zum Rezitativ.)

Alle

Die Flüsse Amerikas ...!

Paine

Was wäre der Himmel,
Wenn ihn nicht überstrahlten
Die Sterne Amerikas! ...?

Alle

(stärker) Die Sterne Amerikas!!

Washington

... die Sterne Amerikas ...?

Paine

Alt wäre die Welt,
Gäb' es die Wälder nicht, die Berge,
Die Jugend Amerikas!

Alle

(begeistert, unter Zustrom aus dem Dunkel des Hintergrundes)
Die Jugend Amerikas!!

Paine

Nichts wäre Amerika,
Wären wir Amerikaner nicht,
Wir, Kameraden, wir!!

Alle

(jubelnd) Wir, Kameraden, wir!
Wir, Kameraden, wir!!

Washington

(gemeißelt) Kameraden! ... Aufbruch!! ... Nach dem Westen!!!

(Licht erlischt jäh. Vorhang.)

So ist denn Dynamik der eigentliche Inhalt des wollenden Helden-Lebens. In Fr. Büchlers „Tragödie" „August der Starke" [37] wird dieses heldische Wollen, die Mobilität des Herrschers als Erziehungsziel für den politischen Menschen entworfen: August der Starke hat in seiner Sehnsucht, seinen Traum von Deutschland zu realisieren, versucht, Friedrich Wilhelm von Preußen und dessen Sohn, den Thonfolger Friedrich, von Österreichs Seite zu ziehen und für seine Pläne zu gewinnen. Den Vater wollte er durch alchemistisches Gold, den Sohn durch die Liebe zu seiner Tochter Anna an sich fesseln. Der erste Plan mißlingt; das Opfer seiner Tochter will er in seiner Vaterliebe im letzten Moment vermeiden, indem er Friedrichs Aufmerksamkeit auf eine andere Dame lenkt. Aber mittlerweile haben sich Friedrich und Anna in einer wirklichen Liebe einander zugeneigt; zudem durchschaut Friedrich Wilhelm das Spiel Augusts. Er reißt seinen Sohn aus der Illusion des reinen, irdischen Glücks und verweist ihn auf ein herrscherliches Soldatenleben, das vom Kampf um das Höchste und vom harten Streben zur Idee erfüllt sei; dem setzt Friedrich das in sich selbst ruhende Glück der Liebe entgegen. Hinter den kleinbürgerlichen Klischees von Herrschaft und Liebe läßt sich die Vorstellung der Bewegung als Inhalt heldischen, herrscherlichen Lebens entdecken. Hier ist sie allerdings nicht so sehr im élan vital als vielmehr in einer staatspolitischen Pseudomystik begründet.

Friedrich Wilhelm
Wahr, wahr! Da steckt der Bursche! Widerlich!
Steh Rede, Kerl, was du getrieben hier!
Der junge Fritz (kühl)
Ich bin kein Kind mehr, Majestät.
Friedrich Wilhelm
Was Teufel?
Der junge Fritz
Und bin in Stimmung nicht —
Friedrich Wilhelm (in schönem Zorn und Ernst)
In Stimmung sein?
Das laß Poeten du und andern Laffen,
Tagdieben, die uns Gottes Welt verhuren,
Mit faulem Tändelschnack die Zeit vergeuden.
Was Stimmung, Kerl! Stimmung? Du hast die Stimme
Zu sein des Gottes, der sich gnädig zeigte
Und auf den Gipfel deines Volks dich ruft —
Nach mir! Da hast du einst zu stehn, zu lauschen

[37] Fr. Büchler, August der Starke, S. 119—121; 124—126.

Auf Gott, der in dem Gipfeleis allein,
Aus Sturmgewittern einsam mit dir spricht,
Und hast die heilge Stimme dann zu tragen
Hinab durch Tod und Teufel in dein Volk,
Das dich ersehnt, verkennt, vielleicht: verehrt
Und doch den Gottgesandten scheut. Und wieder
Du einsam tief, gehörst du doch nicht dir.

Der junge Fritz (gequält)
Ich bin ein Mensch!

Friedrich Wilhelm (hohnlachend)
Was ist's? Ein Madensack,
Der frißt und hurt und fault und stirbt und stinkt.

Der junge Fritz (für sich, glühend)
O Heilge, du, vergib sein Lästern ihm!
Du reine Schöne, du, mein göttlich Bild!

Friedrich Wilhelm (unbeirrbar fortfahrend)
Wenn nicht von Gott ihm ward ein Ziel: darum
Er ringt, verzweifelt ringt, mit ernster Kraft
Ohn Unterlaß. Doch Gottes ist der Segen.
So wie das Ziel. Des Menschen ist die Müh.
Nur wer die Pflicht tat, ganz, geht ein zu Gott,
Doch wer im Kampf erlahmt, ist Teufels Fraß.
(Laut) Es streckt der Satan seine Fänge aus
Nach dir. Wach, Knabe, auf!

Der junge Fritz (stolz, glühend)
Ich bin erwacht:
Und sah in eine andre, schönre Welt.
Da nicht in schmutzgem Schweiß man dient um Gott,
Da Er herabsteigt von den selgen Höhn,
Uns lächelnd küßt die Stirn, uns Lieblingen,
Daß wir in reinem Blühn auf Erden schreiten,
Im Kampfe: schildlos kühn und schwer von Glück,
Doch in der Lieb: — besiegt noch — selbst ein Gott.

Friedrich Wilhelm (spöttisch, dann stark)
Den faden Seim im Hirn, ich werde ihn lösen! —
Verblendeter! Da — deine edle Welt,
Die reine: ist ein Sumpf voll stinkgem Kot,
Wo nicht mein Knecht, und nicht der niederste,
Drein seichte nur, in Ekel abgewandt.

Nun entdeckt Friedrich Wilhelm seinem Sohn das politische Spiel Augusts und die Rolle, die Friedrichs Liebe zu Anna darin spielen sollte; dann läßt er seine pädagogische Lehre vom dienenden Wollen in einen Ausblick auf soldatisches Leben einmünden:

(Der junge Fritz fällt aufschluchzend aufs Knie, Friedrich Wilhelm fährt nach einer Weile Schweigen fort)
Not ist und gut der Schmerz, wenn Reue er,
Und reinigt dich und ätzt die Fäulnis aus.

Der junge Fritz (mühsam)
Die Reue? Ach! Die Brust ist leer. Was soll
Es mir? Nur Leere! Mit dem letzten Wahn
Zuckt aus das irre Herz. – Wie kalt! Wie kalt!
(Er schauert)

Friedrich Wilhelm (ruhig, ohne ihn anscheinend zu beachten)
Dem Oberst Rochow gab ich schon Bescheid.
Du hast zu sühnen. Gehst von hier sofort,
Bis Dresden wir verlassen, in Arrest.
Beim Hof ich fordre unverzüglich Abschied.
Wir werden morgen reisen. Ohne Lärm.

Der junge Fritz (wie irr)
Ja, leise, leise, wecket nie mehr auf
Die tote Welt! O gut! Doch reisen? Reisen?
(Aufschreiend)
Wo soll ich hingehn noch? Die Welt ist tot!!

Friedrich Wilhelm (stark)
Dein Leid gab der Allmächtge dir zum Segen –
Und mir. So mußt es sein: die Welt dir tot!
Nur eines bleibt: der Weg, den du zu gehn,
Und eines noch: die Mühe bis zum Ziel.
Noch ist der Samen dieser Stunde stumm.
Ich täusch mich nicht. Doch einmal bricht er auf.
Dein Schmerz: nur eine Stufe zu dem Thron,
An dem du abnimmst mir die schwere Last,
Die schwere und gesegnete vor Gott.
Sie: ewig! Wir: die Träger nur. Und uns
Das Leben sie allein! Die Welt uns tot.
Wo du noch hingehn sollst? Nach Preußen, Kerl!
Zum Drill aufs Feld mit Mann und Roß. Und Sturm
Um deine Stirn, so Tag um Tag. Und Preußen
Die harte Luft, die ausleckt deine Wunde,
Mit reinem Atem heilt zu neuem Leben.

Der junge Fritz (schwer)
Wann werd ich wieder je froh atmen mögen? –
(stürzt, von der Stunde überwältigt, dem König in die Arme)
Mein Vater!

Friedrich Wilhelm
Fritz! – Mein Sohn! –
(Einen Augenblick gerührt, dann wieder straff)
Wir wolln verlassen
Dies Haus hier. Kommt! Nehmt Haltung, Prinz!

Überhaupt, wenn es galt, den heldischen Dynamismus, soweit es irgend ging, zu konkretisieren, wurden soldatische Lebensformen vorgeführt. Hier soll sich das Wollen, die Dynamik von Leben und Dasein, am reinsten über allen politischen und militärischen Zusammenhängen in einer Sphäre göttlicher Weihe darstellen. Diese pseudo-ästhetische und pseudo-religiöse Esoterik legt in Fr. Roths „Kampfstück" „Der Türkenlouis" [38] ein Gespräch zwischen Sybille, der Gemahlin des kaiserlichen Generalleutnants, des Markgrafen Ludwig Wilhelm von Baden, und Wildberg, Hauptmann in dessen Heer, bloß, das Jüngersche Gedankengänge in einer Sentimentalität des jungen Rilke nachstümpert:

Sibylle (sich Wildberg zuwendend, leichthin)
Und glaubtet Ihr, der Kampf erhöht das Leben?
Wildberg
Ja, meine Fürstin, ja und nein!
Sibylle
Wieso?
Wildberg
Nein auf der niedern Stufe. — Grämlich macht er. —
Ja auf der höhern: Edle Feinde haben,
Zu Roß zu Felde ziehn mit Siegfanfaren . . .
Sibylle
Der Walstatt rohes Tun, wie dünkt Euch das?
Wildberg
Es wird geheiligt durch den heiligen Sinn —
Die hehre Wesenheit — die reiche, lichte
Des Volkes, (auf Sibylle) blond und blau.
Sibylle
Wie Ihr!
Wildberg
Nein, nein! — — —
Wir kämpfen für die Wesenheit, — viel mehr:
Den heitern Geist, das unerfaßbare Ferne,
Das Rühmliche und immer für das Schöne.
Sibylle
Das Ende ist das Ende.
Wildberg
Nein. Das Leben!
Gleichviel, ob man im rauschen Vollgefühle
Hinsinkt ins frische Gras, ob wiederkehrt,
Den Sommertag, den vollen, üppigen,

[38] Fr. Roth, Der Türkenlouis, S. 16—17.

Den hellen Lebenstag doppelt zu fassen.
O edle Frau! — —

Sibylle (dies übergehend)
Was sagt ihr?

Wildberg
Viel größeren Glanz — — (suchend)
Das Gold der Rahmen dort,
Schöner die Welt nachdem, wenn uns die Frau,
Der Erde Hochgeschöpf, das Ein und Alles,
Die holde Königin, den Lorbeer reicht.
(er will hinweg.)

Sibylle (mit leiser Überlegenheit)
Bleibt noch!

Wildberg
Ich muß hinweg. Wie könnte einer fehlen,
Da wo die Kameraden — —

Sibylle
Wie geht die Schlacht?

Wildberg
Weiß nicht. Wir griffen an.

Sibylle
Ich reite mit.

Wildberg
So reitet, Fürstin, reitet!
Wie freut sich der Soldat, wie spornt's ihn an,
Wenn er Euch sieht! So war's noch jedesmal,
Da Ihr im Lager —. (Plötzlich)
Doch in der Schlacht — (mit Ausdruck)
Stört seine Größe nicht! —

Sibylle (erst erstaunt. Dann)
Recht habt Ihr, lieber Hauptmann!
(Stößt ein Fenster auf)
Die Nacht ist schwarz, doch groß. Ich sehe Brände.
Sie stehn gewaltig still am Horizont.

Wenn alle Bindungen an die Welt des Banalen und Gesicherten vom Kämpfer fallen; wenn er nackt und ungeschützt in seiner Existenz im All steht und ihn nichts mehr fesselt; wenn allein der Kampf als kosmische Idee um ihn ist, und er einsam dem leeren Unendlichen als dem Schoß und letzten Grund aller Bewegung gegenübersteht und sich der Blick in die Endlosigkeit des kosmischen „Lebens" verliert, dann erfüllt sich nach dem Glauben der Kampfideologen das Gesetz des Kämpfers, und er lebt das reine und von keinen Schlacken durchsetzte Prinzip seines Wesens. Das erfährt Gneisenau in Deubels „Schauspiel" „Die letzte Festung"[39], als sein Verteidigungssystem zusammenbricht; die Verluste schränken ihn auf sein Wesentlichstes ein, und am Ende steht er mit seiner bloßen Existenz im Angesicht der Ewigkeit.

Gneisenau (kommt)

Petersdorf, zur Pionierkompagnie! Die Wolfsgruben vor den Dünen sind von Sand verweht. Die Strandstellung ist zusätzlich mit spanischen Reitern zu versperren.

Petersdorf (ab)

Gneisenau (zu Rochow)

Das Grenadierbataillon stellt zwei Kompagnien an die Bastion Preußen.

Rochow (ab)

Lützow (leise zu Arnim)

Ehe man den Mund auftut, hat er schon alles gesehen.

Gneisenau (zu Arnim)

Neues?

Arnim (ist heruntergestiegen, wobei er flüchtig die Anwesenheit Dr. Heins bemerkt)

Hinter der Vorstadtkirche haben sich Haubitzen festgesetzt.

Gneisenau (stampft auf)

Lützow

Im Unterraum der Kirche liegen dreißig Zentner Pulver. In der Dämmerung eine Lunte durchs Kellerfenster, und die Batterie mitsamt allen Toten des Friedhofs würde Himmelfahrt feiern.

Willich (kommt)

Lützow

Ich bitte das übernehmen zu dürfen.

Gneisenau

Sind Sie toll? Es wäre ein Heldenstück. Aber der es vollbrächte, flöge als erster in die Luft, und ich hätte mit Sicherheit wieder einen Offizier weniger. Ausdrücklich, Lützow: ich verbiete es!

Dr. Hein (schleicht sich fort)

Willich

Meldung vom Artilleriechef!

Gneisenau (schnell)

Der Artilleriechef will wissen, mit welchem Zugang er zu rechnen hat. Lützow!

Gruben (kommt langsam)

Lützow

Das Beuteergebnis von heute sind vier Zwölfpfünder.
(Bewegung bei den Offizieren)

[39] W. Deubel, Die letzte Festung, S. 100—105.

Gneisenau

Vier Zwölfpfünder. Das bedeutet wieder Aufschub um eine Woche. (Leise zu Willich) Kommen Sie näher! — Noch näher! So — und nun?

Willich (ebenso)

Der Artilleriechef meldet: die Depots haben noch Munition für drei Tage.

Gneisenau (undurchdringlich)

Befehl an den Artilleriechef: dies wisse er und ich, sonst niemand! Sie, Herr Leutnant, haben es jetzt schon vergessen.

Willich (ab)

Gruben (verwüstet, erschöpft, an den Pfeiler der Munitionskammer gelehnt)

Leutnant von Gruben zur Stelle!

Gneisenau (nach einer Pause — ruhig)

Wo ist das Freikorps?

Gruben

Wäre Schill bei uns gewesen.

Gneisenau

Sobald Schill nicht mehr bei euch ist, fällt euch der Firnis von der Seele.

Gruben

Keiner hat begriffen, weshalb Sie ihn fortgeschickt haben.

Gneisenau

Ich verzichte darauf, von Ihnen begriffen zu werden. Wo ist das Freikorps?

Gruben

Ich bin das Freikorps.

Lützow (wendet sich erschüttert ab und besteigt langsam den Wall)

Gruben

Wie tolle Tiere haben wir uns gewehrt, an jede Schanze uns geklammert. Zweimal habe ich, was noch fechten konnte, ins Feuer geführt. Daß ich nicht im Blute bei den andern liege — die Toten wissens: meine Schuld ist's nicht.

Gneisenau (senkt die Stirn, mit feierlicher Gebärde)

Ich grüße das Freikorps. Särge kann ich Ihren Kameraden nicht mehr geben. Ich brauche alles Holz für die Schanzen. Aber über ihren Gräbern soll man das Lied von Prinz Eugen dem edlen Ritter blasen. Das ist mehr wert. Es war Schills Lieblingslied. (Geht nahe zu ihm) Gruben! Leutnant von Gruben!

Lützow

Im Stehen eingeschlafen! (Man bringt Gruben auf ein Lager im Hintergrund)

Arnim (aufstöhnend)

Das ist das Ende.

Kirstein (kauernd)

Selig — selig — selig sind die Toten ...

Gneisenau

Welche Eule singt da?

Kirstein

Damals in der Maikuhle bei Lichtern und Mädchen — da fing alles an. Mann, ich könnte dir eine Geschichte erzählen, daß man friert beim Hören.

Gneisenau (erschüttert)
Fähnrich Kirstein! (Nahe bei Nettelbeck) Auch nach dem wird mich eine Mutter fragen.

Nettelbeck
Der König ist nach Tilsit geflohen.

Gneisenau
Geflohen?

Nettelbeck (langsam)
Er hat eine Schlacht – die letzte mögliche Schlacht verloren.

Gneisenau (gequält)
Woher wissen Sie das?

Nettelbeck
Ich weiß es.

Gneisenau (gepreßt, die Augen geschlossen)
Arnim, die Rapporte!

Arnim
Kommandant, Sie sollten ruhen.

Gneisenau
Die Rapporte! Geschütze?

Arnim (mit Papieren)
Ausfall fünfundvierzig, bleiben gefechtstüchtig achtundvierzig, die Beutekanonen eingerechnet: zweiundfünfzig.

Gneisenau
Garnisonstärke? Rund, in vollen Zahlen!

Arnim
Offiziere und Mannschaften: viertausend. Davon gehen die Verluste von heute und das Freikorps ab.

Gneisenau
Höhe der Gesamtverluste? – Nun?

Arnim
Über zweitausend. (Pause)

Gneisenau
Letzte Meldung über die Stärke des Feindes!

Arnim
Einhundertzwölf Geschütze, dreieinhalb Brigaden, insgesamt dreizehntausend Mann.

Gneisenau (immer noch regungslos)
Schaffen Sie den Doktor her! Mir in die Augen hinein soll er das beschwören.

Nettelbeck (erbittert)
Dem kann Rat werden. Doktor, vortreten!

Arnim
Eben stand er noch hier.

Lützow (vom Wall)
Dann war *er* der Schatten, den ich über den Wall schleichen sah. Dem Doktor ist es bei uns zu heiß geworden.

Nettelbeck

Wenn Sie *den* Gedanken nicht noch bereuen werden!

Gneisenau (fährt herum, wie erwachend)

Ja! Ja! Was liegt an dem Doktor und seinen Zahlen! (Nahe bei Nettelbeck; leise in verhaltenem Jubel) Ich stehe umringt von Schrecken wie im Regen. Aber durch das Rauschen höre ich eine Stimme und sehe eine lichte Stirn. Ich bin ja stärker als ihr alle wißt. Ja, Nettelbeck: die Erde ist schön, auf der diese eine Stirne leuchtet. Und solange diese Stimme lebt – irgendwo lebt – bin ich unverwundbar.

Nettelbeck (blickt ihn groß an)

Sie wüßten einen Weg?

Gneisenau

Da ist kein Weg. Da ist nur der Sturz hinunter oder der Flug hinauf.

Nettelbeck (betroffen)

Wenn es so ist, daß nur der Stolz Sie hält, da wärs bei Licht besehen noch nicht zu spät – umzukehren. Auch der König hat eine Schlacht verloren.

Arnim

Wo *wir* stehen und wo *wir* fallen, da ist Preußen!

Nettelbeck (langsam)

Junger Mann, das spricht sich leicht und hört sich schön an. Getan ists schwer.

Gneisenau

Ich starre wie betört in den Abgrund, als zögen in der Tiefe Sterne, als fände ich dort unten erst für alle Ewigkeit – meinen Schill!

Nettelbeck (leise)

Klothilde und Schill! Das sind in solcher Stunde Ihre Gedanken?

Gneisenau

Das sind meine einzigen Bundesgenossen, Kapitän. Daraus allein strömt mir die Kraft, daß ich weiß: sie leben – draußen – im Hellen. (Wendet sich nach einem langen Blick in Nettelbecks Augen – in gestraffter Haltung) Ans Fernrohr, Arnim! (Über die Treppe zum Turm, Arnim und Lützow folgen)

Es wäre sinnlos, dem die Realität des 2. Weltkriegs entgegenzustellen (das Stück erschien 1942), es hat keinen Gegenpol mehr in der geschichtlichen Situation, die es gehen läßt, wie es eben geht. Der Zielpunkt des Wollens, welches die Verkörperung des universalen Dynamismus darstellt, ist das Erlebnis des Todes, der als Vereinigung mit den kosmischen Kräften gedacht wird. Heldisches Dasein ist so in seinem tiefsten und eigentlichen Sinn gemäß dieser Dramaturgie, deren kräftigste Wurzeln sich in einer sich rapide banalisierenden Lebensphilosophie und einem sich heroisch drapierenden Geschichtspessimismus finden, Sein zum Tode. Unter diesem Aspekt betrachtet, repräsentiert Grieses Biermann [40] keine Rand-

[40] Vergl. oben S. 128–135.

erscheinung in der Dramatik des Dritten Reichs, wie Wanderscheck und Wehner es wollten, vielmehr gehört er durchaus in den Zusammenhang der aus einem in angeblich metaphysischen, pseudo-religiösen Bereichen begründeten Wollen lebenden Helden, die im Tod das Gesetz ihrer Existenz erfüllen [41].

e) *Der „Held" in seiner Umwelt*

Wenn die Personen des Dramas ihr Lebensgesetz in einem Umfange, wie es in den vorausgegangenen Abschnitten deutlich geworden ist, im Bereich des Irrationalen begründet finden, so ist zu erwarten, daß ihr Verhältnis zur Umwelt belastet ist. Denn, obwohl die Stücke deutlich und in aller Konsequenz auf die Gestalt des Helden hin entworfen und konstruiert sind, weil dieser Exempelcharakter hat, bedarf er doch einer Welt, in der sich sein paradigmatisches Schicksal erfüllen kann, eben gerade weil er ja Lebensnormen für den realen Menschen im Theater, den Zuschauer, geben soll [42]. Und in der Tat, das Verhältnis des „Helden" zu seiner Umwelt ist ein schwieriges. Da sein inneres Gesetz im Irrationalen des „Lebens" liegt, Leben nur gelebt werden kann und sich dessen Prinzipien lediglich erfühlen oder gar erahnen, in keinem Fall aber kontrollierbar mitteilen lassen, ist der eigentliche Mittelpunkt seiner Existenz nicht kommunikabel. Allein, wenn es gelingt, den Mitmenschen in den gleichen Erlebnishorizont zu führen und zum Schicksalsgenossen zu machen, lassen sich interpersonale Beziehungen, in denen Wesentliches übermittelt wird, herstellen. So ist der Held normalerweise der Einsame — wie bezeichnenderweise der Titel eines der frühen (expressionistischen) Werke Johsts lautet.

Die Unmöglichkeit, sich in Lebensfragen zu verständigen, führt H. Johst in seinem „Schauspiel" „Schlageter" vor [43]. Der alte Sozialist Schneider, der Packer von Beruf und im nachrevolutionären Deutschland Regierungspräsident ist, versucht von seinem studierenden Sohn Auskünfte über das Urteil der akademischen Jugend vom Ruhrkampf zu bekommen. Dieser bekennt sich rückhaltlos zum „nationalen Deutschland", während der Vater ganz in der Idee des sozialistischen Internationalismus lebt. Verständigungsmöglichkeiten zwischen beiden gibt es nicht — erst zu Ende des

[41] Vergl. U.-K. Ketelsen, Heroisches Theater, Bonn 1968, S. 120—125, 135—140, und R. Geißler, Dekadenz und Heroismus, München 1964, S. 76—103.

[42] Davon wird in einem anderen Zusammenhang noch ausführlicher zu reden sein; vergl. unten S. 355 ff.

[43] H. Johst, Schlageter, S. 82—85.

Stücks, nach dem *Erleben* des französischen Chauvinismus, beginnt die Einsicht des Vaters zu erwachen. Diese frühere Unterhaltung ist nichts als Bekenntnisrede, eine Chance zum Gespräch, in dem sich Gedanken entwickeln und Partner überzeugen lassen, gibt es nicht: Dinge des Lebens, und als solche wird die politische Frage hier ausgegeben, können nicht in Unterredungen gelöst werden; nur die Tat — bzw. in der Passivität: das Erlebnis — schafft Fakten. So ist das Ende der Auseinandersetzung der fallende Vorhang:

August
[. . .] Du wirst es nicht glauben, Papa, aber es ist so: in der Jugend gelten diese alten Schlagworte nicht mehr . . . die sterben aus . . . Klassenkampf stirbt aus.

Schneider
So . . . und was lebt denn da auf?

August
Volksgemeinschaft!

Schneider
Und das ist kein Schlagwort . . .?

August
Nein!! Das ist ein Erlebnis!

Schneider
Ach du große Zeit! . . . Unser Klassenkampf, unsere Streiks . . . unsere ganze Arbeiterorganisation, das war wohl kein Erlebnis, was . . .? Der Sozialismus, die Internationale, das waren wohl Phantasien . . .?

August
Die waren notwendig, aber sie *waren* . . . sind gewesen . . . Für die Zukunft sind sie historisches Ereignis.

Schneider
So . . . und die Zukunft hat also deine Volksgemeinschaft?
Ja, was stellst du dir denn da eigentlich darunter vor? Arm, reich, gesund, krank, oben, unten, das hört bei euch alles auf, was? Ein soziales Schlaraffenland, wie . . .?

August
Siehst du, Papa . . . oben, unten, arm, reich, das gibt es immer. Nur wie man diese Frage rangiert, das ist entscheidend.
Wir sehen das Leben nicht in Arbeitszeiten zerhackt und mit Preistafeln versehen, sondern wir glauben an das Dasein als ein Ganzes. Wir wollen alle nicht mehr in erster Linie verdienen, sondern: dienen. Der einzelne ein Blutkörperchen in der Blutbahn seines Volkes.

Schneider
Das ist Pubertätsromantik! Volkserlösung durch Minderjährige. Steckt die Nase erst mal rein in die Wirklichkeit!

Aber Weltanschauung hin und Weltanschauung her ... sprechen wir von etwas ganz Konkretem: Wie steht dein Korps und deine „Volksgemeinschaft" zum passiven Widerstand?

August

Den werden wir zur nationalen Erhebung aufputschen!

Schneider

... aufputschen ...?

August

Du, als alter Revolutionär, betonst das Wort: Putsch so seltsam. Die Regierung wird mit uns marschieren, oder sie wird verschwinden!

Schneider

Du sprichst mit einem Regierungspräsidenten und der sagt dir: die Regierung wird den Teufel tun!

August

Ich rede ganz gemütlich mit meinem alten Herrn ...

Schneider

Dein alter Herr ist Beamter des Staates, der den passiven Widerstand für richtig hält!

August

Und dein Sohn ist Revolutionär!!

Schneider

Mein Sohn ist ein Lausejunge, der hiermit eins hinter die Löffel bekommt ... und nun pariert!!

August (der heiter lachend ausweicht)

Du haust als Regierungspräsident noch wie als Werkmeister. Soweit geht die Kinderstube richtig! Aber ...

Schneider

... aber ... aber ... Wir Alten sind gar nicht so dämlich, wie ihr Grünschnäbel euch das vorstellt. Schlageter und Konsorten sind für euch Nationalhelden ... für uns hier sind sie ein Akt!

Schlageter ist ein toter Mann, wenn er nicht auf Order pariert! Die Regierungen Europas sind sich darin alle einig, die letzten Abenteurer und Fanatiker und Brandstifter und Banditen des Weltkriegs müssen ausgerottet werden mit Feuer und Schwert!

Wir wollen den Frieden! Das sage ich dir, mein Junge, und ich stand vier Jahre im Feuer für das Deutschland, wie es heute ist und wie es bleibt, solange ich atme!

August

Nein!!

Und das sage ich dir, der ich keine Ahnung habe von einer Materialschlacht und Trommelfeuer und Flammenwerfern und Tanks.

Wir Jungen, die wir zu Schlageter stehen, wir stehen nicht zu ihm, weil er der letzte Soldat des Weltkrieges ist, sondern weil er der der erste Soldat des Dritten Reichs ist!!

(Vorhang)

Der Mensch lebt nach den hier vorgetragenen Gedankengängen in einer irrational begründeten existentiellen Isolierung. Menschliches und besonders heldisches Dasein führt in die absolute Einsamkeit, der es alle anderen Bindungen, die die Person in die Welt drängen könnten, zu opfern gilt. Der Held ist der Unbedingte, der einsam und allein steht, sich so dem Zugriff des Schicksals willig darbietet und dessen Geheiß erfüllt. Die geistesgeschichtliche Ahnenreihe dieser Gedankengänge liegt deutlich zutage, ihr Ideologiecharakter ist offensichtlich. Als Beleg mag hier eine Szene aus Deubels „Schauspiel" „Die letzte Festung" stehen [44]. Gneisenau hat beschlossen, Kolberg mit allen ihm zu Gebote stehenden Mitteln zu verteidigen, um seine, Deutschlands und Preußens Ehre zu retten. Nun befiehlt er, daß alle Kampfuntüchtigen und -unfähigen die Stadt räumen, also auch Klothilde Loucadou, die er liebt. Ihm verengt sich das Leben tragisch auf ein einziges Ziel, dem es alles zu opfern gilt:

Nettelbeck

Wenn Sie befehlen, diese Stunde noch. (Überfliegt die Schriftstücke) Die Gefangenen nach Königsberg. Dies für Schills Reiterei. (Stutzt, gibt einen Befehl zurück) Die Frauen — freiwillig? Kommandant, die Frauen müssen fort.

Gneisenau (abgewandt)

Gewiß.

Nettelbeck (leise, eindringlich)

Alle Frauen.

Gneisenau

Alle, Nettelbeck? — Alle?

Nettelbeck

Klar Schiff, Kommandant! Ohne Ballast in der Seele fährt sichs leichter. — Auch mir wird Kolberg grau sein ohne das Mädchen.

Gneisenau (wirft einen Zusatz auf den Zettel und reicht ihn an Nettelbeck zurück. Beherrscht) Dies an den Bürgermeister! Er ist mir verantwortlich. (Nach einer Pause) Nur das — wenn mir einer das sagen könnte: warum ist gerade mir verhängt, wo andere schwelgen, Gift zu trinken? Vaterland und Königsdienst, Freundschaft (ganz verhalten) und Frauenliebe — um dem einen die Treue zu halten, muß ich sie dem andern brechen. (Immer leidenschaftlicher) Will ich *einmal* fliegen, wie ich fliegen *könnte* — ich müßte zuvor mir Ehre, Herz und Seele in der Brust erwürgen. — Und was ich ergreife, und was ich auch opfere, immer verliere ich mich selber dabei. — Wenn denn die Welt geborsten ist bis zum Grund, warum geht der tödliche Riß (stößt die Faust gegen die Brust) gerade hier mitten durch?

Nettelbeck (langsam)

Fragen Sie den alten Waffenschmied da oben, warum er den Hammer schwingt über dem Erz, damit ein Schwert daraus wird, das anderen voran-

[44] W. Deubel, Die letzte Festung, S. 81—84.

blitzt. Ich denke mir, Kommandant: hier geht es um das Schwert Gneisenau. Alle großen Führer Deutschlands mußten Nacht durchstoßen.

Gneisenau (macht ein paar Schritte, reicht ihm die Hände)

Nettelbeck

Ich reite zum Hafen, die Schiffe zu richten. In einer Stunde ist alles vorüber. (Zögert mit einem Blick zur Treppe) Und sollte hier noch jemand sein, der Abschied nehmen will — (Gneisenau wendet sich um und bemerkt Klothilde) —, daß auch *der* Passagier zeitig an Bord kommt, Kommandant, das ist *Ihre* Sorge. Und dann — mag das Männerspiel beginnen. (ab)

(Gneisenau verschließt hinter ihm die Tür)

Klothilde

Ich soll fort? Sie schicken mich fort?

Gneisenau (gepreßt)

Die Festung will es.

Klothilde

Sie wollen es.

Gneisenau

Ich bin jetzt die Festung.

Klothilde (schüttelt den Kopf)

Sie opfern mich Ihrem Gefühl für Schill. Zu spät, Gneisenau. Er traf mich hier und stürzte fort — verstört.

Gneisenau

Er irrt.

Klothilde

Er irrt? Wirklich?

Gneisenau

Versprechen Sie mir, daß er irrt, Klothilde! Wer mich jetzt in mir wanken macht, der stößt mich ins Bodenlose. (Da sie schweigt) Wir wissen ja nicht, wo der Weg ins Freie führt. Wir sind wie in der Dämmerung die Fliegen, die an die Scheibe schwirren und ins Helle wollen. (Voll Trauer) Nie mehr werde ich Sie auf weißem Pferde durch die Gärten reiten sehen. (Auflodernd) Kraft zu Wundern habe ich gefühlt — durch Sie.

Klothilde (schnell)

Ja, Gneisenau. Das Leben selber hat uns aufgerufen, Sie und mich.

Gneisenau (hart)

Das gleiche Leben nagelt uns ans Kreuz. Götter kämpfen um unser Herz. Dem einen gehorsam, *muß* es am andern freveln. (Dringend) Klothilde! Verstehen Sie das nicht?

Klothilde (läßt den Kopf sinken)

Leben Sie wohl, Gneisenau.

Gneisenau (über ihre Hand gebeugt)

Was in mir noch strömen kann, ist Dank — Dank — Klothilde.

Klothilde

Wofür? Daß ich kam oder daß ich jetzt gehe?

Gneisenau

Wohin Sie auch gehen — Sie gehen zu Schill. Versprechen Sie mir das. — Und wenn Sie von Kolberg hören, daß seine Fahne noch *steht*, so denken Sie: auch dazu quillt mir die Kraft aus dem Gefühl, in einer Welt zu sein, in der Sie atmen — irgendwo. (Sie wendet sich zur Tür links, Gneisenau reißt sie in seine Arme)

Klothilde

Was Sie opfern, wird Schill nie wissen. (Sein Haupt umfassend) Möge es Segen strahlen auf Ihre Stirn.

Die gespannte Sehnsucht des großen Menschen nach einem Bereich, der jenseits des für ihn vordergründig Faktischen liegt, und seine seelische Isolation verbannen den Helden in die Einsamkeit. So auch August den Starken in Büchlers gleichnamiger „Tragödie". Angewidert vom Gefeilsche des politischen Marktes, auf dem um die Krone Kurlands gehandelt wird, flieht er das politische Spiel, er, der — nach dem Willen des Autors — wie ein Adler in den goldenen Käfig der politischen Welt gesperrt ist. Aber er resigniert nicht: an einer Blume, die zwei Handbreit über dem Schmutz ihre Blüte entfaltet, holt er sich neue Kraft. Das ist die Eingangsszene der Tragödie [45]:

(Graf Friesen kommt aus dem Schloß und über die Treppe herab.)

Friesen

Der Landtag drängt zum Schluß. Wo ist der König? —
Zorn trieb ihn, Ohnmacht aus dem Marktgefeilsch:
Stumm saß er, hörte rings und hörte nicht —
Ein Sonnenstrahl umspielte ihn verloren,
Mir war, als ob von seinem Blute tröffe,
Der Dornenkrone gleich in Schmach und Hohn,
Das fremde Diadem, das fast zum Spiel
Er einst mit kühner, junger Hand ergriff.
O ekles Schauspiel, nie zu End, zu müd:
Im goldnen Käfig mit beschnittnen Flügeln
Der sturmgeborne Geist, des Riesentraum
Die Spannen sternhoch von der Erde spreitet,
Trunken das Herz vom Atem großer Lüfte! —
Wo treibt der Dämon ihn an rettend Land?
Ist rettend Land? Zäh steigt ein sumpfig Wasser. — —
Was wird? Vielleicht nur kleine Frist. Doch diese
Aufrecht als Mann! Und wenn der Schlamm dann saugend
Den Fuß umschlingt: dann müssen wir der Sehnsucht
Das Segel spannen, vögelgleich, und selig,
Selig, wer über seinen Traum hinaus
Kann springen, wolkenüber, daß er niemals

[45] Fr. Büchler, August der Starke, S. 7—11.

Zurück kann finden mehr, hinab, zum Sturz,
Zum Fraß ins gierig aufgegähnte Maul.
(Geht einige Schritte dem Garten zu)
Wo ist der König? Wo? – Doch sieh! Es schimmert
Im Busch sein weißer Mantel! – Da – er kommt
Herauf vom Grund des Gartens, eine Blume
In Händen, und er lächelt! – Majestät!
(August der Starke kommt nach vorn)

August

Ach, Freund, schilt nicht! Mich fror die eisge Fratze
Der Weltgeschichte, die die Herren spielen.
Im Wahn der Freiheit holen sie die Sonne
Vom Himmel noch, die Mutter alles Lebens,
Und staunen dann verirrt, im Dunkel tappend,
Daß losch das Licht, das sie erwärmt und hellt.
Todeng ward mir. Wie eine Kröte saß
Die Welt mir auf der Brust. Ich muß hindurch!
(Er steigt einige Stufen hinauf und zeigt in die Ferne)
Die Weite: – sieh, unendlich harrt das Land.
Der junge Gott des Morgens winkt. Die Erde
Im frühen Glanz der Flammen träumt. Hier wollt
Den Fuß ich setzen auf der Erde Nacken,
Den sklavschen, heilger Osten, wo empor
Das Leuchtgestirn steigt, wollt ich selig schwingen
Mich auf den Feuerwagen, aufzufahren
Gen Himmel, zu umarmen alle Lande.

Friesen

Mein königlicher Freund!

August

Ich bin berauscht,
O laß mich's sein. Mich fror. Da bog mein Weg
Im Garten zum Gewächshaus. Lodernd brannte
Wie nur in fremdem, schönerm Land mir zu
Die fleischlich rote Wunderblüte, hungrig
Nach Licht die Lippen an das Glas gesogen.
Die Schwester holt ich mir, grub das Gesicht
Hinein, in eine Wolke Seligkeit,
Wie zwischen schwanken Brüsten einer Göttin.
Ich trank und trank und trank mir neues Licht.
Ah, überall ist Rausch! Die Erde selbst
Ist eine trunkne Blüte, sieh, sie schwebt
Wie eine Feuerblume durch die Räume,
Die ungeheuren, – laß den Kopf mich drücken
In ihren Schoß und untergehn in der
Umarmung.
(Er stürzt zu Boden)

Friesen

Weh! Ihr seid ganz außer Euch!

August

Ich, außer mir? Noch nie war ich so ganz
Ich selbst. Wie diese Blüte — aus dem Moder
Geboren, nur zwei Spannen über ihm,
In Schönheit sich allein verglüht. Ich fand,
Den ich gesucht, den Gott der Majestät.
Lang rang ich mit der Welt, verlor das Spiel,
Lang gab ich mich ins Los, verlor mich selbst.
Jetzt steht mein Thron an Gottes Füßen. Hoch
Blüht rein die Sendung, unberührt vom Pöbel.
Im Staub: verwelkt die Krone, stirbt der König
Zerstinkt zu Fliegenaas, wie diese Blume,
Wenn sie die rohe Hand zerfetzt. Ah, Welt!
(Er hat die Blume zerfetzt und wirft nun die Fetzen fort)

Friesen

Mein Herr!

August

Sei ruhig, noch ist's nicht so weit.
Nun trag die Last ich ohne Furcht zu Ende.
Zwei Spannen vor dem Kot, hoch in Vereisung,
Die Krone blüht!
(Geht einige Schritte auf Friesen zu)
Ich handle, wie ich muß.
Der Landtag irrte, daß ich meinem Sohn
Mit spanisch-welschem Bund die Anerkennung
Zur Herzogswahl von Kurland kaufe. Krämern
Laß ich die große Waage nicht, die prüft
Europas Macht. Haus Östreich dunkelt. Dresden
Erstrahlt im Kampf der Kunst als Sitz der Welt.
Lust hab, erneute, ich zum großen Spiel.

Die seinsbedingte Einsamkeit des Helden führt ihn in die Esoterik der politischen Aufgabe; die Politik wird als ein privater, innerlicher Vorgang dargestellt, in dem sich ein reines, idealisches Individuum und die eigensüchtige, gierige Masse gegenüberstehen, die das Ingenium des Politikers und seine göttlich-schicksalhafte Berufung nicht verstehen kann.

So steht also der Führer gemäß dieser Dramaturgie und ihrer Doktrin einsam und allein über einer niederen Welt, die ihn in seinem Heldsein anfeindet und ihn doch braucht, um sich durch ihn in ihrem Schicksal zu vollenden. In diesem für ihn tragischen Spannungsfeld sieht Th. v. Trotha in seinem „bäuerlichen Trauerspiel" „Engelbrecht" die Stellung des Führers [46]. Engelbrecht, der Befreier Schwedens von der dänischen Herrschaft, sinnt im Dialog mit seiner Frau Ragnhild über diese, nach seiner Meinung schicksalhafte Konstellation nach:

Ragnhild

Du willst die Welt immer anders sehen, als sie ist.

Engelbrecht

Kann ich dafür? Ich bin so erschaffen. Aber woher nähme ich die Kraft für mein Werk, wenn ich mir stündlich klar machte, wie erbärmlich die Welt vielleicht ist? Wenn mir täglich vor Augen stünde, wieviel Wortbruch, Verrat, Hoffart und tiefe Schlechtigkeit mir begegnet? Ein guter Geist läßt mich das meist schnell vergessen. Und sieh', ich soll ja abgeben, soll die Sonne spielen, von der Mond und Sterne Licht borgen. Woher soll ich das nehmen? Vom Ruhm vielleicht? Der ist flüchtig. Vom Glück? Es ist nicht dauerhafter. Vom Predigen der Pfaffen? Sie wissen selbst nicht, was sie reden, und haben mir nie etwas gesagt. Ich kann nur an mich glauben und an die Macht, die mich zu meinem Volk berief, so gebieterisch, daß ich ihr folgen mußte, wenn sich auch mein Inneres dagegen wehrte. Warum wollt Ihr immer Wasser in meine Flamme gießen? Wenn sie niedriger brennt, dann staunt Ihr und beklagt Euch und mich.

Ragnhild

Aber ich doch nicht.

Engelbrecht

Auch Du, Liebe, Du sogar vor allem. Du bist darin genau so wie ein Volk, und mir scheint, die Völker möchten immer Götter an ihrer Spitze sehen. Und was bin ich schon? Werkzeug eines Schicksals, dessen Plan wir doch nicht kennen. Immer dann, wenn man glaubt, ein Wort seines Befehls deutlich vernommen zu haben, ist der Laut schon verklungen, und wir rätseln an den Worten, die wir nicht mehr vernahmen.

Ragnhild

Du bist wieder schwermütig heute. Das ist nicht die Laune für das Werk, das Du Dir vorgenommen hast.

Engelbrecht

Man soll die Stunden nutzen, die Ruhe zum Denken geben. Man handelt darum doch, wie man muß. Und ich habe vor, sehr schnell zu handeln und ohne alle Rücksichten. Ich weiß ja auch nicht, wie lange Zeit ich noch dafür habe.

Engelbrecht findet sich selbst in sich selbst und auf sich selbst beschränkt; den Grund seiner selbst sucht er aber über sich hinaus bei anderen Mächten, die er, vage mit Ausdrücken wie Volk, Götter, Schicksal umschreibend, zu präzisieren versucht. Und hier nun vermag sich seine Isolation zu lösen

[46] Th. v. Trotha, Engelbrecht, S. 66—67.

und sich Gemeinschaft zu bilden. In ihrer Rückgebundenheit an die umgreifenden Schicksalsmächte, im Auftrag, die dumpfen Mächte des Chaos durch sich hindurch in die Welt zu gestalten, in der Funktion, sozusagen Medium des schicksalhaften Götterwillens zu sein, was immer man sich nun auch darunter vorzustellen hat, finden sich die Einsamen und schließen sich zur Schicksalsgemeinschaft zusammen.

So verbindet sich in Ewers/Beyers Kampfstück „Stürmer!"[47] eine Gemeinschaft im Dienst an der Idee des „neuen Reichs". In Berlin sitzt der SA-Sturm Stürmers im SA-Lokal; es ist eine verschworene Gemeinschaft, und nicht der Verstand oder ein gemeinsames Interesse hält die Männer zusammen, sondern das „Herz". Sie stehen — gemäß ihrem Selbstverständnis — für eine große Sache — vor ihnen die begnadeten Führer. Und wenn Gefahr droht, so wie jetzt, als die Kommunisten dem 16jährigen Fritz das Fahrrad weggenommen haben und Stürmer verletzt worden ist, erheben sie sich wie ein Mann. Auch hier sind es „Primärbindungen", die die Gruppe zusammenhalten, solche der Irrationalität. Die Beziehungen sind von unmittelbarer Natur, sind solche des „Herzens"; sie sind im Grunde familiärer Art und werden nicht durch irgendwelche Gesetze, Interessen oder sonstige Zusammenhänge vermittelt. Der SA-Sturm Stürmer bildet das Urbild menschlicher Gemeinschaft im Sinne einer konservativen Gesellschafts- und Gemeinschaftstheorie.

Mutter
[. . .] (nimmt einen Briefumschlag aus der Tasche) Beinahe hätt' ich das vergessen. Jemand hat's durch die Tür geschoben — — lag unten auf der Treppe . . .

Riedel (nimmt den Umschlag)
Name steht nicht drauf.

Mutter
Ist wohl nichts Wichtiges! Also — schickt den Jungen nach Hause! (Mutter rechts ab — einer bringt sie zur Tür.)

Riedel (reißt den Umschlag auf. Nimmt eine graue Pappe heraus. Liest. Blickt ernst auf die andern)

Älterer S.A.-Mann (nimmt die Karte und liest vor)
„Stürmer — — nimm dich — — in acht! — Tod dir und allen Faschistenhunden."
(Starre Pause)

Älterer S.A.-Mann (dumpf)
Das bedeutet . . . (er schweigt)

[47] Ewers/Beyer, Stürmer!, S. 30—34.

Stürmers Stimme (von draußen)

Ha—llo! Fertigmachen!

Alle (durcheinander, teils zum Fenster stürzend)

Was ist los? Das ist Stürmer! Da ist was passiert! (Sie beginnen umzuschnallen. Kleine stumme Pause. Man hört Stürmers rasche Schritte.)

Stürmer (tritt ein, heftig in der Bewegung. An der Stirn blutend. Aufgeregt)

Los, fertigmachen! Kommuneüberfall! Dreißig Mann auf uns zwei!

Fritz (stürmt herein)

Mein Fahrrad haben sie mir weggerissen — mein neues Fahrrad!

Stürmer

Stahlruten — Revolver! Keine Möglichkeit einer Gegenwehr! — Aber das Rad müssen wir wiederhaben! Hohnlachend zogen sie ab, ganz gemütlich!

Der Ältere

Die Räuber!

Stürmer

Also los!

Orje

Wohin sind sie, die Rotkäppchen?

Stürmer

Die Straße hinunter — ich zeig's euch!

Riedel

Du bleibst hier! Blutest ja wie ein Schwein! Ich mach' das schon. Fritz weiß ja Bescheid!

Stürmer (sich aufs Bett setzend)

Gut — du Riedel!

Ein S.A.-Mann (zu Orje)

Gib mir die Schreckschußpistole!

Orje

Nimm sie, mein Söhnchen. Sieh dich aber vor, daß sie nicht aus Versehen losgeht!

Riedel (laut)

Abrücken! (Alle rücken eiligst ab, bis auf Stürmer und Orje.)

Orje (mit Wasser und Leinen heran)

Nur auswaschen. Keine Bange! Nur zwei Sekunden!

Stürmer

Aber — keinen Verband — bitt' ich mir aus!

Orje (tupft die Wunde aus)

Am liebsten möchtst du, ich zauber' die ganze Wunde weg. Damit nur keiner fragt: „Stürmer, wo hast du dir das geholt?" Ich kenn' dich doch!

Stürmer

Nichts ist mir so zuwider wie Wehleidigkeit.

Orje (klebt ein Pflaster auf)

Stürmer

Was machst du da? Laß das!

Orje
Nicht abreißen! Die Tolle drüber! So sieht's kein Mensch!
Stürmer
Also meinetwegen.
Orje
Weißt du übrigens: deine Mutter war hier, hat nach dir gefragt. Sie ängstigt sich. Willst du nicht zu ihr?
Stürmer
Später, später! Nun los, marsch, hinterher!
Orje
Davon kann nicht die Rede sein. Sei vernünftig –
Stürmer
Meinst du, ich laß' die Jungs draußen im Stich?
Orje
Du bleibst. Du hast dein Ding weg. Dich brauchen wir noch zu *mehr* – du – wirst noch mal ein Führer!
Stürmer
Unsinn! Führer!
Orje
Daß in dir einer steckt, weiß die ganze S.A. Wär' fein, wenn aus dir mal was würde – was ganz Großes! Der Hitler kommt aus Österreich, der Goebbels vom Rhein – da sollte auch mal an der Spree was wachsen! Natürlich müßtest du erst mal wieder was studieren, dein Examen machen! Na, was meinst du, Mensch?
Stürmer
Schweig doch! Ich bin nicht besser als ihr! Hier bei euch ist mein Platz. Will nie einen bessern ... gibt gar keinen bessern! – Nun aber los!
Orje
Quatsch – los! Jetzt bin ich hier *Sanitäter*! Da hat der Verwundete zu gehorchen. – Ich will dir was sagen: *Ich* renn' noch hinterher. Aber einer muß hierbleiben als Wache, das weißt du – Befehl vom Staf! also diesmal *du!* Es wird dir nichts andres übrigbleiben – bin schon weg! (Orje schnell ab.)

Dasselbe Gemeinschaftsgefühl findet sich auch unter den Soldaten. In der folgenden Szene aus Zerkaulens „Jugend von Langemarck" [48] ist das gemeinsame Kriegserlebnis als das Innewerden des Kämpferschicksals noch nicht das Band der Gemeinschaft, die Schlacht kündigt sich erst von ferne an. In einer Feldscheune bei Langemarck liegt eine Korporalschaft freiwilliger Studenten, unter ihnen auch der junge Arbeiter Karl Stanz. Sie bilden eine sentimentale Gemeinschaft des Herzens, spüren die nahe „Seelenwärme" einer primären Gruppe, so daß alle anderen sozialen Bindungen gegenstandslos werden. Hier ist die Wendung gegen eine arbeits-

[48] Zerkaulen, Jugend von Langemarck, S. 27–32.

teilige, auf funktionalen Zusammenhängen beruhende Gesellschaft sehr deutlich — das, was man „Kriegssozialismus" nannte —, wenn der Arbeiter in dieser Situation einer Bedrohung des Vaterlands ausdrücklich in die Gemeinschaft der Kriegsfreiwilligen, die anderen sozialen Gruppen angehören, aufgenommen wird. Die Kriegsbegeisterung, die in der vorausgegangenen Partie dargestellt worden ist, hat alle sekundären Sozialbezüge weggefegt; im Angesicht der Pflicht, für's Vaterland zu sterben, sind alle gleich. Es braucht nicht ausdrücklich betont zu werden, wie hier ideologisiertes Weltkriegserlebnis und die Doktrin von der Volksgemeinschaft aussagebestimmend geworden sind:

Karl Stanz (reicht Franz einen Brief)

Das hier nämlich, das ist meine Mutter, Gärtner. Ja, ja — sie hat wohl auch nicht gedacht, daß sie in ihrem Leben noch einmal Briefe schreiben würde. — Es steht auch etwas vom Werk darin. —

Franz

Von der Fabrik? Zeig her — (liest) „Bei Gärtners wird mit Doppelschicht gearbeitet, Tag und Nacht. Die Frau —", das ist wohl meine Mutter? (Stanz nickt) „Die Frau macht den ganzen Laden allein —"

Karl Stanz (unterbrechend)

Du muß schon entschuldigen, aber das heißt so bei uns. —

Franz

— „den ganzen Laden allein und findet noch Zeit für uns. Sie erkundigt sich oft nach Dir und fragt, ob Du noch mit ihrem Sohn zusammen seiest. Sie mag Dich gut leiden, glaube ich." — Ich auch, Stanz. —

Karl Stanz

Na, laß gut sein. — (nimmt den Brief wieder zurück) Was jetzt kommt, brauchst Du nicht zu lesen. — Ich, ich soll — beten.

Franz

Deshalb brauchst Du Dich nicht zu schämen, Stanz. das schreibt mir meine Mutter auch.

Karl Stanz

Ja, ich glaube, das tun sie jetzt alle.

Student Timm (tritt durch die Türe rechts zu den beiden)

Man kann sich die Augen aus dem Kopf drehen, vom Gefreiten Schmitz ist kein Hosenknopf zu erwischen. Seit gestern auf Patrouille und immer noch nicht zurück. Mensch —

Franz

Sprich leise, Timm, der Unteroffizier schreibt einen Brief.

Student Timm

Für mich war wieder nichts bei der Feldpost. —

Franz

Das wird dann alles auf einmal ankommen, Timm.

Student Timm
Mich hat die große Unruhe, Kinder. Paßt auf, heute Nacht geht was los. Ich will noch einmal vor die Türe — (unbetont) die Sterne sehen. (Geht ab.)

Franz
Siehst Du, Stanz, das mit den Sternen — das ist genau das gleiche. Ich habe das früher nie so gekannt; — in die Sterne zu sehen und zu beten.

Karl Stanz
Glaubst Du eigentlich — an Gott?

Franz (nach kurzer Pause)
Wie ich an Deutschland glaube, Stanz. — Und darum beten sie jetzt auch in der Heimat. Das hat es früher alles nicht so gegeben, Stanz. Auch nicht, daß zwei Menschen wie wir so darüber sprachen. —

Ordonnanz (von links, in strammer Haltung vor Lehmbruck)
Anfrage vom Herrn Feldwebel, ob der Gefreite Schmitz noch nicht zurück sei. —

Unteroffizier Lehmbruck (blickt auf)
Ich möchte ihn mir gern aus den Rippen schneiden, wenn ich es könnte. — Auch von den andern noch nichts gehört?

Ordonnanz
Nein, Herr Unteroffizier.

Unteroffizier Lehmbruck
Ist gut — Ihr kriegt sofort Meldung, wenn er kommt.
(Ordonnanz ab)

Karl Stanz
Da stimmt etwas nicht mit dem Schmitz. —

Franz
Ich wollte Dich immer schon fragen, Stanz. —

Karl Stanz
Hm?

Franz (zögernd)
Glaubst Du, daß Du wieder zurück kommst aus dem allen hier?

Karl Stanz
Natürlich kommen wir zurück. Du auch — oder wie meinst Du das?

Franz
Das hat nichts mit Angst zu tun, weißt Du. Eher mit dem Gegenteil. Eher so: Wenn man nicht bleibt, dann hat man nicht seine Aufgabe erfüllt. — Und dieses Bleiben ist für mich das Gefühl einer — einer seligen Heimfahrt.
(Deutlich hörbarer Einschlag. Einige aus der Gruppe im Hintergrund fahren hoch. Durch die Türe rechts fallen die Studenten Timm, Fink und Eidak fast in die Scheune. Pause.)

Student Timm (sich anklammernd)
Mensch, das gibt 'ne Beule. —

Unteroffizier Lehmbruck (ohne aufzublicken)
Sag den Herren Soldaten in meinem Auftrag, Stanz, sie könnten weitermachen.

Karl Stanz (springt hoch, mit Humor zur Gruppe im Hintergrund)
Der Herr Unteroffizier läßt sagen: Weitermachen!
(Einige quittieren es lachend)

Student Fink
Der Herr Unteroffizier ist ein gelernter Krieger.

Student Timm (heftig)
Was heißt hier gelernter Krieger! Soldat ist Soldat. Und Kugel ist Kugel. Heute ich, morgen du.

Unteroffizier Lehmbruck (unverändert)
Langsam, langsam, Freund. Nicht vordrängeln. Immer der Reihe nach wie beim Essenholen. – Ihr werdet Euch noch wundern, Ihr Herren Soldaten. –

Student Timm (vortretend, in strammer Haltung)
Sprechen Herr Unteroffizier dienstlich?

Unteroffizier Lehmbruck (gemütlich)
Rühren. So, und jetzt merk Dir mal: Wenn ich mit Dir spreche, rede ich niemals dienstlich. (steht auf). Aber wenn ich (schreiend) brülle (Student Timm unwillkürlich wieder in strammer Haltung) – das ist dienstlich. Verstanden?

Student Timm
Zu Befehl, Herr Unteroffizier.

Unteroffizier Lehmbruck (auf Timm zu)
Daß ich gesagt habe – Ihr Herren Soldaten – das hat Dich wohl gepiekt? Das macht nichts, mein Junge. Das laß man.
(Geht zur Gruppe in den Hintergrund, unruhig)
Ich habe nur immer die Scheißangst, Ihr würdet das hier draußen noch mit der Spielerei auf dem Kasernenhof verwechseln. –
(Lachen, Protest)
Das sind nämlich zwei höllisch verschiedene Dinge, verstanden? Das ist nämlich so zweierlei wie Platzpatrone – und scharf geladen, verstanden? Ihr *seid* nämlich jetzt Soldaten, verstanden?
(Pause)

Student Eidak (an der Türe rechts)
Wir brennen darauf, es zu beweisen, Herr Unteroffizier. Geht es heute Nacht los, Herr Unteroffizier?

Unteroffizier Lehmbruck
Heute Nacht? Das weiß unser Leutnant nicht, das weiß nicht einmal unser Hauptmann. Immer nach der Parole – Dienst ist Dienst und zweitens: (sieht sich um)

Chor (einfallend, lachend)
Warum auch nicht!

Unteroffizier Lehmbruck
Na, das funktioniert ja. – Übrigens, weshalb Ihr da lacht, verstehe ich nicht. Es ist ein schönes Wort: Warum auch nicht. – Merkt Euch, es tut sich nichts auf der Welt, das mit diesem schönen Wort nicht zu erklären wäre.

Student Eidak
Alle fragen nach dem Gefreiten Schmitz, Herr Unteroffizier.

Unteroffizier Lehmbruck

Das Fragen müßt Ihr Euch zuerst abgewöhnen hier draußen. Wir sind hier im Felde und nicht in der Schule.

Student Eidak

Aber wenigstens können uns Herr Unteroffizier sagen, wo wir jetzt stehen?

Unteroffizier Lehmbruck (trocken)

In Belgien, mein Sohn. (Lachen. Im gleichen Augenblick neuer Einschlag. Ernst.) Vor dem Feinde stehen wir. (geht langsam an seine Kiste zurück, schüttelt den Kopf) Eine ganze Korporalschaft von Studenten. — (Karl Stanz springt auf) Ja, ich weiß, ich weiß — und dazu noch so ein halber Knirps. (Lehmbruck wendet sich jäh um, überkommen von Sorge, schreit) Wird das klappen mit Euch? (alle springen auf, unbeweglich, in strammer Haltung. Pause. Lehmbruck sieht sie stumm der Reihe nach an, brüllt) Weitermachen! (setzt sich wieder, als sei nichts geschehen und schreibt weiter. Die Studenten Timm und Eidak zur Gruppe im Hintergrund)

Student Fink (tritt zu Franz und Karl Stanz)

Na, Ihr — Ihr habt Euch da wohl eben Traktätchen vorgelesen?

Franz

Meine Mutter hat geschrieben und die von Stanz auch.

Student Fink

Ach so. — Ich habe meine Post noch nicht aufgemacht. (setzt sich nieder) — Diese Briefe sind jetzt schlimmer als alle Gedanken. —

Franz

Hast Du schlimme Gedanken, Fink?

Student Fink

Nicht so, wie Du vielleicht denken könntest, Franz. — Es ist was anderes. Hier unter Euch — da halte ich mich fest, hier ist alles gut. Aber die Briefe!

Franz

Was ist mit den Briefen? —

Student Fink

Aus den Briefen rieche ich das Korn unsrer Felder. Da höre ich die Tauben gurren auf unserem Hof. In diesen Briefen reitet mein Vater noch immer über die Stoppeln — im Galopp, versteht sich. Er ist 62 Jahre. In diesen Briefen faßt mich die Erde an wie mit Weiberhänden.

Franz

Heimweh — Fink? (Fink läßt den Kopf fallen) Junge — Kerl.

Karl Stanz

Ich bin froh, daß ich gerade in unsere Korporalschaft reingekommen bin. Mit zu Euch. Man ist doch aus der gleichen Heimat. —

Franz (umschlingt Fink)

Und im gleichen Bund.

Karl Stanz

Ja. Eure Burschenschaft. Neidisch könnte man darauf werden. —

Franz (jungenhaft)

Der Rest von uns ist in der zweiten Kompanie. Auch eine ganze Korporalschaft. Fein geschoben, was? (Lacht leise)

Die Idee der Volksgemeinschaft sollte sich nicht nur in der Kriegssituation bewähren, obwohl das ein ganz zentrales Motiv in der Dramatik des Dritten Reichs war; daneben trat, vor allem in der Feier- und Arbeitsdichtung, die Vorstellung von der werkenden Volksgemeinschaft. Auch hier ist der dynamische Irrationalismus das konstituierende Element. Als Beispiel sei der Schluß von K. Heynickes „Spiel von Deutscher Art" „Neurode" zitiert [49]. Wegen Unrentabilität soll die Grube Neurode geschlossen werden; diesem Plan tritt der Arbeiter Radke mit der Parole: Glaube und Heimat entgegen. Eine Arbeitsgemeinschaft aller mit der Grube Verbundenen, außer den Geldgebern, versucht, die Schachtanlage als Arbeitsstätte zu erhalten, was aber trotz allem Opfermut nicht gelingt. Nun soll sie endgültig versteigert werden: Da erscheint die Allegorie des neuen, des Dritten Reichs. Die Volksgemeinschaft tritt ohne Rücksicht auf wirtschaftliche Pläne und ohne ein bevölkerungspolitisches Konzept (beides wird ausdrücklich verworfen) für ihre Glieder ein. Die allgemeine, emotionale völkische Gemeinsamkeit wird gefeiert. Diese Intention wird auch in Form umgesetzt: dem Prosadialog folgt ein chorisches Gruppensprechen in Versen und schließlich ein allgemeiner Volksgesang:

Syndikus (schrill)

Ihre Arbeitsgemeinschaft hat den Verfall der Grube nicht aufhalten können!

Direktor

Alte Kunden kehrten zurück! Neue Abnehmer kamen hinzu! Es gab ein Echo im ganzen Lande!

Syndikus

Aber die alte Schuldenlast wurde nicht geringer. Der Konkurs ist eröffnet. Die Grube wird versteigert. Und damit ist die Abrüstung nicht mehr zu verhindern. (Mit erhobener Stimme) Ich mache den Platz frei — dem Versteigerer! (Volk und Bergleute sammeln sich auf dem Platz. Lärm)

Der Versteigerer (es tritt Ruhe ein; laut, mit einem Hammer in der erhobenen Rechten)

Es wird versteigert — ein Bergwerk mit allen Einrichtungen und Maschinen, mit allen Gebäuden, mit allem Grundbesitz — es wird versteigert —

Radke (springt neben ihn, hell)

Es wird versteigert das Herz eurer Heimat, der Platz, der euch Brot gab, es werden versteigert Jahre voll Arbeit, Jahre voll Schweiß, es wird versteigert unser Glaube, es wird versteigert unser Hoffen, es wird versteigert unser

[49] K. Heynicke, Neurode, S. 49—56.

Vertrauen, es wird versteigert unsere Hingabe — es werden versteigert Millionen und Millionen Tropfen Schweiß, hingeflossen ins Gestein, Millionen und Millionen Hammerschläge, es werden versteigert die Seufzer der Toten, die auf diesem Schlachtfeld der Arbeit ehrenvoll fielen — unsere Gemeinschaft bietet — das alles noch einmal!! Wer bietet mit??!!

Erster Chorführer

Wir alle!

Chor

Wir alle bieten mit!

Versteigerer

Schweiß, Hammerschläge
Glauben, Hoffen,
Vertrauen, Hingabe,
Seufzer und Tote
Zählen nicht!
Hier zählt nur:
Geld!!

Schreiber

Die Arbeitsgemeinschaft bietet ihr gesamtes Vermögen.

Versteigerer

Zu wenig!! Wer bietet mehr?
(Gemurmel)

Versteigerer (reckt den Hammer)

Wer bietet mehr??
(Schweigen)

Versteigerer

Wer bietet — noch?? Hier zählt nur — Geld!!

Der Fremde (tritt aus der Menge hervor, er steht frei abseits)

Zählt wirklich nur Geld? Zählt nicht der Wille dieser Menschen, der sich in Monaten harter, freiwilliger Arbeit und Opferung bewiesen, ist dieser Wille nicht — alles?!

Versteigerer

Wer sind Sie?

Der Fremde

Wer ich bin? Der Kamerad. Der Volksgenosse. Der Mitmensch!

Versteigerer (gehetzt, eilig)

Bieten Sie mit? Was bieten Sie?

Der Fremde (hell)

Das alles, was diese bieten! Und mehr!!
Radke — warum traten Sie für Erhaltung der Grube ein —?

Radke

Wir wußten: hört die Grube auf, stirbt die Heimat!

Syndikus

Hier wird das Wort Heimat aufgetischt wie ein Vorwurf. Mußten wir uns nicht an die Ziffern halten, die nun einmal errechnet waren?

Der Fremde (steht erhöht)

Ich verstehe: hier sind zwei Welten, die gegeneinander stehen. Außen — und innen. Zahl — und Sinn. Diese Grube ist gewiß nur ein kleiner Punkt in unserem Vaterlande. Aber auch der kleinste Punkt ist so wichtig wie das ganze große Vaterland. Weil nämlich auch im kleinsten Bezirk das Vaterland als lebendige Gemeinschaft empfunden werden soll, ohne Trennung, ohne Scheidung, einfach: eins.

Syndikus

Wer aber pulvert ins Ungewisse immer neue Zuschüsse?

Der Fremde

Wer *nur* gewinnen will, verliert. Wenn *wenige* nehmen, wird die Lust zum vollen Einsatz des ganzen Menschen erdrosselt, wenn aber *alle* geben, sich ganz hineinwerfen in das Getriebe des Ganzen nach Kraft und Vermögen, dann werden alle gewinnen. Es kommt auf den inneren Einsatz an. Vielleicht poltern noch ein paar Verlustzahlen wie Geröll in einen Abgrund, aus dem wir jetzt steigen, aber es winkt der gerechte Lohn: wir kommen über den Berg!

Bürgermeister

Ja, Sie *müssen* für die Grube sein! Wir alle, vom letzten Grubenjungen bis zu dem Direktor, vom kleinen Häusler im Tal bis zu mir, alle, Arbeiter, Angestellte, Beamte, Bürger, Geschäftsleute — wir wurden gewaltsam zu dieser Empfindung getrieben, ich suche ein Wort — das es klar und knapp ausdrückt —

Der Fremde

Ist es so schwer zu finden, das Wort?

Radke

Deutschland!

Der Fremde

Deutschland, das ist es. Auf einmal belauert man sich nicht mehr mit Zahlen, auf einmal marschieren keine Ziffern gegeneinander: was verdienst du, was verdiene ich; auf einmal vereinigen wir unsere Sorgen und unsere Hoffnungen, bleiben zusammen, richten ein neues Konto ein und überschreiben es mit dem einzigen Wort: Kameradschaft! (Jetzt gehen Fahnen hoch) Die Grube wird versteigert! Ihr bietet!

Versteigerer (zurückweichend)

Es genügt nicht, was geboten ist!!

Der Fremde (unbeirrt)

Ihr bietet! *Ich* aber biete mit, ich biete die fehlende Summe, ich stehe hier für ganz Deutschland, wie ihr hier am Tal auf eure Weise für ganz Deutschland standet! Hört mich an, ihr alle! Es war ja nicht nur die Grube in Gefahr! Ganz Deutschland war in Gefahr! Und wir sind aufgebrochen und haben uns in den Sturm gestellt! Nun rauscht ein harter Wind um uns, aber er treibt voran! Hört es: Voran! Da lagen Gutachten und Gesuche und Gegengesuche auf den Tischen in den Ministerien, alles wegen der Grube. Und da kam unser Sturmwind — und fegte den Staub von den Akten, warf

die Papiere vom Tisch und verwehte sie — und jetzt stehe ich hier — gesandt zu euch — ohne Akten, ohne Gutachten, aber mit dem Willen und dem Auftrag, euch die Grube zu erhalten! *Arbeit ist der Herzschlag des neuen Reiches, wie sollte das Reich der Grube nicht helfen?* Jeder in Deutschland für ganz Deutschland, ganz Deutschland für jeden Deutschen! Das Reich bietet mit und rettet die Grube — weil ihr — treu gewesen seid! — Ihr — für Deutschland — Deutschland — für euch —!!
(Jubel)

Erster Chorführer
Ein heimlicher Klang wie von Trommeln ging,
Wie Wind, der sich in Fahnen fing,
Er wehte hin und wurde Schritt,
Der Schritt nahm andre Schritte mit,
Eine Flamme war, die das Wort gebar:

Chor
Deutschland!!

Zweiter Chorführer
Da steht es, da schwebt es
Das herrliche Wort,
Da geht es, da lebt es,
An jeglichem Ort,
Da dröhnts wie der Glocken schwingendes Erz,
Da gräbt sichs gewaltsam ins menschliche Herz:

Chor
Deutschland!!

Der Fremde
Wir marschieren! Ganz Deutschland marschiert!

Chor
Ewig ist nur ein Verschulden:
Zweifeln an der eignen Kraft.
Starkes Volk muß Strengstes dulden,
So wird Not zur Leidenschaft.

Radke (verzückt)
Wir marschieren! Und der Marsch reißt alle mit, langsam füllen sich die Glieder der Kolonnen, mehr und mehr stoßen hinzu — Arbeit segnet das Volk!!

Chor
Arbeit segnet das Volk!

Der Fremde
Und keiner kann sich mehr der Gewalt dieses Marsches entziehen. Wir glauben! Wir wissen:

Chor (jubelnd)
Kraft wird nie dem Nichts zum Raube
Wenn Gemeinschaft uns umschließt,

Volk, du selber bist der Glaube,
Volk, du selber bist der Sieg!

Alle (stimmen das Eingangslied auch beim Ausmarsch an)

Einer
Tritt gefaßt!

Alle
Tritt gefaßt!

Einer
Tretet an!

Alle
Tritt an, du Arbeitsmann!

Einer
Schließt die Reih'n!

Alle
Schließt die Reih'n!
Ganz Deutschland soll es sein.
Wo einer streut die junge Saat,
Wo einer mäht die reife Mahd,
Wo einer Rad und Kolben treibt,
Wo einer hämmert, einer schreibt –
Der Mann der Stirn, der Mann der Faust
Marschiert, wenn unser Schwur erbraust:
Und ist die Straße steinig,
Bergauf geht unser Schritt,
Wir sind auf ewig einig,
Ganz Deutschland schreitet mit!

Einer
Tritt gefaßt!

Alle
Tritt gefaßt!

Einer
Tretet an!

Alle
Tritt an, du Arbeitsmann!

Einer
Schließt die Reih'n!

Alle
Schließt die Reih'n!
Ganz Deutschland soll es sein!
Wo einer werkt im tiefen Schacht,
Wo einer über Büchern wacht –
Wer schaffend seine Hände hebt,
Wer wirkend die Gedanken regt –
Der Mann der Stirn, der Mann der Faust
Marschiert, wenn hell der Schwur erbraust:

Und ist die Straße steinig,
Bergauf geht unser Schritt,
Wir sind auf ewig einig,
Ganz Deutschland schreitet mit!

Es ist bereits hinlänglich deutlich geworden und wird in späterem Zusammenhang noch weiter ausgeführt werden [50], daß der Ursprung dieses Gemeinschaftsbewußtseins nach der Meinung seiner Vertreter nicht in den angeblich vordergründigen Gegebenheiten banaler diesseitiger Beziehungen, sondern jenseits aller Bedingtheiten im Raum eines schicksalhaften Absoluten zu suchen ist. So ist denn das Ziel dieser auf die Gemeinschaft gerichteten Dynamik auch nicht in innerweltlichen Zusammenhängen zu suchen, wie sich im Volksbegriff in den zitierten Passagen aus Zerkaulen und Heynicke gezeigt hat; vielmehr erfüllt sie sich erst recht eigentlich in eben jenem schicksalhaften Raum, aus dem sie abgeleitet worden ist. So verbinden sich in Euringers „Totentanz" [51] im Schlußbild die gefallenen SA-Leute mit den noch lebenden Gliedern der Volksgemeinschaft, nachdem sie die Machenschaften und die Dekadenz der Zivilisationswelt zur Seite gefegt haben. Die Toten vereinigen sich mit den Lebenden und bilden eine große Gemeinschaft, in der die Toten für die Lebenden kämpfen und diese für jene beten. Mit christlicher Verbrämung wird dann die Gewißheit einer alle guten Werte verwirklichenden, alle Lebenden und alle Toten als ihre Glieder einschließenden Gemeinschaft verkündigt:

In die Stille:
Gefallener SA.-Mann
Das war ein Tanz. Und ohne Gnad.
Heiß dich willkommen, Kamerad!
Der tote Mann
Wer bist du? Und wer sind die hier?
Gefallener SA.-Mann
Trittst in unser Standquartier.
Gefallene SA.-Mannschaft
Haben das Gröbste selbst vollbracht,
Eh wir gesunken in die Nacht.
Toter Mann
So seid ihr — auch — gefallen?
Gefallene SA.-Mannschaft
Ein Häuflein nur von allen.
Meinten, sie hätten uns untergekriegt,

[50] Vergl. unten S. 181 ff.
[51] R. Euringer, Totentanz, S. 33—36.

Gefallener SA.-Mann
Und wir haben doch gesiegt!
Toter Mann
Bruder im Braunhemd, bist du's?
Gefallener SA.-Mann
Ja.
Wir sind's.
Gefallene SA.-Mannschaft
Erschlagene SA.,
Gefallener SA.-Mann
Blutwund zusammengebrochen,
Gefallene SA.-Mannschaft
Vom Bluthund zusammengestochen,
Feige aus dem Hinterhalt
In Nächten meuchlings niedergeknallt,
Gefallener SA.-Mann
Weggerissen von Weib und Kind,
Gefallene SA.-Mannschaft
Weil wir hassen Graus und Grind,
Gefallener SA.-Mann
Verscharrt mit Schimpf und Schanden,
Gefallene SA.-Mannschaft
Und wieder auferstanden!
Gefallener SA.-Mann
Und dies ist unser Zeichen!
(Horst-Wessel-Lied klingt als Gesang auf.)

Der tote Mann
So will ich damit bestreichen
Tür und Pfosten, Haus für Haus,
Und treiben allen Unhold aus.
Und alle, die da wohnen,
Soll der Tod verschonen!
Und wo es thront, ob Tor und Tür,
Soll ewig Leben gehn herfür
Und die Verwesung weichen!

Führ mich, Bruder Braungewand!
Will wandeln durch mein Vaterland,
Will wieder Menschenkinder schauen,
Väter, Mütter, Kinder, Frauen,
Will mich wärmen an ihrem Schein
Und mit Menschen menschlich sein!
(Volk umschart ihn, bäuerlich.)

Der tote Mann
Sind das die euern?

Gefallene SA.-Mannschaft
Ja. Kommt an!
Vater, Mutter, Schwester, Kind,
Holden Toten wohlgesinnt,
Bruder, Nachbar, Ohm und Ahn.
Gefallener SA.-Mann
Kommt nur! Furchtlos kommt heran!
Schwester, wend nicht dein Gesicht!
Komm, du Kleine, fürcht dich nicht!
Gebt ihm die Hand und sprecht ihn an!
Der tote Mann ist auferstan'n!
Kind
Toter Mann, bist auferstan'n?
Der Dorfalte
Toter Mann, hat notgetan.
War kein Leben mehr vor Geschmeiß.
So laß dir sagen Lob und Preis!
Mutter
Komm ans Feuer! Tritt an Herd!
Wollen dich halten in Ehren wert.
All gute Geister ruf herein,
Daß wir all beieinander sei'n!
Chor der Mütter
So wollen wir uns fürchten nicht,
Chor der Väter
Und mit uns gehen ins Gericht,
Volk in Scharen
Wollen nicht bangen vor Menschenmacht,
Chor der Mütter
Und nicht gieren nach geiler Pracht,
Chor der Väter
Und nicht schachern um Tand und Geld
Und alle Eitelkeit der Welt,
Der Dorfalte
Und, was verkommen, richten neu,
Chor der Mütter
Und uns lieben in frommer Scheu,
Gefallene SA.-Mannschaft
Und nicht verfallen fremden Sitten!
Mutter
Und nicht vergessen, was ihr gelitten,
Und wie ihr geduldet Marterpein,
Und wie ihr zerschlagen eur Gebein,
Und wie ihr blutigen Schweiß getaut
Und die Verwesung angeschaut.

Chor der Mütter
Und wie ihr verlassen Hab und Gut
Mutter
Und wie ihr vergossen euer Blut,
Und wie ihr euch gepeinigt,
Volk in Scharen
Auf, daß wir sei'n gereinigt.
Mutter
Und wie ihr erfahren, bloß und wund,
Vieltausendmal die Todesstund.
Volk in Scharen
Wollen nicht zweifeln in Fahr und Not,
Chor der Väter
Und mit den Armen teilen das Brot,
Chor der Mütter
Und, was über ist, verschenken,
Mutter
Und auch der armen Seelen gedenken
Und ihrem Jammer tun Bescheid,
Daß sie erlös die Seligkeit!
Volk in Scharen
Und nicht bangen vor Teufels List,
Der Dorfalte
Davor uns bewahr der Herr Jesus Christ,
Der verstorben uns voran
Und von den Toten auferstan'n!
(Zarter, schlichter Schlußchoral.)

Wenn sich das Wollen des Helden in dieser Weise über das Gegebene hinausspannen und erst im Unendlichen seinen Fixpunkt finden soll, so ist es nur verständlich, daß der Held in der Welt kein Genüge finden kann, sondern mit ihr in tiefstem, in seinem Wesen als notwendig begründetem Zwist leben muß. Welt ist Widerstand, aber eigentlich nicht zu überwindender, vielmehr ein solcher, an dem er, der Hellersehende, der absoluter Suchende, tragisch scheitert. Wenn man diesen Gedanken ins Politische wendet, sich den Anspruch des Nationalsozialismus, die „Bewegung" zu sein, und die Aburteilung der modernen Welt und speziell der Weimarer Republik als das „System" vor Augen hält, so wird leicht einsichtig, wie diese dramatische Konstruktion als Formulierung des „Geistes der Zeit" verstanden werden muß. Diese Konstellation ist, trotz der historischen Verfremdung, leicht in Deubels „Schauspiel" „Die letzte Festung" erkenbar [52]: Gneisenau hat in einer Denkschrift die allgemeine Reform Preußens

[52] W. Deubel, Die letzte Festung, S. 70—75.

und die Volksbewaffnung vorgeschlagen, um die Lage Preußens gegenüber Napoleon zu verbessern. Kabinettsrat von Lottum ist aus Königsberg ins eingeschlossene Kolberg gekommen, um Gneisenau zu bewegen, seine neuernden Ideen zu begraben. Es entwickelt sich folgendes Gespräch:

Lottum
Ich kann mir vorerst gar nichts denken. Ich bin nur zur Information hier.

Gneisenau
Ist noch etwas aufzuklären? Ich fürchtete schon, die Denkschrift sei über Gebühr ausführlich gewesen.

Lottum
Denkschrift? Welche Denkschrift? Ich entsinne mich dunkel. Worum handelte es sich doch? Schlugen Sie nicht die Bildung einer Kommission vor?

Gneisenau
Kommission? Es ging um die Erneuerung von Staat und Armee.

Lottum
Mein lieber Herr von Gneisenau, Sie haben zu viel Phantasie. Ein Wort im Vertrauen: Majestät sieht das nicht gern. Seien Sie in Zukunft zurückhaltender in Ihren Briefen und auch in Ihren Handlungen. Sie haben kürzlich einem Offizier von Adel übel, ganz übel mitgespielt. Oder bin ich falsch unterrichtet? — Vermutlich wußten Sie nicht, daß dieser Herr mit einer hochgestellten Persönlichkeit verwandt ist?

Gneisenau
Das geht doch mich nichts an.

Lottum (immer nachlässig im Stuhl zurückgelehnt)
Ich wünsche Ihnen, daß Sie sich da in keinem Irrtum befinden. — Sie schaffen bewährte Strafen für die Mannschaft ab. Sie befördern bürgerliche Leute ohne Konduite zu Offizieren. Ihre Haltung hat befremdet. Nun gar Ihre Pläne, den gebildeten Zivilstand zum Heeresdienst heranzuziehen! Wenn mit *einem* Schlage Dutzende von Präsidenten, Räten, Assessoren verlorengingen — ich bitte Sie! Ein roher, ein barbarischer Gedanke.

Gneisenau
Meint man, wenn das Land in Not ist, sei das Verlorengehen ausschließlich Sache der Soldaten? Ich kann nicht glauben, daß man sich in Königsberg über den Ernst der Lage täuscht. Was wir heute haben: eine Armee von Heimatlosen, die nur der Zwang der Fuchtel zusammenhält, davon ist kein nationaler Schwung zu erwarten.

Lottum
Aber Majestät will gar keinen nationalen Schwung. Majestät will Zucht und Ordnung.

Gneisenau
Das sagt man in einem Augenblick, da der Feind mitten im Lande steht?

Lottum
Gefährlicher ist das heimliche Ideengift der französischen Revolution.

Gneisenau

Hält man mich für einen Jakobiner?

Lottum

Noch nicht.

Gneisenau

Gerade weil Frankreichs Beispiel warnt, gilt es, der Zerrüttung durch Erneuerung zuvorzukommen.

Lottum

Mit Neuerungen fängt es an, mit Umsturz wird es enden. Bürger und Bauern im Waffendienst erziehen? Soll die Krone ihren Mördern das Schwert auch noch in die Hand drücken?

Gneisenau

So denkt ein Polizist, aber nicht ein König. Kein stärkeres Bollwerk der Krone als die Herzenskräfte der Nation.

Lottum

Man merkt, daß Sie ein Süddeutscher sind. Herzenskräfte! Das ist Poesie.

Gneisenau (hochfedernd)

Nein! Das ist eine Urkraft.

Lottum (gelassen)

Eben. Urkräfte bändigt man. Es anders ansehen, hieße das Wesen des Staates verkennen, dem wir beide dienen.

Gneisenau

Ist es ein Vorrecht Preußens: Herz, Seele und Gefühl und alles, woraus ein Staat erst *lebt*, gering zu achten? Dann wäre Deutschland reicher ohne Preußen.

Lottum

Gefühl ist Ichgefühl! Das Ich unterordnen, opfern — *das* ist preußisch!

Gneisenau (mit den Worten ringend)

Ich habe als junger Leutnant vor dem großen Friedrich gestanden und ihm ins grundlose Auge geblickt. Seit jener Stunde weiß ich: erzharter Wille und noch die kälteste Klarheit des hellsten Gehirns wirken und *leben* erst aus dem Feuer des Gefühls. Gefühl ist Ichgefühl? Niemals! Gefühl ist Hingabe, ist Blut und Glut und Überschwang! Zerschlagen Sie einem Menschen alles —: Glück, Liebe, Freundschaft, Hoffnung — und was dann übrig bleibt und aus dem Lehm des Alltags wie das verborgene Metall der Glocke zutageblitzt —: das — seine heilige Lebensmitte — — mag sein: nicht jeder hat so deutschen Kern in sich — aber *wenn* ihn einer hat, dann taste kein Gekrönter ihn an — oder er zerschlägt dem Vaterland die letzte Festung, auf die es sich noch stützen kann.

Lottum (kühl)

Ich bin mir völlig klar: das ist Revolution!

Gneisenau

Nein! Das ist Religion!

Lottum

Mag sein — dann eine, mit der der Staat nichts anfangen kann.

Gneisenau

Der Staat mag auf dem Monde liegen — deutsch ist er nicht.

Lottum (nach einer Pause)

Sie sind überreizt. Wer verstünde das nicht. Ein Mann voll fliegender Gedanken (Mit leichter Hindeutung auf Bücher und Klavier) sozusagen ein künstlerischer Mensch. Das kleine Kolberg zerreibt Ihre Kräfte, ohne Ihrem Ehrgeiz zu genügen, und treibt Sie in ein unzufriedenes Spintisieren. Bitte, nehmen Sie doch wieder Platz und hören Sie in Ruhe einen Vorschlag an.

Gneisenau

Einen Vorschlag? Auf Grund der Denkschrift also doch einen Vorschlag?

Lottum

Diese Denkschrift schlagen Sie sich doch einmal aus dem Kopf.

Gneisenau

Ja aber — was ist denn aus ihr geworden?

Lottum

Majestät war so gnädig, zu verfügen, daß sie zu den Akten genommen würde.

Gneisenau

Begraben also! Das habe ich immer geahnt: nicht fremde Mächte, stets nur Deutsche richten Deutschland zugrunde. Hebt einer die Fackel, gleich eilen sie mit Löscheimern herbei. (Ausbrechend) Reißt einer, der nie etwas für sich erbeten hat, aus seiner Tiefe schwer von Gold einen Gedanken hoch — käme der König und würfe ihn ins Feuer, weil er noch Schlacken trägt — oder nähme ihn einer mir ab und hübe ihn hoch wie den Gral und riefe in alle Welt: dies sei *sein* Fund und Verdienst — gut! Gut! Wenn er nur leuchtet und seinen Segen strahlt! Aber schänden das Gold — sagen, dies sei nicht wert, auch nur hinzusehen, und der es hergebracht, sei nur ein phantastischer Wicht, wo nicht gar ein Betrüger — das ist schlimmer als Mord.

Lottum

Sie werden sich noch die Karriere verderben.

Gneisenau

Ich *sehe* es doch! Ich sehe die Lüfte glänzen über einem anderen Deutschland. — Wozu auf des Königs Brust der Adler, wenn er nicht fliegen kann?

Lottum (verzweifelt)

Sie reden sich um Kopf und Kragen. — Wo in Ihrer Laufbahn ist die Leistung, die Sie berechtigt, am König Kritik zu üben? Unterordnung! Pflicht! *Das* ist, wenn alles zusammenbricht, unsere letzte Festung. Pflicht handelt nach Befehl. Darüber kann Sie jeder Gefreite belehren.

Gneisenau

Die Pflicht des Gefreiten kann für mich Feigheit, ja Verbrechen sein. Pflicht handelt nach Verantwortung.

Lottum

So reden auch Rebellen, und Rebellen werden sagen: Gneisenau hat uns das Vorbild gegeben — Rund heraus: Der König verbietet Ihnen, mit diesen Erneuerungsideen zu spielen.

Gneisenau

Könnte ich Ihnen die Sterne weisen, die mir mein Gesetz gebieten. – Keine sind über ihnen, und kein König kann mir andere Gesetze geben. Glaubt er, er kann *befehlen,* daß eine Wahrheit *keine* Wahrheit ist? Will er sich zum Vormund der Herzen erniedrigen wie der Papst, der Unmündigen gebietet?

Lottum

Das sagen Sie – ein Katholik?

Gneisenau

Es gibt Fragen, vor denen wir alle Protestanten sind, wenn wir nicht aufhören wollen, Deutsche zu sein.

Lottum

Vorsichtig! Man sei doch endlich vorsichtig!

Der Held und das „System", das war, durch mannigfache Variationen gespielt, ein überaus beliebtes Thema im Drama des Dritten Reichs. Vorstellungen der Lebensphilosophie, verkappter Geschichtspessimismus, sich tragisch drapierende Kulturkritik, antizivilisatorische Impulse und politische Parolen wurden in gleicher Weise herangezogen, um das Motiv aufzufüllen. So mögen zwei Beispiele dieser so überaus typischen dramatischen Konstellation hier folgen:

In R. Lauckners „Drama" „Bernhard von Weimar" findet sich eine ähnliche Konstellation wie in Deubels „Die letzte Festung". In den Querelen und Rivalitäten von ausgleichsbedachten Politikern wird die militärische Aktion, die die Entscheidung bringen könnte, erstickt; niedere Instinkte und durchsichtige Egoismen vereiteln das hohe Streben des nationalen Genies. Nur der Soldat ist dem Soldaten treu [53]: Bernhard von Sachsen hat im 30jährigen Krieg den kaiserlichen Truppen Regensburg abgenommen, und nun kommt die Nachricht, Wallenstein sei ermordet – aber die günstige Situation, den Krieg zu beenden und den Traum vom Reich zu realisieren, wird von den Politikern vertan.

Taupadel

Aber Herzog Bernhard! Wacht doch auf! – – –
Ich denk, Ihr werdet mich, wie's sonst geschieht,
Komm ich mit guter Nachricht, an Euch pressen,
Daß mir der Atem fliegt, –
Statt dessen ... Euer Gnaden, hört Ihr nicht?
Der Wallenstein ist tot!! Der letzte Kaiserliche General!
Vor allem eins, der Weg nach Böhmen offen!

[53] R. Lauckner, Bernhard von Sachsen, S. 71–74.

Bernhard (laut, fast schreiend)
Wovon denn? Wie denn? Ohne Brot und Pulver
Und Truppen! Und vom Kanzler noch der Wunsch,
Dem Horn am Lech zu helfen, statt er uns!
Der Sachse drüben wieder am Verhandeln!
Und bei den Völkern Aufruhr, Pest und Hunger! – – – –
Der Weg nach Böhmen offen! . . .
Das ist es ja gerade, was mich drückt . . .
Wir werden ihn nicht gehn! Er ist versperrt.
Und nicht einmal vom Feind, von unsern Freunden!

Taupadel
Graf Horn am Lech geschlagen?

Bernhard
Jedenfalls in Schwierigkeit. – Ich weiß es selber nicht. –
Den dritten Boten jetzt an Oxenstierna,
Und endlich heute diese Antwort! –
Von Regensburg hier kaum ein Wort!
Man soll es ruhig wieder fahren lassen,
Vielleicht Besatzung geben
Und dann zurück die Donau, Horn zu treffen . . .

Taupadel
Und Kurfürst Johann Georg wieder am Verhandeln?

Bernhard
Nachdem wir ihn, – drei Monat sind das her, –
Mit größten Opfern noch einmal gehalten . . .
Statt jetzt von Schlesien einfach zuzugreifen
Und uns damit die Flanke noch zu decken, –
Ein neuer Waffenstillstand mit dem Kaiser! . . .
Dazu noch, eigentlich das Allerschlimmste,
Das gänzliche Versagen unserer Stände!
Sie schrein um Schutz, und keiner leistet die versprochene Hilfe!
Kein Geld, die Lebensmittel bleiben aus,
Und nicht einmal der Magazinzehnte ist zu erlangen! –
Die Städte, – bis auf Nürnberg, – bleiben schuldig und
Nürnberg allein kann auf die Dauer nicht das Heer verpflegen!
So sieht es aus! . . .

Taupadel
Den Schweden seid Ihr lange schon zu mächtig.

Bernhard
Das merk ich täglich mehr. – Was nützt mir das?
Ich kann nicht zwischen zwei gewonnene Schlachten
Fürsorglich eine Niederlage schalten,
Um die Gefühle der Verbündeten zu schonen.

Taupadel
Und wenn wir selbst den Zug nach Böhmen wagten?

Bernhard
Aldringer ist im Anmarsch. 15 000 Mann. –
Von Passau, Feria. 6000 Reiter. –
Auch der de Werth taucht wieder auf. – Das wäre Wahnsinn!
Und außerdem, der Bund, der würde klagen:
Jetzt meutern uns sogar die Generale!
Taupadel
Was also bleibt?
Bernhard
Zurück! ... Und das zu einer Zeit,
Wo doch durch Friedlands Tod Verwirrung drüben herrscht,
Und wo ein rasches Draufgehn von drei Seiten, –
Mein Kopf dafür, – uns die Entscheidung brächte!
Taupadel
Dazu Quartier in Böhmen! Ansporn für die Truppen!
Bernhard
Statt dessen schenkt man nun dem Kaiser wieder Zeit zum Sammeln, –
Und ewig wälzt sich dieser Krieg ins Leere.
Vom Meer zur Donau und zurück nach Flandern, –
Bis endlich alles vor Ermattung niedersinken wird.
Taupadel
Zurück! ... Weiß Gott, wohin? ...
Bernhard
Und mit dem müden Heer, den Feind im Nacken,
Das nun schon dreimal abgesengte Land
Nochmals verheerend, – die düstern Winterregen durch, – zurück!
(Er ergreift plötzlich Taupadels Hand.)
Taupadel! Wenn ich Dich nicht hätte! ... Du bist treu!
Taupadel (einfach)
So lang noch ein Stück Leben in mir ist. –
Und Du, – Du bist ein großer General,
Weil Du das weißt, – und daß ich tausendmal
Lieber mit Dir zurückgeh, als mit jedem andern vorwärts.
(Bernhard drückt ihm noch einmal die Hand [...].)

Dieses Motiv wurde ganz unverhüllt ins Tagespolitische gewendet: In H. Johsts „Schauspiel" „Schlageter" [54] formuliert die Hauptfigur ihre Idee vom neuen Deutschland, das zugleich das Deutschland der Frontkämpfer sein wird. Dabei wird der Gegensatz Soldat — System noch durch den von Vätern und Söhnen überlagert: Schlageter prophezeit die Revolte der Soldaten gegen das Zivilsystem; die „nationale Revolution" von 1933 konnte sich hier, künstlerisch gestaltet, gerechtfertigt sehen, und so galt denn

[54] H. Johst, Schlageter, S. 35—37.

Johsts „Schlageter" (nicht zu Unrecht) als einer der gelungensten Versuche, das „neue" Drama des Dritten Reichs Realität werden zu lassen.

Alexandra

[...] Und wenn man euch fragt: Was wollt ihr eigentlich? Wir lieben diese schäbigen Kompromisse ... diese Judenvorherrschaft, diese Bonzenbürokratie, und wie immer eure Schlagwörter lauten mögen, ebensowenig wie ihr!

Aber schließlich habt ihr euch doch die Epauletten von den neuen Herren herrunterreißen lassen! Wir ... wir können doch nichts dafür, daß ihr Republikaner wurdet ... daß sich das ganze Offizierskorps durch einen roten Federstrich auflöste wie Salz im Wasser? Laßt mich reden! Ihr halben Helden! Ja, und dreimal ja: wir könnten euch Vorwürfe machen!!

So ... das mußte einmal herunter von der Leber!

Friedrich Thiemann

Die hat ein Tönchen am Leibe, was?

Leo Schlageter

Soweit sind Sie im Recht, Fräulein Alexandra ... Nur täuschen Sie sich — meine ich — in einem: Wir haben die Epauletten heruntergetan ... wir sind euch entgegengekommen, um des lieben Friedens willen ... Wahrscheinlich ein großer, nicht wieder gutzumachender Fehler. Er geschah aus Liebe! Wir halben Helden, Fräulein Alexandra, wollten nicht über Nacht mit veränderter Front gegen die innere Hälfte unserer Welt kämpfen ... Wir wollten Deutschland nicht mit Epauletten und Handgranaten erobern! Wir glaubten, daß Deutschland eben so geworden sei, wie es sich gab, und wir glaubten in unserer Dummheit, daß wir ein verlorener Haufe wären ... daß wir im Trommelfeuer ein Jahrhundert menschlicher Zivilisation ... ein Jahrtausend menschlichen Fortschritts verschlafen hätten! Der Soldat ist schwer von Begriffen. Er dient treu wie ein Knecht seinem Bauer. Und nun, da wir Kameraden alle sehr einsam wurden und jeder sich mutterseelenallein auf sich selbst gestellt sieht, sehen wir langsam ein, daß wir gar nicht in Deutschland sind ... daß wir gar nicht zu Hause sind ... daß wir unter Fassaden potemkinscher Dörfer leben ... daß die Verbrüderung, von der man uns sprach, Kitsch ist, daß wir hier Fremdkörper sind, wir Kameraden! Daß wir wie ein Filmstreifen sind: hin und her gehetztes Licht und hin und her gehetzter Schatten! Und ganz langsam, Fräulein Alexandra, nähen wir uns die Epauletten wieder an die Waffenröcke ... Jeder für sich auf seine Weise ... Und eines Tages ... sind wir Deutschland!! (Unheimlich) Gemütlich wird das nicht, denn wir sind Brüder von einem ganz eigenen Schlage! Wir sind keine kaiserlichen Soldaten, keine republikanischen ... wir sind Deutsche!

Da weiß niemand, was das heißt und woran er ist ... Das Wort ist so verrätselt und versiegelt geblieben, wie es schon dem Tacitus war ...

Und wenn ich meinem Kameraden, Ihrem Bruder, die Meinung sagte, dann dürfen Sie das nicht mißverstehen, Fräulein Alexandra ... Ihr alle versteht so etwas immer falsch. Wir sind keine Söhne mehr, keine Brüder, keine

Väter, überhaupt keine Verwandten ... Wir sind nur noch Kameraden!! Und denken Sie ja nicht, wir stürben aus ... unsere Generation wäre bald überaltet und begraben ... Das Wunderbare ist, daß zu uns immer mehr Deutsche stoßen. In jeder Stube wächst eine kleine Gemeinschaft von dergleichen Ordensbrüdern. Wir haben keinen Namen, kein Programm. Nichts von dem, was ich Ihnen da sage, ist beweiskräftig ... Nehmen Sie es als Spuk ...

Friedrich Thiemann

Leo! Junge!! Mir aus der Seele gesprochen ...

Leo Schlageter

Hier treiben wir jetzt unsere Sappen ... die Klassifikation der Konten ... Bücher der doppelten Buchführung ... Wir fürchten nichts! Das ist das einzige, was von uns feststeht!

So mag denn die Bedeutung des „Helden" im Drama des Dritten Reichs deutlich geworden sein und sich zugleich erwiesen haben, wie bei aller nötigen Differenzierung der Autoren doch gemeinsame Tendenzen festzustellen sind. Das „Wollen" des Helden als der Mittelpunkt seines heroischen Daseinsgesetzes ist in allen herangezogenen Textbeispielen das konstituierende Element dieser Figuren, und zwar unabhängig davon, ob dieser Dynamismus eher biologistisch (wie bei Johst), in einer vorgeblichen Reichsmetaphysik (wie durch Roth) oder in einem Pseudoidealismus (wie in Bacmeisters Dramen) begründet erscheint; alle zitierten Dramenfiguren predigen die „Bewegung" als entscheidendes Prinzip weltlicher und kosmischer Ordnung. Von diesem zentralen „Gesetz" aus lassen sich alle anderen bezeichnenden Züge des „Helden" ohne großen Zwang ableiten, und zugleich wird sichtbar, in welchen geistesgeschichtlichen und ideologischen Zusammenhängen sie gesehen werden müssen.

VI. LETZTE WERTE IM DRAMA DES DRITTEN REICHS

a) *Die überindividuellen Bindungen an Gemeinschaftsformen*

Indem also der Held in eine seinem Wesen gemäße und notwendige Vereinsamung gebracht wurde, die sich nur in der Gemeinschaft der gleichfalls schicksalsmäßig Isolierten scheinbar aufheben ließ, wurde eine wesensmäßige Beziehung des Helden zur Welt überhaupt geleugnet; er ist ausschließlich auf sogenannte letzte Werte bezogen. Aus dieser Setzung resultierten zwei mögliche Positionen gegenüber der erfahrenen Umwelt, die sich historisch als die moderne Industrie- und Arbeitswelt darstellt (allerdings auch in historische Draperien verfremdet werden konnte): Entweder wird diese Ordnung überhaupt negiert und als wesenlos deklassiert, oder es werden angebliche Urformen menschlicher Existenz gesucht, die auch der Moderne zugrunde liegen sollen. Eine Beschäftigung mit der gegenwärtigen Gesellschaft wurde aber fast in jedem Fall abgelehnt. Unter diesem Aspekt gliedern sich das Drama des Dritten Reichs und die Gedankengänge, die gestaltend darauf gewirkt haben, in die Gesellschafts- und Kulturkritik ein, die so überaus charakteristisch für das Selbstbewußtsein der bürgerlichen Weltanschauung ist. Aber in der Kritik an den bestehenden gesellschaftlichen Verhältnissen wird keine Perspektive in die Zukunft entworfen, die Probleme und Unmenschlichkeiten dieses Systems lösen helfen könnten, sondern die ganze Ordnung wird als seinslos verworfen, ihr jede existentielle Realität abgesprochen und in ratloser Rückschau auf frühe Lebensverhältnisse, die man als ewig pries, wo sie doch nur historisch versunken waren, reale und metaphysische Heilung gesucht. Die Ambivalenz moderner Formen von Gesellschaft und Arbeitswelt werden so verkannt.

Die Folge solcher geistigen Fluchtreaktionen war nicht die Veränderung der Gegenwart, sondern gerade die Fixierung ihrer als unerträglich und unmenschlich bezeichneten Charakteristika, denn die Gegenwart blieb unbewältigt und damit auch unverändert, ja, indem man die Notwendigkeit, sie kritisch zu analysieren, nicht anerkannte, wurde sie sogar noch befestigt: Das Drama des Dritten Reichs verkündete beispielsweise als eines seiner zentralen Themen die Wert- und Ordnungswelt des soldatischen Lebens, wobei die Begriffe der Disziplin und der Unterordnung des Ich unter einen (idealen) Gesamtwillen besonders betont wurden. Es ist aber gerade ein Problem der industriellen und technisierten Arbeits- und Lebenswelt, daß sie gemäß ihrer Struktur Disziplin, Selbstbeschränkung jeder nicht-koordinierbaren Eigeninitiative und Einordnung aller, auch oft sehr banaler Lebensimpulse in das System erfordert, damit das komplizierte Kräftespiel wechselseitiger Beziehungen, Bedingungen und Abhängigkeiten nicht gestört und das ganze Gefüge nicht in seinem Lebensnerv gelähmt wird. Militärische Disziplin zu fordern und die soldatische Lebensordnung als heilendes Gegenbild zu den als unerträglich empfundenen Strukturen des Industriezeitalters zu empfehlen, bedeutet aber in dieser gesellschaftlichen Situation, gerade jene verborgene Inhumanität der modernen Welt (wenn man sie an einem Humanitätsbegriff mißt, der als freie Entfaltung der Persönlichkeit gemäß ihrer Lebensgesetze definiert ist, wie es die Kulturkritik im Gefolge der Klassik tut) zu sanktionieren. Aber auch die Gegenposition wurde eingenommen: es wurde der Kult des freien, unabhängigen Genies neu verkündet, das sich in seinem Handeln über alle Rücksichten hinwegsetzt und die gesellschaftliche Realität somit als minderrangige Gegebenheit ignoriert. Auch diese Ideologie löst, indem sie leugnet, nicht die Probleme moderner Lebensformen.

In ähnlicher Weise wurden wirtschaftliche und gesellschaftspolitische Fragestellungen im Drama des Dritten Reichs behandelt. Läßt man die Erkenntnis, daß staatliches und gesellschaftliches Leben nicht allein nach ökonomischen Gesichtspunkten und nach dem Prinzip des kapitalistischen Liberalismus zu gestalten ist, in der Rückführung sozialer Bindungen auf Beziehungen, die Primärgruppen eigen sind, gipfeln, so bedeutet das (da diese Reduktion noch nicht einmal die progressive, verändernde Kraft der sozialen Utopie besitzt), die ökonomischen und kapitalistischen Impulse der spätbürgerlichen Industriegesellschaft — indem sie unreflektiert bleiben — zu intensivieren. Ignorieren von Problemen bewirkt nicht deren Aufhebung sondern ihre Verschärfung.

So werden die Helden unter Umgehung der Realität absoluten Werten verpflichtet, die ihre Begründung nicht in der Lebenswirklichkeit des jeweils Gegebenen und seinen Zusammenhängen finden, sondern in einem vagen, nicht näher gekennzeichneten metaphysischen Raum. Dieser Horizont wird etwa durch die Vokabeln Gemeinschaft, Volk, Reich, Schicksal, „Leben" gekennzeichnet, die jeweils Steigerungen hinsichtlich ihres metaphysischen Gehalts darstellen; eine Bindung schloß eine andere, weitergreifende auch nicht aus.

Der Ideologie des Dritten Reichs sind die Termini Rasse, Volk, Nation, Reich nicht allein Vokabeln des realen, weltlichen Bezugs, sondern sie entfalten ihre volle Bedeutung erst in der Transzendenz. Zu Beginn seines „Mythus des 20. Jahrhunderts" beschreibt Rosenberg das grundlegende Lebensgesetz, das nach seiner Meinung die Geschichte bestimmt: „Heute aber beginnt ein ganzes Geschlecht zu ahnen, daß nur dort Werte geschaffen und erhalten werden, wo noch das Gesetz des Blutes Idee und Tat des Menschen bestimmt, sei es bewußt oder unbewußt. Auf unterbewußter Stufe vollzieht der Mensch in Kult und Leben die Gebote des Blutes gleichsam im Traumschlaf, ‚natursichtig', wie ein glückliches Wort das Wesen dieser Übereinstimmung zwischen Natur und Gesittung bezeichnet. Bis die Gesittung in Ausfüllung aller unterbewußten Tätigkeit Bewußtseins- und Lehrinhalt, immer mehr intellektuell wird und auf später Stufe nicht schöpferische Spannung, wohl aber Zwiespalt begründet. So entfernen sich Vernunft und Verstand von Rasse und Art, losgelöst aus den Banden des Blutes und der Geschlechterreihen fällt das Einzelwesen absoluten, vorstellungslosen Geistesgebilden zum Opfer, löst sich immer mehr von der artlichen Umwelt, mischt sich mit feindlichem Blut. Und an dieser Blutschande sterben dann Persönlichkeit, Volk, Rasse, Gesittung. Dieser Rache des Blutes ist niemand entgangen, der die Religion des Blutes mißachtete: weder die Inder noch die Perser noch die Griechen noch die Römer. Dieser Rache wird auch das nordische Europa nicht entgehen, wenn es nicht Umkehr hält und sich von geistig leeren Nebengebilden [sic], blutlosen absoluten Ideen abwendet und wieder vertrauend hinzuhorchen beginnt auf den verschütteten Sprudel [sic] seines ureigenen Lebenssaftes und seiner Werte." [1] Diese Bindungen des Menschen an höhere Mächte will das Drama des Dritten Reichs exemplarisch darstellen, um den nordischen Menschen „natursichtig" zu erhalten.

Wie sehr das Gesetz des Bluts, das die Götter schützen, den Lauf der Artgeschichte bestimmt, zeigt E. W. Möller in seinem „Spiel" „Das Opfer" [2]: Ein Woiwode ist mit Zustimmung des Kaisers in deutsches Siedlungsland gekommen, um den Rassengegensatz zwischen Deutschen und Slawen zu überwinden. Das tut er auf seine Art, indem er die Deutschen

[1] A. Rosenberg, Mythus, S. 22 f.
[2] E. W. Möller, Das Opfer, S. 29—32.

knebelt und vorgibt, eine alte Schuld strafen zu müssen. Als man nach einer solchen forscht, stellt sich heraus, daß man vor langer Zeit einmal einen Slawenjungen erschlug (was sich später übrigens als Irrtum herausstellt). Der Dorfälteste war Zeuge der damaligen Vorfälle und berichtet nun dem jetzigen Richter und dem kaiserlichen Feldhauptmann:

Der Gemeindeälteste
Ja, man schlug ihn tot.
Der Feldhauptmann
Man schlug ihn tot?
Der Gemeindeälteste
Mit einem kleinen Wolf,
Den man im Winter findet, klamm und winselnd,
Und mit sich nimmt, aus Neugier mehr als Vorsicht,
Macht man nicht langes Federlesen, Herr,
Wenn man ihn eines Morgens knurren hört
Und an den Lichtern, dem Gebiß, der Bürste
Erkennt, daß aus dem kleinen Tier ein großes
Und aus dem Spielzeug eine Bestie wird.
Der Richter
Und das erkanntet ihr?
Der Gemeindeälteste
Mit diesem Knaben
War etwas nicht geheuer, Herr.
Der Richter
Er stahl?
Der Gemeindeälteste
O nein.
Der Richter
So war er faul, verlogen, grausam, tückisch
Und undankbar?
Der Gemeindeälteste
Das alles nicht. Allein
Ein sonderbarer Vorfall, voll Bedeutung
Und rätselhaft zugleich, belehrte uns,
Daß er das alles hätte werden können.
Der Feldhauptmann
Erzähle uns den Vorfall.
Der Gemeindeälteste
Herr, es war
Im Sommer bei der Mahd. Der Knabe lag,
Als mittagliche Rast war, bei den andern
Im glühendheißen ungeschützten Rain
Und mochte wohl mit allen andern leiden.
Nicht weit davon indessen stand ein Birnbaum,

Der einzige ringsum, und drunter schlief
Die Tochter seines Herrn, ein lieblich Kind,
So alt wie er, vielleicht ein wenig älter.
Es sei nun, daß er nach dem Schatten suchte,
Sei's auch, er hatte hitzig, frühreif, lüstern,
Wie solche fremden wilden Jungen sind,
Sein heimliches Gefallen an dem Mädchen,
Er trollt sich auf den Birnbaum zu,
Betrachtet sich mit Unverforenheit
Die Schlafende und hockt sich vor sie hin.
In diesem Augenblick nun stößt vom Himmel
Aus unermeßnen Höhn ein Adler nieder,
Zieht anfangs weit, dann immer eng und enger
Mit magischer Berechnung, will uns scheinen,
Die es mitansehn, seinen Kreis um beide.
Und wie wir noch erschrocken näherlaufen,
Da wälzt sich plötzlich vom Gebirge her
Ein ungeheurer Schaum von roten Wolken
Gleich einem Ball, der frei im Äther schwebt,
Und ein Gewitter, wie wir's nie erlebt,
Entlädt sich brüllend über unserm Ort.
Kein Regentropfen fällt, ein Feuerkranz
Von Blitzen rast sich aus, als ob die Sonne
In tausend spitze weiße Funken splittert,
Und blendet uns. Als wir die Augen öffnen,
Da ist der ganze Spuk, wie er gekommen,
Aus Nichts zu Nichts verflogen.

Der Richter

Wunderbar.

Der Gemeindeälteste

Ja, wunderbar und wunderbarer noch:
Genau das gleiche Schauspiel wiederholt sich
Mit allen Zeichen gleich am nächsten Tage
Und so am dritten Tage abermals.
Da ging uns denn die Sache zu Gedanken,
Das Amt beriet, was sie bedeuten könne,
Und alle waren einig, daß der Knabe
Dem Ort einst großes Unheil bringen werde,
Wenn man sich seiner nicht zuvor versehe.

Der Richter

Und darum brachtet ihr ihn um? Es hätte
Doch auch genügt, ihn aus dem Land zu jagen.

Der Gemeindeälteste

Verjagt man Ratten, schlägt man sie nicht tot?
Du kennst die Fremden ja; sie sind wie Ratten,

Und wo man heute eine übersieht,
Da stößt man morgen auf ein ganzes Nest,
Und übermorgen sind sie eine Seuche.
So sagte sich der Richter und entschied –
Er war ein strenger Mann und unerbittlich –
Wir sollten tun, was nötig ist, und schweigen.

Die Rassengemeinschaft ist göttlich eingesetzte Institution, ihre Forderung deswegen absolut bindend. Ebenso ehern wie das Gesetz des Bluts ist der Befehl des Führers, der, wie oben gezeigt [3], die Verkörperung des metaphysischen Volks- und Rassenwillens ist. Sein Spruch ist so bindend wie der des Schicksals, ja er ist Schicksal. Fr. Bethge beschreibt in seiner „Tragödie" „Rebellion um Preußen" [4] den Aufstand deutsch und preußisch-völkisch gesonnener junger Ordensritter gegen die vergreiste, polenhörige, unvölkische Politik des Ordens-Kapitels und der „Gebietiger". Hochmeister von Plauen steht zwar innerlich auf der Seite der Jungen, aber die Satzung als die geistige Ordnung des Ordens ist ihm das Höchste; deswegen wendet er sich gegen die reformerischen Rebellen. Im folgenden Szenenausschnitt wird gezeigt, wie diese in eine Sitzung des Kapitels einbrechen, um Plauen gegen die nach ihrer Meinung landesverräterische Fraktion auf ihren Schild zu heben:

Georg
Haltet die Pforte besetzt, daß keine Ratte durchschlüpft!

Reuß
Heißt mich, mein Bruder, einen Sturzbach aufhalten mit den bloßen Händen!

Georg
Verfluchter Spittler, gib den Meister heraus, den du in frecher Überhebung gefangen hälst! – du lästig Überbleibsel von Tannenberg!

Hans (vor Plauens Sänfte niederknieend)
Mein Vergötterter!

Plauen (sich aufrichtend – ruhig)
Sie sind gefangen! Nehmt ihnen die Wehren ab! (Lähmendes Schweigen.) – Da die Gebietiger Unserm Befehl taub bleiben – wie stets, wollen Wir ihnen ein Kapitel Satzung exerzieren. Georg von Burkheim, Mitglied des Ehrentisches!

Georg
Zum Zeichen unabdingbaren Gehorsams! (Legt die Wehr nieder.)

Plauen
Eberhard von Gleiwitz, Mitglied des Landesrates!

[3] Vergl. oben S. 67–82.
[4] Fr. Bethge, Rebellion um Preußen, S. 47.

Eberhard

So streckt der Landesadel Preußens die Wehr vor Eurer Gnaden in unverbrüchlichem Gehorsam! (Tut es.)

Plauen

Hans!

Hans

Für dich, Vergötterter, das Leben! (Legt die Wehr nieder.)

Plauen

Ihr, Ritter und Landesedle, legt nieder eure Wehren und harret Unsres Spruchs! (Es geschieht.) Nehmt die Anführer gefangen! (Bewegungslosigkeit.) Da die Gebietiger nicht hören, — Georg, Hans, Eberhard, gebt euch Unserm Bruder, dem Komtur von Danzig gefangen!

Georg

Und führtest du uns geradenwegs zum Richtblock, wir sind gefangen dir, du Herrlicher, mit Leib und Seele. (Gibt sich Reuß gefangen.)

Hans

O weh, dahin, dahin der Traum, und alles verloren! (Hin zu Reuß.)

Eberhard

Und die — Gans soll ungerupft sein, Euer ungnädige Gnaden? — und ich soll dieses Espenlaub nicht angehn dürfen — ohne Wehr? — nur auf den Lebensodem prüfen? —

Georg

Eberhard, gehorcht! (Es geschieht.) — Es ist der Brauch nicht, daß der Meister zweimal befiehlt.

Bethge zeigt, wie sich alle an der Rebellion Beteiligten, und auch der Hochmeister selbst, dem absoluten Führerbefehl beugen, der, wie in anderem Zusammenhang des Dramas erörtert wird, göttlich sanktionierter Wille ist. Nun ist es aber ein deutsches Erbübel, daß die Volksgenossen das nicht immer einsehen wollen, entweder weil sie, durch niedere Egoismen verführt, auf eigene Wege geleitet werden, oder weil sie ein verblendeter Individualismus das allgemeine Wohl aus dem Auge verlieren läßt. So ist die deutsche Zwietracht selbst der größte Feind der Deutschen, die im Felde unbesiegt, der häuslichen Tücke erliegen, in Geschichte (so in Lauckners „Bernhard v. Weimar") und Gegenwart; sie erhebt in der Zerfaserung deutscher Gesinnung und deutscher Politik in der Separatistenbewegung nach dem Ersten Weltkrieg wieder einmal ihr Haupt. So jedenfalls schildert es P. J. Cremers in seinem „Schauspiel" „Rheinlandtragödie"[5], in dem der Zuschauer bzw. der Leser Zeuge des folgenden, die politische Lage diskutierenden Gesprächs wird:

[5] P. J. Cremers, Rheinlandtragödie, S. 59—62.

Vogels

Sie wollen mit legalen Mitteln aus dieser furchtbaren Lage herauskommen. Sie wollen *eine deutsche Rheinrepublik!*

Mayer

Das war einmal. Das haben sie gewollt. Aber in Koblenz hat man sie ausgelacht. Wissen Sie, Frankreich weiß uns zu fassen. Das kennt den guten deutschen Michel, diesen alten dummen Hüh- und Hottschimmel, der von vorn und von hinten, von rechts und links regiert und drangsaliert wird. Darf ich Ihnen verraten, was die wollen?

Vogels

Woher sollen Sie das ausgerechnet wissen?

Mayer

Woher? Weil ich die Augen aufmache, weil ich lesen kann, weil ich die Geschichte kenne. Das ist ein ganz einfaches Exempel. Deutschland liegt am Boden, ohnmächtig und zertreten. Frankreich ist mächtiger denn je. Da holt es sich, was es haben will. Und wir kommen ihm entgegen – mit dem kostbarsten Geschenk –

Vogels

Na –

Mayer

Mit unserer deutschen Uneinigkeit, Schlappschwänzigkeit – Führerlosigkeit. –

Vogels

Das ist nicht wahr. Haben wir nicht starke Parteien? Sie tun unrecht! Das ist echt deutsch.

Mayer

Nein. Ihre Blindheit ist strafwürdig. Sie sehen nicht, was hinter den Kulissen geschieht. In Barmen beschließt Ihr Provinziallandtag: Treue und Einigkeit, keinen Verrat! Das Rheinland bleibt beim Reich. In Trier tritt ein Oberbürgermeister vor und sagt: „Ich stehe in aller Ehrlichkeit und Offenheit auf dem Standpunkt, daß eine Rettung Deutschlands und der Rheinlande *ohne* Änderung der jetzigen staatsrechtlichen Beziehungen der Rheinlande zu Preußen und damit auch zu Deutschland *nicht* möglich ist –". Und in Köln auf dem Rathaus, was wird da gespielt? Ich traue ihnen nicht, diesen Herren.

Vogels

Gerede, alles Gerede.

Mayer

Die Geschichte wird urteilen. Wir werden es erleben. Ich frage Sie, was haben diese Herren dauernd in Koblenz bei Tirard zu suchen?

Vogels

Wenn's aber nachher gutgegangen ist, wer hat es dann geschafft?

Mayer

Ihre Parteien nicht. Aber was heißt hier gutgehn? Hier hat nichts gutzugehn! Hier soll jeder seine Finger draushalten, verstehen Sie. Hier hat nur einer zu verhandeln. Und das ist das Reich.

Vogels

Ja, wird denn nicht im Auftrage des Reichs verhandelt?

Mayer

Vielleicht. Aber wer ist das Reich! Heute der, morgen der. Ich kann die Namen nicht alle behalten. Das ist unser tiefstes Unglück. Wir haben keinen ,– keinen – – der führt.

Vogels

Wir sind alle dabei, ehrlichen Sinnes das Beste zu tun.

Mayer

Alle! Das Beste, das Beste! – Das kann auch das Falsche sein. Man muß das *Richtige* tun!

Vogels

Und das wäre?

Mayer

Immer genau das, was den Gegner am meisten trifft.

Vogels

Und was ist das?

Mayer

Der Angriff! Immer der Angriff!

Vogels

Was können wir machen, Du lieber Gott!

Mayer

Aus Ihrer Antwort spricht der Bürger. Und der fragt immer: was können wir machen?

Vogels

Der Bürger hat in diesem Handel, so dächt' ich, seinen Mann gestanden.

Mayer

Der Bürger wie der Arbeiter und der Beamte, soll nicht vergessen sein. In Aachen, in Rheydt, in München-Gladbach, am Blutsonntag in Düsseldorf. –

Vogels

Und in der Pfalz –

Mayer

Überall, Vogels, überall. Wir sind nicht schlechter als die anderen. Aber wir überlegen zu viel, politisieren zu viel und handeln zu wenig. Wenn der Bürger anfängt, Deutscher zu werden – dann ist er Kämpfer – – aber er will und muß geführt sein. Einer muß vorangehen. Bauernblut muß umgehen, ewiges Soldatenblut muß empört sein, dann –

Aber Uneinigkeit läßt sich besiegen, und es ist eines der Ziele des „neuen Deutschland", sie endlich zu überwinden. Einigkeit war einer seiner Schlachtrufe und: *Ein* Volk, *Ein* Reich, *Ein Führer* die Parole. In seinem „Thingspiel" „Der Weg ins Reich" zeigt K. Heynicke exemplarisch, wie sich die Uneinigkeit im Opfer der (durchaus berechtigten) Eigeninteressen bezwingen läßt und die neue Volksgemeinschaft ihre einigende Kraft auch im Einzelschicksal beweist: Das Tal wird immer vom Hochwasser bedroht und der Heimkehrer — der, der ins Reich heimkehrte! — will einen Staudamm bauen; zunächst zeigt sich Widerstand, bis sich allein noch die Opfernde weigert [6]:

Der Heimkehrer (groß und stark, jäh einsetzend)
Das Dorf verlegen, das geht nicht an!
Aber ich kam zu anderem Schluß:
Wir überlisten den tückischen Fluß,
Schon auf den Bergen fang ich ihn auf
Und bestimme ihm einen neuen Lauf.
(mit großen Gesten seinen Plan erklärend, er deutet hierhin und dorthin in die Landschaft — immer mehr auch selbst von seinem Plan ergriffen)
Zwei Ziele scheint es, muß man hier zusammenraffen:
Die Flut zu *dämmen* — — neues Land zu *schaffen*!
Im Sonnengrund muß ich die Wasser stauen,
Die Fluten sperrend, eine Mauer bauen. —
Wir regulieren durch solchen Bau
Den Stand der Wasser auf den Zoll genau!
(fast still und verbissen)
So ist der Fluß in *unserer* Hand!
(wieder groß und hell)
Nun zieh ich Kanäle durchs brache Land,
Und aus geschlagnen und dürren Bezirken
Wird Heimstatt und Siedlung in tätigem Wirken!

Die Opfernde (fast lauernd)
Im Sonnengrund willst du die Wasser stauen?
Die Fluten sperrend eine Mauer bauen?
(klar)
Ich glaub, du verteilst mit raschem Mund
Fremdes Eigentum! Oder hat niemand dich belehrt,
Daß der Sonnengrund *mir* gehört?
Und den Sonnenhof, du Mann der Theorie —
Den setzest du unter Wasser, wie?

Der Heimkehrer
Der Sonnengrund wird Stausee.

Die Opfernde
Und mein Hof??

Der Heimkehrer
Muß verschwinden!

Die Opfernde (voll Widerstand)
Und ich, ich soll mich dareinfinden?!

[6] K. Heynicke, Der Weg ins Reich, S. 24—31.

Der Heimkehrer
Aber ein anderer Boden ruft ja nach dir!
Neue Heimaterde schaffen wir.
Ein neuer Hof und neues Feld
Wird dir nicht allzuweit gestellt –
Und schon nach wenig harten Tagen
Wirst du junge Wurzeln schlagen!
Die Opfernde
Mein Acker ist nicht irgendein Feld.
Mein Haus, mein Hof sind eine *Welt*. –
Die mußten in aberhundert Jahren
Geschlechter bauen, Geschlechter bewahren.
Die *Ahnen* stehn auf. Ich hör ihren Schrei:
Unsern ewigen Grund, ich geb ihn nicht frei!
(zu allen)
Der steckt seinen Plan bald wieder ein,
Denn Hof und Acker – bleiben mein!
Der Heimkehrer (still)
Eins, dünkt mich, müßtest du verstehn:
Du müßtest nicht dich, sondern das Ganze sehn.
Und die Pläne gehören gar nicht mir.
Die Opfernde
Wem denn?
Hauptchor
Uns allen hier
Chor der Kämpfenden I
Wir wollen Tal und Dorf bewahren
Vor Wassersnöten und Gefahren.
Chor der Kämpfenden II
Aus brachem Grund und totem Moor
Zaubern wir junges Neuland hervor!
Hauptchor
Und opfert einer noch soviel,
Über dem Opfer – – stehet das Ziel!
Der Kämpfer
Gib den Hof und gib den Grund!
Die Opfernde
Ich kann nicht.
Hauptchor
Gib den Hof und gib den Grund!
Die Opfernde
Mein ist der Grund! War auch oft in Not!
Ich schwur meinen Ahnen, treu bis zum Tod
Der Heimat zu sein. Ich kann nicht anders!
Der Hof bleibt mein!

Der Abtrünnige (auf der Spielmauer erscheinend — höhnend)
Im Willen, dem reinen,
Entfaltet sich Macht!
Nun *zeiget* im kleinen,
Was im großen vollbracht!
Da hat man's wieder! Die Ideologie —
Geht's um die *Tat*, dann verkümmert sie!
Worte sind gut! Aber stumpfe Messer!
Ich wage zu sagen: Beweise sind besser!
(zur Opfernden)
Laß die nur mit ihren Plänen wandern!
Erst kommst du — und dann die andern!
Und du und ich, wir sind nun fest verbündet!
Zeig Widerstand allem, was *der* da verkündet —
Und glaube ja nicht, du stündest allein!
Ich habe Freunde in jenen Reih'n!
(zeigt auf den Hauptchor)

Der Kämpfer
Lausch nur dem da, dann bist du verraten,
Der hat nur Worte und keine Taten.

Die Opfernde (bitter)
Ich weiß, ich weiß! Die Taten hast du!
Willst Acker und Feld und die Heimat dazu!

Chor der Kämpfenden I
Wo Hand in Hand sich bettet,
Einigkeit die Menschen kettet —

Chor der Kämpfenden II
Wo aus gleichem Blut und Stamme
Aufglüht der Begeist'rung Flamme —

Chor der Kämpfenden I
Wo Gemeinschaft wird zur Kraft —

Chor der Kämpfenden II
Und mit heißer Leidenschaft — —

Chor der Kämpfenden I und II
Werk und Wille sich erhebt,
Da ist Heimat!

Hauptchor
Deutschland lebt!

Der Abtrünnige
Ja, Deutschland lebt! Nun laßt einmal sehn,
Was ihr da wollt: Kann es bestehn?
Zu jedem Plan, so ist's noch immer in der Welt,
Gehört vor allem das eine: Geld!

Hauptchor
Wir wollen es schaffen! Wir reihen uns ein!

Der Abtrünnige
Ich weiß, ich weiß, ihr werdet nicht klein!
Ihr habt einen Plan, und wie geht es weiter?
Wer ist des Planes Wegbereiter?
Wer geht durch Instanzen? Und in Ministerien?
Da ruhen die Pläne! Inzwischen sind Ferien.
Und dann, man wird es in den Zeitungen lesen,
Ist wieder einmal bei euch Wassersnot gewesen.
Und endlich stirbt Plan und Ideal — —

Der Kämpfer
Heut ist das anders! Das *war* einmal!
Heut lebt bei uns ein andrer Geist!

Der Abtrünnige (voll Hohn)
Was du nicht weißt!
Dann *zeig* mir doch, wie's anders geht.
Womit? Mit Reden, Gesang und Gebet?
Sorg doch, daß sich euer Gemeinschaftsgeist
Hier im großen Kleinen beweist!
(gesteigert)
Den Sonnengrund frei
Und die Wasser gebannt —
So preist Gemeinschaft
Das Vaterland!
(höhnisches Gelächter)

Der Kämpfer
Du redest im Hohn und meinst es im Bösen!
Gerade darum! Das wird uns auch diesmal erlösen!
Ich weiß, es gibt Neider dem deutschen Land!

Chor der Kämpfenden
Wir aber wachsen im Widerstand!
(Paukenrhythmus)

Hauptchor (*eine* Stimme beginnt und spricht die erste Zeile; von der zweiten Zeile an kommen mit jeder Zeile immer mehr Stimmen hinzu)
Es hatte Einer die Flamme entfacht,
Einer trug einsam den Schwur durch die Nacht,
Und er schritt durch die Nacht,
Und er schritt durch die Not
Und griff beherzt ins Morgenrot.
(Bis hierher ist der ganze Hauptchor eingesetzt, jetzt setzt noch der Chor der Kämpfenden ein — alle sprechen weiter)
Das Wort war Schwur!
Der Schwur war Schritt,
Der Schritt nahm andre Schritte mit,
Und der nun Marsch und Schwur getan,
Trägt uns die junge Fahne voran:
Deutschland!

Die Opfernde (einfach und fast visionär)
Deutschland — auch *ich* geh ja mit!
Mit allen geh ich in gleichem Schritt!
Der Schritt, das Wort, der Schwur ist auch *mein*!
Wir sind ja ein — Volk! Ist ja keiner *allein*!
Meine Heimat — — —
(gesteigert)
Ja, ich geb sie der *größeren* frei,
Auf daß *euer* Werk auch das *meine* sei!
(Schweigen)
Chor der Kämpfenden
Die *Heimat* gab sie! Das ist viel!
Die Opfernde (still in ein großes Schweigen hinein)
Über dem Opfer stehet das Ziel!

Diese Stelle zeigt deutlich, daß es bei dem Opfer der Opfernden nicht darum geht, durch Aufgabe eines Nutzens einen größeren Vorteil zu erringen, selbst wenn er nicht dem einzelnen zugute kommt, sondern einer Gesamtheit. Die Gemeinschaft, die sich hier konstituiert, ist keine empirische, nicht eine abzählbare Kopfzahl; ihr Mittelpunkt liegt außerhalb des errechenbaren Zusammenhangs, er ruht im Raum des Emotionalen. Das ist Thema in Schumanns „Drama" „Das Reich" [7]: Während der „Kampfzeit" bemühen sich Gregor, der Anführer der Kommunisten, und Schwarz, der Führer der SA, um den revolutionär denkenden Studenten Bäumler, Sinnbild des suchenden jungen Deutschlands. Der fordert eine radikale Revolution, die Auflösung der Individualität in der Gemeinschaft. Schwarz versucht ihn davon zu überzeugen, daß die Sehnsucht des „Ich" zum „Wir" gerade die Idee der völkischen Bewegung sei. Bäumler schlägt sich zunächst ins Lager der Kommunisten, wird aber später auf die rechte Seite geführt — getreu dem Grundsatz, daß nicht die Rede, sondern allein das Erlebnis in Lebensfragen entscheide:

Bäumler
[...] Genug hab ich, genug von dem ganzen Schwindel! Von Euch allen — auch von dir! Das andere will ich — das ganz Andere! Herrgott —
Schwarz (freudig)
Gut. Du Träumer wach auf. Es ist da. Es ist Zeit. Ich will dich holen. Ich hab dich nie gedrängt. Jetzt aber hol ich dich. Es geht los.
Bäumler
Träumer? — Nein. Das ist vorbei. Jetzt weiß ichs. Heut Nacht bin ich zur Wirklichkeit erwacht. Spürst du es nicht? Das ist keine Nacht zum Schlafen

[7] G. Schumann, Das Reich, S. 29—33.

und Kindermachen — wie gestern und übermorgen — heut Nacht umschlingen sich andre Gewalten — im Todeskampf — und ringen um die Zeugung einer neuen Zeit! Wie der Sturm durch die Straßen orgelt —

Schwarz

Wer war der Mensch?

Bäumler

Ach was der Mensch — das ist es nicht — genug hab ich! Es ist ja Irrsinn, geht dich ja gar nichts an. Aber es muß einmal heraus, auskotzen muß ich diese Verlogenheit — diese Abschnürung — diese Sinnlosigkeit — wo ist noch eine Haltung? Ein Durchfluten des Lebens — ein Gestaltwille — fang doch mit dem Studium an: Statt Führern zum Leben und zu den Brüdern hocken auf unsern Kathedern so viele ausgetrocknete Spezialisten und Sezierer — Persönlichkeiten — und es geht nicht um die Wahrheit des Lebens sondern um die Beweisbarkeit des Gedankens. Statt Begeisterung geben sie Objektivität — gibt es was Feigeres als Objektivität, als dieses Sichdrücken um ein Wagnis und ein Bekenntnis? Sie sterilisieren das Leben und predigen die Impotenz und wissen nicht, daß sie im toten Raum stehen! Und so ists überall, überall Persönlichkeiten und Ellbogenfreiheit und Unfruchtbarkeit und Ausbeutung! Und *Ihr* macht mit, ihr wendet euch nur gegen die sogenannten Auswüchse, ihr findet das alles grundsätzlich in Ordnung, ihr faßt es nicht an der Wurzel. Man muß eine ganze Revolution machen können! Man darf keine Kompromisse schließen!

Schwarz

So einfach ist das nicht — du —

Bäumler

Weil ihr es nicht wagt, weil ihr vor der letzten Konsequenz zurückbebt — weil da zuviel Schaffotte von Blut triefen —

Schwarz

Mensch —

Bäumler

Ich hab ihn jetzt durchschaut, den Schwindel! Eure ganze Gesellschaft ist nichts als ein organisierter Tanz ums Ich, ums goldne Kalb dieser Zeit! Ich bin gefangen wie du und alle, verstrickt in dieses raffinierte Netz — in uns selbst gefesselt und vermauert — dort draußen warten die Brüder, die Unerlösten, und wollen deine Seele hören und deinen Willen tragen — die dunklen Massen —

Schwarz

O du entrinnst dir nicht —

Bäumler

Hast du nicht genug durchgefressen, hast du nicht genug hinuntergewürgt? Es gibt keine ganze Wahrheit, die dasteht und strahlt — sie muß in ein Nutzsystem passen, sie muß gezählt und berechnet und nach Soll und Haben gebucht werden können, es gibt keine Wirklichkeit, die sie nicht mit den Fingern betasten wollen, es gibt keinen Wert ohne Hintergrund, zur moralischen Aufrichtung oder in Bargeld, — es gibt keine Gemeinschaft, die nicht

Kulisse bilden müßte für dieses Spieler-Ich, diese aufgedunsene Nichtigkeit; nicht einmal mehr Liebe gibts — weißt du, diese ganze Leidenschaft, dies auf Tod und Leben, höchstens so was zur Unterhaltung, so was Dosiertes — so weit habt ihrs gebracht mit eurem Persönlichkeitskult, mit eurem Gesellschaftsklüngel, mit eurem Nachtwächterstaat, mit eurer Wissenschaft, mit eurer Paradekunst — alles nur Genuß — Selbstgenuß des größenwahnsinnigen Ich! *Ich* — *ich* — Das ist die Nabe auf die alle Speichen der Seele zulaufen — das ist der Brennpunkt, in dem alle Lüste und Ideale warm werden — das ist die Fratze, die dir aus Tat und Gedanken entgegengrinst —

Schwarz

Helmut, hier ist es ja was du suchst. Da stehn sie beieinander, in meinem Sturm, und da ist nichts von Ich und Gesellschaft und Parade! Da stehn sie die Verfolgten, verboten von dem Staat der Schande, gehetzt von fetten korrupten Bürokraten, Freiwild für die irregeführten Massen der Proleten — und sind doch eins und wachsen zu einer Wirklichkeit über das Alles hinaus, zusammengeworfen aus allen Nöten, vorwärtsgerissen von einem Ziel. Da steht Hannes der Schreiner neben Jochen dem Medizinstudent — da liegt der Hausknecht Fritz in seinem Blut, hinterrücks erdolcht, und der Jakob aus der Maschinenfabrik kniet bei ihm und weint. Da stehn sie alle und decken mit ihren Leibern die Fahne. Sie können es dir nicht erklären — ich auch nicht, aber das wächst herauf, Helmut, das war noch nicht, das wächst wie ein Schicksal — hinüber über alle Klüfte und Klassen —

Bäumler

Was frag ich nach Klassentheorien? Das ist es nicht. Aber der *ganze* Einsatz ist dort bei der Kommune. Ihr wollt ja gar keine Revolution. Ihr wollt irgendwie zurück, ihr wollt wieder irgendwo anknüpfen, es riecht nach Hurra und wir wollen unsern Kaiser wieder haben — ihr wollt euch irgendwie abfinden mit der Gegebenheit, ihr stellt euch auf den Boden der Tatsachen, ihr sagt ja zu der Natur die Gottes ist, ihr wollt paktieren mit der Geschichte. — Hier aber ist eine Brücke abgebrochen — ein Zurück ist unmöglich — eine rote Fahne wettert in die Zukunft, den Himmel aufreißend! Dieses grandiose Entweder-Oder — dieses sich in die Bresche der Zukunft werfen — der Einzelne stirbt und die Gemeinschaft lebt.

Schwarz

Es gibt nur eine Gemeinschaft. Die um dich wuchs und die dich hält und hütet. Die Erde die dich nährt. Das Schicksal das dich lebt. Der Himmel der deine Seele trägt. Das ewige Volk — Deutschland —

Bäumler (schreiend)

Ihr habt zuviel Schindluder getrieben mit diesen Begriffen, es klebt zuviel Blut und Schweiß der Unterdrückten daran, man denkt an Orden und Parade. Das alles muß vernichtet werden. — Wurzeln im Boden der Bruderschaft, atmen den Atem der Unerlösten — Mensch werden, erst recht Mensch werden im allgemeinen Du, ohne Hinterhalt und Gewinnsucht des Ich, Hingabe, Aufgabe in die umfassende Gewalt — *Wir!*

Schwarz

Das will der Führer. Das lebt er uns vor. Das sehnen die hämmernden Herzen, dafür sind sie in den Kerkern. Dafür tragen sie die Fahne durch die Nacht. Und es wird kommen, durch unser Blut, das Volk — das Reich —

In dem Bestreben, die Volksgemeinschaft — gegliedert, doch einig — körperlich sichtbar und ihre Existenz in der Anschauung erlebbar zu machen, wurde eine neue Form theatralischen Spiels herausgebildet, deren Tradition bis zu den großen Fêtes der französischen Revolution zurückreicht und deren monumentalste Realisierung die Reichsparteitage waren: das „Thingspiel". Dessen einziger Zweck bestand darin, das Volk sich selbst zum Erlebnis werden zu lassen. Als Beispiel einer solchen (inszenierten) Selbstdarstellung des Volks sei hier aus der Schlußszene von J. G. Schlossers „Chorischem Spiel von der deutschen Schicksalsgemeinschaft" „Ich rief das Volk!" zitiert [8]:

Die Jugend (aufbrausend)

Deutschland!

(Bei dem Ruf „Deutschland", der von allen aufgenommen wird, wird die Fahne der nationalsozialistischen Bewegung entrollt. Dann marschiert die Jugend, der Führer voran, in Sturmhaltung über das Spielfeld. Während dieses Vorgangs verdunkelt sich der Raum. Dann hört man, fernher Trompetensignale und abermals die Rufe „Deutschland erwache!", bis aus diesen Rufen organisch ein Marschlied der Erhebung wird, das näher und näher kommt. In einem großen Zuge marschieren nun die Ständegruppen, möglichst durch den Zuschauerraum, auf dem Spielfeld auf. Sobald der Zug dort ankommt, wird dieses hell. Stufenbühne. Auf der obersten Stufe steht der Führer in hellstem Licht und von vielen Fahnen umgeben. Auf den Stufen abwärts stehen zur Rechten des Führers Männer (Unterführer usw.), zur Linken Frauen (Chor der Mütter), weiter abwärts die Jugend. Während des Aufmarsches jubeln die Ständegruppen dem Führer zu.)

Der Führer

Volk!
Die flammenerfüllte Stunde verbrannte
Die Schlacken der Zwietracht im Feuer des Leids.
Noch lodert die Seele dir auf, die Zerquälte,
In jauchzender Freude nach Jahren einsamer Trauer.
Doch fordert die Stunde von uns auch ernste Besinnung.
Noch lauert der Feind dir im Busen, Volk!
Bevor diese Stunde verweht, legt eherne Rüstung an!
Schart euch um Amboß, um Hammer und Pflug!
Verteidigt in starker Gemeinschaft,

[8] J. G. Schlosser, Ich rief das Volk!, S. 34—35.

Was ihr euch opfernd erkämpft!
Auf steilen Stufen nur führt uns der Weg aus der Not!
In Treue verbunden vollbringt aus geeinter Kraft
Gemeinsam das Werk der Errettung!

Bauern
Wir legen das Korn in die deutsche Erde,
Damit es Deutschland zum Brote werde!

Unternehmer
Wir werden, der Not des Volkes zu wehren,
In unsren Fabriken die Arbeit mehren.

Architekten
Wir liefern zu neuer Arbeit den Plan!

Schiffer
Wir fahren auf Schiffen das Holz heran!

Schmiede
Wir schmieden das Eisen!

Steinmetzen
Wir brechen den Stein!

Künste
Wir stehn für die deutschen Künste ein!

Bergleute
Wir graben in deutscher Erde das Erz!

Jugend
Wir schenken dir, Deutschland, froh unser Herz!

Mütter
Bereit ist das Volk zum gemeinsamen Werk.
Daß rechter Geist es erfülle, tritt
Die fragende Seele vor dich.

Dem konventionellen Innentheater und der herkömmlichen Freilichtbühne waren solche Mammutinszenierungen verwehrt; sie mußten die Massendarbietungen durch „geistige Vertiefung" ausgleichen, und für eine ideologiekritische Analyse sind sie deswegen auch geeigneter, zumal sich die Thingspielbewegung seit 1937 im Sande verlief.

An Stelle der Menge und ihrer Stimmengewalt wurden andere, durch die Tradition der Theaterdichtung gelieferte Mittel benutzt, und auch hier bot sich die historische Verfremdung als geeignet an, Wirkung zu erzielen: altertümelnde Sprache, mittelalterliche Reichsherrlichkeit und patinabesetzte Staatsvorstellungen boten das Material, um den zu propagierenden transrealen Staatsgedanken und seine bindende Gewalt darzustellen. So greift Kolbenheyer in seinem „Schauspiel" „Gregor und Heinrich", das noch eine der gelungensten Bühnendichtungen dieses Zeitabschnitts ist, auf die altgermanische Vorstellung vom Königsheil zurück, um die Macht und die Herrlichkeit des Reichs darzustellen [9]: Die deutsche Fürstenopposition will mit Hilfe des Papstes Gregor den deutschen König Heinrich IV., der ein idealistischer Vertreter des Reichsgedankens ist, vom Thron stoßen, um ihre partikularen Sonderinteressen besser verfolgen zu können. Otto von Northeim, der Führer dieser Opposition, bringt das Ultimatum der Fürsten.

Heinrich
[. . .] Daß die Schmach doppelt sei, schicken sie dich, kein Mund wird mich härter treffen. Ich wollte mit dir kämpfen auf Tod und Leben und es wär mir lieber als das Wort, das ich auf deiner Lippen seh.

Otto
Herr Heinrich, es ist ein letztes Wort und ich trag' es schwer. Daß ein Herz und Gemüt sprech, ist nimmer die Zeit. Da sind Gewalten laut, so über dem Menschen steh'n, und jeglicher ist denen untertan. (Bewegung.) Es ist die Macht von Euch gewichen, Herr Heinrich. So hebt das Reich sein Haupt und sucht den, der des Reiches Macht halten kann, denn das Reich will die *Herrlichkeit* des Königs. Weicht die Herrlichkeit von dem König, dann ist ihm nur eine Frist gegeben, daß er sie wiedergewinne. Das Reich kann nicht fahndend bleiben, es will sein König. Es geschieht mit eines Unwetters Gewalt, kein menschliches Gemüt ist stark dagegen.

Heinrich (zu Gewaffneten, die sich bereitgestellt haben)
Schließt das Zelt! (Langsam vor sich hin, starrer) Das deutsche Land soll nicht hören und nicht das fließend Wasser, daß dem König wird eine Frist gestellt, die Herrlichkeit wiederzufinden, so ihm Gott gegeben und die Menschen ihm wollen nehmen. (Während der Befehl ausgeführt wird, tritt Otto von Northeim näher. Er ist jetzt nur von den beiden Klerikern gefolgt.)

Otto
Herr Heinrich, Gott lenkt Hand und Wille.

Heinrich
Und ihr habet die Hand gehoben zum Schwur und Gott zum Zeugen der Treu gerufen an. Wie soll es sein, daß er mit Eurem Willen ist und Eure Hand lenk! Gott wird nicht zeugen wider sich selber.

Otto
Des Eids sind wir entlediget durch den obersten Bischof in Rom, den hat Gott gesetzt an seine Statt.

Heinrich (auffahrend)
Durch den falschen Mönch! Der hat den Eid zuerst gebrochen, den er meinem kaiserlichen Vater geschworen. Mit Gewalt und Lügen ist er erhöht.

Otto
Herr Heinrich, ihm ist der Menschen Glauben gegeben, Euch nicht. Es wär der größest Neid und Untreu der Fürsten nit mächtig gnug und ihr Hader, daß sie bestehen kunnten wider Euch. Sehet an desgleichen die Bürger in den

[9] E. G. Kolbenheyer, Gregor und Heinrich, S. 58—60.

Städten, die Bauren auf dem Lande: die wenden sich von Euch. Ihr seid im Fluch, Herr Heinrich.

Heinrich (wild, erbittert)

Und ist alles ein Trug des Teufels! Du weißt es, Ott von Northeim.

Otto

Und so es des Teufels wär, Herr Heinrich, Ihr müsset Gott wieder an Euch erweisen, Ihr müsset den Kampf nehmen an. Es kann der Teufel nicht Herr bleiben. – Herr, ich bring Euch eine Frist, von allen beschworen in Tribur über dem Rhein, daß keiner den andern verlassen wird in dieser Sache des Reiches und der Kron.

Heinrich (mit sinkender Stimme)

So nenn des Teufels Frist.

Otto

Es ist in Tribur eine Antwort vor der Fürsten und Herren Rat ankommen aus Rom, darin gemahnet uns der römisch Bischof (liest von einem Brief, der ihm gereicht worden ist) Gehet nicht mit ihm zu Werk, daß es schlimm werde mit ihm und gedenket seines hochseligen Vaters, des Kaisers. Aus menschlicher Schwäche hat er gefehlt und ist schlechten Räten nachgefolgt. Sorgt, daß er sich bekehre und schonet sein im Äußersten. (Heinrich lauscht gespannt und in tiefem Mißtrauen.) So er der heiligen Kirche wieder Sicherheit gibt, sendet mir einen Boten, daß wir gemeinsam beraten über ihn, was zu tun sei. (Jähe Bewegung Heinrichs und seiner Getreuen.) Und wenn er sich nicht bekehrt in allem – doch ich beschwöre euch, daß es nicht früher geschehe – dann soll ein anderer an seine Statt treten. (Erneute Bewegung der Getreuen.) Erkennt ihr aber, daß eine Wahl durchaus sein müsse, so berichtet, wer es sein soll, damit ich dessen Wesen prüfe und ihn bestätige. Wir wollen eine neue Ordnung begründen, wie sie von den heiligen Vätern eingesetzt ist. (Erneute, starke Bewegung.) Die Autorität des apostolischen Stuhles wird jedes Hindernis beseitigen. Es wird keine Absolution geben, ehe wir schlüssig geworden sind.

Heinrich (fast schreiend)

Ott, hörst du nicht! Den Versucher zwischen den Worten!

Otto (stark)

Ich hör und etlich ander hören auch. Allein dieser Brief hat können geschrieben sein in das Reich deutscher Nation. *Das* ist die Macht und Gewalt dieses Briefs: Ihr habet nicht die Herrlichkeit des Königs behauptet, Herr Heinrich, daß dieser Brief niemalen hätt können geschrieben sein. Lug und Trug – oder nit! Es darf kein Lug nicht geben und kein Trug, die vor des Königs Herrlichkeit ein Macht und Gewalt gewinnen über das Herz und Gemüt derer, so ihm den Eid haben geschworn der Treu.

Ein wenig später entwickelt Kolbenheyer noch einmal die Anschauung vom Reich als einer übernatürlichen Ordnung der Menschen unter Gottes Gesetz. Das Reich ist mehr als nur ein Staat, der die Angelegenheiten seiner Bürger ordnet; er ist sakrosankt, eine von Gott gestiftete Ordnung, die er in mystischer Weise in die Brust eines Erwählten gelegt hat, der berufen ist, den heiligen Gedanken zu tragen, in die Wirklichkeit zu stellen und kraft seiner Sendung in einer dunklen Welt zu realisieren: Heinrich geht in Schnee und Eis über den Mont Cenis, um, sich demütigend, das Reich zu erhöhen; nun ruht er in einer Eremiten-Hütte auf der Höhe des Passes aus. Die Königin Berta, als die sehende Frau, verkündet ihm die Heilsgewißheit des Reichs [10]. Der religiös verbrämte Staatsgedanke wird in einen geschichtlichen Vorgang, der in scheinbarer Objektivität die historische Wahrheit liefert, eingebettet und gleichzeitig die Gegenwart, indem sie tief in die Geschichte verlängert wird, aus ihrem Gegenwartsbezug gehoben und in die Zeitlosigkeit gerückt:

Heinrich
Mit dem Morgen ist der Sturm aufgestanden. Die größest Mühsal ist gewest, nun fahren wir zu Tal. Gen Mittag sehen wir Susa, das ist die erst Stadt.

Berta
Gott wird uns helfen.

Heinrich (nach einer Pause, vor sich hin)
Er lässet wachsen die Berg in Eis und Schnee, daß ein König mit dem Weibe und dem Sohne und mit seines Reiches Kron heimlich muß über sie hinweg, sein Königtum zu gewinnen!

Berta
Es ist der Gott, der nicht will, daß einer ein Reich empfahe, er trage es denn in sich.

Heinrich (aufhorchend)
Was sprichst du, Weib? Hast du auf diesem Berg eine Stimm bekommen? (Wendet sich zu Berta.) Es ist, als hab ich dich ehender nicht gehört.

Berta (lehnt sich an ihn und spricht langsam)
Gelobet sei Gott um dieses Ortes Einsamkeit und die Not eines Tages und einer Nacht!

Heinrich
Du sprichst wie der Mensch unter der Geißel.

Berta
Uns ist die Nacht dieses Wegs auferlegt, daß aus dir an den lichten Tag erwachse das Reich, so du ohnvermerkt getragen in der Brust.

Heinrich
Ich will's erleben, daß es wachse mit Gottes Hilf, und du seiest bei mir.

Berta
Du wirst! Denn Gott führet die Menschen nicht auf Wegen also sonderlich und voll Not, es sei dann er hab sie erwählet von vielen. — Er geht über uns dahin, mein Herr und Gemahl, wir sollen lesen in seines Fußes Stapfen.

[10] E. G. Kolbenheyer, a.a.O., S. 66—67.

Heinrich
Daß ich dir nit ehender hab geseh'n in die Augen dein!
Berta
In Gnaden Gottes, du siehest.

Gemäß seiner dramaturgischen Forderung, das Theater habe geistige Zusammenhänge zu versinnlichen, bemüht sich Kolbenheyer, seine Vorstellungen in anschaubare Handlung und erlebbare Bildlichkeit umzusetzen. Fr. Büchler dagegen zieht den Weg offener Verkündigung und durchschaubarer Demonstration vor. Sein August der Starke [11] legt in einer Rede die nun schon bekannte Idee des Reichs dar, das über die Realität politischer Konstellation erhaben sei und allein in der Seele des Berufenen lebe. Das Reich stellt keine politische Tatsächlichkeit dar, sondern bedeutet einen Mythos, der durch den Berufenen wie durch ein Medium hindurch die Wirklichkeit prägt:

August
Der Landtag ist geschlossen.
Kurländischer Gesandter
Verzeiht, o Majestät, wenn Kurland nun
Um Abschied bittet. Als mit einer Krone
Ich kam, da glaubt ich nicht, vor Euern Thron
Zu kehren wie ein kleiner Händler, der
Den Kram nicht los wird vor verschloßner Tür.
Die Welt wird staunen, wie der Wirt des Hauses —
August (stößt aus verlorenem Schweigen in flammenden Zorn)
Nicht weiter, Hund! Ich stopf den Hohn dir in
Den steifen Hals zurück. — Nehmt ihm den Degen! —
Was weiß der Erdenwurm im Kot vom heilgen,
Ewigen Flammengang des Lichts! Er sieht
Die graue Wolkenwand sich türmen, glaubt
Den Feuerball verzehrt vom großen Dunkel.
Und doch ist, was verhüllt, ein nichtger Dunst,
Ein wesenloser, schwindend wie der Menschen
Alltäglich Sein — indes die Sonne glüht
In Ätherbränden immer neues Leben. — —
So leuchtet Kraft der innern Majestät
In Menschen, die ein Gott erkor zu Trägern
Geheimer Botschaft, gleichviel ob auf Erden
Dem stumpfen Aug ein Schleier sie verdeckt.
Was ist, da Polens Stände enggestirnt
Das Reich durch Zwiespalt in das Chaos stürzen:
Es lebt! *In* mir! Sein großer, innrer Geist,

[11] Fr. Büchler, August der Starke, S. 17—18.

Der wie ein Rausch mich zwingt, mit meinem Blut
Sein Bild zu nähren: großgetürmte Städte,
Erblühte Gärten wachsen auf im Herzen. –
Wo irdscher Stoff dem höchsten Geist sich weigert,
Da ist's des Gottes Antrieb, daß der Mensch
Abzwingen soll dem Schicksal seine Not.
Denn nicht das Schauspiel ist's, ob so, ob so
Gefügt der Menschen Alltag sei in Formen,
An dem die Götter sich ergötzen wollen,
Der Kampf des Geistes ist's, am Werk entflammt.
Der Polen Land ist arm, reich ist mein Traum! –
(Sich gegen den kurländischen Gesandten wendend)
Gebt seinen Degen! – Sieh, Armselger, wie
Mein heilger Rausch den Zwang zerbricht, brech ich
Mit nackter Hand der Erde härtestes
Gewächs und werf's vor deine Füße hin.
(Er bricht das Schwert in der Luft auseinander, ohne es über das Knie zu legen.)

Wie sehr sich der Reichsbegriff in der Dramatik des Dritten Reichs als „letzter Wert" gesetzt hat, der zum Tragik begründenden Schicksal werden kann, zeigt W. Deubel zum Abschluß seines Schauspiels „Die letzte Festung" [12]. Gneisenau hat die Festung Kolberg unter großen Opfern gehalten, aber er erntet Undank; vor allem seinem toten Freunde Schill wird vorgeworfen, gegen die Ordre gehandelt zu haben; Gneisenau aber stellt sich vor den Freund. Dr. Hein, eine zwielichtige Figur, rät, dem König den Dienst aufzukündigen; doch Gneisenau fühlt sich nicht mehr an die Staatsorgane gebunden, das ewige Deutschland lebt in seiner Brust, und er und seine toten Freunde und Kameraden zeugen für die Idee. — Nach diesem Aufschwung ist es für den Verfasser und damit für das Stück ohne jede Bedeutung, daß auch Kolberg in die Waffenstillstandsregelung einbezogen wird — die banale Realität interessiert nicht mehr.

Arnim
Die Wölfe fliehen, wenn einer Feuer schlägt.
Nettelbeck (vor Gneisenau)
Hätte ich schweigen sollen, Kommandant? Aber wenn Schill mit seinen hellen Segeln hinuntermußte und morsche Kähne mit so schäbiger Heckverzierung sind noch oben – da ist mir in der Seele ein Tau gerissen.
Gneisenau (vernichtet)
Stünde noch einmal der französische Oberst vor mir und würde fragen: Wer seid ihr denn und wofür kämpft ihr gegen uns? Wie sollte ich ihm antworten?

[12] W. Deubel, Die letzte Festung, S. 146—150.

Dr. Hein (tastet sich vor Gneisenau)

Sitzt der Adler noch auf den Knöpfen Ihrer Monturen? Oder hat er eine Schellenkappe auf? Wie? Das ist doch des Königs Rock!

Arnim (hitzig)

Was soll das heißen?

Dr. Hein (vor Gneisenau)

Was hindert Sie, ihm die Zwangsjacke hinzuwerfen, die jedem, der einen Stern mehr trägt, das Recht gibt, Sie anzuspucken? Ewig Untergebener — ewig im Dienst, ewig in Zwang und in Vorsicht und Rücksicht! Dies alles abzuschütteln — wäre der Gedanke Ihnen so fremd? Und wollten Sie es selbst — können Sie nach diesem Auftritt noch zum König und seinem schnöden Danke stehen?

Arnim

Zur Fahne, Mann!

Holleben (in plötzlicher Erleuchtung, faßt Arnim am Arm)

Lassen Sie ihn, Arnim! — Sie haben uns in jener Nacht das Gedicht gelesen. — Hier ist ein Weg ins Freie. (Zu Gneisenau) Wir Kleineren haben ja keine Wahl, aber Sie, Kommandant, haben immer das andere Leben gesucht. Wenn je, dann ist jetzt die rechte Stunde, all das Unerträgliche abzuwerfen!

Gneisenau (in innerem Kampf, die Fäuste vor der Brust)

Ich höre Sie reden mit Engels- und Schlangenzungen. — — Jetzt brauche ich einen Freund, (ausbrechend) der mich vor mir selber schützt. (Er flüchtet den Wall hinauf und klammert sich an das Geschütz)

Dr. Hein

Was tut er?

Nettelbeck

Jetzt schmiedet er selber den letzten Schlag am Schwert Gneisenau.

Gneisenau (langsam aus der Versunkenheit sich emporrichtend)

Nein! Nein! Schütten wir denn unser Leben hin für eine gnädige Hand, die Zucker reicht? Ich will dem Schicksal an der Klinge bleiben. Grenzen und Kriege sind es ja nicht. Könige und Minister sind es ja nicht. Es ist das Vaterland, das aus den Sternen seine heilige Forderung ruft. Kein Einzelner, und wärs der Beste, darf sich versagen.

Dr. Hein

Und ich habe geglaubt, ich würde es *ein*mal erleben, daß aus der Zwingburg ein Kühner ausbricht!

Gneisenau

Und wenns ein Tempel war mit Säulen und Altar — der *Bau,* den Deutsche sich aufgemauert haben, ist immer Stückwerk geblieben. Und unter seinen Priestern gab es immer welche mit hohlem Hirn und leerer Brust. Aber es geht nicht um Priester und Tempel und Altar — es geht um den Gott.

Dr. Hein

Der ist *weit* von uns!

Nettelbeck

Über Kolberg war er nah!

Dr. Hein

Jenseits der Wälle liegt eine Welt, die täglich gemeiner wird. Ich dächte: noch eben stand von ihr ein Abgesandter hier!

Gneisenau (schlicht)

Und wäre unter Deutschen jedes zweite Herz verdorrt und jede zweite Seele verwelkt: wer von uns Deutschland sagt, sagt Schicksal — da ist kein Entrinnen.

Nettelbeck

Die Bürgerschaft tritt an. Die Garnison marschiert.

Holleben

Kommandant, uns sprengt es das Herz, einen Mann wie Sie fortgedrängt zu sehen von dem Führerplatz, der ihm nach Himmels- und Erdenrecht gebührt. Mag Schmerz und Wut Ihrer Freunde in Ihren Augen wenig gelten: Ihre eigenen Gründe — — wiegen die auch nichts mehr?

Gneisenau

Wo wir müssen, Holleben, gibt es keine Gründe. Hier — an dieser Stelle vor wenigen Stunden — sagte eine Seele, die noch Flügel hatte: Es gibt eine Liebe, die sich zu Sternen schwingt. Und trifft sie der Blitz, so fliegt sie noch auf Flammen höher!

Nettelbeck (ausbrechend)

Gneisenau! Jetzt bricht vorm Bug das Eis. Wahrhaftig, wir Kolberger haben den Schritt durch stichdunkle Nacht gewagt. Für Schatten aus Königsberg haben wir ein Lachen.

(Widerhall bei allen, nur Dr. Hein schüttelt den Kopf)

Gneisenau (wirft den Mantel ab)

Ich gehöre zu Schill! Ich stehe zu Kolberg und allen seinen Toten!

Dr. Hein

Darüber sind Sie sich klar: Sie knüpfen Ihr Leben an den dünnsten Faden.

Gneisenau (gelassen lächelnd)

Den hat die Norne selber mir gesponnen. Er wird mich halten.

Dr. Hein

Und wenn er *nicht* hält?

Gneisenau

Dann falle ich der gleichen Mutter in den Schoß, in dem die Toten von Kolberg ruhen.

Holleben

Die Toten! Immer die Toten!

(Gedämpfte Marschmusik von fern. Man erkennt den Hohenfriedberger)

Gneisenau (in verhaltenem Jubel)

So klang es von je, wenn Nacht über Deutschland brach! Hören Sie diese Musik? Was in *den* Klängen ruft — ist das mit „Pflicht" und „Dienst" zu fassen? Wetter wehen darin und Fahnen rauschen darin! Freunde, so ehern leuchtet uns das Leben!

Nettelbeck (hat die Fahne ergriffen, ersteigt den Wall und richtet sie über Gneisenau auf)

Dr. Hein

Deutschland? — Wo liegt Deutschland?

Arnim (hinaufdeutend)

Da oben — in der *einen* blutenden Brust!

(Gneisenau ist an die Wallbrüstung getreten. Marschtritt der Bataillone. Er grüßt. Die Fahne wird von dem hinterm Wall aufglühenden Fackelschein angeleuchtet. Die Musik kommt näher)

So wenig das Drama des Dritten Reichs reale Figuren, Menschen von unserem Schrot und Korn, auf die Bühne stellen wollte, so wenig ging es darum, die Realität der Gegenwart zu zeigen; die wurde vielmehr wegdiskutiert, indem man ihre Prinzipien als artfremd verbannte oder gegenüber den angeblich ewigen Grundmustern menschlichen Seins als sekundär beurteilte. Sie wurde durch eine Sphäre angeblicher Idealität überwölbt. Indem sie reale und ideale Welt in ein Spannungsverhältnis bringt, derart daß die reale Welt gegenüber der idealen als ungenügend und irrelevant erscheint, reiht sich die Dramatik des Dritten Reichs in die Tradition der bürgerlichen Literatur ein. In der Art und Weise allerdings, in der diese Spannung ausgeführt wird, zeigt sie sich als ein oft in unerträglicher Weise banalisierendes epigonales Gebilde. Stiluntersuchungen und die Beobachtung der verwendeten dramaturgischen Mittel würden diese Feststellung unterstützen können.

b) *Dramatik aus den überindividuellen Bindungen an Rasse, Volk und Reich*

Vielfach wurde aus diesen Bindungen an die Kräfte der Rasse, des Volks und des Reichs Dramatik und sogar Tragik abgeleitet; denn die genannten Werte sind, wenn dieser Ausdruck erlaubt ist, der äußerste Kreis im Reich der transzendenten Bezüge; die tieferreichenden Vorstellungen, wie Schicksal und Leben, erlauben, da sie von umgreifender, kosmischer Gewalt sind, keine dramatischen Konstellationen sondern versöhnen die Gegensätze im Absoluten. Der Handlungsfortschritt im Drama des Dritten Reichs, der ohnehin den meisten Autoren einiges Kopfzerbrechen bereitete, weil der Held ja als Vertreter werthafter Prinzipien keinen wirklichen Dialog- und Handlungspartner finden konnte, der Handlungsfortschritt wird überhaupt sehr häufig ganz einfach dadurch erzielt, daß das Prinzip des Helden durch die böse Umwelt negiert wird und so der Sieg der positiven Werte erwiesen werden muß; der Tod der Hauptfigur schafft die nötige dunkle Stimmung. Das Ende durfte ohnedies, wie noch zu zeigen sein wird [13], nicht ins Fin-

[13] Vergl. unten S. 345 ff.

stere führen. Zuweilen aber wurde doch aus dem Wertefeld von Rasse, Volk und Reich Dramatik und Tragik gewonnen, wenn es nämlich gelang, eine Konstellation zu schaffen, in der sich diese Prinzipien gegen sich selbst kehrten, um ihre eigene, metaphysische Glorie erstrahlen zu lassen.

So benutzt K. Kluge in seinem „Schauspiel" „Ewiges Volk" die dämonische Urgewalt des Volks, das sich gegen sich selbst wenden muß, um seinen endlichen Sieg zu erringen, als dramaturgisches movens: Im Kampf der Kärntner gegen die Serben nach dem Ersten Weltkrieg will der Freischärler-Leutnant Michael, der das Volk gegen die Serben mobilisiert hat, aus militärischen Gründen Kärnten auf einer zurückgezogenen Linie halten; aber das Volk in seiner Urgewalt, das sich im Feldwebel Lewt (!) symbolisiert, spült seine Bedenken fort, und Lewt ermordet Michael, als er diesen nicht zum Gehorsam gegenüber der Allgewalt des Volks bewegen kann, mit einem Feldspaten [14]:

Michael (zunächst hinter der Szene)
Der dritte Mann an die Straße Sankt Veit. Das Ganze halt. Zurück in die Gräben. Die Dunkelheit benutzen. Los. — (Erscheint auf der Straße, mit ihm Georg. Michael hebt die Arme.) Halt, Leute. (Zu einem einzelnen) Ans Felseck. Du zeigst den Weg. (Zu einem einzelnen) Halt, sag' ich, besoffnes Luder.
(Der Menschenzug stockt, steht, die Straße wird leer. Keine Rufe usw. mehr. Michael, ohne Helm, mit halb offnem Rock, hält einen Soldaten an der Brust gefaßt und stößt ihn in die Szene.)
Wer dir den Wisch gab? — Zum letzten Male, Kerl!?
(Pause. Der Mond bricht teilweise durch die Wolken. Man sieht Lewt, der auf dem Geschütz sitzt, die Mütze im Genick, den Spaten über den Knien. Michael kehrt ihm den Rücken zu. Zu dem Soldaten, indem er nach der Pistolentasche greift)
Wer?!

Soldat
Lewt.

Michael
Der hat zu lang gelebt.

Lewt (lacht).

Michael (sieht ihn und zieht seine Waffe)
Du bist's?

Lewt
Ich, Leutnant. Ich bin der letzte hier oben.

Michael
Der letzte?

Lewt
Weiß Gott. Und Sie und der Bub da.

[14] K. Kluge, Ewiges Volk, S. 109—113.

Michael

Du hast hinter meinem Rücken Aufbruch befohlen?

Lewt

Nach Kärnten hinunter!

Michael

Stehst mitten drin in Kärnten!

Lewt

Eben standen zwei Weiber hier und heulten. Kärnten ist heute dort, wo Männer sind.

Michael

Hier ist so viel Kärnten, als wir halten können!

Lewt

Und die Männer, Leutnant, die sind dort! (Zeigt auf die eben im Mondlicht erglänzenden Karawanken.) Da sieh! Der liebe Gott hält selber den Leuchter in die Schlacht. Jetzt eilt's. Kommen Sie mit?

Michael (hebt die Waffe)

Lewt, wir bleiben beide hier. Du hast deinen letzten Schritt getan.

Lewt (lacht)

Ziel gut. Vielleicht triffst du Kärnten.

Georg

Sturmglocken, Leutnant!

Lewt

Ich glaube, 's schießt sogar jemand.

Georg

Der Serbe bricht im Drautal ein!

Lewt

Lauf, Bub! Sag dem Serben, er ging irr! Es wäre doch Frieden ausgemacht!

Michael

Bärvieh du! Auseinanderschlagen würde Kärnten wie ein Gelump, wenn ihr den Serben heute hinter die Karawanken werft. Übermorgen bräch' er ins Land mit zwanzig Regimentern. Du Raubzeug weißt nicht, was Gehorsam ist. Und von der Lage weißt du nichts. Ich übersehe sie und befehle. Die Bauern habe ich angehalten. Georg, nach Sankt Veit: Befehl vom Leutnant — was schon unten ist, sofort, unter Benutzung der Dunkelheit, zurück in die alte Stellung Kalkpaß!

Georg

Befehl, Herr Leutnant.

Michael

Halt, erst läufst du —

Lewt

Gehorsam. (Lacht.) Lawinen hören schwer, Leutnant. (Springt jäh von der Lafette, zu dem Soldaten, der den Zettel gebracht hat.) Aber unsern Spruch verstehn auch Lawinen! Wie heißt der?

Soldat (schweigt).
Lewt
Hund, sag's.
Soldat (stockend)
Die rufen — Kärnten — wie's war.
Lewt
Wie's war. Recht. Mach, daß du in die Linie kommst. Das Volk ist los und will sein ganzes Land.

(Einige Leute auf der Straße.)

Michael
Zurück, ihr! Auf den Kalkpaß! (Hebt die Waffe.) Deine Leiche stopf' ich vors Volk.
Lewt
Spiele nicht mit dem Gewehr. (Entreißt ihm die Waffe und wirft sie weg.) Und nicht mit Kärnten!
Michael
Dann mit der Faust. Zwischen den Daumen drück' ich dich tot.
Lewt
Halt jetzt. Hier ist nicht Kirchweih. Aber dort ist eine Schlacht. Kriechen Sie zur Wirtin unters Federbett. Ich lasse sagen, wenn's wieder sicher ist.
Michael (stürzt sich auf Lewt, der ihn zurückschleudert)
Du Alb!
Georg
Feldwebel, ras nicht!
Lewt
Fähnrich, hole die Wirtin! Lauf! Der Leutnant ist fiebrig. Ein Volk will er in seinen Armen aufhalten. Das Weib soll ihn stillen!
Georg
Feldwebel!
Lewt
Das Weib her, Georg!
Michael
Der Hemmschuh ist hin! Gott sieht's. (Packt Lewt.) Kärnten!
Lewt (macht sich los und erschlägt Michael mit dem Spaten. Zu den Menschen auf der Straße)
Dort liegt das andre Stück Kärnten! Wer will's den Serben lassen?

(Bauern: „Kärnten, wie's war! Das ganze Kärnten!")

Der Weg ist frei. Sturmschritt!

(Viele Menschen auf der Straße laufend.)

Georg (kniet bei Michael)
Lieber Gott! Tot!
Lewt (auf den Spaten gestützt, langsam)
Da liegt er. Noch im Liegen zeigt er zur Drau hinunter. Komm, Bub, dort müssen wir hin. (Georg rührt sich nicht.) Dann bleib, Kind. Sag's der Frau.

Georg
  Mordhund!
Lewt
  Mord, sagst du? Bub, Mord? Der Klöppel hat seine Glocke getroffen. Paß auf, wie die nun läutet.
Georg
  Den besten Mann im Heer!
Lewt
  Gott weiß es. Der Beste. Aber heute war er bloß ein Mann.
Georg
  Das war er immer. Ein Mann.
Lewt
  Kind, einmal war er mehr: oben im Schnee bei Maria Hof. Da war er das Volk. (Zeigt zur Drau hinunter.) Das da. Ich muß nun hin.

Auch der Gegensatz der Rassen untereinander und das eherne Rassengesetz ließen sich in diesen Konstruktionen als Schwungrad der Handlung benutzen. Der Motor der Ereignisse in Möllers „Spiel" „Das Opfer" ist der Kampf des Bluts. Der Woiwode hat das erkannt, und wenn es Frieden geben soll, wie der Kaiser will, so muß dieser Gegensatz überwunden werden, indem die Reinheit des Bluts und damit die Rassenwerte zerstört werden. Diesen im Sinne der Rassentheoretiker teuflischen Plan offenbart der Woiwode, der die Auslieferung der Frau verlangt, die ihm einst das Leben rettete, dem Feldhauptmann und legt damit die Triebfeder seines Handelns, und so auch den bewegenden Grund des Dramengeschehens bloß [15].

Der Feldhauptmann
  Sie werden eine Art der Sühne finden,
  Die euch befriedigt.
Der Woiwode
  Herr, sie hatten Zeit
  Genug zu wählen, was sie lieber wollen.
  Behagt es ihnen nicht, den Hals zu bücken,
  Und ist ihr unverschämter Eigensinn
  Und Hochmut ihnen eine Ernte wert,
  So sollen sie es sagen; meinen Männern
  Zerläuft das Wasser schon im Maul. Sie liegen
  Mir ohnedies im Ohr und brummen wie
  Die Bären, die im Stock den Honig wittern.
  Ich könnte sie nicht eine Stunde länger
  Vor diesem Fressen auf die Folter spannen.

[15] E. W. Möller, Das Opfer, S. 86—89.

Es riecht zu gut nach Speck, gebratnem Fleisch
Und fremden Weibern.

Der Feldhauptmann

Herr, erbarmt euch doch!

Der Woiwode

Ach, bleibt mir doch vom Leib mit diesem Spruch!

Der Feldhauptmann

Ihr fordert Unerhörtes.

Der Woiwode

Tu ich das?
Und steh ich nicht geduldig vor der Tür,
Verhalte meiner Leute Ungestüm
Und warte, bis sie gnädig zu mir kommen
Und mir von allen Seelen, die mich hassen,
Ein einz'ges Wesen bringen, das mich liebt?

Der Feldhauptmann

Doch dieses Weib –

Der Woiwode

Von allen Weibern eins;
War solche Mäßigung denn je erhört?

Der Feldhauptmann

Ihr bestes freilich.

Der Woiwode

Bringt man seinem Herrn
Das schlechteste zum fälligen Tribut?
Mir scheint, sie wissen nicht, was dienen ist.

Der Feldhauptmann

Doch wissen sie, was Herrentum bedeutet.
Ihr rührt mit euerm Wunsch an ihren Stolz.

Der Woiwode

An ihren Stolz? So liegt ihr Stolz im Blut
Und heißt Verachtung. Herr, wir gehn im Kreis.
Woran erkenne ich, daß sie mich achten?
Woran, daß sie mich künftig lieben werden?
Woran, daß sie vergessen, wer ich war?
Ich bin nicht irgendwer, ich stamme auch
Aus einem Volk, das leben will und wachsen
Und nicht der Knecht des euren immer sein.
Soll Friede zwischen beiden Völkern herrschen,
Wie euer Kaiser wünscht, und das nicht nur,
Solange euch die Klugheit höflich macht
Und uns die Eitelkeit versöhnlich stimmte,
So nützen Schwüre nichts und nichts Verträge,
Es muß das Blut sich mit dem Blut vertragen.
Was immer oben war, das muß hinab,

Und das Verachtete muß oben liegen
Und so, wie wenn ein Mann ein Weib beschläft,
In brünstiger Vereinigung gewaltsam
Jahrtausendalter Gegensatz verschmelzen.
Begreift ihr also, was ich fordre?

Der Feldhauptmann

Schweigt!
Das war der Auftrag meines Kaisers nicht.

Der Woiwode

Doch meines Bluts und meines Volkes wohl,
In dessen Namen ich gekommen bin.
Das ist der wahre Herr, dem ich gehorche
Und dem auch ihr gehorchen sollt.

Der Feldhauptmann

Nicht weiter.
Ich warne euch. Ihr laßt die Maske fallen.

Der Woiwode

Ihr werdet mich nicht hindern.

Der Feldhauptmann

Zwingt mich nicht.

Der Woiwode

Ich zwinge keinen. Nein, wie werde ich
Denn die zur Liebe zwingen, welche lieber
Ihr Leben als den Starrsinn opfern wollen.
Das war Bedingung, und ich halte sie.
Doch bringen sie das Weib —

Der Feldhauptmann

Freiwillig nie.

Der Woiwode

Ich warte noch. Doch bringen sie das Weib
Aus freien Stücken —

Der Feldhauptmann

Nie, wenn sie erkennen,
Was eure Absicht ist.

Der Woiwode

— will ich zum Zeichen,
Daß ich der Herr bin und durch meine Gnade
Der alte Haß der Völker sich vermählt,
Noch diesen Abend meine Hochzeit halten
Und ihr sollt eingeladen werden.

Der Gegensatz der Rassen, zumal der germanischen, die sich in preußischer Pflichtethik, und der slawischen, die sich in russischer Schlamperei und Sentimentalität ausdrückt, war in vielen Dramen bald zentrales, bald untergeordnetes Thema. So zeigt Fr. W. Hymmen in seinem „Trauerspiel"

„Die Petersburger Krönung", wie diese mit der Weltordnung gegebene Andersartigkeit der Rassenseelen notwendig zum Konflikt führen muß; sie speist den Gang der ganzen Handlung. Der deutsche Ingenieur Münnich baut im Auftrage der Zarin Anna einen Kanal; er ist wegen seiner preußischen Gradheit und Tüchtigkeit bei der russischen Hofgesellschaft nicht eben beliebt; das geknechtete Volk hingegen vergöttert ihn geradezu. Auf einem Fest [16] trifft Münnich mit einigen Mitgliedern der bestimmenden Gruppe des Hofadels zusammen, und natürlich gerät er wegen seiner unerschütterlichen Rechtschaffenheit sofort mit den durch niedrige, ekelhafte Gesinnung gekennzeichneten Russen in Konflikt:

Pissarew
Der Schnaps ist unsre Hoffnung. Ihn allein
Verfolgt man nicht.
Trubetzkoj
Doch wird er immer schlechter.
Genau wie unsere Anna auf dem Thron.
(Prustend)
Die fromme Landesmutter! Dumm und dick!
Wie sagte doch der Narr? Wo steckt er? He!
Der Domino!
Zweiter Gast
Der Herr meint dich!
Domino (ernüchtert verwirrt)
Wieso?
Trubetzkoj
Wie nanntest du die Zarin —
Domino
Exzellenz!
Trubetzkoj
— Die weise unser Land regiert, nicht wahr?
Domino
Die Zarin, Exzellenz, die Zarin Anna —
Trubetzkoj
Was stotterst du? Kam dir dein Witz abhanden?
Domino (entsetzt)
Ich hab' die große Zarin nicht beleidigt!
Trubetzkoj
Wenn du mich weiter langweilst, gibt's die Peitsche!
Domino (in höchsten Ängsten)
Zu dick, mein Fürst, ja —
(Münnich steht plötzlich auf der Treppe, für einen Augenblick geradezu denk-

[16] Fr. W. Hymmen, Die Petersburger Krönung, S. 26—31.

malhaft, in einfacher Kleidung. Bei ihm die jungen Offiziere v. Keith und Manstein. Alle sind gebannt. Domino wirft sich vor Münnich hin und küßt seine Hand.)

Erster Gast (jubelnd)

Unser Münnich!

Viele (aufatmend)

Münnich!

Zweiter Gast (einfach)

Wir wünschen Ihnen Gottes reichsten Segen.

Erster Gast

Sie helfen uns. Die Stadt dankt Ihnen alles.

Münnich

Ihr übertreibt. Doch will ich für Euch tun,
Was ich nur kann (Bei Trubetzkoj) Herr Generalmajor!

Trubetzkoj:

Welch unverhoffte Ehre! Unerwartet!
Auf einem Ball hab' ich Sie nie getroffen.

Münnich

Ich denke, sieben Jahre Arbeit am
Kanal erlauben einen Feiertag.

Trubetzkoj

Die sieben Jahre waren lang genug.

Münnich (ruhig)

Für hundert Kilometer. Als ich kam,
Versuchte man sich schon seit zwanzig Jahren,
Und hatte kaum dreitausend Meter schlecht
Gegraben und verdorben, für Millionen!

Trubetzkoj

Ich wollte Ihnen keinen Vorwurf machen!
Doch da wir gerade von den Kosten sprechen:
(Zieht ihn beiseite) Es sind noch sechzigtausend Rubel fällig,
Für Arbeitslöhne.

Münnich

Ist das Ihre Sache?
Fürst Dolgoruki ist beauftragt —

Trubetzkoj

War!
Er war beauftragt. Wissen Sie noch nicht?

Münnich

Was denn!

Trubetzkoj

Verhaftet, degradiert, enteignet.

Münnich

Warum?

Trubetzkoj

Er war sehr reich, und Biron [17] — hungert.

Münnich

Der Lump! Muß er doch alles Adlige
Vernichten, weil er selbst dem Sumpf gehört.
Mein guter Dolgoruki! Halte durch!
In welchen Keller hat man ihn geschleppt?

Trubetzkoj

Er wurde schon entlassen, — doch als Bettler.
Sie können heute nichts mehr unternehmen.

Münnich

Das wird noch abgerechnet!

Trubetzkoj

Abgerechnet,
Ganz recht, die Löhne, sechzigtausend Rubel.

Münnich (nach einer Pause, gefaßt)

Ich habe achtzigtausend angefordert.

Trubetzkoj

Genehmigt sind nur sechzig.

Münnich

Und der Rest?

Trubetzkoj

Ging wohl verloren auf dem langen Wege.

Münnich

Ich brauche mehr. Die Löhne sind versprochen.

Trubetzkoj

Und wenn schon! Daß der einzelne statt hundert
Kopeken siebzig kriegt, — was tut's!

Münnich

Sehr viel!

Trubetzkoj (nah)

Ich mache einen Vorschlag: da die Summe
Ja ohnehin schon angebrochen ist —
Wie wär's, ich zahle Ihnen statt der sechzig
Nur fünfzigtausend, und für Ihre Leute
Sind vierzigtausend immer noch genug,
So daß wir beide hübsch gewinnen.

Münnich

Danke!

Trubetzkoj

Es bleibt ganz unter uns! Zehntausend Rubel
Für jeden. Das ist ein Geschäftchen!

[17] Günstling der Zarin und Regent in Rußland; niederträchtiger Parvenu, den Münnich später aus seiner Position entfernt.

Münnich (scharf)

Danke!

Ich habe zum Betrügen kein Talent.
Ich will die ganze Summe, jeden Rubel!

Trubetzkoj

Sie werden nie ein reicher Mann wie ich.

Münnich

Man wird in hundert Jahren nicht mehr wissen,
Ob Münnich reich war. Was er *tat*, ist gültig.

Trubetzkoj

In hundert Jahren sind wir beide tot.

Münnich

In hundert Jahren werd' ich erst geboren.
(Läßt ihn stehen.)

Trubetzkoj

Zehntausend Rubel hat er mir gestohlen.

Münnich (will sich zu seiner Begleitung wenden, trifft dabei auf Pissarew)

Pissarew! Haben Sie nicht die Verwaltung
Des vierten Magazins?

Pissarew

Jawohl, des vierten.

Münnich

Ich habe heute kontrolliert. Ich fand
Das Ihnen anvertraute Gut verludert,
Die Waffen selbst verkommen und verschimmelt,
Die Vorräte verfault und schlecht gelagert.
Sie sind nicht fähig oder sind Verbrecher.
Sie haben morgen sich bei mir zu melden.
(Geht zu Keith)
Ach Keith, es stinkt erbärmlich allenthalben,
Es stinkt nach Korruption, nach Mord, nach Willkür,
Erpressung, Dummheit, Angst. Es stinkt nach Pest!

Pissarew (zu Trubetzkoj)

Ich hasse ihn.

Trubetzkoj

Doch hat er diesmal recht.

Pissarew

Das eben ist es, was mich rasend macht.

Wenn man bedenkt, daß dieses Drama 1941 erschienen ist, dann wird deutlich, wie hier die Forderung nach kämpferischem Engagement des Dichters erfüllt wird. Unter diesem Gesichtswinkel muß die Bühnenproduktion auch bewertet werden, und nicht nach ästhetisch-formalen Kriterien: „Aus der augenblicklichen Lage des Kampfes geboren, wird — unter Verzicht auf die Möglichkeit von Reife und Vollendung — das Dichtwerk als Trommelwirbel oder als Trompetensignal in die Reihen der Kämpfer gestoßen, aufpeitschend, mahnend, besänftigend jetzt, tröstend dann und aufrichtend, wieder drängend, aufwühlend." [18]

Wer den durch die Natur selbst gesetzten Wesensunterschied zwischen den Rassen, der tief in der Artung des Bluts begründet ist, nicht sehen kann oder will, macht sich gemäß der Wertewelt, die das Drama des Dritten Reichs aufgebaut hat, vor der Geschichte schuldig, ja, er wird in seiner Verblendung zur tragischen Figur. Dieses widerfährt auch Münnich; er nimmt als preußisch-deutsche Kämpfernatur die Herausforderung des minderen russischen Menschentums an und will dessen materiellen und sittlichen Verhältnisse bessern; er ist auf der Höhe seiner Kampfbereitschaft. Da erscheint seine Mutter aus dem fernen Oldenburg und ruft ihn in die von Wassersnot bedrängte Heimat, die ihn einst verstieß. Im Gespräch mit ihr [19] erkennt er, daß er im Sinn der Rassedoktrin schuldig geworden ist.

Mutter

Du bist nicht glücklich.
Im fremden Land kann man nicht glücklich sein.
Du hast gewartet auf den Tag der Heimkehr,
Wie ich. Wir dürfen ihn nun feiern. Komm!

Münnich

Der Vater sagte: was du je beginnst,
Vollende auch. Ein halbes Tun ist schlecht.
Und wirst du schuldig, stehe dafür ein,
Sonst bleibt dein Leben jämmerliches Stückwerk.

Mutter

Die Stimme deines Vaters ruft dich heim.

Münnich

Er ist nicht doppelzüngig. Er befiehlt,
Daß ich vollende, Mutter, — — daß ich sühne.

Mutter

Wenn du zu sühnen hast, häuft jede Stunde,
Die du in Rußland bleibst, erneute Schuld.

Münnich

Du weißt nicht, daß ich zweifach schuldig bin.
Der Heimat kehrte ich den Rücken —

Mutter

Und?

[18] Fr. Bodenreuth, Die deutsche Dichtung und die Gegenwart, in: Weimarer Reden 1938, S. 76.

[19] Fr. W. Hymmen, a.a.O., S. 122—124.

Münnich
— Ich drang in diese Fremde ein, als Herrscher,
Verwirrte hier die gottgesetzte Ordnung,
Durchbrach Gesetze, um sie zu „verbessern",
Und sehe nun, daß sie noch gültig sind,
Gesetze, die dem fremden Volk gehören.
Ein Wahn, mir seine Führung anzumaßen!
Ich habe hier zerstört und überwältigt . . .

Mutter
Mein armer Sohn —

Münnich (verzweifelt)
Du sagst nicht, daß ich lüge?
Du brichst den Stab? Du gibst den Klagen recht?

Mutter (abgewandt)
Ich habe dich in eine Zeit geboren,
Die dich nicht leben ließ. Auch ich bin schuldig.

Münnich
Du bist die Richterin. Dein Urteil gelte,
Bin ich berufen, dieses Land zu führen?
Bin ich verirrt, verblendet und verdammt?
Du schweigst, — du richtest meine ganze Welt!
Du triffst das Herz, du läßt mich stürzen, Mutter!
Gib deinen Segen!

Mutter
Was du schon begonnen,
Vollende.

Münnich (fast zart)
Mutter, — — Mutter, war es — Sünde?

Mutter
Es kann dich niemand richten, nicht die Mutter,
Nicht Rußland, nicht der Himmel, nur du selbst.

Münnich
Bin ich mein Richter? Kann der Himmel nicht
Befehlen, oder gnädig sich erbarmen?

Mutter
Was du zerstört hast, kann er nicht mehr ordnen.

Münnich
Ich selbst! Es türmt sich schrecklich Last um Last.
Und es erhört mich niemand, nur — ich selbst.
Ist das die Furcht? Hat mich die Furcht gepackt?
Verächtliche und kindisch schwache Angst?
Elisabeth [20] soll diesen Sieg nicht schmecken.

[20] Tochter des letzten Zaren, die wegen ihres schmutzigen Charakters von Münnich für unwürdig erklärt wird, den Thron zu besteigen. Sie siegt am Ende aber doch.

Mutter
Wenn ich doch weinen könnte! Jene Nacht
Hat den Genuß der Tränen mir geraubt.

Münnich (ruhig)
Was du mir auferlegst, — es macht mich größer.
Dein Urteil macht mich frei. Ich werde tilgen,
Was ich verblendet tat. Ich weiß die Antwort,
Um Rußland zu versöhnen. Freu' dich, Mutter,
Ich bin hindurch! Mein Leben ist gewonnen.

In diesem Gespräch wird der tragische Kern des Stücks bloßgelegt. Es ist im Sinne des Autors nicht tragisch, daß der große Reformer am Widerstand und an der Mißgunst seiner (andersrassischen) Umwelt scheitert — das ist nur rassengesetzmäßig —, aber es ist tragisch, daß er nicht erkannt hat, wie er die Schöpfungsordnung störte. Der Held ist damit sein eigener Gegenspieler geworden, und folgerichtig wendet sich sein Kampf nun gegen sich selbst; am Ende überwindet er seine menschliche Vermessenheit, die Naturordnung zu stören, indem er seine Schuld anerkennt; sich selbst überwindend, gewinnt er die Freiheit vor der Geschichte, d. h. er erkennt die Unveränderbarkeit der Verhältnisse an!

In ähnlicher Weise wird Agneta in E. W. Möllers „Spiel" „Das Opfer" schuldig. Münnich verführte eine positive Rasseneigenschaft, nämlich der eingeborene Idealismus deutsch-germanischer Art, gegen das Naturgesetz zu freveln; Agneta wurde durch die typisch nordische Rasseneigenschaft, edelmütig, gerecht und mitleidig zu sein, zur Gefahr für den Bestand der Rasse, weil sie als Kind einem Slawenjungen, den die Götter durch ein Wunder als Rassengefahr gezeichnet hatten, das Leben rettete. Dieser Junge ist nämlich zum Mann aufgewachsen und bedroht nun als Woiwode die Rassengemeinschaft. Er verlangt die Auslieferung seiner damaligen Retterin, die heute Frau des Richters ist; ihr Vater will die Forderung erfüllen, um die Rassensünderin ihre Schuld büßen zu lassen; die Mutter, Agnetas Schwiegermutter, sieht darin eine Schändung der Rassenehre und fordert ein Gericht der Rassengemeinschaft. Agneta legt ihren tragischen Zwiespalt in einer Verteidigungsrede dar[21]:

Die Mutter
[...] Nicht
Als Mutter komm ich her, um diese da
Dem wohlverdienten Schicksal zu entreißen,
Den Richter such ich, nicht den Sohn, und diese

[21] E. W. Möller, Das Opfer, S. 79—83.

Klag ich wie irgendeine andre an
Im Namen aller Mütter und im Namen
Von allen Fraun, die Mütter werden sollen
Und Kinder haben, welche Deutsche sind.

Der Richter

Du klagst sie an? Auch du?

Die Mutter

Vor der Gemeinde.
Und fordre, daß du richtest, noch bevor
Ein andrer kommen kann und dir das Amt,
Das angestammte, Zeichen deiner Würde
Und unsrer Freiheit, aus den Händen nimmt.

Agneta

Und wessen klagst du mich vor diesen Frauen,
Vor meinem Mann und der Gemeinde an?

Die Mutter

Du weißt es selbst.

Agneta

Hätt ich es nicht gestanden,
So wär es mein Geheimnis, heute noch.

Die Mutter

Die Schuld besteht.

Agneta

Daß ich zu einem Kind
Als Kind barmherzig war?

Die Mutter

Das Kind wird jetzt
Zum Mörder deiner Kinder.

Agneta

Wenn ich nicht
Mit meinem Leib ihr Leben mir erkaufe.

Die Mutter

Und tust du das, so bist du doppelt schuldig,
Und doppelt stößt dich die Gemeinde aus.

Agneta

Ihr stoßt mich aus? Ach ja, das müßt ihr wohl,
Und lange macht euch Sorge, es zu dürfen.
So sorgsam trugt ihr Stein auf Stein zusammen,
So fleißig häuft ihr Schuld für Schuld auf mich,
Daß ich nun wehrlos sein und als Verlorne
Mich euerm Spruch gehorsam fügen soll.
Allein ihr irrt euch, ja, ihr irrt euch sehr.
Nicht mein Vergehen ist es, das mich richtet,
Nicht eure Strenge, die mich reuig stimmt,
Und euer Richteramt ist angemaßt.

Ein Grund zu wenig und ein Grund zu viel
Kann es zu einem Spiel mit Worten machen.
Denn wenn ich eines weiß, so weiß ich das,
Daß ich gerecht war wie nur eine je
Und wie nur je ein Weib aus unserm Volk
Gehandelt hat und immer handeln wird.
Wo ich mich täuschte, täuschtet ihr euch auch.
Wo ich zu schwach war, waret ihr nicht stärker,
Und wo ich leide, leidet ihr mit mir.
So hebt die Steine auf, die ihr gesammelt,
Und schleudert sie, ihr trefft euch immer selbst.
Vergebt euch euern Stolz, verdammt die Güte,
Die euer bestes Teil ist, stoßt mich fort
Und treibt die Einfalt aus in euerm Wesen,
Des eignen Blutes tief verborgne Stimme,
Die Unschuld des Gewissens, die mich trieb,
Mich reinzuhalten von Verrat und Unrecht,
Nehmt mich als Opferlamm und kauft euch frei
Beim Himmel von der angestammten Art,
Dann fragt, was ihr gewannt, und seht nur zu,
Was übrig blieb.

Die Mutter

Du hast dich selbst verstoßen
Aus der Gemeinschaft, die du so betrogst.
Willst du uns denn noch länger täuschen? Willst
Du deine Kinder lehren, was es heißt,
Sein Blut und sein Gewissen rein zu halten?
Und willst du, daß sie sagen: diese hat
Es mit den Feinden unsres Volks gehalten.
Sie war die Freundin eines Fremden, die
Geliebte unsrer Unterdrücker und
Die Mutter eines Bastards.

Agneta (schreit auf)

Nein.

Der Pfarrer

Verflucht,
Wer seinen Stein auf diese Arme wirft
Und ist nicht ohne Sünde.

Die Mutter

Ohne Sünde
Wird keiner bald in der Gemeinde sein,
Wenn erst die Kinder lernen, ungestraft
Zu tun, was ihnen gutdünkt.

Der Vater

Wehe!

Die Ratsmänner

Wehe!

Der Richter

Ja, wehe jedem, der mein Weib berührt,
Und sei es meine Mutter.

Die Mutter

Willst du's hindern,
Wenn's jeder hergelaufne Fremde darf?

Der Richter

Er soll es nicht.

Die Mutter

Wie wollt ihr's ihm verwehren.
Sie selber gab ihm einst das Recht dazu.
Er nimmt nur wieder, was ihm schon gehört.
Und kennt der Marder erst das Loch im Zaun
Und weiß der Wolf erst, daß die Hirten faul
Und ihre Hunde blind sind, bricht er wieder
Und immer wieder in die Hürde ein.
Da bleibt nur eins am Ende: daß der Hirt,
Der ungetreue, sterbe.

Die Ratsmänner

Freilich.

Indem Agneta schließlich Selbstmord begeht, opfert sie ihr Blut, und sühnt damit ihre Schuld vor der Rassengemeinschaft. Da der Konflikt kein innerweltlicher ist, kann er auch nicht innerweltlich ausgeglichen werden; er muß im Metaphysischen versöhnt werden. Für den Menschen ist hier das Blut die Brücke in diesen Raum; indem er sich seines Bluts bewußt geworden ist, bekommt er erlebnishaft Zutritt zu dieser Sphäre; wenn er es opfert, heilt er den Riß im Kosmos, den er schuldig-unschuldig aufklaffen ließ, als er gegen das universale Rassengesetz verstieß (Dabei muß aber angemerkt werden, daß die Wurzel dieses Blutkultes nicht allein, möglicherweise noch nicht einmal hauptsächlich im Rassismus liegt, sondern in einer mystischen Blutsymbolik christlich-romantischer Art, die sich dann mit dem Rassismus verband, z. B. in der Wagnernachfolge bei Chamberlain und E. v. Hartz.). So ist denn das Blutopfer ein beliebtes Motiv im Drama des Dritten Reichs, zumal der Blutbegriff nicht Individualbedeutung hat, sondern — gemäß der Rassentheorie — für eine ganze Gruppe relevant ist, da ja überhaupt nur das Blut der Rasse die Gemeinschaft stiftet.

Fr. Bethge behandelt in seinem „Schauspiel" „Marsch der Veteranen" einen solchen Opfertod für die Gemeinschaft. Hier handelt es sich allerdings nicht um eine rassische, sondern um eine soldatische. Nach dem napoleonischen Krieg schließt sich eine Gruppe invalider russischer Veteranen zusammen, die von der Regierung Versorgung verlangt, was ihr aber schnöderweise abgeschlagen wird. Die Bewegung hat zwei Häupter, den anarchistischen Intellektuellen Ottoff und den loyalen Hauptmann Kopejkin. Kopejkin organisiert einen Hungermarsch auf Petersburg, Ottoff unternimmt einen Überfall auf einen zaristischen Geldkonvoi. Dabei wird der invalide Kanonier Georgieff — ein Soldat vom reinsten Wasser — vom kommandierenden Rittmeister des Geldtransportes getötet. Der zufällig erscheinende Kopejkin bringt die Marodeure hinter sich und beschwört den Tod Georgieffs als mythisches Opfer für die Gemeinschaft [22].

Kopejkin
[. . .] Doch wer von russischen Soldaten künftig als Räubern spricht — den stelle ich vor diese Mündung — —

Rittmeister
Und vor diesen Degen! (kniet vor Georgieff) — das gelobe ich hier. — (zerknirscht) Was kann ich sonst tun?

Georgieff
Macht nichts!

Rittmeister
Du standest so viel würdiger als ich — — doch ich war rasend — — du vergibst mir? —

Georgieff
Dann ist's so gut, als wär' es bei Smolensk.

Weib (mit den beiden Kindern)
Kniet nieder, Kinder! (knien vor Kopejkin)

Kopejkin
Was tust du doch? Vor mir nicht — kniet vor ihm, der einer höhern Welt schon angehört. (Der Zug setzt sich in Bewegung, der Rittmeister salutiert; Kopejkin auf Georgieff weisend zu den Soldaten) *Werdet ebenso brave Soldaten! — dann steht die Welt fest!*

Georgieff
Führ uns Väterchen! — — daß meine Augen sehen die Stadt — und meine Zunge lobpreise! — —

Soldaten (umringen Kopejkin)
Führe uns, Hauptmann!

Kopejkin
Nicht ich bin euer Hauptmann — was redet ihr doch! — hier liegt euer Hauptmann! Ich führ' euch nur an seiner Statt. Erleuchte mich, Bruder Georgieff, erleuchte mich!

[22] Fr. Bethge, Marsch der Veteranen, S. 54—56.

Georgieff
Mein Väterchen – mein Hauptmann! (stirbt)
Kopejkin
Von nun an: *Veteranen*! Gelobt ihr *ihm* Gehorsam, Ehre, Treue bis in den Tod – und mir an seiner Statt?
Veteranen
Wir geloben es (flüstern – sich bekreuzigend) – wir geloben es – wir geloben es!
Kopejkin (schärfer)
Fähnrich Ottoff: gelobst du ihm Gehorsam, Ehre, Treue bis in den Tod – und mir an seiner Statt?
Ottoff (geht an Kopejkin wortlos vorbei auf Georgieffs Leiche zu, kniet nieder und ergreift die Hand des Toten; dann steht er auf und antwortet Kopejkin kalt)
Die Wege scheiden sich – nicht das Ziel. Du bist der Hauptmann – befiehl! – (geht kalt an ihm vorbei auf seinen früheren Platz)
Kopejkin
So gelobe ich dir, Bruder Georgieff: Gehorsam, Ehre, Treue bis in den Tod. Nicht weichen will ich von der gemeinen Sache, nicht weichen von Ehre, keine Gemeinschaft haben mit den Großen des Reichs, die diesen Tod, die diese Not verschuldet, so wahr mir Gott helfe! – Nehmt auf die Leiche, tragt sie dem Zug voran – nach Nowgorod, dort warten 570 Kameraden eurer; 120 bei Kolpino zählt Michailoff – *in einem Jahr sind's Zehntausend.* –
Ottoff (zu Semioneff)
– sag das deinem Magen, dem dreckigen Köter, wenn er knurrt!
Kopejkin
Ich führ' euch in die Hauptstadt des Reichs – an die Tore der Mächt'gen will ich schlagen mit harter Soldatenfaust.
Veteranen
Wir folgen dir – bis in den Tod.
Semioneff
Ich steh' zu *dir*, Fähnrich! (leise)
Grissoff
Auch ich!
Ottoff
Brodonoff?
Grissoff
Auch! –
Ottoff
Auf den Tag!
Kopejkin
Nehmt auf die Leiche! Führ' uns, Bruder Georgieff!
Veteranen (flüstern)
Er lebt! – er ist mitten unter uns!

Die Verbindung zur Gegenwart ist in diesem Stück, das die Kritik als völkische Vollendung von Kleists „Michael Kohlhaas" pries [23], nicht direkt ausgesprochen; in K. Eggers „Spiel aus deutscher Dämmerung" „Schüsse bei Krupp" wird das Blutopfer als politisches Ereignis im gegenwärtigen Kampf der Nation um ihren Bestand gefeiert [24]. Franzosen und deutsche Arbeiter sind bei Requirierungsversuchen der Soldaten in Frontstellung geraten. Die Arbeiter provozieren die Franzosen nicht, dennoch schießen diese in die fliehende Menge. Ein Schlußgesang deutet und preist die Toten als Blutopfer einer deutschen Zukunft, ähnlich wie Hitler in einer Tafel, die er dem ersten Band seines „Kampfes" vorheftete, die am 9. XI. 23 in München ums Leben gekommenen Anhänger als „Blutzeugen" der „Bewegung" feierte [25].

Der Offizier
Ihr habt hier nicht *Deutschland* zu rufen! Vor euch steht Frankreich!
Der 2. Betriebsrat
Was heißt das?
Der Offizier
Für alle, die verständig sind und sich der Einsicht beugen, heißt Frankreich: *Freundschaft!* Für jene aber, die sich gegen Macht und Waffen stellen, heißt Frankreich: *Krieg* und *Tod!*
Eine junge Frau
Vater im Himmel! Hast du den Wahnsinn gehört?
Kampflied der Arbeiter
Wir wurden wie Maschinen
Bei Tagewerk und Fron.
Doch unser stilles Dienen
Fand niemals seinen Lohn.

Wir beugten unsern Rücken
Tief in der Arbeitszeit
In unsern müden Blicken
Lag eine Welt voll Leid.

Wir schritten auf den Wegen
Auf Wegen grau und trüb,
Der Elendsnacht entgegen.
Wohl dem, der liegen blieb.

Nur wenn die Zukunftsklänge
Dringen an unser Ort,
Steigen die Kampfgesänge
Aus unsrer Brust hervor.

[23] Vergl. J. M. Wehner, Vom Glanz und Leben deutscher Bühne, S. 375.
[24] K. Eggers, Schüsse bei Krupp, S. 26—31.
[25] Vergl. A. Hitler, Mein Kampf, (XXIII).

Wenn Feuer ferne flammen,
Wird unser Weg erhellt.
Dann stehen wir zusammen,
Wenn rings die Welt zerfällt.

Wer fragt noch nach dem Leben?
Wer fragt noch nach dem Sinn?
Wir kämpfen und wir geben
Im Kampf das Leben hin.

Mit unserm frühen Sterben
Sind wir der Meilenstein,
Und unsres Kampfes Erben
Werden einst Herren sein.

Seht ihr die Reihen schreiten
Vorwärts ins Morgenrot?
Wenn wir für Deutschland streiten,
Besiegen wir den Tod!

Wir siegen über Sorgen,
Die Sonne leuchtet rein.
Wir woll'n im Kampf für morgen
Die ersten Truppen sein.

Ein Jungarbeiter
Ihr habt Gewehre, wir haben nur unsre Fäuste ...

Ein 2. Jungarbeiter
... und unsre Ehre!

Die Arbeiter
Die könnt ihr uns nicht nehmen!
(Die Masse drängt vor. Die französischen Soldaten dringen mit vorgehaltenem Gewehr einige Schritte vor. Die Masse wird sehr unruhig und beginnt zurückzuweichen.)

Der 1. Betriebsrat
Herr Leutnant ...

Der Offizier
Ich will jetzt nichts mehr hören ...

Der 2. Betriebsrat
Wir wollen ...

Der Offizier (schreiend)
Aber ich will nicht!

Der 1. Betriebsrat (wendet sich zur Masse um)
Bleibt ruhig, Freunde ...

Ein Jungarbeiter
Wir sind schon ruhig ...

Eine Arbeiterin
Was können wir schon tun ...

Der 2. Betriebsrat
Wir müssen dafür sorgen, daß das Kommando von hier abberufen wird ...

Der 1. Betriebsrat
Wir werden zum französischen General schicken nach Bredeney ...

Die Arbeiter
Ja, geht nach Bredeney!
(Einige Arbeiter unter Führung des Gewerkschaftsführers entfernen sich.)

Der 1. Betriebsrat
Herr Leutnant! In der Halle ist ein Telephon! Rufen Sie doch an bei der interalliierten Kommission!

Der Offizier (schweigt).

Der 2. Betriebsrat
Rufen Sie doch an, Herr Leutnant!

Die Arbeiter
Anrufen! Anrufen!

Der französische Soldat
Fort mit euch!
(Ohne Warnung rücken die Franzosen plötzlich vor und beginnen in die fliehende Menge zu schießen. Das Maschinengewehr beginnt zu hämmern und mäht die Arbeiter reihenweise nieder. Einen Augenblick ist der Platz menschenleer. Nur die Toten und die sich windenden, schreienden Verwundeten bedecken den Boden. Mit aufgepflanztem Bajonett marschieren die Franzosen nach Westen ab. Einige Augenblicke später stürzen weinende Frauen und Kinder herbei und knien neben den Toten und Verwundeten nieder. Arbeiter und Sanitätskolonnen eilen herbei. Die dreizehn Gefallenen werden nebeneinander gelegt, die einundvierzig Verwundeten werden auf Bahren gebettet. Die Sirenen beginnen zu heulen. Einen Augenblick lang schweigen dann Menschen und Sirenen. Die Arbeiter nehmen ihre Mützen ab. Die Sirenen beginnen von neuem zu heulen. Die Bahren der Gefallenen und Verwundeten werden durch die Reihen der Arbeiter getragen. Einige Verwundete richten sich halb auf. Einige werden verbunden. Unter den Klängen des Arbeiter-Totenliedes werden die Gefallenen und Verwundeten hinausgetragen. Die leichter Verwundeten gehen, gestützt durch die anderen Arbeiter, hinter dem Totenzug.)

Totenlied der Arbeiter
Arbeiterblut ist geflossen.
Arbeiter starben den Tod.
Von Feindes Feuer erschossen
Färbten die Erde sie rot.

Ihr Opfer geht nicht verloren,
Samenkorn ist ihre Tat.
Aus ihr wird einmal geboren
Der deutsche Arbeiterstaat.

Wenn auch so manche noch fallen
Vor unserer Freiheit Tor,
Gilt doch ihr Opfer uns allen,
Brüder, zum Kampfe hervor.

Wir fürchten nicht die Granaten,
Fürchten nicht Kugeln, nicht Blei.
Wir machen mit unseren Taten
Deutschland die Zukunft frei.

Der mystische Opfertod fürs Vaterland, der Klassenkampf durch Rassenkampf ersetzt, wurde dann natürlich in den Weltkriegsdramen besonders intensiv behandelt, so etwa in Zerkaulens „Jugend von Langemarck". Die kriegsfreiwilligen Studenten, die im Ersten Weltkrieg vor Langemarck liegen, werden von den älteren Soldaten mißtrauisch betrachtet, da diese glauben, jene würden der Belastung des Krieges nicht standhalten. Aber die Studenten verstehen sich ganz anders: sie fühlen das Blut der Toten anderer Schlachten der deutschen Geschichte in sich rauschen und wollen später ebenfalls aus der Ewigkeit im Blut nachkommender Generationen pulsen. Ihr eigentliches Ziel ist nicht der militärische Sieg, sondern der Tod für die Nachgeborenen [25a].

Student Timm
Aber der Lehmbruck — da er gerade fort ist — was hat der Lehmbruck bloß immer mit seinen — Herren Soldaten?
Student Eidak
Was sie alle gegen uns haben, die gelernten Krieger. — Bilden sich einen Stiefel ein auf ihr bißchen Kriegskunst, die sie in drei Jahren gelernt haben und wozu wir gerade drei Monate Zeit hatten!
Student Fink
Und dann verstehen sie auch nicht, daß wir uns freiwillig gemeldet haben. Sie reden vom großen Rausch, der alle erfaßt habe und trauen diesem Rausch nicht. Sie sind gebunden an Familie und Beruf — oder was denkst Du darüber, Franz?
Franz
Was ich denke? (stockend) Ja — Angst hat der Lehmbruck. Das stimmt schon. Um uns hat er Angst — unseretwegen.
Student Timm
Weil wir Kriegsfreiwillige sind!
Franz (geheimnisvoll)
Wenn der Lehmbruck nur wüßte, wie das ist mit dem Rausch und mit uns — deutschen Studenten! Rausch — das kommt nämlich her von rauschen. Ja, Brüder — es rauscht in uns. In mir und in Dir, und in Dir (immer mehr sich

[25a] H. Zerkaulen, Jugend von Langemarck, S. 32—33.

steigernd) in uns allen — allen. Das Blut der Väter rauscht in uns von Jahrhunderten her. Alle, die sie ihr Leben ließen für die Heimaterde, die von Fehrbellin, die von Roßbach, von Leuthen, Jena, die von Sedan — bei uns sind sie — *in* uns! Ihr Vermächtnis, das Geheimnis ihres Blutes, das liegt wie ein Anker in uns, wir wußten es nur nicht. Aber jetzt, da unserer Erde ein Unrecht geschieht, da unsere Fahnen wehen im Wind, da die Trommel geht an unseren Grenzen — da zerrt er auf einmal, der Anker. Das Blut der Väter, ihr Wille, ihr Sterben um die Ehre und die Freiheit Deutschlands — das alles *rauscht* in uns.
Kinder, da *müssen* wir doch mit! Da müssen wir doch stürmen. Und wenn es in die Hölle geht, Kinder. Und wenn wir in Fetzen ankommen. Aber ankommen — ankommen werden wir! (Ekstatisch) Schon, damit es einst in denen wieder rauscht, die nach uns kommen. *Wir* werden dann rauschen — in ihnen! Über Jahrhunderte hinweg — aus der Unendlichkeit rauschen *wir* in *ihrem* Blut. — Und darum, denke ich, braucht der Lehmbruck auch keine Angst zu haben. —

Student Timm

Nein, das braucht er nicht. Du hast recht, Franz, er kennt uns nur noch nicht. Sie alle kennen uns noch nicht. Fortgelaufen aus dem Hörsaal — so sagen sie. Von der Schulbank, von den Büchern fort — ja, aber im Herzen die Gewißheit: Wir sterben um zu leben!

Mehrere zusammen

Wir sterben um zu leben!

Es handelt sich hier nicht um „zeitlose" Kunst, die den Blick auf die Gegenwart verleugnet, sondern um eine bewußt zeitbezogene. Hier wird die strategische Planung, die Menschenverluste, oder wie sie selbst sagt: Materialverluste, zur Erreichung gesetzter Kriegsziele einplant, in einem pseudo-mystischen Zusammenhang rechtfertigend verdunkelt. Statt solcher Überlegungen gab Zerkaulen eine andere „zeitgeschichtliche" Deutung: „Die von Langemarck zogen unsichtbar mit uns. Sie zogen weiterhin mit uns all die furchtbaren Jahre nach dem Zusammenbruch bis zum dröhnenden Glockenschlag der Kirchen von Potsdam [26]. Hier aber blieben sie stehen, ausgerichtet in unübersehbaren Linien wie einst auf den Kasernenhöfen Deutschlands, wieder wie 1914 reichen sich heute Arbeiter und Studenten die Hand. Eine neue Jugend hat ihr Banner entrollt, eine neue Jugend brach gegen die erste Linie der feindlichen Stellungen im Herzen des Vaterlandes vor und nahm sie unter dem Gesang ‚Deutschland, Deutschland über alles'. Der Kreis hat sich geschlossen: das Vermächtnis von Langemarck lebt!" [27]

[26] Gemeint ist der „Staatsakt von Potsdam" am 21. III. 1933.
[27] Zit. bei H. Wanderscheck, Deutsche Dramatik, S. 88.

c) *Schicksal*

Die Bindungen an Rasse und Volk werden nach völkisch-konservativer Anschauung noch von jener an das Schicksal überwölbt; denn Schicksal ist im Drama nicht ein abgeleiteter Begriff, der sich etwa aus der Bindung an das Volk ergibt, sondern selbst eine aktive Kraft, die, wie das angeführte Beispiel aus Möllers Spiel „Das Opfer" gezeigt hat, lenkend in die menschlichen Geschicke eingreift. Für Langenbeck gibt es „ein entschiedenes Verhältnis zu dem, was stärker ist als Menschen, was wir das Göttliche oder auch das Schicksal nennen" [28]. Dieses waltet unbestechlich und allgewaltig in großer Gleichmütigkeit über dem Menschen: „Aber andere Zeiten gibt es, da den Menschen gewaltsam klar gemacht wird, daß geschichtliche Ereignisse wie Naturereignisse sind. Verstand und Klugheit versagen, alles Rüstzeug des Fortschritts und der Selbsttäuschung wendet boshaft seine Kraft gegen die, die es erfunden und gepriesen haben: und plötzlich sieht der einzelne Mann einer unfaßbaren Gewalt der Vorgänge sich preisgegeben, ja, aufgeopfert [. . .], all diese einzelnen Männer erkennen dann, daß sie zunächst nur mit ihrer Mannheit zahlen können, weil kein Glaube mehr in ihnen ist, der allein sie ermächtigen würde, die ungeheure Schuld dem allmächtigen Gläubiger, nämlich dem Leben und dem Schicksal, gesetzmäßig zu begleichen." [29] Diese verworrenen Gedankengänge aus Langenbecks wichtiger Programmrede: Die Wiedergeburt des Dramas aus dem Geiste der Zeit, reproduzieren — wie der Titel ja bereits vermuten läßt — Vorstellungen, die ihre Wurzeln in der Lebensphilosophie haben, über die Lukács urteilt, es handle sich um eine „Religiosität ohne Gott" [30].

Wie ein Exempel zu dieser Schicksals-Lehre erscheint in C. Langenbecks „Tragischem Drama" „Das Schwert" das Gespräch des heldischen Fürsten Gaiso mit Gerri, dem hellen Führer der „jungen Mannschaft". Gaiso hat aus Staatsnotwendigkeit seinen Bruder ermordet; seinem Handeln lag — nach dem Willen des Autors — Schicksalszwang inne, und alle beteiligten Personen erfüllten nur das Gesetz des Bluts; und dies verlangt als letztes das Blutopfer dessen, der notwendig am heiligen Sippenblut schuldig

[28] C. Langenbeck, zit. bei H. Chr. Mettin, Der Dramatiker; C. Langenbeck, Das Innere Reich III, 1936/37, S. 119 f.

[29] C. Langenbeck, Die Wiedergeburt des Dramas, Das Innere Reich VI, 1939/40, S. 925 f.

[30] Vergl. G. Lukács, Die Zerstörung der Vernunft, S. 392 ff.

wurde. Gerris Zweifel gibt Gaiso die Gelegenheit, sein Lebensgesetz expressis verbis auszusprechen [31]:

Gaiso
Mein Sohn, mein Freund, mein Bruder: Es ist aus mit mir.
Gerri
Gaiso mein Feldherr, niemals werd ich das verstehn!
Gaiso
Bemühe dich zu hören, und du wirst begreifen.
Kaum noch bin ich bei Worten; alles ist schon innen. –
Es muß ein Mann ja fühlen können, wann die Kraft
Des Antriebs und das Recht der Fordrung ihm versagt wird,
Denn Gott ist's, er allein, der das verwehren darf. –
Ich bitt dich, höre wissend zu; ich rede schwer. –
Mit allen Lasten, die der lange harte Streit
Mir auf die Seele warf, bin bis zu diesem Tag
Ich durchgedrungen, ungebeugt. Und dann erschlug ich
Den Bruder, weil es nötig war. Ich glaubte fest,
Daß meine Seele das auch tragen würde noch.
Sie hat's verweigert. Meine Lebenszeit ist um.
Und gehen muß ich, wenn der Stern, der mir und euch
Heilsam geglänzt hat immer, nicht erlöschen soll.
Awa die Mutter hat mein Schicksal längst erkannt,
Und nun erwartet sie daß ich die Buße zahle
Dafür daß ich berufen war zu großer Tat.
Ich aber dank ihr und ich wink ihr zu und singe:
Mutter des Volks und meine Mutter: Wenn wir leben
Durch unsren Tod hindurch, und sättigen die Wahrheit:
Du warst's, die das für uns erlebte und erschuf.
Gerri
Es brennt in mir Verehrung für dein Leiden. Was du
Geopfert hast von deiner Kraft und deinem Blut,
Wir wollen's reichlich dir erstatten und du sollst
Die Ernte schauen. Sagen aber muß ich klar,
Daß du, dir selbst gehorchend, jetzt das Land verrätst!
Inmitten hier der rasenden Gefahr willst du
Verlassen uns? Vom Feinde alle Augen und
Von Freunden alle Herzen suchen dich: du aber
Willst fort? Ja, ist das nicht ganz anders? – Du willst fliehn!
Gaiso
Du glaube: wenn von mir noch irgend etwas jetzt
Euch und dem Siege helfen kann: dann nur mein Tod.
Gerri
O suche keine Schuld, die du nicht tragen *sollst!*

[31] C. Langenbeck, Das Schwert, S. 78–84.

Gaiso
Ich suche nicht, ich weiß, was ich vollenden muß.
Gerri
Liebend dein tapfres Volk erschlugst du deinen Bruder –
Nein, nicht erschlugst du ihn, du hast ihn hingerichtet!
Nun, wenn du nicht ertragen kannst was du getan hast,
Wirst du vor vielen Augen wie ein Schwächling stehn,
Befremdlich, unverstanden, ja sogar verachtet!
Wirf deine Trauer ab! Ich bitt dich komm zurück!
Niemals ist Evruin so wichtig dir gewesen,
Daß über seinem Tod du deine Pflicht und uns
Vergessen könntest! Sei uns wieder der du warst!
Gaiso
Ich fühl daß du mit fremden Zungen redest, Gerri,
Weil du mich liebst und mich nicht lassen willst; wär's anders,
Dann müßt ich kühl wie einen Fremdling anschaun dich
Und wortlos gehn. –
(Stille)
Was sinds für Menschen, die mich schelten,
Da ich zum Sterben reif mich finde? Sagen sie,
Ich sei's dem Lande schuldig, auszuharren jetzt,
Herrschend und führend wie bisher? ja, nun erst recht
Als Held erweisen müsse ich mich? und nicht den Dienst
Verlassen dem als euer Fürst ich mich verschwor? –
Die frostigen Rechner! Sklaven tückischer Vernunft!
Unweise durch und durch, und von der Macht des Lebens
Noch nie gepackt! Nüchtern, nach dürren Regeln denkend,
Fehlt ihnen ganz die Kraft, in ihre eigne Seele
Das Leiden einer anderen hineinzubilden;
Sie ahnen nicht, wie eine ungeheure Tat
Blutig geboren wird und an das Ziel gebracht –
Gerri, zu solchen Menschen kommt das Schicksal nicht
Mit dem Befehl: Du sollst den eignen Bruder töten!
Wenn aber jemand dieses schreckliche Gebot
Empfangen und erfüllen mußte wie jetzt ich,
Dann rufen sie: Schwer war's, jedoch nicht allzuschwer!
Nun überwinde deinen Schmerz und sei ein Held! –
Mir haben diese öden Rufer nichts zu sagen.
Ob ich noch nützen kann, ob ich noch leben darf,
Das, schaudernd, fühle und erkenne ich allein.
Gerri
Hättst du ihn nur verurteilt, und dein Schwert geschont!
Dann stündest du wohl nicht so schwer getroffen da.
Gaiso
Du weißt daß du hier redest wie dir's nicht geziemt.

Gerri

Ja. — Ja. — Und daß ich dich nicht halten darf, ich weiß es.

Gaiso

Es wollte durch mich selbst getan sein alles, denn
Es will nun endlich dieser Kampf um unser Leben
Mit seinen Streitern, seinen Wunden, seinen Spuren
Hinab in die Vergangenheit. Ach Gerri! Freund:
Sein können ist ein Glück! Gewesen sein nicht minder.
Ich hab's erreicht, daß eine tödliche Gefahr
Gewesen ist, und dankbar schwinde ich mit ihr,
Ganz unbekümmert um den Ruhm der mir gebührt.
Ich fühle: ihr seid frei zum Glauben und zum Leben;
Denn was euch stören könnte noch, ich nehm es mit!
Die Schlange, die uns morden wollte, hat ihr Gift
An mich verschwendet, ihren stärksten Feind. Nun sterb ich
Und trage das erschöpfte Unheil von euch fort.
O Evruin, der mich so weit gebracht! — Ach Awa,
Die alles das erkannt hat immer und gewollt! —
O heiliges Gesetz des Bluts, o Kraft der Sühne:
Wie sinnreich und erleuchtet zeigt sich das Verhängnis
Vergangner Jahre meinem Volk jetzt und mir selbst!
Gerri, ich offenbare euch, daß dieser Krieg
Mit unsrem Sieg beschlossen wird durch meinen Tod.

Gerri

Wenn aber niemand dir zu folgen fähig wäre
Und auserwählt? — Dann käm, gefräßiger nur und wilder,
Das Unheil wieder, das du selbst gebändigt hast!

Gaiso

Ausdenken, willst du, soll ich dieses finstre „Wenn"?
Ich tu's — wie einer, der das nicht mehr nötig hat;
Denn alles was ich noch bekenne hier, ist freudig,
Ein jubilierendes Zuviel, ein Überfließen
Von Wahrheit — sanftes blutiges Licht des weiten Abends!
Die Nacht umrauscht mich schon, und euer Morgen steigt!

Gerri

Antworte nicht; ich fürchte und ich schäme mich.

Gaiso

Doch soll's gesagt sein. Wenn ich bleiben müßte hier
Bei euch, weil niemand, besser als ich selbst und freier,
Des Führers Pflicht und Banner über seiner Stirn
Und allem Volk entfalten kann im Glanz des Himmels:
Heillos, mit trüber Seele, von mir selbst verfolgt
Irrte ich dann umher in meiner alten Herrschaft,
Gepeinigt und zerfressen vom Gefühl der Schuld,
Durch Träume hin und her gejagt vom Geist des Bruders,

Ertragend nicht den ungeheuren Blick der Mutter,
Und ohne Balsam für die schwesterliche Not —
Zum Wahnsinn hingerissen endlich, zeugte ich
Euch allen, die ich liebe, garnichts Gutes mehr,
Und könnte nicht den Schrei, der mich zerreißen will,
Erwürgen noch in meiner Kehle — hörst du ihn? —
Gaiso! unseliges Herz! Warum bist du nicht tot?

Gerri

O leidgebärendes Vorrecht der berufnen Helden,
Die aufrecht wachsen im Verhängnis unsrer Zeiten:
Den Glauben gründen sie, das Leben heilen sie,
Und werden schuldig weil sie kämpften, wie's der Zwang
Befahl. Dann nimmt das Schicksal ihnen ihre Tage;
Und dunkel sinnend, Gott zum Zeugen rufend, wandern
Gehorsam die geweihten Häupter durch den Tod
Zu ihrem Ruhm hinaus, und wir verehren sie.

In E. v. Hartzens „Tragödie" „Ōdrūn" weitet sich diese Spannung Schicksal — Mensch ins Kosmische aus. Das Schicksal bewegt als aktiv eingreifende Macht die Seele des Menschen und den Raum von seiner tiefsten Tiefe bis zu seinen lichtesten Höhen. Die frevelnde Priesterin Ōdrūn, die dem Gott die Ehe brach, indem sie einen strahlenden Helden heiratete, dem sie drei Kinder gebar, die sich dann wechselseitig — sich verkennend — den Tod gaben, hat ihr Urteil selbst auf sich gezogen. Nun halten die Götter und das Schicksal Gericht, dem der Mensch, auch wenn er sich ihm zunächst entgegenstemmt, nicht entfliehen kann. Indem Ōdrūn das erkennt und sich in die Mitte der Schöpfung stellt, geht sie in den am Ende versöhnten Kosmos ein [32]:

Ōdrūn

So bin ichs — du verhehlter,
Abgründger Hohn! — die selbst sich angeschmiedet
Auf kahlen Fels, bewacht von meinen geifrig
Lautbellnden Hunden, Wind und Wog?!

Āslăk

Du bist's!

Ōdrūn

Bin selbst der Zauber, der herbeigezogen
Die Söhne mir, die Tropfen meines Blutes,
Weit über Sturm und Meer?!

Āslăk

Ja, du!

[32] E. v. Hartz, Ōdrūn, S. 91—103.

Ōdrūn

Nur ich,
Ich selbst, die hungrig sich, tollwütge Wölfin,
Auf ihre Jungen warf, sie jäh zerriß,
Zur Rachespeisung meinem Unheil?!

Āslăk

Du! –
– Herz deiner Himmelsnot, die Feuersamen,
Gesät von dir, sie blitzen unentwegt
Zurück in dich die hellen, sprühnden Funken.

Ōdrūn

Hört ihrs, Sterne,
Gedreht von mir bedenkenlos im Wirbel
Der weiten Unrast – ihr wehschwangern Höhlen
Der fruchtbarn Erde – hört, vom Schlaf Geschreckte,
Den tiefen grausen Ruf der Mutter hört:
Jagt ich in böser Lust euch meine Bahnen
Dahin, zum Frevelmahl der eignen Brut,
Ist nichts als Spuk und Graun, was ich mir zeugte,
So deckt mit Abscheu mein Gedächtnis zu.

Du bittre Welt, gehängt an diesen Nabel,
Eh ich aufs neu dich ließe zur Geburt,
Ein Opfer so blutschändrischer Begierde,
– O Grauen! – ich würgte dich an eigner Schnur,
Heilloses Kind, und würf uns Namenlose
Zurück in unsrer frühsten Mutter Wiege,
Das dunkle, ungestalte, wüste Ur!

Āslăk

So drängt durch alle Zeit leibhaftger Aufruhr
Dem Abgrund zu. Dein ungebärdger Stolz,
Die Götter schlagend, hat sich selbst zertrümmert:
Verzweiflung ist das Abbild deiner Schöpfung
Aus eigner Lust.

Ōdrūn

– Und trank ich doch voll Glauben
Das helle Glück, das in die Dämmrung brach
Des Götterhains – den milden, starken König!

Āslăk

Krank bist du, leer von seiner falschen Saat,
Und eure Frucht fiel taub von hohem Halme.

Ōdrūn

O finstre Wahrheit ohne Ton und Glanz! –
– War Gift die Flamme, die mich süß beseligt,
Die Monde unhold, die mich aufgewölbt
Zu hoher Hoffnung, Trug der reiche Segen,

Der, an das Licht geboren, mehr verhieß,
Als je der Weltwolf mir verschlingen könnte?!

Āslăk

Nichts blieb dir, nichts von angemaßter Fülle,
Als nur dies Weh und endliche Gericht,
Das, Königin, dich entthront. — So gib den Göttern,
Den gnadlos strafenden, die dich entblößen,
Die Seherin zurück, die Magd des Schicksals
Und sprich den zorngen Fluch mit eignen Lippen
Dem Rächer nach, auf alles was du liebtest,
Seit dem Gewaltigen du die Ehe brachst.

Ōdrūn

O böse Richter, die nicht satt sich zehren
Am schuldgen Blut! — — Verleugnen — ich — den Gatten
Aus reinstem Trieb, verraten — ich — die Seelen,
Die kindlich mir vertraut, in Haß verkehren
Die Liebe — ich — begraben sie, versenken
In Sarg Verhängnis — sie, die wahre Königin
Im goldnen Licht!

— Ruhlose, jetzt durchschau ich
Eu'r wildes Spiel!

Āslăk

Ihr Rächer!

Ōdrūn

Jetzt erkenn ich,
Wo Zukunft wurzelt ewiger Geschlechter,
Ungreifbar euern Händen. — Hört, Vernichter,
Aus Herzens Tiefe bricht es siegreich auf:

Die Stimme meiner Kinder, weltenweckend,
Ein lauter Hall im Totenhaus — sie lebt!
Mein schlummerloses Bild von ihrer Schöne,
Ein Traum, den keine Wachheit löscht — er lebt!
Der Augenquell, die Sonne meines Gatten,
Nachtloser Tag aus wandellosem Born,
Der auf mich sah durch aller Jahre Wechsel
Und hell blieb über jeder Gruft — er lebt!
Er lebt! sein Leuchten ist unsterblich!

Āslăk

Schau um dich her, schon ist das Licht verhangen
An allen Himmeln, die dein Ende rüsten
Im Aufruhrbette. Fahr denn in die Wehnacht,
Gefangene in deinen Mutterketten,
Gebier ihn aus, den augenlosen Sohn
Aus wildem Stamm — das jüngste Kind, das letzte,

Gezeugt im Trotz, geschwolln zum Berg der Rache,
Der nun den Schoß erdrückt: Der riesige Tod!

Ōdrūn

Zu meinem Sockel beug ich seinen Nacken
Und stelle mich darauf, Gericht zu dulden
Als meines eignen Willens freie Tat.

(Während der Sturm anschwillt, kommen die Dienstmannen, unter ihnen Ulf und Erp, herauf; sie dringen teils in das Innere der Halle, teils stauen sie sich vor dem offenen Tor)

Ulf

Flut über uns! — Mit donnernden Geschwadern,
Schaumfahnenüberweht, das Meer rückt an.

Erp

Die Wogenberge! — türmen sich empor
Zur Felsenhöhe; deiner Steinburg brechen
Die grauen Rippen.

Ōdrūn

Keucht ihr, Losgebundne,
Herbei auf meinen Pfiff! hellhörge Meute,
Mit triefenden, heißhungrig flammenden Mäulern,
Die Augen und die Sonne mir zu raffen
Aus meinem Angesicht?!

(Der Sturm schwillt an; Sjolf kommt und dringt durch das Tor in die Halle)

Sjolf

Ergib dich, Herrin,
Dem Tobenden! — Auf seine Arme nimmt
Der Sturm das Meer, sein frühstes Weib — und wirft dich —

Sjolf und die Dienstmannen (vordringend)

— hinab, wo Licht und Sinne dir vergehn.

(Der Sturm schwillt an; Wulf kommt und dringt durch das Tor in die Halle)

Wulf

O Todesaufruhr! wütende Umschlingung!
Der Leib der Flutfrau, eine Woge, bäumt sich
Zum Mond hinan.

Wulf und die Dienstmannen (vordringend)

Das Blut der Erde braust!

Ōdrūn

Du Ungestüm! grundmächtger, blinder Hunger
Nach diesem Leib, inständiges Gesetz,
Mit Fluten, Sturm und Glut in wilder Fordrung
Eindringend auf mein Leben, dich umfaß ich
Als meines eignen Zwistes tiefe Stillung,
Freiwerber du, und lasse dir den Kuß
In tote Augen. — Nimm, was dein gehört.

Āslăk (unmittelbar vor dem offenen Tor)
Verfinstrung, blutig, taucht die Welt in Purpur;
Am Himmel deine Stern', wie dunkle Tropfen,
Bereit ins Meer zu fallen, Königin,
Sie schlagen schwer die Fittiche zusammen
Des stürzenden Raums um dich.

Ōdrūn
Laß sie verlöschen
Im feuchten Grund, die Splitter meines Himmels;
Mein bleibt die Not, die mich mit goldnen Nägeln
Ans Kreuz der Feste schlug, mein bleibt die Milch,
Mir hellre Sterne an der Brust zu säugen.

Āslăk
Auf! rächende Wolfsnacht, tu den Feuerrachen
Weit klaffend auf!

Die Dienstmannen
Der hohe Himmel brennt!

Ōdrūn
Herbei, ihr Flammen!
Du Strahl, herab! entzündet in den Wolken
Aus meiner Todesglut! – Herab! ich wills!
(Blitz, Donner; das Haus brennt)
Aus Brand und Rauch mir läutre
Mein heilges Licht!

Āslăk
Auf! trächtig schäumige Fluten!
Herbei, ihr Wasser, spült die Welle fort,
Die sich dem ewgen Meer entgegenbrüstet
Mit eitlem Wurf.
(Brausendes Anschwellen der Wasser)

Die Dienstmannen
Der hohe Himmel wogt!

Ōdrūn
Herauf, ihr dunkeln Tiefen
Aus meinem Schoß. – Herauf! – Schwemmt diese Zuflucht
Hinweg mit euch.
(Die Fluten brechen herein in die Halle)
Im großen Becken trag mich, Mutterwiege,
Zu hellerm Ufer hin.

Āslăk und die Dienstmannen
(während die Flammen versprühen und die Flut steigt)
Blast, Flammen, streut die Asche weit hinaus!
Deckt, Fluten, zu den letzten zorngen Schimmer
Mit schwerem Naß. – Ruhm euch, ihr dunklen Götter!

(Der Brand erlischt; Flut und Finsternis steigen an und bedecken die Bahren [33])
(Ōdrūn ergreift die Fackel und ruft die Toten an)

Ōdrūn

Aus starren Fesseln macht euch los, Gefangne!
Auf, meine Kinder, folgt mir durch die Nacht!
(Sie wendet sich nach vorn)
Unsterbliche! wir klimmen zu der steilen,
Der Siegesburg. Da hält der König Hof
Im Freudensaal, dem alle Götter dienen,
Gebannt im Kreis von seiner hellen Macht.

Empor! — am hochgewölbten Eingang wartet,
Das Schwert zum Gruß entblendet, mein Gemahl,
Des hohen Himmels Schildwach, euer Vater.
Sein Antlitz neigt sich näher, zieht uns an
Mit starkem Blick, die Augentore weiten
Sich leuchtend auf, wir schreiten mitt' hinein,
Durch Strahlenschlünde —!

Āslăk und die Dienstmannen (während sie untersinken)

Finsternis verschließe
Die Augen deiner Welt.

Āslăk

Der Felsen sinkt!
(Sie versinken. Die Flut steigt. Auch Ōdrūn sinkt unter; man sieht nur noch ihren Arm mit der Fackel, der sich über die steigende Flut langsam höher hebt.)

Ōdrūns Stimme

Ich trete sichern Fußes
Mit klingender Sohle den kristallnen Fels,
Die ewige Feste! —

König!
Vatersonne!
Dein ungeteiltes Licht
Herrscht namenlos!

Diese Konfrontation des Menschen mit dem Schicksal ist den Dramatikern des Dritten Reichs keine Ausnahmesituation, sie ist vielmehr schlechthin menschliches Schicksal, dem es nicht zu widerstreiten, das es vielmehr anzuerkennen gilt. Letzte Aufgabe des Menschen soll es sein — will er wirklich Mensch sein —, den Willen des Schicksals zu erfüllen, unter dem Schicksal „auszuharren", wie Langenbeck in seiner programmatischen Rede sagt. Das versucht Gaiso in Langenbecks „Das Schwert" seinem Bruder

[33] Die Leichen der Kinder Ōdrūns sind in der Halle aufgebahrt.

Evruin darzulegen, als dieser ihn im dritten, unglücklichen Kriegsjahr wegen der überaus schlechten militärischen Lage für eine Ausgleichspolitik zu gewinnen sucht. Gaiso leugnet die Fakten auch gar nicht, aber für ihn ist die Realität nicht das Eigentliche; er zieht sich in einen „göttlichen" Bereich zurück und bekommt dort die Bestätigung, ja geradezu den Auftrag für sein Handeln. Das Schicksal lenkt sein Tun, und er weiß sich den Mächten verbunden [34]:

Gaiso
Als ich zu diesem schwersten Kriege schweigsam auszog,
Begeisterte ein reines Wissen meine Kraft:
Mitten in einer alten Welt, die dreist und gottlos
Gemein geworden war, erhielt sich hier bei uns
Ein gläubig brennendes Geschlecht, entschlossen und
Berufen, in des Lebens strengbewegte Fülle
Warmherzig einzusinken wieder, ahnungsvoll
Ergriffen und zu ritterlichem Dienst bereit.
Du, wie ich weiß, bestreitest das; du glaubst es nicht.
Ich aber, Bruder, dankbar, sah, daß unser Volk
Noch einmal leben wollte, recht von Grund auf neu!
Die drüben, die du deine Freunde nennst, sie fühlten
Das Ungeheure, und sie taten sich zusammen,
Weil sie es fangen wollten und vernichten. Da
Wurde mir eingeschmiedet der Entschluß: zu schützen
Mit härtesten Waffen unsre Willigkeit und Jugend.
Kein Plan war das des eignen kleinen Hirns, auch nicht
Bezauberung durch brünstige Dämonen — Nein:
Natur war's, und aus ihr der göttliche Befehl!

Evruin
Du schämst dich nicht, um Gott zu handeln immer wieder?
Weil du dein Unrecht witterst, rufst du ihn! Aber
Er lebt für uns nicht mehr! Und das bezeugst du selbst,
Denn nie warst du im altgewohnten Gottesdienst
Zu sehn, und keine Priester hattest du und garkein
Gebet für deine Sterbenden, für deine Toten!

Gaiso
Wirf diese grinsenden Gedanken fort, mein Bruder,
Knie an die Erde nieder, fasse dich und wisse:
Anbeten einen alten Namen, das ist wenig,
Gott fürchten aber und ihn lieben, wenn er sich
Verbergen mußte vor viel unverschämten Seelen:
Ja, das ist groß; da muß ein Mensch schon etwas sein.

[34] C. Langenbeck, Das Schwert, S. 34—37.

Wir leben, weil wir glauben! und das ist der Krieg!
Nicht um die Macht! Nein: um die Freiheit unsrer Herzen!
Denn *die* ist angegriffen worden! nicht die Stadt!
Und soviel Macht, als diese Freiheit braucht, will ich
Gewinnen für mein Volk und Vaterland! Nicht mehr.
Wer diesen Gang nicht aushält, trete ab und schweige.
Du, Evruin, mein Bruder, du begreifst das gut!

Evruin

Ich staune. Alle Mächte dieses flüchtigen Daseins,
Dem Ehrgeiz *eines* Mannes sollen sie gehorchen!
Gaiso: du willst nur daß du recht hast, und sonst nichts.
Dir hat der Mut gefehlt, zu billigen den Tod,
Den Abstieg, das Geheimnis, die Veränderung.
Es hat doch jedes Lebensalter seine Schönheit?
Auch wenn es sie nicht fühlt, nicht liebt, nicht kennen will?
Wir – müssen uns zum Ende rüsten; das ist sicher;
Und keine Schmach empfinde ich auf diesem Weg.
Du aber, als du sahst, was jeder sehen kann:
Daß manchmal auch ganz alte Stämme lebhaft grünen –
Hast wie ein wundersüchtiger Arzt den letzten Frühling
Zum „neuen Leben" ausgeschrien, hast Gott beschworen
Zum Zeugen und zum Schirmherrn dieser Neuigkeit,
Und hast das lüsterne Gewürm, die feige Menge
Berauscht mit mutigen und gesalbten Redensarten!
Das war ja alles nur ein freches Feuerwerk;
Jetzt ist es ausgebrannt, und du bist nichts mehr wert.

Gaiso

Du duldest kein Vertrauen, und das peinigt mich.

Evruin

Wenn ich dich schonen dürfte, stünde ich nicht hier!

Gaiso

Lang hält die schmerzliche Geduld mich nicht mehr fest! –
Hast einmal Gerri du gesehn mit seiner Mannschaft
Kämpfend im Feld und auf der Mauer? Weißt von Männern
Du etwas überhaupt? Dann lieber würdest du
Zerbersten, als die Wahrheit fälschen dir und uns!

Evruin

Gerri, das weiß ja jeder, ist ein tapfrer Mann,
Ein sichrer Schläger, der am Treffen seine Lust hat,
Ein Knecht, erzogen für den menschenmordenden Krieg!
Und viele solcher Knechte hast du dir erzwungen!
Das war ja auch sehr nötig! Heute brauchst du sie,
Denn niemand mehr hängt dir aus freiem Herzen an!
Sogar dich selbst belügen mußt du, mußt die Hydra
Des allgemeinen Mißtrauns füttern mit Gewalttat

Und blinden Fantasien; aber sie verdirbt
Dich dennoch! und ich sorge nur, daß sie nicht uns
Auch mitverschlinge! deshalb kämpfe ich mit dir
Und bin gewiß, daß endlich du mir weichen wirst!

Gaiso (nach einer Weile)

Wie mühsam und schweratmend ich aus tiefer Not
Heraufgedrungen bin, bis meine Seele *sah*
Und sich dem Ziel vermählte, das sich ihr enthüllte:
Davon kannst freilich du nichts wissen; willst auch nicht.
Mir brennen wachsam viele Narben im Gemüt,
Und schlecht verwachsen hat sich manche Qual der Liebe,
Mit der ich unser Schicksal prüfte und umarmte.
(nach einem Zögern)
Ja — einmal sah ich aufgerissen meine Brust
Im Traum, wie einen toten Krater, leer und öde;
Und tief, ganz drunten in der ausgemergelten Höhle
Aus einer schwachen Ader schwoll ein wenig Blut
Und troff und sickerte zurück ins nichtige Dunkel —
Ein sinnlos schmächtiger Quell des ungeheuren Lebens,
Ganz unfruchtbar, und wehrte dennoch ab den Tod,
Der sich gelagert hatte rings auf dürren Steinen
Und längst erstarrter Glut. Dies sehend litt ich sehr;
Und wartete und schwieg und löste mich von mir.
Es wurde finster. Und mit einem Brüllen kam
Plötzlich das Licht, das wilde süße Licht des Himmels,
Und Gerri stand bei mir auf einer milden Höhe
Im würzigen Wind des Frühlings, und er wies hinab
Mit lachenden Augen in ein blütenseliges Tal —
Und dieses Glück vertrieb mich aus dem Traum; ich sah
Ihm nach; ich dankte; denn ich nahm das Zeichen an.

Dieses „Ausharren" unter der Macht des Schicksals verstanden die Dramatiker als die eigentlich heroische Haltung. Dennoch ist es nur heldische Attitüde, denn das Ausharren bedeutet am Ende nur ein Anerkennen des Faktischen [35]. Der Grund des Geschehens und die Motive des Handelns werden — so könnte man sagen — aus der Welt hinausgefühlt; und dort, im Zusammenhang eines schicksalhaften Kosmos sind sie nicht mehr be-

[35] Bis zu welchen nahezu parodistisch anmutenden Formulierungen der Rückgriff auf das Schicksal geführt werden konnte, zeigt ein Zitat aus einem Lebenslauf, in dem der Umstand ausgedrückt werden soll, daß der Autor nicht ehelich geboren wurde: „Schicksalhaft wurde ich Stammträger der mütterlichen Ahnenreihe, denn ich wurde am 18. Januar 1903 in H*** im württ. Schwarzwald als Sohn des Chr.*** E.***, Lammwirt, und der Chr.*** H.***, Altwaldhornwirtstochter, geboren." (Aus einem Lebenslauf in einer Dissertation der 30er Jahre).

einflußbar. Das Umgreifende *ist*, und das gilt es anzuerkennen. Darin sollte die Freiheit des Menschen bestehen; in Wirklichkeit bedeutete es aber nur eine Freiheit von der Verantwortung für das eigene Handeln. Zugleich wird mit diesen Konstruktionen trotz dem Leugnen einer historischen Kontinuität — denn wo soll es die geben, wenn nicht mehr die durch menschliches Handeln bedingten Ereignisse, sondern ein unfaßliches, irrationalen Prinzipien ad hoc folgendes Schicksal, das seinerseits nur wieder ein Hilfsbegriff für irgendetwas Numinoses ist, den Gang der Dinge bestimmt — zugleich wird also eine eschatologische Sinngebung der Ereignisse nahegelegt, was besonders für die Schlußkonstruktionen der Dramen des Dritten Reichs von einiger Bedeutung wird [36]. Hier war ein neuer Punkt erreicht, an dem man christliche Sprache und formalisierte Vorstellungen amalgamieren konnte, ein Vorgehen, das man teilweise nur noch als blasphemisch bezeichnen kann. So benutzt K. Eggers in seinem „Mysterium" „Das Spiel von Job dem Deutschen" die biblische Geschichte vom leidgeprüften, glaubensstarken Hiob, um „deutsches Schicksal" zu erklären und zugleich zu „heiligen": Gott wettet mit dem Bösen, daß der beste aller Menschen, Job der Deutsche, ihm treu bleiben werde, was immer auch komme. So schickt der Böse zunächst den Krieg, und die Söhne Jobs werden erschlagen; aber Job akzeptiert das Schicksal, auch wenn er das Geschehen nicht versteht, er harrt — mit Langenbeck zu sprechen — gläubig aus; er sieht in den Ereignissen etwas Verhängtes, das es zu ertragen gelte! Der Erzengel Michael — also eine höhere ontische Instanz — belobigt diese „Haltung", die Engelschöre geben den deutschen Kriegsverlusten einen höheren, kosmischen Sinn [37]:

Der Erzengel Michael
  Gelobt sei der Herr,
  Der die Kraft gibt!
  Gelobt sei der Herr,
  Der die Kraft liebt
  Im Schwachen!
  Dein Glaube hielt Stand,
  Als die Hand
  Satans
  Nach ihm griff.
  Job, bleibe stark;

[36] Vgl. unten S. 345—371.
[37] K. Eggers, Das Spiel von Job dem Deutschen, S. 30—31.

Was auch noch kommen mag,
Versuchung und Schicksalsschlag,
Sind kleiner als die Liebe
Des Herrn der Herrlichkeiten.

Job, du Deutscher, deine Söhne
Sind gerettet
Durch den Glauben an den Sinn des Schicksals.
Ihre Seelen sind verkettet
An die Liebe Gottes.

Die Chöre der Engel (sprechen das Totenlied)

Über eine Brücke gleiten
Schatten erdgelöster Geister.
Durch der Weltenräume Weiten
Ruft der Herr sie als ihr Meister.

Über einer Erde Ringen
Steht das Tor zur Ewigkeit.
Und die Seelenschatten bringen
Gott, der Seele Heiligkeit.

Feuerträger sind die Seelen,
Hell auf Erden strahlt ihr Licht.
Kämpfen, Siegen, Leiden, Fehlen
Löschen Gottes Feuer nicht.

Heilig ist der Seele Glühen,
Heilig ihre Kämpferzeit,
Heilig ihr Hinüberziehen
In das Reich der Ewigkeit.

An diesem Beispiel zeigt sich besonders deutlich, wie reale politische Ereignisse über die Grenze zum vermeintlich Metaphysischen geschoben werden und wie Ausharren und Gehorchen in Wirklichkeit nicht Heroismus, sondern Ausfluß eines passiven Geschichtspessimismus sind, der trotz aller Berufung auf das Göttliche und seine lenkende Macht die Sinnfrage nicht mehr befriedigend zu beantworten vermag.

d) *Das „Leben"*

Die Doktrin des Ausharrens unter der Gewalt des Schicksals zeigt die Unmöglichkeit an, in diesem Bereich die Sinnfrage zu beantworten; so versuchten viele der hier behandelten Autoren und der Ideologen, von denen sie abhängig waren, in noch weitere Schichten des Irrationalen vorzudringen, und sie stießen endlich auf den Begriff des „Lebens", wobei sie freilich nur älteres Gedankengut trivialisierend aufnahmen. Und das Grundgesetz des „Lebens" ist der Kampf ums Dasein und um die Fortpflanzung; das hatte Hitler mit aller Direktheit dargelegt: „Ein stärkeres Geschlecht wird die Schwachen verjagen, da der Drang zum Leben in seiner letzten Form alle lächerlichen Fesseln einer sogenannten Humanität der einzelnen immer wieder zerbrechen wird [. . .]." [38] Wie dieser Kampf ums Dasein im Ersten Weltkrieg den neuen Menschen nach Meinung der nationalsozialistischen Autoren vorbildhaft prägte, schildert K. Eggers, wobei er — freilich unendlich vieler platter — E. Jünger folgt: „Ein Typ des Kriegers entstand, wie er gewaltiger von keiner dichterischen Phantasie geschildert werden kann: ein Gesicht, das durch Entbehrungen, Mangel an Schlaf, durch ungeheure körperliche und seelische Anspannungen, durch Erschütterungen aller Art kantig und straff geworden war. Ein Blick, der aus schmal gewordenen Augen den Feind suchte, Lippen, die zusammengepreßt waren und sich nur selten noch zu einem Lachen öffneten. Das Gesicht eingerahmt durch das Grau des Stahlhelms. Der Körper bedeckt mit einer zerschlissenen erdigen Uniform. Am Koppel die Pistole, die Handgranate, den Spaten. Und dieser Krieger lebte von Monat zu Monat, im Sommer und im Winter, im Graben, im Stollen, im Unterstand, war immer in Bereitschaft, hatte ständig den Tod, das Grauen, den Schmerz vor Augen. Hier erwuchs ein Menschentum, das eine neue Wirklichkeit verkörperte, die so erschütternd war, daß selbst die lautesten Schreier der Heimat bei dem Anblick eines solchen Menschen verstummten." [39] Hier die Sinnfrage zu stellen, ist endgültig sinnlos geworden, denn das „Leben" hat keinen Sinn mehr, außer in sich selbst: Die Germanen, die das römische Reich zerschlugen, „zu tadeln, ist so sinnlos, wie den Habicht zu tadeln, wenn er die Taube

[38] A. Hitler, Mein Kampf, S. 145. — Vergl. ebd., S. 147, S. 324; ders., Hitlers zweites Buch, S. 46 f.; E. Nolte, Der Faschismus in seiner Epoche, S. 494 f.
Den philosophiegeschichtlichen Ausgangspunkt solcher Gedankengänge findet man in der Lebensphilosophie; auf den Lebensbegriff und seine Bedeutung bei Dilthey etwa hat jüngst noch einmal H. G. Gadamer hingewiesen: „Den Grundcharakter des menschlichen Daseins bezeichnet er [Dilthey] als das ‚Leben'. Dies ist ihm die ‚kernhafte' Urtatsache, auf die auch alle geschichtliche Erkenntnis letztlich zurückgeht. Auf die gedankenbildende Arbeit des Lebens, nicht auf ein erkenntnistheoretisches Subjekt gehe alles Objektive im menschlichen Leben zurück. Kunst, Staat, Gesellschaft, Religion, alle unbedingten Werte, Güter und Normen [. . .] entstammen zuletzt der gedankenbildenden Arbeit des Lebens." Vehikel zwischen „Leben" und gedanklicher Realität ist die „innere Erfahrung". Und diese ist unmittelbare Teilhabe an der Ganzheit. (H. G. Gadamer, Das Problem der Geschichte in der neuen deutschen Geschichte, in: H. G. G., Kleine Schriften I, Tübingen 1967, S. 4).

[39] K. Eggers, Die kriegerische Revolution, S. 21.

schlägt" [40]. Leben ist zum biologischen Begriff des einfachen Vorhandenseins und der Verteidigung dieses Zustands geschrumpft.

Wie der Lebensbegriff zum letzten Grund aller Ableitungen werden kann, zeigt ein Gespräch aus E. Bacmeisters „Tragödie" „Der Kaiser und sein Antichrist" [41]: Pippin schlägt den ihm von seinem Vater Karl (d. Gr.) zugedachten Erzbischofsstuhl von Trier aus, der die geistige Mitte des neuen Reichs werden soll, und versucht Karl statt dessen seine Lebenslehre zu erläutern; er propagiert ein neues, angeblich besser verstandenes Christentum, dessen Kern der dem Gesetz des Lebens unterworfene Mensch sei, der sich selbst kämpfend, also auch zerstörend und tötend, in und durch die Tat befreie.

Pippin
Ich war im Kloster eine bittre Frist,
Den Mönchen unbegreiflich, wie ich litt.
Denn nicht, daß ich mich so wie sie kasteite
Und meiner Sünde seufzte. Mein Gewissen —
Ich nannte so die Scham, ein Troll zu sein —
Trieb mich nur immer an das Bibelwort
Und mühte sich vergeblich, zu erkennen,
Wer Gott in Wahrheit sei; denn mehr und mehr
Gebrach's ihm dort an Weisheit und an Güte.
Nur unerschüttert blieb er eines: groß.
Nicht menschlich gut und weise, nur noch groß.
Und daran, Kaiser,
An dieser menschenfernen Gottesgröße,
Die ich mit heiligem Entsetzen fühlte,
Weil sie auch ohne Mitleid grausam schien,
Zerschellte mir das Bild des Nazareners,
Wie es die Kirche predigt und bekennt.
Dies, wußte ich, kann Gottes Sohn nicht sein,
Der nur vom Guten kündet, dieser Christ.
Als wäre Gott nicht auch im Bösen da
Und seine Vaterliebe tödlich wahr,
Wenn er ein Leben hungergierig auf
Das andre hetzt: auf daß nur Leben *sei*,
Und er sein großes Wesen offenbare:
Zu stark für solche zahmen Wortapostel.
(ergreift die Bibel vom Betstuhl des Kaisers)
Dies Evangelium . . .
Kaiser (nimmt ihm die Bibel aus den Händen)

[40] L. F. Clauß, Die nordische Seele, S. 33.
[41] E. Bacmeister, Der Kaiser und sein Antichrist, S. 40—46.

Pippin

O höre weiter.

Wir brauchen diese alte Rede nicht.
Ich habe voll erfahren, wie es ist.
Ich floh das Kloster und das Bibelwort,
Verzweifelt vor der Wirrnis, Gott zu finden,
Und warf mich nackt hinein, in was er schuf,
Und rang und rang in langer Einsamkeit
Wortlos mit seinem Schweigen in der Welt.
Und da geschah es ... Darf ich freveln, Kaiser,
Solange mich der Himmel nicht erstickt?

Kaiser

Ich will dich deutlich. Darum rede frei.

Pippin

Und da geschah es, daß ich selbst der Christ
Und seines Wesens gänzlich mächtig wurde.
Denn das Geheimnis fiel in meinen Geist,
Das er verschwieg, und sprach nur: Seid vollkommen,
Wie Gott vollkommen ist. Das aber heißt,
Wie seine Schöpfung zeigt: verarmt euch nicht!
Verjammert nicht nach falscher Seligkeit
Das Ewige, was ihr auf Erden seid.
Und wollt nicht nur das Leben, wollt auch sterben.
Seid freudig Geist *und* Leib. Ihr wärt nicht so,
Wenn Gott sich nicht in euch so wollte. Was denn?
Ist dies der Sinn, daß ihr die Schöpfung staut
Und hemmt sie ihm in seine Hand zurück
Durch euer Nein? Er schuf euch doch durch Ja!
Und wählte sich die Welt zum Himmel, — selig
Im nie versöhnten Zwist. Denn Gott will *leben!*
Was nur den Tod bestreitend möglich ist.
Jedwedes Spiel verlangt den Gegenspieler.
Drum laßt sie beide euch willkommen sein
Und preiset ihren schöpferischen Zwist. —
Gottselig niemand ohne dies Gesicht. — —
So sprach in mir, so stark der Nazarener.
Und ich verbrannte fast in seinem Licht.
Doch daß er selber Gott sei: davon nichts.
Und daß er Sündentilger, Welterlöser,
Versöhner, Opfer sei und Friedensfürst,
Er einmal und für alle: davon nichts.
Dies Schweigen aber schrie mir: Fluch und Fehde!
Wo Einer Mensch ist, ohne zu erlösen,
Und segnet nicht durch sich die Kreatur —
Sterblich und zwiegebürtig, wie sie ist —
Und bringt sie hier, lebendig, zur Versöhnung.

Ein Gottesstaat und Himmelreich – in sich. – –
Dies dir zu sagen, ward ich so geboren. –
Dein Buckel, Kaiser, wächst durch deinen Staat
Und wird von nun an schwer und ein Verschulden.
Wogegen meiner leicht und schuldlos ist.

Kaiser

Was rätst du mir? – Da draußen steht der Dom –
Der christlichen Gemeinde aufgerichtet,
Die anders glaubt und anders hofft als du
Und findet es für ihre Kraft zu schwer,
Sich selber zu erlösen. – Fluch und Fehde?
Soll ich ihn brechen lassen? – und so weiter?
Das Bibelwort ins Feuer überall?
Die Priester abgeschafft? Gebet ein Frevel?
Weil es doch außer sich die Hilfe sucht?
Das Kreuz gestürzt, das Heilandsbild zerschmissen?
Verhöhnt die Seufzerflut der Kreatur,
Die sich zu stillen wähnt an fremden Wunden?
Der Friede ein Verbrechen an der Welt?
Doch wer den Gegenspieler Tod am reichsten
Dem Leben beimischt, ist vor Gott der Frömmste?
Und aller Kriege Ziel und Sinn der Mord?! –
Du Narr der Einsamkeit. Nun rede, – rate!
Und füge Tat zum Denken.

Pippin

Tat genug,
Daß ich vor dir so dachte. – Laß den Dom
Nur ganz so herrlich stehn. Und mich darin
So frei wie hier vor dir – vor allen Ohren
Die neue Andacht künden: diesen Gott,
Der, hart genug, das herbe Leben wagte,
Den schöpferischen Tod, – weil er am Ende
Von seinem hochgewagten bangen Spiel
Den Menschen wußte und den Menschen wollte,
Der ihn rechtfertigte.

Kaiser

Wir – ihn?!

Pippin

Ja wahr.
Wir – ihn. So groß steht unser Wesen da,
Mit solcher wundersamen Pflicht beladen:
Der ewigen Vergänglichkeit durch uns
Ihr Recht zu sprechen und zu sagen: Sei's!
Um dieses Lebens willen diesen Tod. –

Und daraus, Kaiser — wehe, wenn nicht so
Als Gottes Schöpferleid in uns begriffen! —
Steht uns auch frei zu töten, wenn wir schaffen.
Wie denn gelinder trügest du den Mord
An soviel Tausenden auf deiner Bahn,
Als daß dein Reich entstünde? — nicht dein Ruhm!
Ach, so war's nicht gemeint —: ein Hochgebilde
Des tatenstarken Göttlichen im Menschen:
Denn Gott ist selber Macht, singt der Psalmist,
Und darum froh der Mächtigen.

Kaiser

Du — Zwerg?

Pippin

Ich sagte dies aus deinen Riesentaten.

Kaiser

Die Haut von meinen Taten, nicht ihr Herz.

Pippin

Das Herz der Macht? — Ich weiß ja deine Ziele.
Doch kann das Herz der Macht die Ohnmacht sein,
Sich selber zu ertragen? — Ach das Heil,
Das du an dir vorbei in jenem suchst,
Der auch nur lehrte: Heilige dich selbst,
Wie ich mich heiligte. Und wartest auf
Das Gottesreich, in dem du mitten stehst. —
Das Herz der Macht, mein Vater, ist der Geist,
Der sie zum Höchsten treibt, wie dich: — zur Milde.
Du wurdest durch die eignen Taten reif
Und liegst doch immer noch vor deiner Bibel,
Als würde sonst dein Herz des Teufels sein:
Von Wirrnis, Mord und Lug und Trug besessen. —
O wärst du deines Reiches klare Mitte,
Dir selber nicht entweichend, und es flösse
Von dir das Gläubige des Lebens aus,
Das heilige Gewissen solchen Tuns,
Wie du getan, die wilde Welt zu zügeln, —
Die schöne, wundertiefe Wildnis: — Welt.
Und schufst sie um durch deinen starken Zwang,
Durch den sich Gott doch auch als Mensch bekannte,
Und wurde uns als Kaiser offenbar,
Um in der Wildnis Ordnung zu befehlen. —
Wenn du dich auch als Gottessohn verständest:
Was für ein himmlisches Geschehen wärest
Du unter uns, und welche Seligkeit
Für meine Zunge, dich zu predigen.

Bei Bacmeister ist die Beschäftigung mit Begriffen und Vorstellungen des Idealismus und der Lebensphilosophie noch sehr deutlich zu spüren. Er gehört zur älteren Generation der hier behandelten Autoren, die Jüngeren zeigen diese philosophisch-grüblerische Neigung kaum noch. Hier ist alles direkter und eindeutiger geworden; was bei Bacmeister Gedanke und Vorstellung war, ist bei diesen zu problemloser Realität gewandelt. So führt S. Graff in seinem „Schauspiel" „Die Heimkehr des Matthias Bruck" die gleichgültige Intensität des Lebens vor, das sich allein im Hier und Jetzt erfüllt und dessen Faktizität letzte Rechtfertigung des Geschehens ist: Matthias Bruck kehrt nach langer Zeit aus Rußland zurück; er lebt unerkannt auf seinem eigenen Hof; seine Frau hat wieder geheiratet. Andres, der neue Bauer, will ihn, der sich als Sepp bei ihm für die Ernte verdingt hat, behalten, da der Knecht Lobl zu alt wird. Hier sei die Schlußszene angeführt: Die Bäuerin hat ihren früheren Mann erkannt, sie hat ihm einige alte Sachen geschenkt. Nun wollen der Bauer und die Bäuerin Franz, den Sohn aus der Ehe mit Matthias, in die Stadt zurückbringen [42].

Die Bäuerin
Joo, mach' schnell, 's wird Zeit!
Der Sepp (ist aufgestanden)
's wird Zeit — joo . . . (Er geht zur Ofenbank.)
Die Bäuerin (mit unbestimmter Angst)
Wos willst 'n?
Der Sepp (nimmt die Hemden)
Mei' Sach' will i bloß 'nauftragen . . . (Er geht mit festen schweren Schritten zur Flurtüre.)
Der Bauer (kommt in Hemdsärmeln von links vorn, laut)
Wie weit simmer denn?
Der Sepp (an der Flurtüre, unverändert)
I mach' aa mein'n Dank für all's . . . (Er geht still ab.)
Der Bauer
Is der Wagen scho draußen?
Die Bäuerin (unverändert)
Woaß net . . .
Der Bauer
Hat der Lobl scho ang'spannt?
Die Bäuerin
Der is in Stall, glaub' i . . .
Der Bauer
Der muß glei anspanna . . . Mir hamm ka Zeit mehr . . . (Rasch ab zum Flur.)

[42] S. Graff, Die Heimkehr des Matthias Bruck, S. 68—70.

Die Bäuerin (bleibt unverändert stehn.)
Der Bauer (kommt vom Flur, zurückrufend)
Naa, nacha gehst 'nauf und holst 'n Sepp! (Er wirft die Türe hinter sich zu.) Der Lobl kann nimmer. – Mit dem is nix mehr. – Dös hab' i scho lang g'wußt. Is der Franzl ferti?
Die Bäuerin
Der is scho draußen.
Der Bauer
I zieg bloß mei' Jacken an. I komm' glei'! (Will nach links vorn ab.)
Bäuerin (auf ihn zu, klammert sich an ihn).
Der Bauer
Wos is 'n? Wos hast 'n?
Die Bäuerin (wie ein „Gespenst" abschüttelnd)
A nix ... I bin bloß so erschrocken vorhin ...
Der Bauer (ruhig)
Warum denn? – Vor was bist 'n erschrocken? Bist doch z' früh aufg'standen, göll?
Die Bäuerin
Mir is bloß so durch 'n Kopf ganga – wie des wär' – –
Der Bauer
Wie was wär'?
Die Bäuerin
Wie des wär' – wenn der Matthias auf einmal wieder da wär' ...
(Pause)
Der Bauer (ruhig)
Ja ... dann wär dös halt so. (Pause) Dann g'höret ihm halt der Hof und's Land und die Frucht.
Die Bäuerin
Joo. – – Dann g'höret ihm dös alls, Andres. – Aber i g'höret dir!
(Lange Pause)
Der Bauer
Des stimmt net.
Die Bäuerin (suchend)
Und daß ihm's Land g'höret – des is a net woahr.
Der Bauer
Warum net?
Die Bäuerin (ganz schlicht)
Weil's Land dem g'hört, der wo si's verdient hat. – Und weil die Frucht dem g'hört, der wo si drum plagt.
(Pause)
Der Bauer (schweigt).
Die Bäuerin
's Recht steht net in an Buch, Andres. – Unser Recht steht in unsere Händ'.
(Lange Pause)

Franzl (draußen rufend)
Warum braucht 'n der mit die Pferd' so lang? (Etwas näher) I schieb' 'n Wagen glei bis ans Tor 'naus!
Bauer (rasch)
I zieh mi an! (Ab.)
Franzl (draußen auf dem Hof)
Hoo — ruck! — — Hoo — ruck . . .!!
Der alte Knecht (kommt vom Flur. Er läßt die Türe offen. Er bleibt an der Türe stehn.)
Die Bäuerin
Wos is'n?
Der alte Knecht (ganz still)
Der Sepp kann net anspanna. — — Der hat si aufg'hängt.
Die Bäuerin (steht unbewegt wie zuvor).
Der alte Knecht
Mit den Gürtel vo seiner Joppen. — — —
(Pause)
Franzl (draußen, entfernter)
Hoo — ruck! — — — Hoo — ruck . . .!
Der alte Knecht
Die Joppen, die hat er auszogen g'habt. Die hat er aff 'n Stuhl z'samm-g'legt. — — Do — do is ka Falten drin — — — Grad a so wie auf sein' G'sicht net.
(Pause)
Der Bauer (kommt fertig angezogen, in hohen Stiefeln, von links vorn)
Is ang'spannt?
Der alte Knecht
Naa, no net . . .
Der Bauer
Warum net?
Die Bäuerin
Der — Sepp hat si aufg'hängt.
Der Bauer
Wos —?
Der alte Knecht
In der Kammer droben . . .
Der Bauer
So — — —.
Der alte Knecht
I hab'n holen wollen . . . Und da hab' i 'n g'funden droben . . .
Der Bauer
So — —. (Pause) Ja, wir müssen etz' fahr'n!
Der alte Knecht (geht still zum Flur ab).

Der Bauer

Uma Zehne bin i widder z'ruck. — — Do — do richten mer dann dös all's, net —?

Die Bäuerin (die in unveränderter Haltung stehen geblieben ist, sich langsam lösend)

Is recht.

Der Bauer

I geh 'naus! — I spann' selber an! (Er geht mit festen Schritten zum Flur ab, ohne die Türe hinter sich zu schließen.)

Die Bäuerin (nach einer Pause)

I geh' mit. — — I helf' der! (Sie steht noch einen Augenblick auf derselben Stelle und in derselben Haltung und geht dann fest und entschlossen auf die Flurtüre zu).

Das gegenwärtige Leben ist für den Heimgekehrten so mächtig, daß allein die Gegenwart gilt, es wird dimensionslos und ist von einer solchen direkten Intensität, daß Matthias Bruck ein Schemen bleibt, für den kein Platz ist. Er steht (der Bäuerin schauert es wie vor einem Gespenst) außerhalb des lebenden Zusammenhangs. Der Augenblick ist, obwohl — oder vielleicht gerade, weil er banal ist, so gebieterisch, daß er, als man seine Leiche entdeckt (was den Bauern übrigens gar nicht verwundert), nicht einmal abgeschnitten wird. Jeder mögliche menschliche Konflikt wird in dieser grausamen Identität des „Lebens" mit sich selbst unmöglich. Alles ist, wie es ist, dumpf brütig in sich selbst — gerade dort, wo ein Ziel vor Augen liegen soll.

Wer auf die Stimmen hört, die aus dem Urgrund des Lebens tönen, der findet dann auch Lösungen für Probleme, die ganz im Zusammenhang des Rationalen liegen. Da jener Lebensbereich der umfassendere, der primäre ist, sind die Prinzipien allen Geschehens hier zu finden, während die Sphäre des Verstandes nicht bis in diese Tiefen reicht. In Ernstsituationen erweist es sich also immer als gut, wenn der Frager versucht, in den untersten Grund der Dinge einzudringen. Auf diesem Wege bemüht sich auch der österreichische Leutnant Michael in K. Kluges „Schauspiel" „Ewiges Volk"[43], ein politisch-militärisches Problem zu lösen: Am Schluß des Ersten Weltkriegs hat das Oberkommando die in Kärnten stationierten Truppen nach Wien zurückbefohlen; folgte man diesem Befehl, würde Kärnten schutzlos den nachdrängenden serbischen Truppen offenliegen. Die sich bildenden Freischärlertruppen versuchen, den Leutnant Michael (!) zu gewinnen. Da dieser unschlüssig zwischen Eid und Patriotismus

[43] K. Kluge, Ewiges Volk, S. 58—60.

schwankt, fragt er die deutsche Frau des serbischen Spions Dobrowicz um Rat:

Michael (fährt auf)
Krieg! Ich verschwatze mich –

Grete
Obgleich der Boden brennt.

Michael
Weiß Gott, Grete, er brennt! (Langsam und ernst.) Ich stehe hier um Rat. Vor der serbischen Kanonenmündung hat sich in dieser Nacht ein Wegweiser aufgerichtet, aber zweiarmig, du! Der eine Arm zeigt nach Wien. Die Straße läuft grade und glatt. Ich habe Befehl zum Rückzug. Wir marschieren in Ordnung ins Kriegsende. Aber Kärnten wird davon serbisch. Der andere Arm, Grete, zeigt auf Kärnten. Der Weg ist ungewiß und steht voll Blutlachen. Nach der Vernunft führt er in Untergang. Nirgends Hilfe und Nachschub. Am Ende steht Kriegsgericht. Frau, zeige mir die richtige Straße.

Grete
Mich fragt der Leutnant? Es ist wohl Spott. Wer Generäle und Hauptleute hat, der fragt im Krieg nicht ein Weib nach dem Weg.

Michael
Ich frage dich im Ernst, Grete. Das ist keine Frage, die bis an Generäle dringt. Die wollen ein blutiges Herz in lappiges Befehlspapier einwickeln, aber das Blut geht durch. Da, meine Hände, sind ganz rot. Ich kann das Bluten nicht verstopfen mit Gehorsam. Ein Weib gehorcht nicht und wägt nicht. Das fühlt und glaubt dann. Das ist blind mit den Augen, aber es ist sehend mit dem Herzen. Ich bin ungewiß. Ein Weib kann das Ende fühlen. Grete, ich frage dich!

Grete
Du fragst mich im Ernst! Von mir willst du Bescheid? Dann, Leutnant Michael, fragst du zur rechten Stunde. Ich will für Kärnten antworten. Der Wirt ist geflohen, und käme er zurück, so wären wir beide hin, Kärnten und ich.

Michael
Geflohen? Der Hund war wirklich ein Spion? Der Dobrowicz? Und mitten unter uns!

Grete
Er hat seiner Heimat gedient wie wir unserm Land. Ich will sein Urteil sagen: Leutnant, steh vor dem Wegweiser deiner Straße. Ich bin der Wegweiser selbst. (Hebt nahe vor Michael ihre Arme langsam waagrecht.) Der Arm zeigt nach Wien. – Sieh, er ist müde, kann nicht mehr, Michael, halt ihn auf. (Sie legt ihren einen Arm um seine Schulter.) Der Arm, du, zeigt nach Kärnten. Nicht nach dem Kriegsgericht, nach unsrer Freiheit zeigt er hin.

Michael
Grete! (Will sie umfassen.)

Grete

Nein, Michael. Noch nicht. Sieh den Arm an, der nach Kärnten zeigt. Er zittert nicht, schwankt nicht, wird nicht müde. Du könntest mich nicht in deinen Arm nehmen. Wie ein Wegweiser läg' ich drin, mit einem ausgereckten Arm. Was wolltest du mit einem solchen Weib. Aber halte diese Berge fest. Dann brauchst du keinen Wegweiser mehr, der Arm sinkt von selbst und hält sich fest an dich, du! (Grete nach der Tür, winkt ihm lächelnd zu und geht hinaus.)

Michael (nach einer Pause)

Diese Straße kannst du sehen, Grete? Kärnten und dieses Weib! Beim rechten Weg von Kärnten: nicht einen Schritt von diesem Grund.

Dieser irrationale Urgrund des Lebens wurde auch in Szenen mit kultischen Motiven, die dann eine deutlich antichristliche Tendenz zeigen (ohne allerdings immer auf christliche Vorstellungen und Sprachformeln verzichten zu können), auf der Bühne dargestellt, so etwa in Lauckners „Tragödie vom Untergang eines Volks" „Der letzte Preuße", die mit einer heidnisch-kultischen Szene beginnt und endet [44]. Die letzten Preußen um ihren Herzog Herkus Monte sind von den Ordensrittern umstellt. Da Monte den lügnerischen, doppelzüngigen land- und blutgierigen Christen einen Unterwerfungsfrieden abgeschlagen hat, brechen diese in das Versteck der Preußen ein. Als Monte sich vor den jungen Kantigerde wirft, wird er tödlich verwundet. Er erkennt die Niederlage: der Gott der Städte hat den Gott der Wälder besiegt; aber der Kampf wird im Totenreich fortgesetzt. Die letzten Mannen bestatten ihren Herzog nach überkommenem Ritus; die alte, von den Vätern überlieferte Handlung beschließt das Stück und setzt sich absolut. Der vorchristliche Naturgottesdienst soll die angemessene Form des Kults des Irrationalen sein.

(Plötzlich werden im Hintergrund Stimmen laut. — Der Komtur überklettert den Verhau links hinten, von zwei bis drei Rittern gefolgt)

Komtur

So schnell wird sie der Angriff überraschen!
Mir nach! Hier, der Verhau! Und dort — das Nest!
(Er ist jetzt auf der Bühne erschienen. — Kantigerde sieht ihn)

Kantigerde

Der Feind! Herr Monte! Hilfe!!

Komtur

Was?! Du — Bursche! . . .
(Er stürzt sich auf den Waffenlosen mit erhobenem Schwert. — In diesem Augenblick erscheint Monte am Höhleneingang, ebenfalls waffenlos, brüllt auf und springt schützend vor Kantigerde)

[44] R. Lauckner, Der letzte Preuße, S. 160—163.

Monte
Laßt mir das Kind!!!
Komtur (Das erhobene Schwert saust nieder und trifft nun Monte)
Dann dich!!
(Herkus Monte, seiner Wunde nicht achtend, entreißt dem Komtur das Schwert und schlägt auf ihn und die beiden Ritter ein, die eilig zurückweichen. — Kantigerde, der inzwischen sein Schwert aufgerafft hat, hilft ihm dabei)
Monte
Und dich!! Und dich!!
Zurück!! — Noch lebt der Herkus Monte!! Flieht!
Ein alter Einzelwolf! Der beißt! . . . Da! Da! . . .
(Die Feinde sind über den Verhau zurückgedrängt und fliehen. Monte will ihnen nach, doch jetzt verlassen ihn die Kräfte)
Verfolgt sie! Jagt sie! . . . Sturm im Wald! . . . Ich — falle . . .
(Er stürzt nieder. — Kantigerde, der es zunächst im Kampfeseifer gar nicht bemerkt hat, schaut sich plötzlich um und kniet in tiefster Erschütterung neben dem Sterbenden nieder.)
Kantigerde
Das Schwert — galt mir, mein Vater!
Monte
Dank den Göttern!
Dank! — Du bist jung — ich — alt! — Wo ist — das Horn?
(Kantigerde erhebt sich und stößt ein paarmal ins Horn. Von rechts Antwort)
Lehn — deine Knabenlippen — noch einmal
An meine Stirn . . .
(Kantigerde küßt ihn und sinkt dann aufweinend bei ihm nieder)
So . . . So . . . Nun geh!
Kantigerde
Mein — Vater!! . . .
Monte (in Todeszuckungen)
Hirzhals [45], du siegst! — Maria! . . . Ausgeblutet
Und totenstill das Land. — Die Steine wachsen! —
(Er richtet sich empor)
Doch — einen Tag — wird auch der Stein zerbrechen! . . .
Wir kämpfen fort als Tote! . . . Meine Rüstung! . . .
(Er stirbt. — Romike und Gilbris erscheinen von rechts, übersehen, was geschehen und treten leise hinzu)
Kantigerde (sieht endlich auf. Unter Tränen)
Sie brachen ein. — Er trieb sie fort — und fiel . . .
Romike
Herzog, leb wohl!

[45] Ordensritter, mit dem zusammen Herkus Monte erzogen wurde und der sein politischer Feind wurde.

Gilbris

Mein Bruder! – Da liegt Preußen!

(Pause)

Romike

Bevor wir fliehen, Gilbris, ruf die Flammen!
Sie sollen ihn nicht haben!
(Zu Kantigerde)

Bring den Schild ...

Die Rüstung ... Dort, wir tragen ihn zur Höhle,
Daß er im Waffenschmuck, als Krieger, sitzend,
Nach unsrer Ahnen Art in Rauch vergeh.
(Sie tragen ihn zur Höhle, setzen ihn auf einen Stein und lehnen ihn an die Wand, schmücken ihn mit seinem Helm und stellen sein Schwert neben ihm und den großen Schild vor ihm auf. – Gilbris hat inzwischen Feuer an den Verhau gelegt. Jetzt schichten sie noch Holz um den Toten. Die Flammen züngeln auf)

Kantigerde

Laßt mich den Spruch, weil er mir – Vater war!

Zünde, –

Zünde, Perkunos heilige Flamme.
Trage den Leib empor. –
Bis zu des Rogus Tor
Halle das Klagen!
Herkus Monte, der Zorn und die Lanze des Landes,
Herkus Monte, der Panzer des Heimatstrandes,
Herkus Monte, der Held, ist erschlagen!

Alle (im Chor)

Woge, du Opferbrand! –
Wehe dir, Preußenland! –
Der Herzog – der Herzog erschlagen ...

Auch die bäuerliche Lebens- und Fühlweise, so wie sie sich den Ideologen darstellte, offenbarte dem Unverbildeten die Urkraft des Lebens. In dem bereits zitierten Schauspiel „Matthias Bruck" von S. Graff sprechen in einer Szene [46] die Bäuerin, die ihren im Ersten Weltkrieg vermißten Mann hat tot erklären lassen, und ihr zweiter Mann am Vorabend der Taufe des ersten Kinds aus dieser Ehe über ihre Gefühle füreinander. Hier äußert sich „Leben" sehr direkt und „schlicht" als sittliche Einfalt und bäuerliche Offenheit:

Der Bauer (bemerkt den Sepp auf der Ofenbank)

Und du gehst aa! – Wos hockst 'n do rum? Wos willst 'n no?

[46] S. Graff, Die Heimkehr des Matthias Bruck, S. 20–22.

Der Sepp (erhebt sich)

I will nix . . . (Er drückt sich links hinten durch die kleine Tür aus der Stube.) Gut Nacht . . .

Die Bäuerin

Gut Nacht! (Sie steht so auf, daß man sieht, daß es sie anstrengt, obgleich sie das verbergen will.)

Der Bauer (bemerkt ihre Schwäche und stützt sie rasch)

Komm', i helf der . . . Bist no so schwach, göll? — — Dös — dös hab' i net g'wußt . . .

Die Bäuerin

Ah naa . . . Laß ner, Andres! Dös is glei widder vorbei! — Vielleicht bin i halt a paar Toog z'ball aufg'standen . . .

Der Bauer

Naa, naa — dös is net — dös ist net . . .

Die Bäuerin

No freili, wos denn sonst . . .?

Der Bauer

Dös woaß i scho.

Die Bäuerin (lächelnd)

I net! — Bist dumm!

Der Bauer (schamhaft-stockend)

War net recht vo mir — daß i zu dir kommen bin heit' Nacht — göll? — — Hätt's net dürft . . .

(Pause)

Die Bäuerin (leise)

Hast lang g'wart't und nix g'sagt . . .

(Pause)

Der Bauer

Aber net recht war's — naa . . .

Die Bäuerin

Du — du sollst davo net reden, hörst?

Der Bauer

I muß davo reden! — — — In ganzen Toog hat mer's scho 's Herz abdrückt, weil i der's net sagen hab' könnt!

Die Bäuerin (fraulich-warm und heiter)

Wos —? — Wos hast mer net sagen könnt?

Der Bauer (langsam)

Daß dös — daß dös heit' Nacht es erscht Mool war — in dene zwoa Jahr —, wo i g'merkt hab', daß du mir g'hörst . . . daß du mei Frau bist . . .

(Pause)

Der Bauer

Odder bin i dumm? — — Odder bild' i mir dös bloß ei'?

Die Bäuerin

Du sollst davo net reden — hab' i der g'sagt.

Der Bauer
I muß aber davo reden! I muß aber!
(Pause)

Die Bäuerin (leise, aber nicht bedrückt)
I bin — schlecht g'wesen zu dir, Andres — joo?

Der Bauer
Dös stimmt net. Dös is net wahr.

Die Bäuerin
Und doch is wahr!

Der Bauer
Naa, naa!

Die Bäuerin (ganz leise)
Wennst zu mir kommen bist — in dene zwoa Jahr — als wie's dei' Recht is, net ... — do — do hab' i immer no an den Matthias denken müssen ... Und do — do hab' i halt net anders könnt ...

Der Bauer
Und etz' denkst aa an ihn ... Und immer denkst an ihn! Und immer denkst an ihn!!

Die Bäuerin (heiter)
Joo. Etz' denk' i aa an ihn. Aber — aber ...

Der Bauer
Wos? Sag's glei' raus! I kann's scho hör'n!

Die Bäuerin
Etz' denk' i an ihn — wie ... wie ... (Sie schüttelt den Kopf. Mit leisem Lächeln) I muß der's andersch soog'n! — Paß' auf! Und sei ruhig! — — —

Der Bauer
I bin ganz ruhig.

Die Bäuerin (befreit, fast glücklich)
Z'vor, woaßt ... In dene zwoa Jahr, net ... Do — ho hab' i an ihn denkt als wie an oan, der wo immer no lebt. — — Und du — — naa, und ich — — i war tot, hab' i denkt. — — Aber etz' woaß i, daß i widder leb' und daß der Matthias tot is. — — — Joo ... dös woaß i etz', Andres.
(Lange Pause)

Der Bauer (leise)
Woher woaßt du dös —?

Die Bäuerin
Vo mir selber.

Der Bauer
Seit — seit wann woaßt du dös ...?

Die Bäuerin
Seit i woaß, daß i a Kind hab' vo dir.
(Pause)

Der Bauer
Seit — heit Nacht ...?

Die Bäuerin (lächelnd)
Naa . . .
Der Bauer
Seit wann sonst — ?!
Die Bäuerin
Seit i g'wußt hab', daß i a Kind — krieg' vo dir, Andres.
(Lange Pause)
Die Bäuerin (kaum hörbar, sehr zart)
Hättst scho lang zu mir kommen dürfen, Andres — — — so wie heit' Nacht . . .
(Lange Pause)
Der Bauer (ganz sachlich)
Gehn mer 'nei zun Franzl — net?
Die Bäuerin (stützt sich auf ihn und geht mit ihm langsam über die Treppenstufen durch die Türe links vorn ab)
Joo, gehn mer 'nei . . .
(Der Raum bleibt eine ganze Weile still und leer. Man hört, wie der Brunnen auf dem Hof plätschert.)

Für Fr. Griese reden diese Lebens- und Erdkräfte allerdings dunkler. In der „dramatischen Dichtung" „Der heimliche König" hat sich die Magd Katherin dem Hauptmann eines Soldatentrupps im 30jährigen Krieg hingegeben, um ihr Dorf zu retten. Der Hauptmann ist später von den Bauern gefangen und in einem Schuppen an einen hölzernen Pfahl gebunden worden. Am folgenden Tag wollen sie ihn töten; in der Nacht erscheint Katherin [47], um sich an ihm zu rächen. Sie erkennt ihr Schicksal als das einer Getretenen. Es ist nach ihrer Meinung das Gesetz des Fleisches und des Bodens, daß sie tragen müssen. Dagegen erhebt sie sich und ersticht — sich selbst. Die bindenden Gewalten des Lebens sind übermächtig, und sie rauben dem Menschen jede Freiheit des Handelns und des Denkens. Sie erweisen sich immer als das letzte Prinzip menschlicher Existenz.

Katherin
[. . .]
Ich hab' es eilig. Oh, hier hab' ich's eilig!
Die Sterne laufen hastig niederwärts
An ihren Ort. Der schnelle Morgenwind
Klopft schon die Wipfel ab. Jetzt gilt es. Später
Wär' es zu spät.
(Zum Hauptmann)
Wie du vor mir jetzt, lag ich: wehrlos; lag

[47] Fr. Griese, Der heimliche König, S. 91—95.

Vor dir. Hab' ich nicht jede Nacht mit seinem [48] Messer
Nach deiner Brust geworfen? Aber du
Warst auf der Hut; ich bin ja nur ein Mädchen.
Hast du mich nicht gebunden? Jede Nacht?
Gebunden und getan nach Deinem Willen? Nacht um Nacht?
Heut' bindest du nicht mehr. Du liegst vor mir.
Ich — bin — bereit!

Leben ist gut. Auf Herbst und Winter folgt
Ein warmer Frühlingstag. Der Bach klingt heller.
Das letztgeborne Junge schreit und torkelt,
Es kann ja noch nicht laufen, und die Herde
Grämt sich nicht drum, sie sucht das erste Gras.
Man hebt es auf den Arm, trägt's hinterher
Und setzt es später sachte in das Kraut,
Rückt seine Füße: So, nur langsam, Liebes,
Erst diesen, dann den andern; sieh, du lernst es,
Wir alle haben es einmal gelernt,
Es ist nicht schwer. Es strauchelt noch; doch abends,
Da springt es schon, hängt sich an seine Mutter
Und find't den Stall und schläft zur Nacht. — Wie gern
Lebt, was noch leben darf. Leben ist gut.
(Horcht hinaus, dann zum Hauptmann)
Sie nahen her. Du hörst schon ihre Füße
Heimlich durch Busch und Kraut, und jeder Schritt
Trägt deinen Tod. Eh' noch der erste Stern
In seinen Ort verlischt, sind sie bei dir.
(Zu sich)
Sie haben ihren Haß um Vieh und Korn,
Um Haus und Bett und wollen den da nehmen,
Mit Blut zu zahlen. Nichts soll dem
Am Holz, nichts soll geschenkt ihm werden. Ich,
Ich aber habe wohl ein Mehreres
Zu fordern? Niemand wehrt mir. Meine Hand
Ist frei. Ich soll es können.
(Sie wendet ihr Gesicht zum Hauptmann hinüber)
Eins ist vorhanden.
Ich darf es sagen. Niemand hört uns zu.
Niemand verrät uns. Lauernd steht der Tod
Bei deinem Fuß. Die Schritte rauschen schon
Der Richter; deine lange Nacht beginnt.
Doch auch mein Tag ist aus.
Ich werd' es können.

[48] Katherin hat das Messer von „Stelzbein" bekommen, der damit versprengte Soldaten tötet. Er ist, wie sich später herausstellt, ein mythischer Totenführer, der die Reinen in den Tod führt, damit das Leben rein bleibe.

Uns beiden schließt sich Mund und Ohr
In dieser Nacht. Verraten kann uns niemand.
So will ich
Dir von dem einen sagen, das vorhanden ist.

(Leise)

Wir sind ein stark Geschlecht. Die Mutter —, deren Mutter
Und wieder deren, alle hieß man sie
In ihrer Jugend stark; sie wurden, sagt man,
Vom Manne, der sie wollte, schnell gesegnet.
Die eine ging — ein Mädchen — übern Bach;
Sie ging und kam zurück und trug. Die andre,
Entlaufne Schafe suchend, hört' es rufen,
Hob noch den Fuß zur Flucht — und mußte folgen.
Die Mutter aber, wollen die Leute wissen,
Schlief müd' ein Stündchen hinterm Heidebusch;
Es traf sie der, der ihr befahl. Sie tat,
Was er ihr an den Sinn war, tat's und trug wie alle.
Ihr Leib war ja der Last gewöhnt; so nahmen
Sie willig jede an, auch diese —, oh, auch diese,
Gerade diese! Und es heißt, daß sie
Den, der sie so belud, nicht hassen konnten,
Nicht immer lieben, aber niemals hassen;
Ihr Magdtum litt es nicht. Sie starben wohl
Bisweilen an der Last; doch ihrer keine
Verweigerte sich.

(Flüsternd) So stark waren sie!

(Ruhig, ebenmäßig)

Sie hatten keine Wahl. Ihr Leib war ihnen
Kein Eigentum; sie waren's so gelehrt,
Boten ihn dar und warteten der Stunde.
Es war gut, wie es war; sie nannten's so.
Was ihnen aufgedrungen, wurde Kind;
Keiner aus diesen Hütten hob die Hand
Und zeigte drauf und lästerte. Es war geboren
Wie alle andern Kinder, niemand fragte
Dem Tage nach, da man die Magd belud.
Es wuchs heran, es hatte willige Hände,
Friedlich am Morgen trat es vor die Tür,
Tat, was es sollte, schlief zur Nacht in Frieden.
Sein Tag war Segen, weil es dienen konnte;
Es war ein Teil der Hütten, die es gaben.

(Sie zieht das Messer aus ihrem Kleid)

Du sollst es tun. Der mir die Hände band
Und mit mir tat nach seinem Willen —, den,
den suchtest du. Ich konnte dich nicht führen,

Wie ich es wollte, wie die Mutter wollte
Und alle Mütter, die man einst bedrängte,
Anders bedrängte, weil zum Segen wurde,
Was ihnen aufgeladen.
Du, an deinem Holz;
Hörst du mir zu? Sie werden dich erschlagen!
Nichts kann dich retten; aber das, das andre,
Womit du mich beladen —, keine Hand
Wird es erschlagen, wenn es erst geboren,
Jedoch verfluchen wird man es, verfluchen
Wird man die Magd, mit Fingern zeigen
Auf das, was von dir stammt.
Was ich gewollt,
Hast du mit schwelenden Balken zugedeckt.
Ich diente nicht. Zertrümmert ist meine Tat,
Verweht im Wind.
(Das Messer entfällt ihr; sie setzt den Fuß darauf)
Ich möchte leben! Du, an deinem Balken,
Hörst du mich noch? Ach, morgen leben!
Morgen kommt ja ein Tag wie alle Tage;
Ein Stündchen Schlaf —, und dann: der helle Tag.
(Sie horcht an der Decke)
Jetzt sind sie da! Sie werden nur den einen
Von uns lebendig finden —, nur den einen!
(Wild) Soll ich den Hütten einen Feind gebären?
(Sie sucht) Wo ist mein Messer? Wo? Ich muß es haben!
Für mich!
(Sie findet es, hebt die Laterne herab, löscht sie; man hört ihre Schritte nach rechts hin verschwinden)
Nun, Mutter, führe meinen Tod!

Der ohnmächtige Mensch ist, wie Griese in seinem Drama „Mensch, aus Erde gemacht" zeigt, Spielball dämonischer Urkräfte, denen er in keiner Weise gewachsen ist, da sie weder erkennbar noch gar beherrschbar sind. Diese Kräfte werden als reale ausgegeben, die als Motor die Handlung beherrschen. In einem Vorspiel [49] zeigt der Autor, wie der Mensch den Mächten des Lebens ausgeliefert ist und sein Schicksal erfüllen muß:

(Nach Sonnenuntergang. Eine alte Friedhofsmauer. Auf der Mauer räkelt sich faul ein junger Nachtmahr im dunklen Habitus mit feuerroten Haaren. Ein alter Mahr steigt hinter einem verwitterten Kreuz heraus und kriecht zu dem jungen auf die Mauer.)

[49] Fr. Griese, Mensch aus Erde gemacht, S. 5—6.

Der alte Mahr
Wulsch.
Der junge Mahr (Grinst ihn an.)
Der alte Mahr (Knurrt)
Wulsch!
Der junge Mahr
Ich such meinen Menschen.
Der alte Mahr
Schwer, schwer, Wulsch. Hast den richtigen Griff noch nicht, bist noch zu jung, bist erst einen kleinen Stern alt (Er krallt nach der Brust des Jungen) So, sieh, dahin! (Reißt ihm Haarbüschel aus der rotzotteligen Brust) Deine Hände, Wulsch, zeig' her. Warm, warm, mußt erst kalt werden.
Der junge Mahr
Ich bekomm' ihn.
Der alte Mahr
Glaubt er dich?
Der junge Mahr
Noch nicht; aber er muß doch, wär' ja sonst kein Mensch.
Der alte Mahr (Krächzend)
Wahr, wahr! Eine elende Rasse, Wulsch, eine erbärmliche Rasse. (Zeigt auf das Kreuz) Da liegt meiner, mit einem roten Fleck mitten auf der Brust. Hab' Ruh, seitdem.
Der junge Mahr
Was ist Ruh'?
Der alte Mahr
Wer seinen Menschen findet und ihn zu Ende bringt, der hat sie. Einer muß es zwingen, du oder er. (Zeigt wieder auf das Kreuz) Mein Mensch!
Der junge Mahr
Ich kenn' meinen.
Der alte Mahr
Lang genug gesucht, Wulsch, lang genug. (Zeigt von unten auf) Ein Kind?
Der junge Mahr
Ein altes Mensch schon. (Grinst) Ein Wanst.
Der alte Mahr (Heiser)
Seinen Namen, Wulsch!
Der junge Mahr (Flüsternd)
Biermann.
Der alte Mahr (Hämisch)
Biermann! (Dann) Laß ihn dir nicht nehmen.
Der junge Mahr (Will fort)
Ich zwing' ihn.
Der alte Mahr
Langsam, langsam, Wulsch! (Sich zu ihm hinüberlegend) Biermann? Giermann!

Beide (Schnarrend)
Giermann!
Der junge Mahr (Schnobert)
Ein Fremdes kommt.
Der alte Mahr (Streicht über seine Nase)
Ich spür nichts mehr. Alt, alt, Wulsch! (Eindringlich) Heute noch? Was weist seine Glocke?
Der junge Mahr
Weiß nicht.
Der alte Mahr (Drohend, weinerlich)
Was weist die Glocke? Ist sie voll?
Der junge Mahr
Noch nicht, bald!
Der alte Mahr
Gut, gut! Langsam; und kalt, kalt, Wulsch! (Er klatscht sich auf den Bauch) Giermann! Giermann!
Der junge Mahr
Auf! Ein Mensch stinkt hier.
Der alte Mahr
Dann fort! (Beide verschwinden, rücklings fallend, hinter der Mauer.)

Der Grenze zwischen dem Bereich des realen, diesseitigen Zusammenhangs und dem der umgreifenden Lebensmächte wird keine große Bedeutung beigemessen. Die Helden sind im Drama des Dritten Reichs — wie sich gezeigt hat — wesensmäßig auf einen Punkt außerhalb der innerweltlichen Verhältnisse gespannt. Th. v. Trotha zeigt in seinem „Spiel von Tod und Leben" „Gevatter Tod" die Irrelevanz dieser Grenze: sie ist sein Thema [50]. Der Königssohn will den Arzt, der gegen den Willen des Todes dessen Braut das Leben rettete (freilich nicht ganz uneigennützig), ins Leben zurückführen, da der Tod den Arzt zur Strafe in sein Reich geholt hat. Aber dieser fühlt sich dort schon recht heimisch; er stirbt am Ende, und der Chor der Toten preist die Einheit und die Verschlungenheit von Tod und Leben; welcher von beiden Bereichen der eigentliche sei, läßt sich nicht feststellen, sie sind lediglich gegenseitige Abschattungen des einen einzigen Lebens.

(Es pocht.)
Tod
Wer pocht an die Pforte, die ich nicht erschlossen?
Stimme des Königssohns
Öffnet doch, öffnet mir unverdrossen!

[50] Th. v. Trotha, Gevatter Tod, S. 100—106.

Tod
Pforte, spring auf! (Es geschieht.) Frevler tritt ein,
Der ungebeten mein Gast will sein!
Königssohn (eintretend)
Ist hier das Haus des Todes?
Tod
Siehst dus nicht?
Königssohn
Man glaubts, sieht man dein kalkiges Gesicht.
Tod
Willst mich verspotten?
Königssohn
Sag du mir:
Du hälst den Arzt verborgen hier?
Chor der Schatten
Bestrafe ihn! Wo brennt sein Licht?
Tod
Noch lang ists am Verlöschen nicht.
Was trieb dich her, du ungebärdig Kind?
Königssohn
Nicht such ich euch, die doch nur Schatten sind!
Ich suche ihn, für ihn drang ich hier ein,
Ihm, der mir half, will ich Befreier sein.
Tod
Wer einmal hier dem Tod geweiht,
Der wird von niemand mehr befreit.
Königssohn
Gar nicht schrecklich erscheinst du mir,
Ganz gewiß entreiß ich ihn dir!
Tod
Geh doch, versuch es!
Königssohn (zum Arzt)
Arzt, so lange
Waren wir um dich schon bange.
Tag und Nacht bin ich geritten,
Durst und Qual hab ich erlitten,
Alles mußte ich bezwingen,
Um dich wieder heimzubringen!
Arzt
Heim? Was ist das?
Königssohn
Versteh mich doch!
Bist von Fleisch und Blut ja noch!
Meine schöne Braut, sie harrt
Droben um die Mittagsstunde,

Will in deiner Gegenwart
Mit mir gehn zum ewgen Bunde.
Sieh, er rührt uns doch nicht an,
Sieh, der große bleiche Mann
Läßt dich ungehindert fliehen!
Schnell, du mußt jetzt mit mir ziehen!

Arzt
Ich bin hier schon zu Haus!

Königssohn
Du willst nicht mehr hinaus?
Hat er dich so verzaubert, der Schlimme,
Daß du des Freunds und Befreiers Stimme
Der deine Edeltat lohnen will,
Nicht mehr verstehts? Was stehst du so still,
Schaust in die Flamme, beachtest mich nicht?
Was bedeutet das flackernde Licht?

Tod
Jedes Licht ist eines Menschen Leben.
Sieh, wie kurz sein Licht schon ist!

Königssohn
Kannst ihm nicht ein längres geben?

Tod
Abgelaufen ist die Frist.

Königssohn
Hab ich auch ein Licht? Laßt sehen!
(Der Tod weist es ihm)
Oh, wie lang noch! Doch verstehen
Kann ich nicht, warum sein Licht
So kurz ist, aber meines nicht.

Tod
Gesetz befahl es.

Königssohn
Das schreckt mich nicht.
Kürzen kann ich selbst mein Licht.

Tod
Das kannst du nicht.

Königssohn
Das wolln wir sehn!
Was ich will, muß auch geschehn!
Wenn ich will, verlösch ich mich,
Dazu brauch ich, Tod, nicht dich!
(Will das Licht löschen.)

Tod (reißt ihn zurück)
Ich befehle: Zurück vom Licht,
Reif bist du noch nicht,

Königssohn
All meine Glieder vor Schmerzen beben!

Tod
Das ist das schöne, verherrlichte Leben,
Dem du so lange zu dienen geweiht,
Bis dir das Schicksal erfüllt deine Zeit!
Komm!

Königssohn
Was doch such ich?

Tod
Vergiß! Vergiß!

Königssohn
Was ist das für eine Finsternis?

Tod
Folge mir, sieh, meine Hand ist so lind!
Kehre zurück, du verlaufenes Kind!
(Er führt den Königssohn sanft hinaus.)

Arzt
Matter glüht das Licht und brennt hernieder.
Bald sinkt auf die heißen Lider
Sanft der süße Tau der Nacht.
Kleine Kerze, weh im Winde,
Deine Flamme ist so linde,
Bald sind mir die Augen zugemacht.

Schatten der Mutter
Sieh der Schatten stillen Reigen.
Hör der Lüfte sanftes Schweigen,
Deine Mutter ist bei dir! (Das Licht flackert.)
Schmerzt dein Herz auch im Verglühen,
Darfst doch mit im Reigen ziehen!
Bist doch immerdar bei mir!
Hörst die ferne Brandung rauschen,
Die doch keine Töne hat,
Kannst dem fernen Singen lauschen,
Bist voll Kraft und bist doch matt.
Nur ein Wechseln, nur ein Schweben
Trägt dich aus dem lauten Leben,
Führt dich in die große Ruh,
Führt dich deiner Mutter zu.
(Licht flackert immer mehr.)

Arzt (aufschreiend)
Ich vergeh!

Schatten der Mutter
Ich helfe dir.

Arzt (sinkt sterbend zurück)

Süße Ruh –

Schatten der Mutter (ihn auffangend)

Du bist bei mir.

(Während des Folgenden versinkt langsam die Lichterhelle. Man sieht den Tod den Königssohn ins Tageslicht emporführen.)

Ganzer Chor der Schatten

Tod und Leben,
Wo Beginn und wo Ende?
Nur zwei Hände
Sind sie, die nehmen und geben.
Tot ist schon das Lebendige,
Aber lebendig ist auch der Tod,
Nur allein das Notwendige
Ist der Welten Gebot!
Nur allein das Notwendige
Ist der Welten Gebot!

Diese bei Trotha pseudo-mystische, unhistorische Verbindung von Leben und Tod stellt H. Zerkaulen in seinem Schauspiel „Jugend von Langemarck" in einen historisch-politischen Zusammenhang; ähnliche Konstruktionen lassen sich im Drama des Dritten Reichs häufig finden, und so mag das Nachspiel dieses Stücks [51] als Beispiel stehen. Der Arbeiter Karl Stanz, Kriegsfreiwilliger von 1914, ist 1918 heimgekehrt. Er war mit dem einzigen Sohn der Fabrikantin Luise Gärtner bei Langemarck, wo der junge Gärtner als Studenten-Freiwilliger ums Leben kam. Nun soll er dessen Stelle einnehmen. Ihm erscheinen die Toten der Schlachten als die eigentlich Lebenden, sie sind das mythische Volk und die Totenführer der Zurückgebliebenen, und diese leben für die Toten. Langemarck wird am Schluß zum Symbol für dieses Volk der Lebenden und Toten. Es gibt keine Grenze mehr zwischen beiden Bereichen; das „Leben" umschlingt sie alle als das tiefere, wahrere Prinzip:

Schwallinger
Krauß } (sie bleiben stehen, ausbrechend)

Stanz – Karl Stanz. –

(Pause)

Luise Gärtner (steht auf, geht ihm langsam entgegen. In diesem Gang und in dem Stocken ihrer Stimme drückt sich allein ihr Leid und seine Überwindung aus)

Willkommen – in – der – Heimat, Stanz.

(Christa hat sich abgewandt, sie versucht mühsam, ein ersticktes Weinen zu unter-

[51] H. Zerkaulen, Jugend von Langemarck, S. 68–72.

drücken. Karl Stanz senkt langsam seinen Kopf. In der Türe wird jetzt Johann sichtbar)

Schwallinger

Stanz — Stanz! Kommen Sie. —
(Er und Vierling schnallen ihm den Tornister ab)

Krauß

Das Gewehr. —
(Er nimmt die Waffe Stanz ab, hält sie mit großer Ergriffenheit in der Hand. Karl Stanz nimmt langsam den Stahlhelm ab, hält ihn, ohne sich zu rühren. Christa nimmt wortlos den Stahlhelm in ihre beiden Hände)

Luise Gärtner

Johann, bringen Sie alles für Herrn Stanz hinauf in das Zimmer meines Sohnes.
(Johann nimmt Gewehr und Tornister. Sieht sich nach dem Stahlhelm um)

Christa (feierlich)

Den Helm trage ich selbst.
(Christa und Johann ab)

Vierling (nimmt Karl Stanz bei der Hand)

Lieber Freund — von Herzen in der Heimat willkommen. Wir warten schon alle auf Sie.

Karl Stanz (tonlos)

Sie alle warten auf mich? (aufblickend) Auf mich? (er wendet langsam den Kopf zur Türe hin, als suche er jemanden hinter sich) Auf mich? Einmal stand ich schon in diesem Zimmer — vor vielen Jahren.

Luise Gärtner

Und nun sind Sie für immer hierher gekommen — nach Hause.

Karl Stanz (verständnislos)

Nach Hause? — Hier?

Luise Gärtner

Ja, nach Hause. Denn wir haben zu danken.

Karl Stanz

Danken?

Luise Gärtner (lächelt schmerzlos, hilflos)

Herr Justizrat, er bleibt hier stehen, er bleibt ewig hier stehen — wollen Sie mir nicht helfen?

Vierling (nimmt Stanz in den Arm)

Wir wollen uns jetzt setzen — nach dem langen Marsch. Meine Herren, wenn ich bitten darf. —
(Sie setzen sich um den runden Tisch in der Wohnecke. Karl Stanz immer noch wie geistesabwesend. Luise Gärtner ist ans Fenster getreten. Sie verfolgt von hier aus die Szene)

Vierling (herzlich und absichtlich frisch)

Sie sollen doch wieder ins Werk zurück, Karl Stanz!

Karl Stanz (etwas abschüttelnd)
Ja, ins Werk. (plötzlich wie erwacht) Herr Schwallinger – ja – und Herr Krauß – da sind Sie ja beide!
Schwallinger (erschüttert, glücklich)
Tja – Stanz, da sind wir beide.
(Karl Stanz geht um den Tisch, gibt beiden noch einmal die Hand, setzt sich dann wieder)
Karl Stanz
Mein Gott, das ist ja alles noch da – das Werk.
Krauß (stolz)
Will ich meinen, Stanz. Und vergrößert – mächtig vergrößert!
Karl Stanz
Und ich soll wieder ins Werk?
Vierling
Ja, mit einer kleinen Unterbrechung, Herr Stanz.
Karl Stanz
Unterbrechung?
Vierling
Sie sollen erst noch ein paar Jahre auf das Technikum. –
Karl Stanz (springt auf, schreit, von hier an muß der Akt in ein sich immer steigerndes Tempo gerissen werden)
Nein! (besinnt sich, merkt erst jetzt, daß Luise Gärtner nicht mit am Tisch sitzt, sieht sie am Fenster, geht auf sie zu. Stockend.) Ich bin Arbeiter – Soldat – (er blickt beinahe erschrocken hin und her, von Luise Gärtner zur Gruppe rechts)
Vierling
Sie haben mich noch nicht recht verstanden. Sie sollen auf ein Technikum. (greift nach dem Entwurf) Nach bestandener Prüfung haben Sie dann die Aussicht –
Karl Stanz (rasch, schreit)
Nein!
(Pause)

Luise Gärtner
Karl Stanz, mein Sohn ist gefallen. Ich bin allein. Der *Student* Franz Gärtner muß ersetzt werden, Karl Stanz!
Krauß (einfallend, auf Stanz zu)
Ich gratuliere auch, Stanz. Und das ganze Werk ist stolz auf Sie.
Schwallinger
Tja – Sie als Kriegsfreiwilliger – Und jetzt Unteroffizier! Tja – Und das E. K. I!
(Pause)

Karl Stanz (mit dem Blick ganz in Luise Gärtners Augen verhaftet)
Studieren? Student? Ich? (stockend) Sie sind alle nicht mehr da – der Timm, der Fink, und –
Ich kann das nicht annehmen. Ich muß bleiben was ich war: Soldat – Arbeiter. –

Luise Gärtner

Warum können Sie das nicht annehmen? Jeder einzelne Deutsche, wo er auch stehen mag, wird in Zukunft nichts anderes sein können, als Soldat und Arbeiter, wenn die Heimat je sich aus dieser Not wieder erheben soll.

Karl Stanz (voller Unruhe)

Ich muß bleiben, der ich war. Sie stehen alle bei mir, neben mir, hinter mir — der Gefreite Schmitz auch, Unteroffizier Lehmbruck, Hauptmann Steffen — (ausbrechend) Sie alle — keiner von ihnen lebt mehr.

Luise Gärtner (ruhig und bestimmt)

Müssen Sie nicht gerade deshalb annehmen, Karl Stanz? — Es ändert sich nichts in unserem Leben, und wenn wir es tausendmal glauben. Über Sieg und Niederlage, über Schmerz und Freude, immer ist — die Pflicht da. Die Pflicht, die das Ziel hinter dem Ziel erschaut. Immer gilt es — und bis in Ewigkeit, das eigene Gefühl zu demütigen, um seine Pflicht ganz erfüllen zu können.

Karl Stanz (kommt nicht los, stockend)

Das ist — das ist wie eine Kette von unsichtbaren Händen. Von Flandern bis nach Rußland, von einem Meer zum anderen. (breitet flach die Hände aus) Das hält fest wie eine Kette, die toten Kameraden. Man kann da nicht heraus. Man muß bleiben, der man ist. —

Luise Gärtner (einfallend)

Man soll da auch nicht heraus. Und gerade Sie, weil Sie das fühlen — Sie müssen eintreten in die Aufgabe der Toten. Bauen müssen Sie! Zukunft bauen — mit Einsatz all Ihrer Kraft und Fähigkeit!

Karl Stanz (visionär)

Die toten Kameraden, sie sehen mich immer an. Tausende — tausende! Alle die, die noch nach Langemarck kamen. Vier Jahre lang, auf allen Kriegsschauplätzen der Welt. Die auf den Bergen und die in dem Meer, die Flieger, die in der Heimat Gefallenen, die Ausgemergelten und Verhungerten. Alle, alle — *zerren* an mir. Und ich gehöre zu ihnen, nur zu ihnen — ein Glied aus ihrer Kette.

Krauß (aufgewühlt, beinahe zischend)

Hören Sie, Schwallinger — hören Sie?

Schwallinger

Tja — Krauß.

Vierling

Sie vergessen nur eins, Karl Stanz. Sie vergessen die Sendung. Das Lied — das Lied auf den Lippen der Kriegsfreiwilligen von Langemarck.

Karl Stanz

Vergessen? — Wer es gehört, dem wird es ewig im Ohr klingen.

Vierling

Sehen Sie, Stanz. Es gibt Zeiten, in denen das Volk — die Namenlosen, die Unbekannten, selber Geschichte machen. Alle die, die Sie vorhin gegenannt haben. Alle die, die heute nicht mit zurückgekommen sind. Sie werden zum unvergeßlichen Denkmal eines Volkes. Sie stehen auf keinem Sockel, sie sind nicht sichtbar. Aber sie leben. In uns leben sie. –

Karl Stanz (tonlos)

Sie leben. –

Vierling

Und dann kommen wieder Zeiten, Zeiten des Niederbruchs und des Unglücks, in denen unser Volk allein von seiner Geschichte zusammengehalten wird. Dann werden sie wach – die Toten, das gewaltige Heer der Toten. Dann marschieren sie an zum großen Appell ihres Volkes. Dann werden ihre Namen aufgerufen, einzeln, Mann für Mann, die bisher Unbekannten, die Namenlosen. (sich steigernd) Dann wehen geisterhaft ihre alten Fahnen, dann klingt ein Lied, ein altes Lied, *das Vermächtnis von Langemarck.* Dann ziehen sie als heilige Führer voran und zeigen ihrem Volk den Weg – den Weg über den Abgrund.

(Pause)

Karl Stanz (visionär)

So ist das. So wird es sein.

Krauß (ausbrechend)

Leben für die Toten!

Luise Gärtner (mahnend. Wie in heiligem Schwur)

Für das Vermächtnis von Langemarck.

Vierling (befehlend, wie Hauptmann Steffen am Schluß des 2. Aktes)

Einrücken – Karl Stanz!

Karl Stanz (als habe er mit dem äußeren auch den inneren Befehl erhalten, erwacht, inbrünstig, ganz hell)

Ich rücke ein –
Sie starben für Langemarck –
Wir leben – für Langemarck!

Gesellschaftliche Vorstellungen wie sie Nietzsche, Tönnies, Le Bon oder Carl Schmitt, jeder für sich zwar sehr unterschiedlich, im Grunde ihres Ansatzes aber doch auf einer gemeinsamen Basis entwickelten, befruchteten direkt oder indirekt die Vorstellungen von Mensch, Gesellschaft und Arbeitswelt der Dramatiker des Dritten Reichs; so strahlen die Reflexionen über die bürgerlich-kapitalistische Ordnung und die Reaktion auf die gesellschaftlichen und ökonomischen Veränderungen in ästhetische Bereiche über, so daß gesellschaftliches Bewußtsein – auch wenn es sich selbst negativ versteht – inhaltlich und formal ästhetisches Moment im Sprachwerk wird.

VII. TRANSPOSITIONEN VON GEGENWART IN GESCHICHTE UND MYTHOS

Die Frage, ob man sich auf der Bühne — und überhaupt in der Kunst — direkt und unmittelbar mit Gegenwartsfragen beschäftigen solle oder ob es besser sei, sie in Transpositionen, in anderen Zusammenhängen, zu zeigen, wurde von Theoretikern und Praktikern des Theaters des Dritten Reichs sehr ausführlich diskutiert. Zu einer gemeinsamen Linie kam es allerdings nicht. Man forderte allenthalben das Gegenwartsstück [1], hatte aber, auf's Ganze gesehen, wenig Erfolg damit [2]. Das hatte natürlich teilweise ganz handgreifliche literaturpolitische Gründe, denn das Gegenwartsstück war viel stärker als historisch distanzierte oder zeitlose Werke der Kontrolle der Überwachungsinstanzen unterworfen und erregte sehr viel leichter bei allen möglichen einflußreichen Zeitgenossen Anstoß. So zog sich mancher Autor in historisch unverbindliche Bereiche zurück [3]. Es gab aber auch ideologisch-weltanschauliche Motive, die wohl entscheidender gewesen sein dürften als praktische Überlegungen. Denn Gegenwart und Vergangenheit sind den Theoretikern des Dritten Reichs nicht grundsätzlich verschiedene Räume, vielmehr trennt sie im Kern gar nichts Wesentliches: Im Hinblick auf die letzten Werte von Rasse oder Volk ist die Geschichte, und sei sie auch nur als Kontinuum fließender Zeit verstanden, keine substantielle Größe; sie ist allenfalls formale Hilfskonstruktion der verstandesmäßigen Orientierung, die aber gegenstandslos wird, wenn eigentliche, wesentliche Aussagen gemacht werden. Der Geschichtspessimismus versucht sich hier mit einem Ewigkeitspostulat der Werte und Erscheinungen zu legitimieren, so daß alle Probleme, die der Historismus stellt, gegenstandslos werden und akzidentiell erscheinen: „Die Zeugnisse,

[1] Vergl. R. Euringer, Ist zeitgeschichtliche Dichtung möglich?, Der Autor XVI, 1941, S. 2—3; F. Lützkendorf, Bewährung vor der Gegenwart, Kölnische Zeitung Nr. 626/27, 1940, S. 2; K. Pagel, Gegenwart als Dramenstoff, Deutsche Dramaturgie III, 1944, S. 16; W. Stang, Gedanken zum Drama der Gegenwart, Nat.soz. Monatshefte X, 1939, S. 511.

[2] Vergl. D. Strothmann, Nat.soz. Lit.pol., S. 400.

[3] Vergl. z. B. R. Euringer, a.a.O., S. 3.

die von der Geschichte und Vorgeschichte beigebracht sind, sagen deutlich aus, daß die Gestalten, die wir hier an Hand lebendiger Beispiele zeigen, nicht zeitlich gebunden, sondern von zeitloser Wirklichkeit sind: die Geschlechter wechseln, nicht aber die Gestalt [als der eigentliche Kern der Rasse]." [4] Diese Auffassung mußte selbstverständlich im Bereich der Ästhetik Konsequenzen nach sich ziehen: „Der Nationalsozialismus legt auf Modernität keinen Wert. Er erkennt selbstverständlich alle Fortschritte an, die etwa die Technik gemacht hat, auch kann ein Dichter sehr wohl das Lied der donnernden Motoren und sausenden Propeller singen; aber empfindungsgemäß ist das Flugzeug nicht anders zu erleben als ein stolzes, meerdurchfurchendes Wikingerschiff." [5] Deutsche Kunst hat überhaupt in diesen Zusammenhängen nur Sinn, ja, sie wird als solche überhaupt erst konstituiert, wenn sie auf den unhistorischen Urgrund des Volks oder der Rasse bezogen ist und deren Art spiegelt. „Und da das Leben eines Volkes unerschöpflich aus einem Borne quillt, werden die Gestaltungen des Lebens, so sehr sie sich im Wandel der Zeiten voneinander unterscheiden, im letzten [!] wie Brüder, wie Verwandte, wie Träger eines Erbes einander ähnlich sein, wird hinter den Zügen des Zeitlichen immer auch das Antlitz des ewigen Deutschen, wenn auch nur ahnungsweise, sich offenbaren", heißt es bei Fr. Koch [6]. Man könnte — unter Verwendung eines Rosenbergschen Begriffs — von einer „Metamorphose der Rassenseele" reden: der Kern der Rassenseele bleibt sich, solange die Rasse überhaupt besteht, immer gleich, lediglich ihre historisch-realen Ausformungen wandeln sich in und mit der Zeit; die Aufgabe der Kunst nun ist es, dieses Zeitliche zu gestalten und zugleich das angeblich Ewige erkennen zu lassen; und so ist es irrelevant, ob das Geschehen im Bereich des Zeitlichen oder des Historischen angesiedelt ist; die historische Handlung hat sogar den Vorteil, abgeklärt und in ihren überdauernden Konturen überschaubarer geworden zu sein. So veränderte sich in der Theaterpraxis das Verhältnis von Gegenwartsstücken zu Theaterwerken, die historische oder — um eine Stufe gesteigert — mythisch-zeitlose Stoffe darstellten, ganz entschieden [7].

Diese knappen Hinweise auf einen Aspekt der historischen Anschauungen der Theoretiker des Dritten Reichs, die für sich sehr komplex und

[4] L. F. Clauß, Rasse und Seele, S. 43.

[5] R. Paulsen, Der Weg d. dtsch. Lyrik, Deutsche Kultur-Wacht 1933, H. 1, S. 8, Sp. 2.

[6] Fr. Koch, Dichtung und Glaube, S. 6.

[7] Vergl. W. Frels, Die deutsche dramatische Produktion 1939, Die Neue Literatur, 41. Jg., 1940, S. 185.

verworren sind, müssen in diesem Zusammenhang genügen, um einen charakteristischen Zug des Dramas des Dritten Reichs zu erläutern: nämlich das, was man Transpositionen nennen könnte: Die Anschauungen vom Ewigen gewann man im Blick auf das Gegenwärtige; und dessen Strömungen (oder besser vermeintliche Strömungen) sowie die Wünsche, die man gegenüber dieser — völlig unzulänglichen — Gegenwart hegte, kleidete, oder besser verkleidete man in historische Gewänder, wobei die Gegenwartskonstellation aber durchaus erkennbar blieb, denn es war allein der Herren eigner Geist, der ihnen aus der Geschichte entgegentrat. Man kann die neuklassizistische Ablehnung des historischen Theaterstücks nicht allein poetologisch erklären, vielmehr spielen in der Reserve gegenüber dem historischen Stoff weltanschauliche Gründe eine sehr wichtige Rolle: Im geschichtlichen Thema soll Mythos gestaltet und die Macht des Schicksals dargestellt werden; das Theater ist Ort des Schicksalskults. Einige Beispiele, die für viele andere stehen müssen, mögen diese Transposition von Gegenwart, wie man sie sich dachte, in Geschichte, wie man sie sich vorgaukelte, zeigen.

In einer Szene aus Fr. Bethges „Tragödie" „Rebellion um Preußen" [8] wird die Situation der Weimarer Republik, wie sie sich den Nationalisten darstellt, Stück um Stück in historischer Verfremdung nachgezeichnet (ohne daß aber ein Schlüsselstück entstünde): Der Ritterorden hat zwar die Schlacht bei Tannenberg gegen Jagiello von Polen verloren, an der Marienburg aber zumindest einen psychologischen Sieg errungen. Die Trägheit und Zagheit der politischen Führer ließ es aber zum Thorner Frieden kommen. Der Hochmeister Heinrich von Plauen rüstet heimlich, doch die Mitglieder des Gebietigerrats hemmen seine Wiedererstarkungspolitik. Sie wollen die Verpflichtungen des Thorner Friedens um jeden Preis erfüllen; ebenso verhindern sie eine Reorganisation des Ordens. Die junge Mannschaft aber stellt sich hinter den kriegerischen Führer Heinrich von Plauen. Die Konstruktion ließe sich in allen ihren entscheidenden Elementen auf das Bild von der Weimarer Zeit übertragen, wie es die Theoretiker sich selbst und in ihrer Propaganda entwarfen: Weltkriegsniederlage, trotz den Erfolgen der Freicorps, Abschluß des Versailler Schandfriedens, schwarze Reichswehr u. ä., Rathenau und seine Gesinnungsgenossen, das parlamentarische System, das keiner Reorganisation fähig sei, die Separatisten, die junge Mannschaft der Völkischen und Nationalsozialisten:

[8] Fr. Bethge, Rebellion um Preußen, S. 13—18.

Küchmeister

Euer Gnaden nehmen Tannenberg als eine bloß verlorene Schlacht, die Euer Gnaden heldenmütige Verteidigung Marienburgs auslöschte. Tannenberg, Euer Gnaden, war Vernichtung — —

Plauen

— — all Eures einstigen Mutes! —

Küchmeister

— — war Abfall aller Provinzen.

Plauen

— — die Uns reumütig zurückgekehrt! —

Küchmeister

— — war Ausrottung des Ordensheeres, das in Mariä Glanz gestanden war.

Plauen

Heinrich, Hans, Georg! — weckt Uns den Marschall! Er, den Wir aus des Polen Gefangenschaft gelöst — ehdem der Tapferste der Tapfern! — angstträumet seit der Stunde von dem Überwinder: Cäsar Jagiello! — Uns aber war gegeben durch Gottes Hand zu werfen vor Marienburg den — Werwolf! Es war die Tage, Hans, da dein edler Vater fiel bei einem Ausfall beispiellos! — die Tage war's, als Gott den Werwolf mit Rotz und Seuchen schlug — ein sichtbar Zeichen gebend, das wir verstanden, — doch nicht Unsre Gebietiger — tannenbergverstört! Du, Georg, Mitglied des Ehrentisches, scheuchtest Uns mit einer Handvoll Edlen den Wolf bis hinter Stuhm und auf Marienwerder! Da — — rannte Cäsar, da heulte, winselte der Wolf vor dem Fangeisen unentrinnbar! — dräuten doch des Livlandmeisters, dräuten doch des Kaisers Hilfstruppen ihm die Flanken aufzureißen! — da schweißte der Wolf gewaltiglich! — doch euer Lammesmut, Angstträumer Tannenbergs, ließ ihn entschlüpfen in den Thorner Frieden, den — — „ewigen Thorner Frieden"! Ewig nennt des Menschen Doppelsinn den Frieden, Michael, von zweifelhafter Dauer! — Gott schenke Unsrer armen Seele einst eine andre Ewigkeit und einen andern Frieden! —

Küchmeister

Den Thorner Frieden, Euer Gnaden, bestätigt Papst und Kaiser!

Plauen

Welcher der drei Päpste? — welcher der drei Kaiser, Michael? Wir wollen nicht mit solcher Frage die schuldige Achtung vor der Heiligkeit und Majestät verletzen, da sei Gott vor! — nur die Ohnmacht so umstrittner Majestät und Heiligkeit vor der Gebietiger bange Sinne führen. Wenn Kaiser Sigismund uns heute zürnt, nur wegen Thorn! — Der vorschnelle Friede betrog ihn um sein Erbrecht an die Krone Polens.

Küchmeister

Jagiello's Klage geht um säumige Zahlung: — Euer Gnaden verbrauche alle Gelder für Rüstung.

Plauen

Für Unsre statt für seine!! — Wohl sind Kontributionen ausgedungen in diesem „ewigen Frieden" — doch mein ich: auch die Freigabe der Gefangenen von Tannenberg, die verstümmelt in Kerkern schmachten, — unsrer Frauen, geschändet von asiat'schen Horden! — Das sagt dem Kaiser! Gilt Thorn für uns nur? — wohl, es gilt für Toren!

Küchmeister

Erzielten wir hierüber Einigung in Ofen, Euer Gnaden, der Klage Hauptpunkt bleibt die Bischofsfrage.

Plauen

Heinrich, du Unser jüngerer Bruder, das Gedächtnis läßt Uns im Stich, das Alter meldet sich, als wären Wir schon Großgebietiger! Wie war das doch? Bischof von Pomesanien?

Reuß

Nach Tannenberg vom Orden abgefallen!

Plauen

Wie? — im Ordenskleid?

Reuß

Zu Jagiello! — doch nach Marienburg reumütig zurückgekehrt!

Plauen

Doch der Bischof von Kulm, Heinrich?

Reuß

Nach Tannenberg vom Orden abgefallen!

Plauen

Abgefallen? — im Ordenskleid?

Reuß

Zu Jagiello! — Doch nach Marienburg reumütig zurückgekehrt!

Plauen

Zufall, Heinrich! — ein zweiter Fall — merkwürdig! — doch Zufall! Jedoch der Bischof von Samland?

Reuß

Nach Tannenberg vom Orden abgefallen!

Plauen

Im Ordenskleid, Heinrich?

Reuß

Zu Jagiello! — Doch nach Marienburg reumütig zurückgekehrt!

Plauen

Zufall, sag ich, Heinrich! — verdammter Zufall! — drei ist eine geheimnisvolle Zahl! — allein der Bischof von Kujawien und Pommerellen?

Reuß

Nach Tannenberg vom Orden abgefallen?

Plauen

Doch nach Marienburg reumütig — —?

Reuß

— — ohne Reue, Ihr verzeiht, zurückgekehrt, die Erhebung der Steuern Eurer Gnaden geschmäht, Verschwörern wider Eurer Gnaden Leben Schutz und Herberge gewährt!

Plauen
Was soll dem Marschall das in Ofen? — was den Gebietigern? Nun ist's genug! Heinrich Vogelsang, Bischof von Ermland?
Reuß
Nach Tannenberg vom Orden abgefallen!
Plauen
Doch nach Marienburg? —
Reuß
Nicht zurückgekehrt!
Plauen
Doch nach Thorn? — mich dünkt, Wir schlossen ewigen Frieden auch mit ihm! Er erhielt freien Geleitbrief, sich Unserm gnädigen Gericht zu stellen.
Reuß
Er weigerts! — Freund und Berater Jagiello's!
Plauen
Wert Unsrer Gegnerschaft! — Doch gewarnt durch ein, zwei, drei, vier, fünf Beispiele sollten Wir die Natter fürder am Busen hegen! Eines Nachts öffnen sich die Burgen Ermlands — Unserm werten Gegner Jagiello! — Nein! — sagt der Majestät, Michael, sagt dem heiligen Vater, Behemund, in jeder Frage beugten Wir uns schuldig der Majestät; doch Heinrich Vogelsang betritt nicht Ermlands blutgeweihten Boden, er stellt sich denn Unserm billigen Gericht, wie dies in Thorn bedungen.
Küchmeister
Dann ist Krieg unvermeidlich.
Plauen
Endlich, Marschall, nennt Ihr den Grund, warum Wir rüsten! Sorgte Jagiello — wert Unsrer Gegnerschaft! — um seine Bischöfe statt um Ermlands, dann wäre Platz für zwei auf dieser — Weide.
Brendel
Der Beutel ist erschöpft, Euer Gnaden!
Küchmeister
Wer, Euer Gnaden, zahlt die Bestückung der Burg? — wer, Euer Gnaden, die Söldner?
Gans
Ein neuer Aderlaß!
v. Zollern
Da sei Gott vor! — es ist kein übrig Blut in den Adern!
Plauen
Von den Komtureien erwarten Wir die Auslieferung alles Gold- und Silbergeräts, auch entbehrlichen Kirchengeräts!
Gans
Das weigern Wir!
Plauen
Für die Städte erlassen Wir eine Vermögensschatzung auf den Kopf, für das Land eine Hufen- und Dienstlohnsteuer.

Brendel

Das trägt das Land nicht, das tragen die Städte nicht!

Plauen

Drum — haben Wir bei Uns beschlossen, Land und Städten, — den kleinen vor den großen, dem Bauern vor dem Edlen diese Eure Einsicht des Ordens in ihrer aller großen Not zu bekunden, die uns zusammenschmiedet. Des berufen Wir einen Landesrat aus 32 angesehenen Rittern, Freien, Knechten, aus 16 Ratsmannen der Städte, der großen wie der kleinen.

Küchmeister

Das ist wider die Ordenssatzung!

Gans

Das weigern wir! — ein Landesrat wider den Gebietigerrat!

Küchmeister

Euer Gnaden scheinen gewillt, zu brechen das Patriziat des Lands, der Städte und — des Ordens — auf die holde Masse sich stützend. Das ist wider die Satzung!

Reuß

Gebietigerrat? — Landesrat? — was wüßten sie Euch zu raten, mein Bruder? Euer ist: allein zu stehen! — —

Georg

— — in Herrlichkeit, Amen! —

Reuß

— — ratend den ewig Ratlosen! — —

Hans

— — Stellvertreter Gottes! —

Reuß

Nichts mehr von Landesrat, mein Bruder!

Gans

Lästerung über Satzungslästerung!

Plauen

Stehet Unser Blut auf wider Uns? — So beschwören Wir denn wider dich, Unsern Bruder, die Geister der ohne Gericht hingeschlachteten Danziger Bürgermeister Hecht und Letzkau! Hatte Danzig schwer sich vergangen wider des Ordens Hoheit, Wir haben Uns hinter dich gestellt und gestraft — nach Recht und Verfassung! — aber Mord? — Schlägt kein Gewissen im Orden für der Städte, des Landes Not als einzig Uns? — Mit welchem Recht fordert der Orden den Pfundzoll der Städte? — mit dem Recht der Gewalt! — mit welchem Recht den Eigenhandel? — mit dem Recht der Gewalt und im Namen der Jungfrau! — Eidechsenverschwörung raunt es! — wer ist das: Eidechsen? — die bei Tannenberg ihr Banner verräterisch abgeschwenkt, die Uns nach dem Leben getrachtet? Der Kulmer Adel ist's, der mit Bauern, mit Freien, mit Handwerkern des Krieges Last getragen — mit uns, für uns! — bis eure — — Satzung sie zur Verzweiflung getrieben, zum Abfall, zu gestrafter Auflehnung! Warum — fragen Wir — ist der Landesadel Preußens einzig und ewig vom Eintritt in den Orden ausgeschlossen? Mit dem Recht der Satzungsgewalt und im Namen der Jungfrau! Dem Orden alles Recht, dem Land, den Städten die Last! — Da setzen Wir den Landesrat gegen!

Küchmeister

Gegen, Euer Gnaden?

Gans

Gegen die Satzung! — gegen die Gebietiger!

v. Zollern

Das kann nicht sein, Euer Gnaden!

Gans

Das weigert der Konvent!

Plauen

Für Zeiten der Not sieht die heilige Satzung des Ordens St. Mariä in ihrer Weisheit vor, daß der Meister kraft Machtbriefes auch gegen der Gebietiger Rat gebiete. So nehmen Wir in dieser herben Stunde denn den Machtbrief auf — im Namen Unsers Herrn und Gottes! Die Schatzung ist erhoben! — der Landesrat einberufen nach Elbing — im Jahre 1412 des Heils!

Gans

Ihr werdet den Orden, werdet Euer ganzes Haus verderben!

Plauen

Wir sind sehr allein, Großgebietiger!

Reuß (vor ihm auf's Knie)

Mein Bruder!

Hans (knieend)

— — mein Vergötterter!

Georg (knieend)

Laß uns das Blut für Dich hinströmen!

Plauen

— und Unsre Hände sind zittrig vor Verantwortung; aber Unsere Knie, Gebietiger, sind nicht zittrig vor Gott. — Ziehet hin, Michael Küchmeister, nach Ofen! — Ihr Behemund Brendel nach Rom! Kreuzt Uns Jagiello's Planen! Doch keine Vollmacht nehmt Ihr mit Euch! Kein Fuß breit deutschen Lands wird verpfändet noch abgetreten, kein Recht, kein Anspruch! Und: — fürchtet Euch nicht! — vor Kaiser — nicht vor Papst! Die Majestäten achten Euch nach Eurer Macht und fürchten Euch nach Eurer Macht. Und kommt Euch Bangen an, — steht es durch! — Geht mit Gott — und dem Recht! Wir indes — — — rüsten uns!

(Plauen, die Gebietiger und Ritter verlassen feierlich den Konventsaal; zurück bleiben Hans und Georg.)

Georg

Ach — ungerüstet steht der Edle — noch in Erz, solange er den wahren Feind nicht kennt! Was sieht der Meister in Verblendung immer nur Mars, immer nur — Jagiello? — was bleibt er ewig blind vertrauend, ach, Saturns ungewissem Schein? Dräut er nicht tückischer als Mars in unheilvoller Quadratur!

Hans
Saturn = Küchmeister! –
Georg
– des Gebietigerlindwurms Haupt! – Hätte der Meister mich geschickt nach Ofen zum Kaiser, Reuß nach Rom, wir hätten ihm Jagiello's Planen gekreuzt – bei dem allmächtgen Gott! – und ohne Scheu vor jener erborgten Majestät und Heiligkeit! – Und wäre es nicht edles Vertrauen, wäre es weise Planung des Staatsmanns, der Küchmeister nur und Brendel aus den Augen wünscht, um ungestört zu rüsten, – der Preis so tiefer Absicht wär all zu hoch! Denn Michael verrät des Meisters Auftrag so gewiß, Hans, wie er seiner abgründigen Furcht – der einstens Tapfere! – vor Jagiello damit zu dienen glaubt – –
Hans
– und der – Satzung!
Georg
– so gewiß, wie gelb Saturn dort dräut!
Hans
Und dieses Haupt soll stehn – wider den Göttlichen?
Georg
Ach, es steht fester, als deines, Hans, als meins, wenn nicht die Sterne lügen! – Laß uns die Monde nutzen die wechselnden! Doch kann das Leben drangehn, Hans! – bist du bereit? –
Hans
– um ein höheres, ein göttliches zu schützen!
Georg
Ich werbe Anhang im Orden, du im Landesadel, dem du durch deinen edlen Vater verbunden bist.

Wie bei Bethge die Gegnerschaft gegen die Weimarer Republik historisch verkleidet erscheint, wird in der folgenden Szene aus Fr. Blunck's „dramatischem Spiel" „Kampf um Neuyork"[9] die nationalsozialistische „Machtergreifung" aus der Notwendigkeit der deutschen Geschichte abgeleitet und gerechtfertigt. Die deutsche Zersplitterung bleibt in der historischen Handlung unüberwunden, das Reich ein Traum; die nationalsozialistische Bewegung erst hob durch ihre entschlossene Tat – zu der sich Leisler, der Führer des New Yorker Putsches, hier nicht durchringen kann – die Tragik der deutschen Geschichte auf. In der Transposition des Nationalgedankens in die amerikanische Kolonialgeschichte und durch die Projektion vermeintlicher deutscher Gegenwart in diese aufbereitete Vergangenheit wird die gegenwärtige Politik der NSDAP als historische Notwendigkeit legitimiert und idealisiert:

[9] Fr. Blunck, Kampf um Neuyork, S. 24—27.

Hollandsmann
Ein Nam', der gilt, Herr Gouverneur! – Ich hörte,
Du rüstest Schiffe gegen Kanada.
Laß mich dabei sein, Schwager! Irgendwo (Lärm draußen.)
Muß ich den Haß ergießen, der mich brennt.
Pest England, das sich eine Welt erraubt,
Mit seinen Schiffen raubt, was fleißige Hände
An dieser Küste aus dem Wildland schufen.
Tod über Frankreich, seinen Admiral,
Der, wo des Siedlers emsiger Axtschlag dröhnt,
Die Waffen für des weißen Mannes Tod
Zum Mord verschenkt. (Jäh) Ich hör, selbst Leisler rüstet.

Leisler
Dürft ich dem Frieden leben! Fühl nur, Piet,
Mein Herz schlägt stark, wenn wir von Frieden reden.
Doch wer nicht zupackt, wird gepackt, sagt Gott.
Wir oder Albany, wir oder Frankreich! (Liest im Manifest.)

Offerdank
Wir oder London!

Hollandsmann (spottend)
Das ist schrecklich, Leisler,
Wir oder London?

Leisler
Schwager Hollandsmann,
Ich halt den Eid! Des Königs Bote wird
Sehr feierlich empfangen, so verfügt ich. (Horcht nach draußen.)
Ist Milborn noch nicht abmarschiert?

Offerdank
Die Bürger halten's hin.

Hollandsmann
Sie fühlen sich verlassen.

Leisler
Der Sieg im Feld ist wichtiger als die Heimat.

Hollandsmann (eindringlich)
Ich ruf die Hugenotten dir, die Pfälzer.
Was soll ich an Pastorius [10] bestellen?

Leisler
Sein Manifest sei gut.

Hollandsmann
Nicht mehr, nicht mehr?
Nun, träumt nur weiter! Ihr begreift zu spät:
Nur unter seiner Flagge wächst ein Volk

[10] Einer der deutsch-nationalen Führer in Amerika.

In jene reifen Tage, da es Gott
Zu seiner Sendung ruft! (Flüsternd) Hier bist du schuldig, Jack.
Was sag ich ihm? (Weist auf das Dokument.)

Leisler

Pastorius, mein Freund —
Nein, predige ihm nicht! Ich möchte oft,
Ich lebt in seiner Güte, seinem Frieden.
Grüß mir mein Pfälzer Volk (Vor Offerdank) Mitunter zwar
Erscheint es mir — verruchte Unruh, Klaas —,
Als sei'n die großen Werke dieser Erde
Nur aus der Not, nur aus der Macht geboren,
Und Gott wär stärker als die Lieb allein.

Offerdank

Und alle Demut wär versteckte Tücke,
Gerecht zu nennen, was nach Reichtum giert,
Und, Armut duldend, Armut schlecht zu trösten.

Hollandsmann

Drei Deutsche und drei Welten! Ob es je
Vorm Jüngsten Tage anders wird? (Ab.)

Leisler

Gott hat es
Uns so bestimmt. (Unruhig) Was sagt' er von der Flagge?
Teufel, Versucher, ich hab bessern Weg!

Offerdank

Weg hin, Weg her! Er ist ein Kerl, dein Schwager,
Der nächtlings durch die Bürgerhäuser streift
Und nicht vergessen will! Wär Holland klüger
Gewesen als sein Rat, es führt' vielleicht
Das Deutsche Reich. Jetzt sind wir, zwiegespalten,
Bettler an Englands Tür und Habenichtse,
Die man versteigert. — Gegen Sklaverei
Ruft der aus Pennsylvanien die Welt?
Er sollte erst mit seinem Gotte hadern,
Warum wir, Volk der Mitte, von der Erde
Und ihrer Herberg ausgeschlossen wurden,
Da doch die Äcker leer, die auf uns warten.
Gehetzt, gejagt, entrechtet und verbannt,
Suchen wir Unterschlupf in fremden Lehen
Und sind noch dankbar, wenn wir dienen dürfen,
Und sind schon froh, wenn wir als Pächter fronen. —
Daheim die Fürsten, Pfaffen, die uns plagen,
Hier, schlimmer noch, des Königs Schranzen, die sich
Dies Land, das sie nicht kannten, nie erwarben,
Zuteilen ließen, eine neue Welt
Abschließen zum Verwesen. Wo bleibst du,
Jack Leisler, brennt's dich nicht? Steh auf und handle!

Leisler
Ich bin im Eid!
Offerdank
Zu mild dein Weg, zu weise.
Leisler
Wir Deutschen wandern ohne Vaterland.
Wen willst du werben, unter welchem Zeichen?
Wo ist das Reich, dess' Banner uns entzündet?
Wär's drüben anders, rief uns eine Heimat,
Ein Bund, der uns umfaßt, wir könnten kämpfen.
Doch so, ein jeder auf sich selbst gestellt,
Irrlichtern wir durchs Sein. Wohin der Weg?
Das macht' uns arm und leer.

Der Autor gibt eine ganz ungeschichtliche Fragestellung als geschichtlich legitimiert aus; doch bleibt diese pseudohistorische Draperie einigermaßen leicht zu durchschauen; diffiziler geht im folgenden Beispiel E. G. Kolbenheyer in seinem Schauspiel „Gregor und Heinrich" vor, aus dem hier ein Teil der Schlußszene herangezogen werden soll [11]: Heinrich IV. hat sich dem Papst als dem Stellvertreter Christi unterworfen, aber er verweigert die Annahme von Brot und Wein, weil die Unterwerfung unter Christus nicht eine Unterwerfung des Reichs unter den Spruch des Papstes bedeute.

Gregor
Heinrich, du hast an die Pforte der Kirche geschlagen. Du liegst zu Kreuz gestreckt im Staube und bist mit Fluch beladen. Willst du dem Sinn deiner Buße nachfolgen?

Heinrich
Ich suche Jesum Christum, der die Sünder annimmt.

Gregor
Heinrich, du suchst den, der die heilige Kirche gegründet hat auf dem Felsen Petri. Willst du ihr dienen?

Heinrich
Jesus Christus, du nimmst die Sünder an und issest mit ihnen!

Gregor (erhebt sich, beschwörend)
Heinrich, bei dem allmächtigen Gott, liegst du reinen Herzens in der Marter deiner Demut und Buße?

Heinrich
Jesus Christus, du bist für mich gestorben und für meine Sünden! Siehe mich an, Herr, in meiner Not und hebe mich auf!
(Gregor hebt die Hände und verhüllt schluchzend das Gesicht.)

[11] E. G. Kolbenheyer, Gregor und Heinrich, S. 80—82.

Heinrich

Jesus, gib mir mein Teil von dem Schmerze dein, gib mir mein Teil von dem Blute dein!

(Gregor schreitet fast zusammenbrechend auf Heinrich zu, bückt sich vor ihm nieder und legt ihm die Hände unter die Achseln. — Heinrich erhebt sich langsam. Beide sinken schluchzend einander in die Arme. Alle knien nieder mit Ausnahme der Mönche und Chorknaben.)

Chorknaben (leiser Gesang)

Post fluxae carnis scandala
Fit ex lebete phiala,
In vas translata gloriae
De vaso contumeliae.
Uni Deo sit gloria
Pro multiformi gratia,
Qui culpas et supplicia
Remittit et dat praemia.

(Während des Gesanges lösen sich Gregor und Heinrich voneinander, die Versammlung erhebt sich, Mathilde tritt zu Heinrich und umarmt ihn. Gregor hat Heinrichs Hand nicht freigegeben. Er führt ihn an den Tisch. Heinrich steht am Tischende gegenüber der Rampe, Gregor setzt sich mit dem Rücken gegen das Fenster des Erkers, Mathilde und Hugo sitzen zu beiden Seiten des Papstes. Hinter dem Rücken Heinrichs stehen seine Getreuen, sonst um den Tisch die vornehmsten geistlichen und weltlichen Herren.)

Gregor

Nimm und iß, du wirst hungern und dürsten.

(Heinrich allein bleibt am Tische stehen, er hält die Hände vor der Brust gekreuzt und sieht vor sich nieder.)

Gregor (nach einer erwartungsvollen Pause, fest)

Ich tauche ein Stück Brot in das Salzfaß. Nimm es aus meiner Hand und iß. (Bedeutungsvoll.) Es sei das Lehen des Friedens.

Heinrich (nimmt das Brot und legt es, ohne zu essen, auf den Teller.)

Gregor (sehr achtsam)

Du legst das Brot fort? Iß, König Heinrich!

Heinrich (gehalten)

Bischof von Rom, du sprichst zu mir und sagtst: König.

Gregor

Der König der Könige hat deine Buße gesehen. (Gießt Wein in einen Becher.) Hier hast du Wein, du wirst dürsten, König Heinrich. Nimm ihn und trink, er sei das Lehen der Macht, das du von der Kirche wiederempfangen kannst.

(Die Getreuen Heinrichs treten zurück, alle andern gleich ihnen. Am Tische sitzen nur mehr Gregor, Mathilde, Hugo.)

Heinrich (nimmt den Becher, ohne zu trinken, und setzt ihn auf den Tisch.)

Heinrich (sehr klar)

Nicht würdig will ich sein der Speise und des Trankes aus deiner Hand, ehe dann ich wieder getragen die Heiltümer des Reiches.

Gregor

Ich will die Heiltümer des Reiches segnen, iß aber zuvor.

Heinrich

Die Heiltümer sind auf mich gekommen durch Gottes Gnad nach Willen des Reichs und sind an Macht gemehret durch mein Geschlecht. Gereiniget habe ich sie im Staub zu deinen Füßen, im Schnee vor deinem Tor, im Eis auf dem Mont Cenis, Bischof von Rom.

Gregor (härter werdend)

Du bist aufgenommen von mir, und deine Brust ist von meinen Tränen bedeckt. Du bist um Jesu Christi willen gewürdigt dieser Speise und des Trankes aus meiner Hand. (Fast drohend.) Nimm von der Hand der Kirche Gnade und Lehen des Lebens.

Heinrich

Gelobet sei der Heiland! Mein Leben ist nicht gesetzet in diese meines Leibes Notdurft. Mein Leben ist worden außerhalb meines Leibes und ist dort, wo des Reiches Kron ruhet in dem Schrein und will mein Haupt, also der Apfel, das Schwert und der Mantel. – Das Heiltum ist erneuet von Jesus Christ durch dich hindurch, Bischof von Rom. Das Heiltum ist begierig nach dem König. Ich bin an deinen Tisch getreten – das sei das Zeichen des Friedens und sei genug.

Gregor (erhebt sich)

Tue nach meinen Worten, König Heinrich. Iß und trink aus meiner Hand und folge mir in Demut!

Heinrich

Es ist des Reiches Weg, dem muß ich folgen nach. Der Weg ist gewiesen von Gott. Ich will essen und trinken aus Gottes Hand.

(Das Gefolge Heinrichs löst sich von den andern und geht langsam aus der Tür. Heinrich steht in der Mitte der Bühne.)

Gregor

König Heinrich, du hast mit dem Engel des Herrn gerungen in drei Tagen und Nächten, und *meine* Seele war der Boden, auf dem du gerungen hast. Soll ich verzweifeln an dir?

Heinrich

In diesen Tagen und Nächten bin ich herausgetreten aus mir, da ich im Gebete gelegen und ich vor deiner Tür gebüßt. Mächtig ist in mir geworden und stark das *Reich*. Dem bin ich untertan von Gott als ein Mittel und Weg, nicht anders dann du bist untertan der heiligen Kirche Gottes. Lasse mich ziehn in Frieden, Bischof von Rom, *mein* Reich zu gründen auf diesen Menschen Heinrich, der außer mir lieget und doch in mir ist.

Gregor (in aufsteigender Qual)

Es ist nur *ein* Reich, es ist nur das Reich Christi.

Heinrich

Das Reich Christi hat Seel und Leib, sei Herr und Hort der Seel, Bischof von Rom, und laßt dem König, was des Königs ist.

(Heinrich schreitet langsam aus der Tür.
Gregor starrt ihm nach, wankt zurück, wird von Mathilde und Hugo gestützt.
Deutsche Fanfarenklänge aus dem Hof.)

Kolbenheyer greift Argumente der kaiserlichen Partei des Investiturstreits und der politischen Auseinandersetzungen im 12. Jahrhundert auf. Indem sie aber — und dazu mit sehr deutlichen Akzenten versehen — in einer Gegenwart, die eine Restitution des „Reiches" propagierte (Vergl. Kolbenheyers Widmung dieses Schauspiels: „Dem auferstandenen deutschen Geist"!), unter dem Scheine historischer Authentizität reproduziert werden, wird eben dieses „neue" Reich als göttliche Institution ausgewiesen. Die Historie wird — in scheinbar treuer Nachbildung — Legitimation der gegenwärtigen Ideologie.

Die letztgewählte Szene offenbart die überaus starke Tendenz des Dramas des Dritten Reichs, Gegenwart in göttlich sanktionierte Zusammenhänge zu rücken. Das ist eine Verfahrensweise, die den Ideologen dieser Weltanschauung überhaupt eigen ist; und bereits Stiluntersuchungen würden im Bereich des Wortschatzes, der Bildlichkeit und der Konstruktion eine überaus häufige und intensive Benutzung religiöser, und das heißt christlicher Sprachformen feststellen können. Diese Transpositionen erfolgen entweder in einen religiös-mythischen Raum schlechthin (Langenbeck, v. Hartz, auch Bacmeister) oder — und das häufiger — in eine sich christlich drapierende Natur- und Schicksalsreligiosität. Die theologisch-christliche Substanz ist — wie nach den vorausgegangenen Passagen, besonders über den „Helden", nicht anders zu erwarten — sehr gering.

Lauckners Drama „Bernhard von Weimar" sieht in der Figur Bernhards den ewigen deutschen Soldaten und Vaterlandshelden und stellt sie in religiöse Bereiche hinein; Bernhards politisches Handeln wird über den weltlich-wirklichen Zusammenhang hinausgeführt und sein Tun religiös begründet [12]. Er ist nach der verlorenen Schlacht von Nördlingen ins Moor verschlagen worden; dort will ihn ein Wahnsinniger, der mit den Leuten geflüchtet ist, ermorden, aber der Pfarrer rettet ihn. Erschüttert erfährt Bernhard die Not des Volks, und er beschließt nun fest, das Reich zu retten. Währenddessen läßt der Geistliche die Geflüchteten, um sie abzulenken, einen Choral singen; religiöser Gesang und Gelübde klingen zusammen; so wird der nationalpolitische Vorgang zum sakralen Akt, und der ver-

[12] R. Lauckner, Bernhard von Weimar, S. 106—108.

kündete Inhalt geweiht, der sich vermittels des Reichsbegriffs auf die Gegenwart beziehen soll.

Gugel
Seht doch! Der Amtmann! Mit dem Messer! . . . Seht Ihr?
Stelzwolf
Ich seh schon. — Laßt ihn! Still! — Schließt doch die Augen!
Was geht's uns an? — Sind immer noch zu viel . . .
(Bernhard ist jetzt an der Hütte vorbei und kommt im Mondschein nach vorn. Hinter ihm her schlicht geduckt der Amtmann, richtet sich plötzlich hoch auf und will ihm von hinten das Messer in den Rücken stechen.)
Amtmann
Fleisch! Alles Fleisch!
(In diesem Augenblick erscheint der Pfarrer von links, übersieht die Lage und stürzt sich auf den Amtmann, dessen schon erhobenen Arm er gerade noch zurückreißen kann.)
Büdinger (schreit)
Gib Acht, Soldat!
(Bernhard ist zurückgesprungen. — Der Pfarrer hat dem Irren das Messer entwunden und ihn zur Erde geschleudert.)
Du Vieh. Du!! Mörder!! . . . Helft doch! . . . Hundepack! . . .
(Alles bleibt stumm. — Im Gegenteil, aus den Reihen der wieder lebendig gewordenen Lagerleute schwillt ein drohendes Murmeln an, aus dem man die Worte vernimmt: Laßt ihn doch! Soldaten! Ein Soldat! . . . Auch der Amtmann hat sich wieder erhoben. Man drängt nach vor.)
Waaas?! . . .
(Der Pfarrer stellt sich schützend vor Bernhard.)
Wollt Ihr nicht gehorchen?! . . . Singt!! . . . (Stille)
Wollt Ihr singen, Ihr Halunken!! . . . „Hilf Gott uns aus
Der Not"! . . . Singen sollt Ihr!!
„Erlös uns, Herr Zebaoth!
(Das Pestmütterchen fällt ein)
Laß uns in Gnad vergehn,
(mehrere jetzt)
Daß wir einst auferstehen,
(nun alle)
Hilf Gott uns aus dieser Not!"
(Bernhard ist während des letzten Verses niedergesunken.)
Bernhard
Erbarmen, Herr! Ich kann nicht mehr! Erbarmen!
Büdinger (zu den Leuten)
Singt weiter!! Weiter!! (zu Bernhard) Nicht Zeit zum Beten! Flieht!
Rechts, den Weg, den Ihr gekommen seid! . . .
Chor
„Schenk uns einen süßen Tod.

Bernhard

Herr, gib mir Kraft! . . .

Chor

Von aller unser Sünd,

Bernhard

Erlöse dieses Reich!

Chor

Wollst Du uns wohl entbinden:
Hilf Gott uns aus unsrer Not!"

Bernhard (springt auf, ganz laut)

Ich rette Euch!! – Nach Frankreich! –
Doch ich vergeß Dich nicht, mein armes Land!
(Er stürzt nach rechts davon. – Einen Augenblick Stille.)

Amtmann (leise)

Der – der Heiland kam . . . Und nun, entwischt er Euch . . .

Chor

„Hilf Gott uns aus tiefster Not!"

Ähnlich verfährt Fr. Bethge in seinem Werk „Rebellion um Preußen". Hochmeister von Plauen hat die jungen Rebellen, die den Orden in ein nationales, weltliches Herzogtum umwandeln wollen, zum Tode verurteilt, obwohl in der momentanen politischen Situation eine Reform dringend notwendig wäre. Aber der Hochmeister fühlt sich nicht durch göttliches Votum legitimiert, die Satzung zu ändern. Alle Personen sind voll Opferbereitschaft: Plauen, der erkennt, daß er gescheitert ist, die jungen Adligen, die sich der Zukunft des Landes hingeben [13]. Liturgischer Gesang von außerhalb der Szene – dazu noch in lateinischer Sprache – legt diesem politischen Verzicht religiöse Weihe unter. Menschliches Handeln erscheint ganz eitel, denn allein Gott lenkt das Tun; aber was damals nicht gelang, auch nicht gelingen konnte – dieser Gedanke steht unausgesprochen, aber sehr deutlich hinter dem ganzen Stück – ist heute – im nationalsozialistischen Deutschland – noch die Aufgabe und wird heute erfolgreich erfüllt: der deutsche Siedlungsraum wird unter völkisch-nationalem Banner gegen seine fremdvölkischen Bedroher geschützt. Damit ist die Gegenwart Teil, ja eigentlich Erfüllung des göttlichen Willens in der historia divina; der imperialen Ostpolitik des Nationalsozialismus wird so – auch wenn nicht ein einziges Wort über sie gesprochen wird – heilsgeschichtliche Legitimation zugesprochen, unter deren Deckmantel sich nach innen alles verantworten ließ.

[13] Fr. Bethge, Rebellion um Preußen, S. 74–76.

Plauen

Du fieberst, Heinz! — wir sind nicht bei den Türken! Das ist so nicht! — und — — wär's, — — das ordnen Wir schon! Wir sind in Preußen, Heinz, — im Orden!

Georg

Herzog! — rette Preußen!!

Reuß

Soll ich knieen, Bruder? — Die jungen Ritter draußen fiebern, Dir zu huldigen!

Eberhard

Von mir hört seine Ungnaden nichts mehr davon. Sonst wähnt er noch, ich tät's um meinen Kopf und wär verliebt darein. Jenem weisen Manne gleicht Seine Ungnaden, der die Weichselkirsche ausspie, doch den Kern zerbiß und drob ausrief: „Was sind die Kirschen hierzulande doch hart und bitter!" Mit solcherlei Herren ist nicht gut Kirschen essen!

Georg

Hans, sprich ein Wort! — es trifft am ehesten das Herz des Meisters.

Hans

Ihr müßt ihn nun lassen! Was der Meister fünf Tage und — eine Nacht gesorget, das blast ihr ihm im Sturm nicht um.

Plauen

Unser liebster Sohn! — Wir lasen heute Nacht: zu Johannes kamen sie — dem Täufer — voll der messianischen Sehnsucht — gläubig und verzweifelt. Bist du es, der da kommen soll, wie es geschrieben steht? — du bist es! — du mußt es sein, denn diese Zeit des Wartens und der Prüfungen ist voll bis an den Rand. — Johannes aber sprach: es kommt einer nach mir, dem bin ich nicht wert, daß ich ihm die Schuhriemen löse. — Da wichen sie von ihm, schalten ihn einen — — Halben! — Betrüger gar! dies — — lasen Wir heute Nacht! —

Nehmt Uns gefangen!! — Widerstand vermögen Wir nicht zu leisten. Gott hat Uns zur Unzeit mit Krankheit heimgesucht. — Und dann empfangt Michael — wär's, wie ihr wähnt! — mit — — Stückkugeln! Der Orden St. Mariä ist dann nicht mehr! — des Gelübdes seid ihr ledig! — Hans heirat' die Mutter seines Kindes! — Das Land ist gut, die Männer kühn, die es beherrschen; doch nichts mehr zeichnet dieses Land aus, kein Gesetz lebt mehr in ihm, — nur Willkür tapferer, aufrührerischer Männer.

Der andre Weg ist der des Rechts. Noch sind Wir Hochmeister! — Bricht Küchmeister das Recht — ein müdes Geschlecht! — dann stirbt an ihm — mit ihm der Orden; doch auferstehet's!! — denn aufgeht eine Saat aus solcher Männer Blut!! — Die Krone ist Uns nicht von Gott bestimmt. Eine Zuchtrute waren Wir dem Orden, drum lieben Uns wenige! — doch nie ein Falschspieler! Was ihr wähnt, das kommen soll, kommt — zu seiner Stunde! Die Stunde Gottes kürzen kann nicht Manneswille. Sonst müßten Wir fragen: wo ist das Knäblein dieses liebsten Sohnes? Kürzt die neun Monde! — laßt das Kind — 's ist Ausnahmezeit und Not — laßt es nach dreien Monden schon geboren sein! Wähnt einer unter euch, die letzte Nacht hätte Uns den Ruf Gottes, wär' er an Uns ergangen, nicht vernehmen lassen? Nein, Heinrich, diese liebsten Freunde stehen unter dem Gesetz! Ihr Gehorsam — das ist der Orden, der unvergänglich nun in alle Zukunft strahlt. Was hätte Jagiello [der Polenkönig] dagegen zu setzen? — was — — Küchmeister? — Sie können siegen, können uns absetzen. Wir aber — — sind!! — jetzt und fortan! Das, Hans, ist „die Tat der gefangenen Ritter!" Der Geist bricht Schwerter, bricht Kronen! — er lebt in diesen dreien, Heinrich! — er lebt in Uns. Nun mag Küchmeister, nun Jagiello kommen! Nach dieser bangen Nacht ist Helle, und Wir sind sonder Bangen! — Macht euch bereit, küßt euch, umarmt euch! — küßt Uns, umarmt Uns! — Und nun singen wir zum letztenmal!

Alle singen

„Wir wollen alle fröhlich sein,
Kyrie eleison — — —."

Eberhard

Nehmt meinen Kopf! — er ist nicht wohl geraten! Doch wisset: das Land lebt in mir! Drum, schlagt Ihr mir den Kopf herunter, gleich wachsen wie der Hydra zwei Köpfe aus dem Hals; schlagt Ihr die ab, so springen viere Euch entgegen! — Laßt das Land zur Ader! Es wird trächtiger Dünger werden! — Und, Euer Gnaden, ich hab Euch am Hals hier eine Narbe! — ein Tartarenpfeil ging hindurch! — daß es nicht heißt, der Feind habe je meinen Rücken gesehn! — bis heut — — bis heute! — Und, Euer Gnaden, seht nach dem Kind! — die Wiege hab' ich noch gezimmert. (Mit riesigem Gelächter ab.)

Georg

Hans, nun mischt sich doch mein Blut mit deinem! Nun sterb ich doch den schönsten Tod. (Abgehend.)

Plauen (übermannt)

Hans!

Hans

Die Jungfrau — — — (er geht ab; draußen Gesang der Drei: „Wir wollen alle fröhlich sein —")

Aus der Kapelle von fern Gesang der Brüder:

Requiem aeternam dona eis, Domine,
et lux perpetua luceat eis. — —

Reuß

Wenn sie uns absetzen, ich gehe zu Jagiello. Und sollt ich dich mit seiner Hilfe befreien und wiedereinsetzen! — Sie mögen es Hochverrat nennen!

Plauen

Wie sie es nennen, Heinz, wie Menschen etwas nennen, — hätten Wir danach je gefragt! Menschenurteil — Spreu im Wind! — Doch — tu es nicht, Heinrich! Deine Hände — nicht sehr weiß — zeugten noch je wider Dich — und — — Uns! Jagiello kann nicht Freund dem Orden sein, noch Freund dem Land, noch Freund dem — — Plauen! Ein — Küchmeister als Herr des Ordens müßte ihm stets willkommner sein.

(Aus der Kapelle von fern Gesang der Brüder)

Absolve, Domine, animas omnium
fidelium defunctorum
ab omni vinculo delictorum! ——

Diese Aufladung einer (angeblichen) gegenwartspolitischen Situation mit religiösem Gehalt kann so weit getrieben werden, daß die Handlung überhaupt nur noch heilsgeschichtliche Bedeutung hat. K. Eggers gibt in seinem „Spiel von Job dem Deutschen" dem — durchaus gegenwartspolitisch verstandenen — Elend der Deutschen einen kosmisch-eschatologischen Sinn, die politischen Ereignisse von 1933 werden göttlich sanktioniert, Hitler und seine politischen Verbündeten bekommen eine Erlöserfunktion, die die christliche Heilslehre Christus zuschreibt [14]: Der Kampf- und Opfergeist der Deutschen hat das Böse in der Welt besiegt, so daß Gott das deutsche Volk zu seinem Volk erhebt und ihm die Weltherrschaft verspricht. Die Herrenideologie wird so, indem die biblische Geschichte von Hiob als kaschierende Hülle dient, göttlich fundiert und beglaubigt. Das Theaterstück ist seiner Intention nach nicht Theodizee-Dichtung sondern Rechtfertigungsliteratur; es ist ein beredtes Zeugnis der Selbst-Erhebung in der Situation der Geschichtsangst. — Job hat alle Versuchungen kämpfend durchstanden, da vernichtet der Herr der Herrlichkeiten den bösen Weltfeind [15]:

Der Herr der Herrlichkeiten
Des Deutschen Leiden sah ich,
Des Deutschen Kämpfen sah ich,
Des Deutschen Siegen sah ich.
Es sei genug!
Wo ist in meinem Erdenreich
Einer dem Deutschen gleich
An Ertragen und Glauben?

Der Erzengel Michael
Er hat gesiegt
In tausend Nöten,
Der Deutsche!

[14] Diese Transposition in die christliche Rolle eines Erlösers ist weder nur K. Eggers eigen, noch bleibt sie auf die Gattung der Bühnendichtung beschränkt. Für die Lyrik ist dieses Vorgehen eher noch charakteristischer als für die dramatische Literatur; es sei beispielsweise hingewiesen auf Schumanns „Führer", desselben „Da kam die Nacht", Holzapfels „SA-Weihnacht", Anackers „Deutsche Ostern 1933", v. Schirachs „Am 9. Nov. vor der Feldherrnhalle zu München", Herybert Menzels „Der Führer kommt"; alle abgedruckt im Anhang zu: A. Schöne, Über politische Lyrik im 20. Jh.

[15] K. Eggers, Das Spiel von Job d. Deutschen, S. 58—63.

Es wollte ihn töten
Der böse Feind.
Doch seine List
Zerschlagen ist
Am Deutschen.
Er nahm die Plagen,
Um ihn zu schlagen.
Er raubte sein Gut
Und spritzte ins Blut
Ihm das Gift,
Dem Deutschen!
Doch der glaubte
Und siegte!
Selig der Deutsche,
Der aus der Hölle Brand
Den Weg in die Freiheit fand!

Der böse Feind
Euer Spiel war nicht ehrlich,
Ihr habt mich belogen,
Um den Preis mich betrogen.
Noch nahm ich dem Deutschen nicht alles.
Noch hat er sein Augenlicht,
Noch nahm ich sein Weib ihm nicht,
Noch habe ich manche Versuchung
Für ihn.

Der Erzengel Michael
Und hättest du tausend Foltern noch,
So wird der Deutsche doch
Sie überstehen.
Du bist verloren,
Aufs Neue geboren
Wird durch den Deutschen die Welt.

Der böse Feind
Ich weiche nicht! Ich töte ihn!

Der Herr der Herrlichkeiten
Deine Zeit ist vorbei
Du selber mußt sterben!
Schon ist der Abgrund aufgetan,
Der dich verschlingt.
Die Welt ist frei von dir.
Der Deutsche zerschlug dich.

Der böse Feind
Ein alter Spruch,
Ein alter Fluch
Hat verkündet,

Daß einst ein Ende findet
Meine Macht
Durch einen Starken der Welt,
Dessen Treue mich fällt.

Der Erzengel Michael
So stirb
Und verdirb
Durch des Deutschen Schwert.

Die Chöre der Engel
Des Feindes Macht ist gebrochen
Durch den Deutschen.
Gelobt sei der Herr,
Der die Kraft gibt.
Gelobt sei der Herr,
Der die Kraft liebt
Im Starken.
Gelobt sei der Krieg,
Gelobt sei der Sieg
Des Deutschen!

Der Herr der Herrlichkeiten
Führe des Deutschen Seele
Vor meinen Thron,
Auf daß ihren Lohn
Sie erhalte!
(Die Seele Jobs des Deutschen wird vor den Herrn der Herrlichkeiten geführt.)

Die Seele Jobs
Meine Augen schauen
Des Himmels Auen
Wundersam schön.
Ein herrlicher Traum
Verklärt mein Elend.
Ein Traum nur führt mein Leid
Zur Herrlichkeit.
Ein Traum!

Der Erzengel Michael
Deutscher, deine Seele steht
Vor Gottes Majestät!
Neige dich,
Beuge dich
Vor Gott, dem Herrn!

Die Seele Jobs
Ich neige mich,
Ich beuge mich
Vor Gott, dem Herrn.

Der Herr der Herrlichkeiten
Deutscher!
Ich segne dich
Für deinen Glauben.
Deutscher, ich preise dich
Für deine Stärke.
Immer und ewiglich
Sei deinem Werke
Bestand.
Deutscher!
Dein Land
Sei die Quelle der Welt,
Die belebt und erhält
Alle Völker.
Zieh aus des Knechts Gewand!
Meine Hand
Wird dich krönen
Und versöhnen
Alle Schwären, alle Wunden,
Die im Kampfe du gefunden.
Und die Erde
Werde
Dir gegeben,
Daß du sie führst
Und regierst
Nach meinem Willen!

Die Seele Jobs
Herr, ich bin nicht wert
Der Gnade,
Die mir widerfährt!

Die Chöre der Engel
Preise den Herrn der Herrlichkeit,
Denn unvergänglich
Ist seine Gnade.
Preise den Herrn,
Denn überschwenglich
Ist seine Güte.
Preise den Herrn der Herrlichkeit
In Ewigkeit.
(Einzug der deutschen Menschen.)

Der Herr der Herrlichkeiten
Kehrst du zurück auf Erden,
Soll dir Erfüllung werden
Deiner Sehnsucht!
Ich nehme die Armut

Von dir.
All dein Gut
Gebe ich dir.
Deiner Söhne Seelen
Will ich befehlen,
Von neuem zu leben.
Der Erden Herrlichkeit will ich geben
Deinem Geschlecht.
Dein Volk sei fortan
Das Volk meiner Offenbarung.
Die heiligsten Güter der Menschen
Sollen zur Wahrung
Ihm übergeben sein.
So zieh in Frieden von mir,
Deutscher! In dein Erbe zurück,
Aus dem Elend ins Glück.
Mein Geist wird um dich sein
Und bei dir bleiben
Bis an das Ende aller Welten.
Du kamst als Knecht und gehst als Herr,
Du Deutscher!
Zieh in dein Reich
Als König!

Die Chöre der Engel
Als Sieger
Zieht der Deutsche
In sein Reich.
Als König wird er herrschen
Über die Welt.
Gottes Kleid
Ist seine Herrlichkeit.
Der Feind ist tot,
Zu Ende die Not,
Der Deutsche ist frei!
Auf ewig frei!

Schlußchor (Job, das Weib, die Knechte. Die Söhne kommen ihm mit ausgebreiteten Armen entgegen. Der Chor der Versuchungen zieht sich zurück. Das Licht strahlt auf Job)
Frei sind wir Deutschen,
Weil uns die Gnade ward,
Groß sind wir Deutschen,
Weil immer der Segen harrt
Den Gerechten.

Diese Transpositionen des Gegenwärtigen in die Distanz der Historie, des Mythos und des angeblich Religiösen verstanden die Dramatiker des

Dritten Reichs als einen notwendigen Gestaltungs- und Stilisierungsprozeß. Wohl soll sich der Dichter für seine Zeit interessieren: „Aber nicht auf fotographisch genaue, etwa journalistische Kopierung kommt es hier an, sondern auf Gestaltung der höheren Wirklichkeit, des Urbildes und Inbildes der zufällig erschauten Teilwirklichkeit [. . .]", meinte P. Hövel, der Leiter des Sektors Auslandsarbeit und -wirtschaft in der Abteilung Schrifttum im RMfVP [16]. Dieser „Stilisierungsprozeß" muß nach der konservativ-völkischen Literaturauffassung notwendig geleistet werden, da der Künstler als Medium des Volksgeistes dessen grundsätzliche Prinzipien und Werte in der „Gestalt" des Kunstwerks bilden soll; die Dichtung ist somit — wie die deutsche Rassen- und Volksseele — auf einen Bereich, der über die wirklichen Zusammenhänge hinausreicht, gespannt: „Und wie es kein bewußt gelebtes Leben gibt, ohne Sinn, ohne Hoffnung, ohne Kraft des Glaubens, so ist die Dichtung zugleich Trägerin aller religiösen Sehnsüchte und Triebe eines Volkes, seines metaphysischen Verlangens, über dieses Leben hinaus in ein Jenseits des bloß ichbefangenen Daseins hinüberzugreifen, dort seine letzte Erfüllung zu finden." [17] Das nannte — um eines der vielen kunsttheoretischen Schlagworte anzuführen — der junge Langenbeck (ehe er überhaupt mit der völkisch-konservativen Literaturtheorie in Berührung gekommen war) in einem unveröffentlichten Brief einen „gesunden Realidealismus" [18].

[16] P. Hövel, Wesen und Aufgabe der Schrifttumsarbeit, S. 14 f.
[17] Fr. Koch, Dichtung und Glaube, S. 6.
[18] Vergl. C. Langenbeck, Brief vom 14. Juli 1924, zit. nach M. Lotsch, C. Langenbeck, S. 83.

VIII. CHARAKTERISTISCHE BAUFORMEN

Zum Ende sollen sich die Überlegungen ausdrücklich einigen Bemerkungen über Bauformen zuwenden, die für das Drama des Dritten Reichs charakteristisch sind. Formfragen standen nun allerdings nicht eben im Mittelpunkt des Interesses der Dramatiker und Theoretiker, denn Form ist ihnen – mit den Termini der Lebensphilosophie ausgedrückt – etwas Starres, vom Verstand Festgelegtes, dem Leben Entfremdetes – kurz, etwas Totes; Aufgabe des Denkens und vor allem der Kunst dagegen soll es sein, das Leben und seine Prinzipien weniger zu erkennen und zu beschreiben als zu erschauen und zu gestalten. Wurde diese Denkweise darüber hinaus mit völkisch-rassischen Vorstellungen verbunden, so mochte es etwa heißen, germanisch-deutsches Denken liebe nicht das feste System, es sei wikingerhaft; es gebe gar keinen ihm relevanten Endpunkt, den es sich bemühe zu erreichen, vielmehr müsse der Künstler als ein Strebender mit „Lebensgut" bezahlen, nicht in intellektueller Selbstreflexion die Bedingungen seiner Arbeit zu bestimmen versuchen [1]. Vor dem Hintergrund einer solchen Wertlehre verliert eine Beschäftigung mit theoretischen Fragen jede Bedeutung, ja, sie wird sogar negativ beurteilt: „Unsere Aufgabe ist es [. . .], mehr aus dem Herzen, viel mehr aus dem Blut und viel weniger aus dem Kopf das Drama zu gestalten. [. . .] Fürchten wir aber die Theorie, sie tritt das Drama in die Kniekehlen und führte es bei O. Ludwig und Paul Ernst von der Bühne hinweg zum sicheren Begräbnis im Buch." [2] Kunst wird nicht als eigengesetzliches Phänomen gesehen, das immanenten Gesetzmäßigkeiten gehorcht, sondern immer und nahezu ausschließlich im funktionalen Zusammenhang mit einer Wirklichkeit, wie sie die Ideologie darzustellen versuchte. Dieser Hinweis auf die weltanschauliche Aussage ist der Fluchtpunkt jeder literarischen Kritik: „An dem Beispiel Möller erhärtet, wie abwegig rein formalgesetzliche Betrachtung moderner Dichtung ist. Die ins Höchste gesteigerte Sensibilität für die Übereinstimmung von

[1] Vergl. W. Deubel, Der deutsche Weg zur Tragödie, S. 10–15.

[2] F. Lützkendorf, Bewährung vor der Gegenwart, Kölnische Zeitung, Nr. 626/27, 8. Dez. 1940.

Form und Inhalt schuf bei Möller eine in den großen Umrissen verwirrend auseinanderstrebende Vielfalt, die von der einheitlichen Weltanschauung ihres Schöpfers zusammengehalten wird." [3] Dieser letzte Gesichtspunkt, der ja auch für die bisherigen Darlegungen der leitende gewesen ist, soll ebenfalls die Bemerkungen zu charakteristischen Formprinzipien bestimmen [4].

a) *Der Chor*

Formale Besonderheiten und bedeutsame Darstellungsprinzipien sind also nur dort zu erwarten und zu beschreiben, wo dieser Bezug zur weltanschaulichen Aussage sehr eng ist; was den Dramatikern und Theoretikern abseits dieser Aussage- und Wirkungsabsicht zu liegen schien, wurde deswegen nicht bedacht; das mag einer der Gründe sein, warum das Drama des Dritten Reichs einen so überaus starken restaurativen und eklektischen Charakter aufweist. Es kam darauf an, „Haltung" sichtbar zu machen und diese verkündend dem Publikum zu übermitteln und im „Erlebnis" vom theatralischen Ereignis ablösbar werden zu lassen. „Von der äußeren Handlung muß sich [...] die Dichtung zur Haltung hinwenden, muß [...] in Gestaltung der inneren Werte Kündertum des neuen Bekenntnisses werden. Es geht bei unserer Dichtung grundsätzlich um den Sturmschritt, um das innere Reich, um die Fahne des Glaubens." Mit diesen Worten zieht etwa H. Böhme eine Konsequenz aus dem Dargelegten [5].

Die Verkündigungsabsicht ließ Theoretikern und vor allem Praktikern des „neuen" Dramas den Chor, oder weniger extrem: chorische Elemente

[3] H. A. Frenzel, E. W. Möller, S. 25.

[4] Er weist übrigens, um das wenigstens anzudeuten, über den Umkreis des speziellen Gegenstandes der vorliegenden Überlegungen hinaus; so sagte etwa Maxim Gorki: Die Sonderstellung der Literatur in der Sowjetunion hat „uns nicht nur veranlaßt, die für die realistische Literatur traditionelle Haltung ‚eines Richters über Welt und Menschen', eines ‚Kritikers des Lebens' einzunehmen, sondern uns auch das Recht zur unmittelbaren Teilnahme am Aufbau des neuen Lebens, am Prozeß der ‚Umgestaltung der Welt' erteilt." (M. Gorki auf dem 1. Schriftstellerkongreß der SU, zit. nach dem Auszug aus der ‚Komsomolskaja Prawda' in „Die Sowjetunion heute", 12. Jg., 1. Juni 1967, S. 8). Dieser Zusammenhang sollte ein Hinweis auf die Notwendigkeit sein, Kriterien zur Beschreibung und Beurteilung politischer Literatur im 20. Jh. zu erarbeiten, die bei tiefgreifender Verschiedenheit ihrer Inhalte und Absichten sowie ihres gesellschaftlichen Selbstverständnisses bemerkenswerte Verbindungslinien und Gemeinsamkeiten zwischen ihren einzelnen Erscheinungsformen erkennen läßt; eine Beobachtung, die zur Skepsis mahnt, allzu schnell und direkt Verbindungslinien zwischen Kunstwerk und Zeitsituation zu ziehen.

[5] H. Böhme, zit. nach H. Langenbucher, Dichtung der jungen Mannschaft, S. 71.

als ein bedeutsames Mittel, „Haltung" als Gesinnung und Tat auf der Bühne sichtbar werden zu lassen, erscheinen. Es wurde eine ganze Anzahl von Begründungen für seine Wiedereinführung auf der Bühne gegeben, die aber hier von wenig Interesse sind. Im übrigen war seine Wiederaufnahme nicht so neu und historisch bedeutsam, wie es die Kritiker zuweilen darstellten, vielmehr sind die Vorbilder recht genau zu bezeichnen: sie liegen im neuklassizistischen Drama Paul Ernsts, im expressionistischen Drama und in den Arbeiterchören des beginnenden 20. Jahrhunderts; alle drei Stränge sind in ihrer Erscheinung auch im Drama des Dritten Reichs deutlich zu trennen und gehen kaum Verquickungen ein, sind doch ihre Funktionen ganz verschiedene: der neuklassizistische Chor, etwa bei Langenbeck und Hartz, hat poetisierende, stimmungssteigernde und beruhigende Funktion, er ist ein episches Element in diesen Dramen; der aus dem expressionistischen Bühnenstück etwa bei Eggers und Heynicke übernommene Chor hat aufpeitschende agitierende Funktion, ist ein dramatisierendes Element; die Tradition der Arbeiterchöre im Thingspiel, das ohnehin nur am äußersten Rand dessen steht, was man gewohnt ist, als Drama zu bezeichnen, soll vor allem der bekenntnishaften Formung einer Bühnen- und Volksgemeinschaft dienen.

Am bemerkenswertesten ist dieser letztgenannte *Thingspielchor*; ist das Thingspiel, das seinerseits eine ganze Anzahl von Impulsen theatralischer wie außertheatralischer Herkunft in sich vereinigt, doch als der im Grunde einzige relativ selbständige Ansatz zu einer Theaterform der Verkündigung und Gestaltung der vorgetragenen weltanschaulichen Lehrsätze zu werten, auch wenn die Bemühungen darum sehr bald scheiterten. Seine vorzüglichste Leistung ist es, private Vorgänge zu entpersönlichen: In K. Heynickes „Ein Spiel von deutscher Arbeit" „Neurode" [6] wird dargestellt, wie der aus Heimweh nach Neurode zurückgekehrte Bergmann Radke trotz der wirtschaftlichen Notlage in der dortigen Grube Arbeit bekommt, da er den Arbeitsplatz seines gerade verunglückten Bruders Karl übernehmen kann. Seine Sehnsucht ist so gestillt. Der Chor hebt dieses private Glück in den Rang des völkisch Relevanten, indem er das Schicksal des Bergmanns entpersönlicht: „Ein Mann hat Arbeit!" und ein Loblied auf die arbeitende Volksgemeinschaft anstimmt. Auch der Arbeitsbegriff selbst wird formalisiert und in den Begriff Pflicht eingeschlossen. Radke greift das Stichwort auf und bekennt sich so — verbal — zur arbeitenden Volks-

[6] K. Heynicke, Neurode, S. 20—22.

gemeinschaft; indem er das Lied der Bergleute aufnimmt, gibt er selbst seinem privaten Schicksal einen allgemeinen Rang.

Radke (glücklich)
Ich habe Arbeit!
(gesteigert) Ich habe Arbeit!
(er stockt jäh und denkt an Karl; er reicht Martha die Hand, jetzt leise) Ich habe Arbeit ...

Peukert (stoßhaft)
Radke, Stollen zwei. Sofienschacht. *Unsere* Arbeitsstelle. An *der* Stelle hockt noch 'n Unglück, noch 'n größeres, wie'n Tier hockt das und will springen ...

Schroll
Hör auf damit!
(zu Martha und Radke) Nimm's nicht krumm, Martha, er spinnt wieder. Und du, trag's ihm auch nicht nach, Wilhelm.

Peukert (zum Gehen gewendet)
Ich sag's ja nicht aus Bosheit! (fast krächzend, wütend) Kann ich dafür, daß der Berg zu mir spricht? Da kann ich mir die Ohren zuhalten, unten im Schacht, da kann's dröhnen vor Arbeit, aber die Stimme hör' ich, immer und immer: — an der Stelle sitzt was!
(Ab mit Schroll)

Martha (steht neben Radke)
Karl hat gesagt: Martha, wenn ich einmal hin bin: nicht weinen, tapfer sein. Aber jetzt ...
(heiser) ich hab' Angst, Wilhelm.

Radke
Martha, ich lieb' ja den Berg. Ich lieb' ja meine Arbeit. Ich lieb' den Schacht wie etwas Lebendiges. Martha, der Berg verrät mich nicht.

Erster Chorführer (verzückt)
Ein Mann hat Arbeit!

Zweiter Chorführer (ebenso)
Ein Mann hat Arbeit!

Chor (gesteigert)
Ein Mann hat Arbeit!
(Pause, dann in gemäßigter Weise fortfahrend)
Wo einer seine Hände hebt,
Wo einer die Gedanken regt,
Wo einer streut die junge Saat,
Wo einer mäht die reife Mahd,
Wo einer Rad und Kolben treibt,
Wo einer hämmert, einer schreibt,
Wo einer werkt im tiefen Schacht,
Wo einer über Büchern wacht,

Wo von des Schicksals Macht berührt
Ein Mann sein Volk zum Segen führt –
Dort, dort ist Arbeit! Singet Preis!
Singt allen Preis im Pflichtenkreis!

Radke

Ich habe *Arbeit*! Ich sing' Preis!
Sing' allen Preis im Pflichtenkreis!
(Ein Zug Bergleute singend vorbei)

Bergleute (singen)

Glückauf, Glückauf, der Bergmann kommt,
Und er hat sein helles Licht bei der Nacht
Und er hat sein helles Licht bei der Nacht
Schon angezündt, schon angezündt.
(Sie ziehen vorbei)

Radke (folgt ihnen und singt)

Schon angezündt, das wirft seinen Schein
Und damit nun fahren wir bei der Nacht
Ins Bergwerk rein, wo die Bergleut sein.

Die Entpersönlichung im chorischen Sprechen wurde als die hauptsächliche Leistung dieser Form angesehen; umgekehrt sollte die Entindividualisierung Eingliederung in die Volksgemeinschaft bedeuten und auf diese Weise neue Erkenntnisquellen erschlossen werden. So meinte etwa P. Beyer: „Einheit des Willens wird Einheit der Stimme. Breite Sprechmasse baut sich pyramidisch nach oben. Das Unartikulierte dumpfen Masseninstinkts wird hier zu Tone kommen. Das für den Einzelnen Unsagbare wird als urleises Grollen heranbeben. Führerstimmen glänzen auf. So korrespondiert der Chor, sinfonisch gebaut, auf hoch, mittel und tief gestuft, vom zartesten Hoch verwehenden Frauenschluchzens – bis zur harten Sturmraserei losgelassener Stimmassen instrumentierbar."[7] Wie eine Verifizierung dieser Darlegungen muten teilweise die folgenden Zeilen aus E. W. Möllers Laienspiel „Die Verpflichtung" an, dessen Herausgabe von der „parteiamtlichen Prüfungskommission zum Schutze des NS-Schrifttums" genehmigt und damit zur Benutzung in den Organisationen der Partei freigegeben worden war: Durch chorisches Nachsprechen identifiziert sich hier der Sprechende – als einzelner in einer Sprechgruppe ausgelöscht – mit dem Vorformulierten und macht es zur eigenen Aussage, so daß es zum Eigentum der Nachsprechenden wird. Der Chor konstituiert sich so als die Gemeinschaft der die These Übernehmenden und sie im

[7] P. Beyer, Nationaldramaturgie, S. 19.

nachsprechenden Bekenntnis Wiederholenden: „Einheit des Willens wird Einheit der Stimme.“ [8]

Die zweite Verkündung

Wir sahn das Land, das uns gebar. Es lag
Wie eine schöne Mutter, die verliebt
Und voller Zärtlichkeit am heißen Tag
Die prallen Brüste ihrem Kinde gibt.

Die Sense ruht. Die Garben stehn im Glast
Und duften süß nach Brot und frischem Heu.
Die Grillen zirpen und die Herde grast
Lautlos am warmen Wiesenhang vorbei.

Es leuchtet das Gebirg. Der Himmel gleißt
Wie Silber über dem erglühten Tal.
Die Schnitter lagern und die Schüssel kreist
Von Hand zu Hand zu brüderlichem Mahl.

Und einer schneidet fromm das Brot und reicht
Es wie ein Heiligtum den andern dar:
So wie das Brot dem reifen Felde gleicht,
So gleichen wir dem Land, das uns gebar.

Und wie die Frucht der Sonne gleicht, so sind
Die Trauben das Gebirg, die Milch der Fluß
Des Lebens, das durch unser Leben rinnt.
So sprechen sie und essen mit Genuß.

Allein die Mutter schweigt und beugt sich sanft
Zu ihrem Kinde nieder, das entschlief.
Da steht die Sonne still, die Erde dampft
Und atmet glücklicher und atmet tief.

Alle

Wir glauben an das Land, das ihr gesehn.
Wir glauben an die Mutter, die uns tränkt.
Wir glauben an die Äcker, die wir sän,
Und an die reifen Garben, die wir mähn,
Und an die Frucht, die uns der Sommer schenkt.

Wir glauben an die Gärten, die uns blühn.
Wir glauben an die Täler und den Firn.
Wir glauben an die Berge, die am frühn
Und späten Tage wunderbar erglühn
Wie Kronen einer königlichen Stirn.

[8] E. W. Möller, Die Verpflichtung, S. 9—11.

Wir glauben an die Sonne und den Wind.
Wir glauben an die Milch und an das Brot.
Wir glauben unverbrüchlich, daß wir Kind
Und Bruder einer großen Mutter sind
Und ihr verbunden auf Gedeih und Tod.
(Fanfarenstoß)

Die vier Herolde
Hier steht die Jugend und sie neigt ihr Haupt
Vor Land und Volk, die ihr das Leben gaben.
Sprecht, was ihr saht, und kündet, was ihr glaubt,
Daß wir den Glauben nennen, den wir haben.

Die sogenannte Feierdichtung arbeitete sehr intensiv mit diesem Strukturmittel, gibt es doch die bequeme Möglichkeit in die Hand, Gemeinschaft zu bilden und diese sich selbst zu sich selbst bekennen zu lassen. In dieser Weise benutzt etwa Schlosser in seiner Feierdichtung „Ich rief das Volk!" [9] den Chor: Der Führer ist erschienen und hat dem Verlangen der Mütter nach Freude die Möglichkeit zur Realisierung gegeben. Die Volksgemeinschaft hat sich zusammengeschlossen, und der 1. Mai ist als Gedenktag daran gestiftet worden. Das Volk bekennt sich in einem Lied zu sich selbst als der arbeitenden Gemeinschaft und verkündet den Sieg seiner Gesinnung. Indem die Singenden, die erst in den letzten Partien des Stücks überhaupt ins Spiel einbezogen worden sind, die Aufforderungen des Führers verkünden, werden sie in den politischen Vorgang eingegliedert; zugleich wird an den Zuschauer appelliert, sich gleichfalls einzuordnen.

Alle singen
Deutschland, der Arbeit Lied
Heut zu dir aufwärts zieht,
Kündend ein einig Volk vor aller Welt.
Deutschland, dir danken wir,
Du hast uns alle hier
Liebend zu Hütern der Heimat bestellt.

Grüßen in Wald und Feld
Jubelnd, die Gott erhält:
Blumen und Vogelsang den deutschen Mai'n,
Laßt ihn ins Herze wehn,
Damit wir auferstehn!
Niemals soll Hader uns wieder entzwein!

[9] J. G. Schlosser, Ich rief das Volk!, S. 38—40.

Chor der Mütter (in 4 Gruppen)

1. Gruppe
Unser Rufen wurde gehört –.

2. Gruppe
Unsere Hoffnung wurde erfüllt –.

3. Gruppe
Unser Glaube lebt unversehrt –.

4. Gruppe
All unser Lieben wird nun gestillt.

Der Führer
So traget des Volkes
Ewige Sendung
Höchster Vollendung
Gläubig entgegen!

Jugend
Wir sind der Aufbruch!

Alle Männer
Wir bauen die Zukunft!

Alle Frauen
Wir tragen das Leben!

Einige
Singet!

Mehrere
Singet!

Alle
Singet!
(Glockengeläute setzt ein und tönt noch einige Zeit weiter, wenn das Spiel zu Ende ist. Der folgende Schlußchor wird zeilenweise von verschiedenen Gruppen gesprochen, der Schlußsatz von allen gemeinsam.)

Schlußchor
Kommt Brüder!
Kommt Schwestern!
Wir sind lebendige Welten!
Wir tragen die Flammen in uns, an denen Finsternisse zerschellten!
Wir tragen die Freude, die Sehnsucht, die Liebe im Herzen!
Wir steigen auf Sprossen Läuterung bringender Schmerzen!
Wir sind der Tag und das Volk und das Werk und die Erde!
Wir tragen im Schicksal des Volkes nur Gottes heil'ge Beschwerde!
Wir stehen vor Gott und wollen nach seinem Willen
Den Gottesbefehl in Blut und Seele erfüllen!
Wir gründen das Reich! In seiner Formung und Bindung
Ersteh' unseres Volkes ureigenste Wiederfindung!

In seiner Sendung, aus Gottes Allmacht empfangen,
Soll unsere Seele zur Offenbarung gelangen!
Wir stehen als Deutsche auf deutscher Erde,
Daß *Deutschland werde*!

(Alle jubeln dem Führer zu, der durch die Mitte abgeht. Hinter ihm bildet sich der Festzug. Beim Abmarsch singt das Volk die beiden letzten Strophen des Liedes der Arbeit:)

Dem deutschen Vaterland
Lodern in heil'gem Brand
Liebe und Treue in unserer Brust.
Not wird nicht unser Feind,
Wenn uns die Arbeit eint,
Wenn wir uns heiliger Volkschaft bewußt.

Brüder, von Hand zu Hand
Schlinget ein starkes Band,
Eint in der Arbeitsfront Stirne und Faust.
Volk ist zum Volk erwacht!
Brüder, nun haltet Wacht
Wenn uns das Lied unsrer Arbeit umbraust!

Wie hier Formen der christlichen Liturgie übernommen und teilweise unverkleidet benutzt werden, ist unmittelbar einsichtig. Auf diese Weise werden soziale und gesellschaftliche Zusammenhänge ihrer realen sozialen und gesellschaftlichen Qualität beraubt.

Die theoretische Literatur beschäftigte sich am meisten mit dem Versuch, in der Bühnenliteratur den *antikisierenden Tragödienchor* wiedererstehen zu lassen. Diese Bemühungen, vor allem Langenbecks, sind nur aus der Absicht zu verstehen, die Form des deutschen Dramas als archaisch-antike Tragödie zu begründen; es ist hier nicht der Ort, diese Bemühungen darzustellen [10], vielmehr soll an zwei Beispielen das Ergebnis dieser Anstrengungen dokumentiert werden.

Nirgends allerdings wird der Chor in der Form des antiken Tragödienchors aufgenommen; seine Funktion wird einer einzelnen Figur oder einer Personengruppe, die sich in Einzelsprecher aufteilt, zugewiesen; diese sind nur sehr locker mit der Handlung verbunden, erscheinen durch Alter oder Geschlecht auf den Urgrund des Lebens hingeordnet; sie sind Seher und Künder, das Handeln ist von ihnen genommen. In dieser Weise führt E. v. Hartz in seiner Tragödie „Ōdrūn" die Figur des Āslăk und die Gruppe der Dienstmannen ein. Der Alte kennt das Schicksal und die be-

[10] Vergl. U.-K. Ketelsen, Heroisches Theater, S. 151 f.

deutsame Konstellation der Vorgeschichte, die Dienstmannen sind nur hörbare und sichtbare Stimmungskulisse. Was sich hier so bedeutsam gibt, hat im Gefüge des Stücks im Grunde keine notwendige Funktion; der Chor schafft eine dunkle, schicksalsgetränkte Stimmung, er verkörpert die Stimme des Schicksals und schafft die bedrohliche Enge um die Personen, und schließlich übernimmt er die Funktion eines Prologs, indem er die Vorgeschichte enthüllt [11].

Ōdrūn
So singe —.
Sage uns den Sang von Einer,
Die Ihn, den Gott verließ, den Schicksalshüter,
Und die der Gott — ein Schwängerer der Sterne —
Umfing mit seinem Fluch.
Āslăk
So höre. — Hört.
(Spricht und greift bei Höhepunkten und Ausklängen ins Saitenspiel)
Es ragt auf der Küste am rauhen Meer
Ein Wald von Eschen und Eichen.
Drob schweben die Adler, vom Astwerk schreien
Uralter Bäume die Raben.

Zur Hüterin stellt der waltende Gott
Sich, hellgewandet, der Sager,
Die hörige Jungfrau am kundigen Ort,
Sie soll sein Raunwort befragen.
Die Dienstmannen
— Sie soll sein Raunwort befragen.
Āslăk
Da lebt, den lauschenden Blick verwandt
Von außen zu innen, die Reine;
Sie schaut, was heimlicher Odem malt,
Der wehende Bote, im Fluge
Die Wisser ihr künden, sie blickt hinaus
In Wogenweite — ins Blinde.
— So horcht sie den Bildern die Seele aus,
Im Banne hält sie das Feuer.
Die Dienstmannen
— Im Banne hält sie das Feuer. — — — — —
Āslăk
Da kommt — ein Mittag, zu Sonnenwend —

[11] E. v. Hartz, Ōdrūn, S. 8—15.

Die Dienstmannen
— Helft, Götter! Hütet die Holde,
Die Priesterin hütet! —
Āslåk
— da kommt ein Mann — —
Ōdrūn
— Im Haar von Sonne den Stirnreif! —
Āslåk
Mit weißem Schwerte durchdringt er hell
Die Dämmernebel — so kommt er —
Ōdrūn
Licht in den Augen — vom Scheitel Glanz —!
Ein *Held*! — ein *König*! — ein *Freier*!
Āslåk
Er sieht die Jungfrau — sie blickt ihn an —
— Da schlug in die Seelen das Feuer!
Die Dienstmannen
— Da schlug in die Seelen das Feuer!
Āslåk
Drei Tage fallen — Im Blute rollt
Die Flammenloder — Zu Morgen
Am vierten Tage entführt der Hengst
Des liebenden Mannes die Beute
— Den *Göttern* fort! — — — Im Schoß schon drängt
Der flüchtigen Wächt'rin die scheue,
Anfragende Zukunft —.
Ōdrūn
— das Treue-Geschenk
— Gegeben — genommen — getragen.
Āslåk
Zum letztenmal, eh im Blut ertrinkt
Die Sehergabe, vernimmt sie
— Vom Herzen gelöst dem umarmenden Ring —
Was *Götter* sagen und schaudert:
Die Dienstmannen
— Was Götter sagen und schaudert:
Āslåk
„Ich hab dich begnadet, ich hab dich geliebt" —
So rauscht durch den Laubwald die Trauer
Des Atemspenders, laut klagt der Gott,
Verfinstert hängt ihm die Braue,
In tiefem Grollen — „nun sei verflucht,
Die mein Speerwort dem Manne verraten."
„Heillose, verflucht sei, was dir entsprießt
Aus falscher Ehe, geschlagen

Mit tödlicher Wirrung, Flamme und Flut
— Die mir Feuer und Feuchte verraten!"

Die Dienstmannen
— „Die mir Feuer und Feuchte verraten!"

Āslåk
Fort sprühen die Hufe, das Buhlweib bebt —

Ōdrūn
— getröstet in Liebesarmen.

Āslåk
Der Freier verwahrt sie auf steiler Burg.
Hier hebt, im innern Gemache,
Am gleichen Tag, um den Frühlingsmond,
Zwei Knaben, am gleichen Tage,
Zwei Lichtgelockte, das schmerzselge Weib
Empor in die Arme des Gatten.

Ōdrūn
Dem Buhlen schenkt sie — Flamme und Flut! —
In gleicher Stunde zwei Knaben!

Die Dienstmannen
— In gleicher Stunde zwei Knaben!

Āslåk
Noch nährt sie die Zwilling' am Schnee ihrer Brust,
Schon fühlt, bewältigt von Liebe,
Aufs neu die Schwangre im Schoß ein Glück
Und sieht sich dem Blutlauf verwoben.

Fünf Monde — rund wird der sechste Mond —
— Gewölk naht, finster geschoben —
Ein Schatten fällt in ihr starkes Gemüt.
— Wer lenkt die Lüfte da droben?! —

Sie irrt, getrieben von stummer Not,
Die Hände heimlich verschlungen,
Des Tages auf Pfaden, durch Gänge zur Nacht,
Als wüchs ihr ein Rachschwert im Schoße:
‚Fort — fort! — entweich du, eh sichs gebiert,
Den Gatten, die Söhne zu morden!'

Sie flüstert mit Einem in grauem Bart,
Der ihr treu ist. Dann wechselts im Dunkeln
Vom Burgtor zum Strande. Dort schwankt schon das Schiff,
Die flüchtige Kön'gin zu tragen.

Sturm wettert. Sie stoßen vom Heimstrand ab.
Gewölk braut über den Türmen.
Doch drinnen auf duftigem Lager ruhn
Die Kleinen, die Söhne, geborgen.

Da grellt das Auge, die Nacht zerreißt,
Ein Strahl zischt senkrecht vom Scheitel
Der Höh ins knatternde Dachgebälk —
— ,Wacht auf! Die Burg steht in Feuer!'
Die Kön'gin, die Mutter, auf losem Schiff
Ringt schreiend die Arme — dann steinern
Verstummt sie: Es malt sich aus Glut und Qualm
Ein Antlitz — da, seht! — ungeheuer.
Das hochbleiche Weib erkennt ihn — den Gott —
Der die Flammen zündet und steuert.

Die Dienstmannen

Das hochbleiche Weib erkennt ihn — den Gott —
Der die Flammen zündet und steuert.

Āsläk

Verbrennen die Söhne?! — gelingt die Hatz
Dem zornmütgen Reiter der Wolken? —

— Da tritt der Vater, der hohe Gemahl,
Aus dunklem Tor, eine Säule,
Mit brennendem Haar, mit brennendem Bart,
Die Kindlein, in Tücher gewickelt,
Im Schutz seiner Arme.
Man nimmt sie ihm ab,
Die Knaben; — der todwunde Vater
Haucht danktief aus.
— Vom Schiff gellt ein Schrei.

Die wichtigste Aufgabe des Chors, hier wie auch bei Langenbeck, ist es, schicksalhafte Stimmung zu schaffen [12] und die im Stück verkündeten Werte zu sanktionieren, und das bedeutet der Kritisierbarkeit zu entziehen. Die Setzungen des Autors bekommen die Weihe und Unabwendbarkeit des Schicksals, das ja nicht nur poetische Realität der Fiktion haben sollte, sondern als Wirkmacht des Lebens ausgegeben wurde [13]. So verwendet ihn Langenbeck in seiner Tragödie „Der Hochverräter" [14]. Der Chor, den die Tochter Leislers, Meisje, die Unheil über ihrem Vater heraufziehen fühlt, wegen ihres persönlichen Glücks und aus privater Besorgnis um Rat fragt, ist in drei Einzelpersonen aufgelöst, und er antwortet auf die Besorgnis der einzelnen mit orakelhaften Sprüchen über ein Allgemeines; der Zusammenhang mit der konkreten Situation ist nur mühsam zu finden, es sei denn in

[12] Vergl. E. Beinemann, Das chorische Element im Drama der Gegenwart, pas.

[13] Vergl. C. Langenbeck, Die Wiedergeburt des Dramas aus dem Geist der Zeit, Das Innere Reich VI, 1939/40, S. 923—957.

[14] Ders., Der Hochverräter, S. 43 f.

der Feststellung, daß Leid nötig sei, um ein bedeutender Mensch zu werden. Auf das, wonach das Mädchen gefragt hat, gibt er nur eine scheinbare Antwort, er entzieht das menschliche Handeln der Entscheidung des wirkenden Subjekts und legt ihm eine überpersönliche, schicksalhafte Notwendigkeit unter, die sich der Autor im weiteren Verlauf des Stücks selbst bestätigt. So wirkt die Verdunklung der Zusammenhänge nicht nur in den inneren Beziehungen der Bühnenhandlung, sondern über diese hinaus und läßt sie — theoretisch abgestützt durch eine organologische Kunstauffassung — als Äußerung des Schicksals selbst erscheinen.

Meisje
[. . .] O guter Gott, und Herr
Des Schicksals, laß den Mann, der noch verborgen ist,
Gerecht sein und ein wahrer Diener seines Königs!
Da nun mein Rat versagte, und der Vater treu
In schwerer Pflicht um Ehre ringt — sagt mir, Ihr Greise,
Die sich der Weisheit längst verbrüdert haben und
Für uns die tapfre Einsicht unbestechlich leiden —:
Sagt der Verlassnen, was sie tun soll, ihrem Vater
Und einem, der gegeißelt trotzt, ein Trost zu sein?!
Der erste Älteste
Keinem ehrlichen Mann ist gegönnt,
Großen Gewinn zu haben auf Erden und
Herrschendes Dasein, wenn nicht die Fackel ihm
Des Leidens vor der Seele glüht.
Der zweite
Jedem im Leben entwölkt sich die Stunde
Grausam, da er zu Gott muß und all sein Streben
Nichtig halten. Denn er muß es unwiederbringlich
Den Schlechten opfern.
Der dritte
Der den töricht Herrlichen Gott heißt,
Wird sich verbergen, daß er im letzten
Kampf der zagenden Seele endlich
Errungen werde.
Der erste
Wehe sag ich voraus und blutige Torheit,
Denn feigwütender Frevel liegt eingezeugt
Uraltersher, und wer noch das Rechte will,
Lebt dem Verhängnis am nächsten.
(Sie gehen hinein)
Meisje
So gießt kein Trost an mein Gefühl der Angst sich nieder,
Und keine Kraft erhebt sich meinem Herzen für's

Geliebte Glück! Die weise wurden, lassen mich
Allein, und Liebe muß sich rüsten, ein Verhängnis,
Das sie schon lang empfindet, heilig zu bestreiten.
(Sie geht)

Diese Formungen wurden aber nicht von allen Theoretikern des Dramas hingenommen (von den praktischen Beispielen ganz abgesehen); es wurde wohl akzeptiert, daß der Chor ein Gestaltungsmittel sei, um die Volksgemeinschaft bildhaft darzustellen, aber die Form des antiken Tragödienchors wurde als historisierend verworfen. Fr. Bethge etwa wollte statt dessen die *Lieder* der HJ und SA als Volkesstimme auf der Bühne verwenden, und er bestätigte damit nur eine traditionelle Übung, Lied und Gesang auf dem Theater zu verwenden, um Bereiche jenseits des durch Personen aussprechbaren Zusammenhangs darzustellen [15].

Gemäß dieser Ansicht benutzt Fr. Bethge in seiner Tragödie „Anke v. Skoepen" das Lied [16]. Der Ordenshochmeister Küchmeister muß seine Politik festlegen, muß vor allem einen Spruch fällen über Anke von Skoepen, die das Volk und junge Ordensritter wider ausdrücklichen Befehl gegen die Polen geführt hat, und über den in dieses Unternehmen verwickelten Ulrich, den er als seinen illegitimen Sohn erkannt hat. Er überdenkt den einzuschlagenden Weg und schläft über diesen Bemühungen ein. In seinen Schlaf fällt eine Flöte und ein dem Volkslied nachempfundener weiblicher Gesang, in dem das Schicksal des Landes in einem Mädchenschicksal symbolisch dargestellt wird. Damit wird ein Schicksalsspruch über die Erfüllungspolitik Küchmeisters und das heldenhafte Verhalten Ankes und Ulrichs gefällt:

Küchmeister
[...] nimm von Uns, daß Wir den geliebten Sohn auch opfern sollten! — Erleuchte Uns, daß Unser Spruch gerecht erscheine! Herr, Wir sind müde! — erleuchte Uns ———! (sinkt in Schlaf; eine Flöte spielt eine schwermütige Weise, in die eine Mädchenstimme einfällt)

Wo blieb doch der Lippen, der Wangen Rot mir? —
Dahin mit dem Maßholder,
Mit der Brombeere, der schwarzen, —
O, du mein Wermut, bittres Kraut!
Kamen aus Osten Schiefäugige
Mit schwarzem Hängebart, gelben Zähnen, —

[15] Vergl. Fr. Bethge, zit. bei H. Pott, Um einen neuen Dramenstil, Die Bühne 1940, S. 425.

[16] Ders., Anke v. Skoepen, S. 25.

Kamen auf flinken Pferdchen — hurtig, —
Brannten das Land, —
Nahmen den Vater mir,
Nahmen die Mutter mir,
Nahmen die Brüder, die zarten Schwestern mir, —
O, Wermut! —
Nahmen den Liebsten mir,
Der Lippen, der Wangen Rot mir, — — —
O, Wermut, du mein Wermut — — —!

(die Szene hat sich verdüstert — schwefelig-fahl wie vor Gewitter. Erscheinung Heinrichs von Plauen — riesig, schlohweiß, bleich — in dem Turm — an Stelle des Marienbildes)

Küchmeister (im Schlaf abwehrend)
Nicht dies Gesicht, Herr [. . .]

In ganz anderer Funktion benutzten P. Beyer und H. H. Ewers das Lied [17]. In ihrem Kampfstück „Stürmer!" hat die Polizei das SA-Lokal nach Waffen durchsucht, eine Prozedur, die die SA-Männer als ehrenrührige Provokation empfinden. Zur Tat findet sich noch keine Gelegenheit, wohl aber zum Gesang! Um ihre Wut abzureagieren, singen die Versammelten ein Kampflied, in dem sich der Geist der Gemeinschaft und der Wille zum Sieg aussprechen sollen. So wird der einzelne in die Gemeinschaft und ihre Dynamik eingeschmolzen, und diese stellt sich selbst im Gesang dar. Für den Zuschauer sollte die Wirkung darin liegen, daß mit dem 30. Januar 1933 die bessere Zukunft, die hier im gemeinsamen Willensaufschwung gewollt wird, bereits angebrochen war, also eine unmittelbare Objektivation des eisernen Willens der positiven, deutschen Kräfte darstellte.

Riedel (an der Tür, hat der Polizei trotzig nachgeblickt)
Bald — — bald! Nur noch kurze Zeit! — Aber — dann! Dann!! Jungs, wir woll'n uns den Dreck von der Leber runtersingen. Los! „Laßt euch die Kette —"

Orje (singt)
„Laßt euch die Kette nicht bekümmern,
Die noch an eurem Arme klirrt!
Zwing-Uri liegt in Schutt und Trümmern,
Sobald ein Tell geboren wird!
Die blanke Kette ist für Toren,
Für freie Männer ist das Schwert:
Noch ist die Freiheit nicht verloren,

[17] Ewers/Beyer, Stürmer!, S. 27 f.

Solang *ein* Herz sie heiß begehrt!"
(Jetzt tritt die Mutter [Stürmers] mit einem Paket in die Tür rechts, steht still, keiner bemerkt sie)
Alle (singen hell und hart den Kehrreim)
„Noch ist die Freiheit nicht verloren,
Solang *ein* Herz sie heiß begehrt!"
Orje
„Im Kampfe um die Männerehre
Stehn wir fürs deutsche Vaterland
Mit stolzem Mut und blanker Wehre
Mit Adolf Hitler Hand in Hand,
Das ganze Deutschland zu gewinnen,
Für deutsche Arbeit, deutsche Kraft.
In Nichts soll Sklaverei zerrinnen,
Wenn unsre Faust die Freiheit schafft!"
Alle
„In Nichts soll Sklaverei zerrinnen,
Wenn unsre Faust die Freiheit schafft!"

b) *Der Dialog*

„Die „Helden" des Dramas des Dritten Reichs leben also nicht aus sich, aus ihrer Individualität oder aus ihrem Standort innerhalb einer gesellschaftlichen Ordnung, die auf der Bühne geschaffen wird, sondern allein aus ihrer Beziehung zum Urgrund des Lebens, der sich für ihre Erfinder als Rasse, Volk oder Nation darstellt; sie sind Wertträger. Es ist bereits gezeigt worden, wie Sprache durch diese Konzeption der Bühnenfiguren geprägt wurde.

Wenn die Personen nicht in ihrer Individualität auftreten, kann ihr wechselseitiges Verhältnis auch nicht in persönlichen Beziehungen begründet sein; vielmehr treten sie nur soweit in Kontakt miteinander, als sie Wertträger sind, d. h. soweit die Werte aufeinander bezogen sind. Die Figuren erscheinen dann — so könnte man überspitzt formulieren — als Realisierung der dynamischen Kräfte, die die Werte in sich einschließen. Ihre Konstellation ist überindividueller Natur, und das heißt in der dramaturgischen Terminologie dieser Zeit: schicksalhaft. Es muß eingeräumt werden, daß diese Konsequenz nicht immer in der beschriebenen Schärfe gezogen worden ist, aber auch für die shakespearianische Gruppe der Dramatiker haben die Personen — auch wenn sie individuell gezeichnet erscheinen sollen — exemplarische oder gar allegorische Züge. An drei Beispielen soll die Konzeption des Dialogs, des wichtigsten Mittels, im Drama interpersonale Bezüge und Konstellationen sichtbar zu machen, deutlich werden. In Th. v. Trothas „bäuerlichem Trauerspiel" „Engelbrecht" [18] wird zu Beginn geschildert, wie Ragnhild vom Vogt des dänischen Königs in Dalarna, Jörne Erikson, in seine Gewalt gezwungen wird, wie sie der schwedische Bergmeister Engelbrecht befreit, ohne allerdings eine Verpflichtung, die aus seiner Stärke resultieren könnte, gegenüber dem schwedischen Volk zu erkennen:

1. Bauer
Deine Tochter redet hochfahrend, Göran Andersson!
Engelbrecht
Laßt das Mädchen. Ich verstehe, was sie meint.
Ragnhild
Du verstehst, was ich meine? Ich glaube es nicht ganz. Laßt mich mit diesem Mann allein sprechen!
Göran
Du führst Dich immer sonderbarer auf!
Ragnhild (zu Engelbrecht)
Wenn Ihr nicht wollt, dann laßt es bleiben. Ich kann es auch für mich behalten.
Engelbrecht
Was?
Ragnhild
Das, was ich Euch allein sagen würde.
Engelbrecht
Laßt dem Mädchen seinen Willen.
Göran
Als ob sie den nicht schon immer hinreichend bekommen hätte! –
(Zu Ragnhild) Wir erwarten Dich bei der Schmiede.
(Bauern ab.)
Ragnhild
Was bist Du für ein Mann?
Engelbrecht
Du fragst wunderlich.
Ragnhild
Du bist – ein *Mann!*
Engelbrecht
Das will ich meinen.
Ragnhild
Und Du kannst *das* ansehen?
Engelbrecht
Was?

[18] Th. v. Trotha, Engelbrecht, S. 14—17.

Ragnhild
Du fragst noch?
Engelbrecht
Was ansehen?
Ragnhild
All die Schande!
Engelbrecht
Ich habe sie ja nicht nur mit angesehen.
Ragnhild
Doch.
Engelbrecht
Ich verstehe nicht, was Du meinst.
Ragnhild
Glaubst Du, wenn Du *einmal* handelst, ist uns geholfen?
Engelbrecht
Ich?
Ragnhild
Ja, Du.
Engelbrecht
Was meinst Du denn, was ich tun soll?
Ragnhild
Du fragst *mich*?
Engelbrecht
Ja.
Ragnhild
Schämst Du Dich nicht, mich, ein Mädchen, so zu fragen?
Engelbrecht
Warum schmähst Du mich?
Ragnhild
Ich schmähe *Dich* noch hundertfach mehr als die andern!
Die andern sind klein, sind eng, sind feige, sind selbstsüchtig. Keiner hat den Mut, den Anfang zu machen. Aber man würde es ihnen vielleicht vergeben — wenn man Männern Schwäche vergeben könnte!
Aber, daß Du, der Du all das hast, was ihnen fehlt, beiseite stehst, das ist eine große Schande!
Engelbrecht
Ich habe Euch doch geholfen.
Ragnhild
Ja, *ein* Mal. Aber hast Du vor, es auch weiter zu tun? Willst Du Dich auch weiter dieser Unterdrückten annehmen, die einer leitenden Hand bedürfen?
Jedes Tier, das stärker ist als die anderen, setzt sich an die Spitze seines Rudels und führt es durch die Gefahr. Der Mensch aber steht beiseite, für sich, eigensüchtig, und nur, wenn ihn die Laune ankommt, tut er einmal etwas für die andern.
Willst Du weiter so beiseite stehen?

Engelbrecht
Noch nie hat mir ein Mensch solche Dinge gesagt.
Ragnhild
Hätte man sie Dir eher gesagt — Du hättest mich heute nicht aus den Klauen dieses Schinders retten brauchen!
Engelbrecht
Ich gehöre nicht zu Euch, Mädchen.
Ragnhild
So, Du gehörst nicht zu uns? Was war denn Dein Vater?
Engelbrecht
Bauer.
Ragnhild
Und Deine Mutter? Wessen Tochter war sie?
Engelbrecht
Meine Mutter war eines Bauern Tochter.
Ragnhild
Ich fühlte es. Was bist Du also?
Engelbrecht
Eigentlich wohl ein *Bauer*.
Ragnhild
Zieht es Dich nicht dorthin zurück, woher Du kommst? Sieh, überall um Dich, soweit unser Dalarna reicht, sind nur Bauern. Engelbrecht, die geknechtete Scholle stöhnt die ganze Nacht und ruft nach dem Befreier!
Engelbrecht
Ich liebe meine Arbeit. Laßt Bauern den Bauer führen. Mich bindet nicht so vieles mehr an die Scholle wie Euch.
Ragnhild
Engelbrecht!
Engelbrecht
Aber wenn Du —
Ragnhild
Engelbrecht —
Engelbrecht
Wenn Du mich lieb haben willst —
Ragnhild
Versprich mir, daß Du unsere Bauern führst. Dann verspreche ich Dir auch etwas!
Engelbrecht
Ich werde Euch führen!
Ragnhild
Und ich werde Dich lieb haben.

Ragnhild weckt das völkische Bewußtsein in Engelbrecht, aber nicht, indem sie ihn psychologisch zur Erkenntnis führt, auch nicht, indem sie seinen Verstand argumentierend auf Sachverhalte lenkt, sondern indem sie apodiktisch ein Weltbild vor ihm zeichnet: „Jedes Tier, das stärker ist als die andern, setzt sich an die Spitze seines Rudels [. . .]." Alle Argumentationen sind nur Scheinbegründungen; sie haben keinen überprüfbaren Sinnzusammenhang, denn die Tatsache, daß Engelbrechts Vater und seine Mutter Bauern waren, ist kein rationales Argument für einen Beweisgang, dessen Ergebnis die Feststellung sein könnte, er sei auch Bauer. Denn Engelbrecht ist seiner Natur nach, als Sohn der Scholle, Bauer, und sie verlangt nach dem Befreier. Hier wird nicht definiert und abgeleitet, es findet kein wirkliches Gespräch voller konträrer Positionen und erfüllt von einer Dialektik des Sprechens statt, sondern Engelbrecht erkennt „schlagartig" die vorgeformte, und deswegen invariable Wahrheit der Meinung Ragnhilds. Nur demjenigen, der diese Verhältnisse nicht erkannt hat, kann das Ende des Gesprächs überraschen; Ragnhild ist die Stimme der „geknechteten Scholle", ja, sie ist diese Scholle selbst. Sie wird den Befreier des Landes, ihren Befreier lieben. Die Figuren sind völkische Allegorien.

Das Beispiel aus Trothas „Engelbrecht" führt eine Überzeugungsrede vor, ihr Dialogcharakter ist nur ein scheinbarer, denn Engelbrecht wird nicht durch die Argumentation der Überzeugenden beeinflußt, sondern bietet ihr allein Gelegenheit zum Bekenntnis; der folgende Dialog aus E. v. Hartz' Tragödie „Ōdrūn"[19] hat ebenfalls Scheincharakter: Die Zwillinge Wahrmund und Wehmund lieben in gleicher Weise ihre Schwester Thōra, die sie aber nicht erkennen. Am Strande fordert jeder von beiden das Mädchen für sich; da keiner verzichten kann und will, greifen sie zum Schwert und fällen sich — Fügung des Schicksals — wechselseitig. Der Dialog besteht ausschließlich in der Bekundung der jeweiligen Position, und die Rede des „Gesprächs"partners wird nur als Stichwort genommen, die eigene Haltung zu formulieren. Die Rede macht so keinen Fortschritt, das Gespräch dreht sich auf der Stelle, so daß auch keine Lösung gefunden werden kann; der Griff zum Schwert ist nicht psychologisch als Ausfluß von Emotionen, die durch die Wechselrede erweckt wurden, zu verstehen, als durch die Rede aufgestachelter Affekt etwa, sondern als Tat aus der erkenntnistheoretischen Einsicht: Lebensfragen sind nicht diskutierbar, sondern allein in der „Tat" zu lösen. Rede kann nur Haltungen und Überzeugungen formulieren, aber nicht auf andere wirkend jene selbst verändern.

[19] E. v. Hartz, Ōdrūn, S. 62—66.

Wahrmund

Hör mich, beim hohen Einklang unsers Lebens,
Das *eine* Mutter gab und *eine* Stunde!
Hier am Gestad, wo uns der Himmelsbogen
Herschoß mit Traumgewalt, ohn daß wir lenkten
— Ich bitt dich, bei dem Edelmut der Väter! —
Hör, Freund aus gleicher Wiege, mein Geständnis:
Ich bin mein eigen nicht, bin außer mir:
Die Braut der Insel hat mein Herz enthoben
Aus totem Platz in ihre eigne Brust —
Dort schlägt es, dort, wie der gefangne Vogel —
Ich leb, ich seh nur durch das Glück des Kerkers —
— Thōra, die Zauberin, hat mich geschlagen
In Bande, die die Götter ihr geflochten
Aus aller Schönheit Schmuck — dieselben Götter,
Die mich mit Sturmes Ungestüm erwählt,
Ihr Kleinod anzubeten.

Wehmund

O Verhängnis,
Das dich dem Jubel meiner gleichen Not
Steintaub und hart verschließt! Auch mich auf Flügeln
Trug Göttergunst hierher, auch mich verzückt
Dies Wunschgebild, aus Licht und Flut gewirkt
Vom Herrn der Einbildung, auch ich verlor
In ihrem Anblick meine sichre Seele.
Aus gleichem Becher sind wir zugelost,
Zwei Freier — du und ich — der Seligkeit,
Die *einem* nur sich öffnet.

Wahrmund

Bruder!

Wehmund

Bruder!

Wahrmund

Beim Schwur, den ich empfing aus ihren Augen,
Mir sagte sie sich zu.

Wehmund

Beim tiefsten Blick,
Mit dem ihr stummer Zuspruch mich gebunden,
Mein ist ihr heilig Wort.

Wahrmund

O Wink, o Zeichen! —
Dein Licht geht unter, Schatten deckt dich zu
Mit Grabesnacht; erloschen ist die Täuschung,
Die dich verklärt mit trügerischem Schein.

Wehmund

O schrecklich Zeugnis! — Bruder, dich beflammt
Ein blutges Blendwerk! — Eben noch umschimmert
Von mildem Glanz, nun stehst du rot in Feuer,
Dein Bild verzehrt ein mörderischer Brand.

Wahrmund

O gib die Quelle frei, um mich zu löschen!
— Hilf, Bruder!
Die Luft, ein Fieberatem aus der Hölle,
Bläst trocknen Schwefel über mich. Nie bat ich —
Nun, vor dem Kelch der Liebe von Verlangen
Entmächtigt meines Stolzes, fleh ich an
Dich, den ich mit Erfüllung stets beglückte
Noch vor dem Wunsch: Errett mich aus dem Zwang,
Dich tot zu wünschen, denn du bist mir tödlich,
Solang du nicht entsagst dem Mund des Lebens,
Durch den ich atme.

Wehmund

Schütz uns, Herr der Sinne!
Verschenk ich so mein Heil durch falsches Opfer
An deine Tollheit, Wahn und Raserei,
Die dich zerrütten, komm auch über mich.
— Zurück, beim Blitz; Verbuhl dich mit den Wellen;
Den Weg zum Raub verweigert dir mein Recht.

Wahrmund

So soll dies Schwert, von Liebeshand gegürtet,
Enthülln, wem sie gehört.

Wehmund

So soll dies Schwert,
Geweiht durch Liebe, irres Blut entkräften.
Der falle, dem der Himmel Sieg verwehrt.
(Sie kämpfen. Åslåk erscheint auf der Felsenhöhe. Verdunkelung)

Åslåk

Schwarzmähnige Wolkenjagd, bäum dich im Zügel!
Halt an den Atem! Richte dich herab,
Nie fehlendes Geschoß! Laß klingen! — Triff!
(Indem Wahrmund und Wehmund sich mit gleichzeitigem Schwertschlag fällen, schmettert ein Blitz auf sie herab)
(Åslåk verschwindet)

Ein letztes Beispiel aus einem Drama, das man der Gruppe „völkischer Realismus" zuschreiben könnte, soll folgen, um darauf hinzuweisen, daß diese Technik des Scheindialogs nicht auf die „gestaltende", überhöhende Tragödie beschränkt war. In K. Kluges „Schauspiel" „Ewiges Volk"[20]

[20] K. Kluge, Ewiges Volk, S. 75—80.

findet sich folgende Szene: Gegen Ende des Ersten Weltkriegs gibt das österreichische Oberkommando den in Kärnten kämpfenden Truppen den Befehl, sich auf Wien zurückzuziehen; das an die Serben verlorengehende Gebiet will man auf diplomatischem Wege zurückgewinnen. In dieser Situation hat sich der Leutnant Michael nach einigem Zögern auf die Seite der sich aus Soldaten und Bauern bildenden Freischärlertruppen gestellt, die den Rückzugsbefehl mißachten. Da erscheint General Baumgart, ebenfalls ein Kärntner, im Gefechtsstand. Er verlangt Gehorsam, aber dem volkhaften Willen der einheimischen Soldaten und Bauern vermag er nichts entgegenzusetzen; er wechselt auf die Seite der volkhaften Kämpfer und reiht sich in deren Front ein. Der Beamte Löblein findet kein Echo mehr. Der Vorgang, daß ein General den Gehorsam verweigert und desertiert, wird in folgender Weise dargestellt:

Baumgart
Ist der Major hier?
Michael
Ist nicht hier, Exzellenz.
Baumgart (zu Ambros)
Haben Sie den Befehl weitergegeben?
Ambros
Selbstverständlich, Exzellenz, ich begreife nicht —
Löblein
Das Wetter! Vielleicht ist er eingeschneit unterwegs.
Baumgart
Sagen Sie, Leutnant, seid ihr hier allzusammen verrückt geworden?
Michael
Nein, Exzellenz.
Baumgart
Wer hat die ganze Linie im Rosental vorgehen heißen? Ausdrücklich: nur Pank und Zehden! Lediglich Scheinstellungen. Ambros, stellen Sie Verbindung her mit Laßnitz.
(Lewt nimmt den Apparat so derb ab, daß der Draht reißt, und hält ihn dem Hauptmann Ambros hin.)
Lewt
Ach, er ist abgerissen jetzt.
(Stille. Baumgart sieht die Männer der Reihe nach an. Der Gefechtslärm hört auf. Vor der Kapelle sammeln sich Feldsoldaten und Bauernsoldaten in Schneemänteln.)
Baumgart (ruhig)
Herr Leutnant, ich will wissen, was hier oben noch mehr abgerissen ist außer dem Draht da. Dienstlich und kurz.
Michael
Ein Streifen Kärnten vom Serben!

Baumgart (schreit)

Narr! Haben Sie sich den Streifen als Begräbnisplatz bestellt? Die blöde gelbe Linie am Hang hält nicht drei Tage.

Michael

Exzellenz, die braucht nicht so lange zu halten. Nur bis dem Soldaten das Ohr gestopft ist für Rückzugsbefehle. So lange braucht er Arbeit.

Baumgart

Also doch! Gehorsamsverweigerung vorm Feind. Ambros, schießen Sie den nieder. (Alles steht erstarrt. Nur Lewt stellt sich zwischen Ambros und Michael. Ambros rührt sich nicht. Stille.) Sieh da, stehe ich allein zwischen euch, Ambros?

Michael

Nein, Exzellenz. Die Bauern und Soldaten von Kärnten stehen vor Ihnen.

Baumgart (zieht Michael am Koppelschloß nah an sich heran)

Leutnant. Hinter meinen Rücken habt ihr euch gestellt.

Michael

Nur zwischen den General und Wien. Nicht zwischen den General und Kärnten.

Baumgart

Regelrechte Rotterei. Vorm Feind. Ein Offizier.

Michael

Gegen den Rückzugsbefehl aus Wien, allein gegen den haben wir uns gestellt.

Baumgart

Befehle gebe ich euch.

Löblein

Hören Sie's, Freundchen? Das ist doch noch nie dagewesen! Eine intakte Brigade!

Baumgart (schreit Löblein an)

Noch nie dagewesen! Wo ist meine intakte Brigade! Mit eurer Scheißpolitik habt ihr sie vermanscht!

Michael

Die Soldaten sind heute so brav wie gestern. Bis gewiß ist, daß wir Kärnten nicht verlassen, liegt der Befehl hier bei Maria Hof. Exzellenz, um Vergebung. Allein bis zu dem Tag.

Baumgart

Wissen das die anderen Offiziere?

Michael

Nein, Exzellenz.

Baumgart

Raubkerl, sind Sie denn ganz von Gott verlassen? Was geht um in Ihrem Bauernschädel?

Michael

Nur das: Kärnten. Die Bauern stehn unter Gewehr seit letzter Nacht.

Baumgart

Leutnant, besinne dich rasch. Ich schieße dich ohne Kriegsgericht auf dieser Stelle nieder. (Nimmt Michaels Portepee in die Hand.) Ist blind. Ersatzmaterial. Nicht Silber, echtes. (laut) Nun? Ist Licht geworden in dem Ochsenschädel, daß hier das letzte Regiment ausbluten soll? Antwort!

Lewt (nach einer Pause in die Stille sprechend)

Kärnten.

Bauern und Soldaten (ruhig und nicht laut)

Kärnten.

Baumgart (sieht sich langsam im Kreise um)

Ambros, nun müßte man seinen Krückstock nehmen und an dem langsam nach Hause gehn, wenn man nicht ein alter Soldat wäre und die Ehre hätte, mit denen da eine Heimat zu haben — Leutnant, ich befehle Ihnen, die Truppen vom Feind zu lösen, die alte Stellung zu beziehn und den Rückzug vorzubereiten.

Michael

Ich, wir alle krepieren eher auf dieser Stelle.

Baumgart

Einen Arzt, Ambros. Dem Menschen ist sein bißchen Gehirn verwahrlost. (Laut) Wach auf, Klotz! Ein totes Volk ist kein Volk mehr. Du bringst's um.

Michael

So stirbt es.

Baumgart

Bewahr das Saatkorn, Hund!

Michael

Das modert in serbischem Grund. Wir woll'n in unsre Furche.

Baumgart

Ihr alle wollt hinein?

Die Bauern und Soldaten (ruhig, fast für sich)

Kärnten.

Baumgart (nimmt langsam seine Feldmütze ab, zieht seinen Pelzrock aus, schnallt die Feldbinde ab und wirft diese Sachen dem Georg zu, der sie stückweis auffängt. Dann zieht er einen Schneemantel an — alles in großer Ruhe —, faßt einen Stahlhelm am Sturmriemen und nimmt dem Nock das Gewehr aus der Hand. Dabei satzweise, langsam) Wenn ihr noch Soldaten wäret, wünscht' ich, ihr wärt meine Soldaten.

Seid keine mehr.

Ein Bauernhaufen.

Generäle führen den nicht.

Doch gebürtig in Kärnten sind die Baumgarts so gut wie ihr.

Löblein

Um Gottes willen! Exzellenz kann doch nicht als Musketier in die Schützengräben gehen wollen!

Lewt (lacht)

Vielleicht denkt der General: besser eine Brigade verloren als Vaterland und Zuhause.

Baumgart

Schafft mir Patronen. — Ambros, bleiben Sie bei dem Leutnant. — Ich gehe zur Abteilung Laßnitz. Meine Äcker liegen grad hinter der. (Zu Michael.) Hören Sie gut auf das, was der Ambros sagt. — (Die Soldaten teilen sich, so daß Baumgart allein in der Mitte der Kapelle steht, vor der offenen Landschaft. — Pause.) Wünsche euch Glück (Bleibt vor Löblein stehen und sieht ihn stumm an.)

Löblein

Aber, aber, das kann doch alles gar nicht sein. Das ist — ist ja Weltuntergang.

Baumgart

Geh mit unter, Sektionschef. Vielleicht stoßen wir dann dem Unglück auf und kommen wieder hoch. (Zu Muregg.) Wiedersehen, alter Mann. (Nickt den Anwesenden zu. Pause.) Bleibt brav. (Einfach.) Kärnten im Sieg.

Michael

Habt acht!

(Der Ruf wiederholt sich draußen. — Der militärische Gruß dauert so lange, bis Baumgart verschwunden ist.)

Michael

Rührt euch!

(Kommando pflanzt sich draußen fort.)

Löblein (zu Ambros)

Ich bin außer mir! Äußerst aufgeregt. Das sind ja ungemeine Ereignisse.

Ambros

Volk, Herr Sektionschef, Volk. Der General hat gedacht: ich bin Staat — und eh' er sich's versah, war er Volk. (Wendet sich von Löblein ab.)

Löblein (zu einem Soldaten)

Wie komme ich denn nun nach Mautern! Ist nirgends ein Führer zu haben? Wie soll ich meiner Behörde —

(Maschinengewehrfeuer.)

Das gibt ja ein Abenteuer! (Schnell ab.)

Die Handlungsweise des Generals ist nicht rational begründet, sie ist nichts weniger als das Ergebnis einer strategischen Überlegung. Im Gegenteil: Gerade die gewisse Niederlage, der Tod — der als Blutaussaat metaphorisiert wird — bestimmt seinen Entschluß: Baumgart: „[. . .] Ein totes Volk ist kein Volk mehr. Du bringst's um." Michael: „So stirbt es." Baumgart: „Bewahr das Saatkorn, Hund!" Michael: „Das modert im serbischen Grund. Wir woll'n in unsere Furche." Das ist kein Gespräch im Sinne einer alle Positionen verändernden Wechselrede, sondern auf feste Stichworte gewechselte Bekenntnisrede, in der einer endlich die Anschauung des andern übernimmt. Das Bekenntnis gipfelt in der nun schon bekannten Aussage über das Verhältnis von Leben und Tod: Aus dem Tod entsteht ein neues Leben, das Leben ist auf diesen Tod angelegt. Baumgart wird bekehrt; das gelingt nur, weil er völkische Substanz hat; der verknöcherte Beamte Löblein [21] zeigt sich unbeeindruckt, da er keine Beziehung zum Geschehen und seinem lebensvollen Urgrund hat. Hier wird deutlich, was der bereits einmal zitierte Ausspruch H. Böhmes bedeutet: „Von der äußeren Handlung muß sich [. . .] die Dichtung zur Haltung hinwenden, muß [. . .] in Gestaltung der inneren Werte Kündertum des neuen Bekenntnisses werden. Es geht bei unserer Dichtung grundsätzlich um den Sturmschritt, um das innere Reich, um die Fahne des Glaubens." [22]

c) *Die kontrastierende Fügung*

Starre der Gedankenentwicklung und des szenischen Aufbaus muß die Folge einer aus absoluten Positionen denkenden Dramaturgie sein, denn vor dem Hintergrund der weltanschaulichen Frage gibt es nur extreme Möglichkeiten: Bejahung oder Verneinung, Überzeugung oder Vernichtung, Zwischenwerte können nicht geduldet werden. Der Kontrast ist damit Grundelement der Dramaturgie geworden. So lassen sich diese Stücke als Propagandadramatik verwenden, die den Gegner in der tiefsten und finstersten Farbe schildert und den Helden hell und strahlend absetzt. Nach dem Prinzip der kontrastierenden Fügung baut G. Schumann in seinem Drama „Die Entscheidung" [23] eine der zentralen Szenen: Die Roten haben die Stadt in einer Revolte an sich gerissen, nun sitzen sie in einem Gaststättensaal und feiern die Revolution. Sie werden als roher, rüder Haufen gezeichnet: ordinäre Kommißtypen, skrupellose jüdische Intellektuelle, genußsüchtige Proleten, johlende Masse oder realitätsferne Idealisten. Der revolutionäre, idealistische Student Bäumler, der einen nationalsozialistischen Führer erschießen soll, will bei seinen neuen Genossen moralischen Rückhalt suchen, aber er gerät nur in einen Sumpf der Verworfenheit. Gegenbild dieser demoralisierten Horde sind der Student selbst und die idealistische Kampfgemeinschaft der SA, die der Zuschauer aus der vorausgegangenen Szene noch vor Augen hat:

[21] Überhaupt sind die Namen schon Hinweise auf den allegorischen Charakter der Figuren: Löblein, Lewt, Michael.

[22] H. Böhme, zit. nach H. Langenbucher, Dichtung der jungen Mannschaft, S. 71.

[23] G. Schumann, Die Entscheidung, S. 54—58.

Gregor

Es ist nicht gut, daß man die Fahne mit Blut befleckt. Die Fahne soll rein bleiben. Doch wenn du recht dienst, ist die Fahne nicht befleckt, die bleibt oben. Du nimmst es auf dich, das Ganze nimmt es durch dich stumm auf sich. Was bist du? – Nur das was kommt –

Bäumler

Aber wer verantwortet – das ist es, verantworten –

Gregor

Du denkst noch an Personen, du stehst im Allgemeinen. Du tust wohin das Große will. Dann ist es gut.

Bäumler

Ich such es, ich will einig werden. Ich find es nicht. Du bist es auch nicht. Du bist allein. Grausam verlassen. In diesem Saal sind nur wir beide, du und ich.

Gregor

Nein, ich steh in der Kolonne, sie schützen und bergen und rechtfertigen mich.

Bäumler

Ich komm nicht hinüber, die Wand – Gier in den Augen und Blut an den Fingern. Ich komm nicht hinüber.

Furchheimer

Du bist noch nicht lang Mitglied, nicht wahr, ich will dir helfen. Was ist ein Mensch? Wohlverstanden wir streiten das ab von der Persönlichkeit und was drum und dran hängt. Was ist er, hineingemischt in die Welt wider Willen und hinausgetreten wider Willen. Ein kleines Gliedchen des großen Kollektiv, ein winziges Rädchen der unendlichen Lebensmaschinerie. Ein kleines Gliedchen will nicht funktionieren – das Kollektiv scheidet aus. In der alten Sprache heißt das Mord. Unsinn! Das riecht nach Verantwortungseifer und christlicher Sündenzerknirschtheit. *Wir* sagen Ausscheidungsprozeß, automatische Regulierung, nicht wahr –

(Bravo)

So klingt es besser, was meinst du?

Straub

Der dreht dirs hin, da ist nichts zu machen.

Bäumler

Nein, du hast nicht recht, Jude! (schreiend) Das Kollektiv scheidet *nicht* aus – die Person – soll es tun – ich – warum *ich*? Es ist falsch. Es nimmt mir keiner ab, ich muß es tun.

Straub

Ja, was ist denn eigentlich?

Einer

Muß noch mal zu Muttern –

Anderer

Hat wohl einen weichen Keks der Junge –

Furchheimer (ironisch)

Darauf läufts hinaus, bißchen Angst? (Lachen) Ich glaubte die Frage mehr theoretisch behandeln zu sollen. So, persönlich also, dann ist die Sache ja nicht so schlimm. Das kennen wir alle, das kommt zu oft vor. Armer Arm des Kollektiv. Da wollen wir uns nicht weiter aufhalten. (Lachen, alles geht an seine Tische, lachend, disputierend, trinkend.)

Bäumler (steht nun ganz allein)

Glaubt ihr mir nicht, Kameraden?

Einer

Auf was die Leut nicht alles kommen.

Anderer

Ganz richtig ist der nicht, du.

Dritter

Aber es ist doch was dran.

Vierter (zu Bäumler)

Komm Junge, da ist Bier, saufs, bist ein guter Kerl, aber zu jung, komm saufs.

Fünfter

So haben sies immer kurz bevor sie sterben, ich kenn das.

Bäumler (blickt verloren lächend auf, sieht sich wie im Traum um)

Brüder . . . (alles geht weiter)

Bäumler (vor sich)

Das Kollektiv scheidet aus — ja — ausgeschieden — ausgespieen —

Gregor (holt ihn an seinen Tisch)

Du mußt über die Wand, Helmut. Du mußt alles zurücklassen.

Bäumler

Die alten Maßstäbe — es geht nicht — o so einsam. So früh aufgeben den Kampf — man kann nicht hinaus — nicht einmal bis zu dir kann ich, Gregor. Nicht einmal bis zu meinem Freund. Der hat jetzt den Stahlhelm auf — der ist sicher — und du bist nicht sicher. Ihr seid in dem Zusammenhang. Ich aber bin verloren.

Furchheimer

Genossen, hab ich immer gesagt, Tafeln zerbrechen, wie sich ein Philosoph so schön ausdrückt, hinunter mit dem angezüchteten bösen Gewissen, wenn es aufrülpst. — Ein kleines Mördchen, ein bißchen kollektive Liebe — dann gibt sich alles.

Bäumler (verzweifelt)

Ein kleines Mördchen — ja — brauchst nur so zu machen — dann bist du dabei — aber eben dies kleine bißchen — dann bist du dabei — wie bei einer Bande — und nicht wie bei einem Stoßtrupp — dann hast du ihn bezahlt den Eintritt, — dann bist du nichts mehr schuldig —

Gregor

Du mußt von dir absehen —

Straub (sieht auf die Uhr, steht auf, grinsend)

Genossen, es wird Zeit. Die Kapitalistennutten müssen gleich kommen — (Brüllen) Ganz aus Seide, nicht unter 10 Mark. (Geschrei und Lachen)

Bäumler (müd aufsehend)

Auch das noch, wo wollen sie die Sauerei —

Furchheimer

Pikante Sache das, bravo Straub. Genossen, so ne Revolution hat doch auch ihre netten Seiten, was? (Gelächter) Straub hat das Wesentliche erfaßt. Ich möchte sagen, die Nuttchen haben eigentlich unsere Idee vorweg genommen, sie gehören immer allen. Sie sind unsere direkten Vorläufer. Drum Ehre, wem Ehre gebührt. Praktischer Nachtdienst an der Gemeinschaft.

Bäumler (zerrissen lachend)

Brüder ... (stützt sich auf) Brüder ...

Drei geschminkte Dirnen (werden hereingebracht, zwei lachen, die dritte heult; sie werden empfangen von Lachen und Gebrüll, alles kommt in Bewegung)

Straub (alles übertönend)

Ruhe! Herrgottsakrament! Alles in Ordnung, sag ich!

Furchheimer (schreiend)

Jeder fünf Minuten!

Einer

Wer nicht kann, markiert —

Furchheimer (zu Bäumler)

Jetzt, Studentlein, jetzt bist du auch nicht mehr gegen das Kollektiv! Was?

Bäumler (schwer auf)

Ich — werde — ihn — erschießen — (er taumelt hinaus, wildes Geschrei)

(Vorhang)

Fr. Roth stellt in seinem „Kampfstück" „Der Türkenlouis"[24] zwei kontrastierende Welten mit den Mitteln der Simultanbühne dar: auf der Hinterbühne kämpft der Markgraf Ludwig v. Baden für das Reich gegen die Franzosen und erficht einen blutigen Sieg; auf der Vorderbühne amüsiert sich der Hof in Wien bei Tanz und Musik köstlich. Zu gleicher Zeit verliert der Feldherr der Hofpartei eine Teilschlacht, so daß der einsame Kämpfer für Deutschland allein und vergeblich um das Wohl des Reichs ringt. Zwei Personengruppen, die zugleich in den Augen der nationalsozialistischen Doktrin grundsätzliche Werte vertreten, werden vom Autor in dieselbe Situation geführt: Die Soldatenwelt ist edel und heroisch, die Welt der Politiker verdorben und korrupt, beide sollen für politische Systeme einstehen: Ludwig v. Baden und seine Freunde sind die nationale, männlich gesonnene Kriegspartei, erfüllt von der Gesinnung des Dritten Reichs — die Höflinge sind die Vertreter des Systems, des Ausgleichs, des Arrange-

[24] Fr. Roth, Der Türkenlouis, S. 35—40.

ments. Die Bühnen- und Handlungsstruktur bringt den Gegensatz, indem sie ihn direkt kontrastiert, dem Zuschauer vor die Augen; auch hier kommt es nicht darauf an, aus dem Kontrast Energie für die Handlung zu gewinnen, vielmehr hat diese Szene den ausschließlichen Zweck, Emotionen zu erwecken:

(Hintere Bühne erhellt sich.)
Ein Melder (stürzt herein)
Wo ist der Feldherr?
Markgraf
Was gibts bei Leiberstung?
Melder
Bei Leiberstung macht sich der Feind bereit.
Markgraf
Zum Angriff? Schein. Dann kommt er hier. Alarm!
Von Mund zu Mund.
(Soldat und Melder ab. Die Stellung wird besetzt.)
Markgraf
Geschütze laden!
(nach der Seite hinaus) Die Schleusen sind mir so zu öffnen, daß nur hier der Zugang bleibt — (groß) hierher auf uns!
Zweiter Melder (kommt)
In Sinzheim halten Bürger Offiziere vom Regimente Erffa fest.
Markgraf
Quartier?
Zweiter Melder
Weil sie es nicht bezahlen konnten.
Markgraf
Sie sollen doch mit Hieben zahlen!
Den Bürgern sag, der Markgraf sei ihr Bürge.
(Zweiter Melder ab.)
Dritter Melder (kommt)
Die Pfälzer weigern uns den Durchzug, Herr!
Vom Regimente Schönbeck! Nur aus Furcht — —
Markgraf
Vorm Fouragieren?
Dritter Melder
Ja!
Markgraf
Sag deinem Herrn,
Ich woll' ihn auf den Schinderkarren laden.
Der Weg hierher sei ihm dann sehr bekannt!
(Nach der Seite) Fünfzehn Tambure an verschiedene Plätze!
Sie schlagen den Dragonermarsch, anrückend. (Ab.)

Ein Soldat

Die Tapferkeit bringt Ruhm, doch geht oft vor der Zeit
Das edle Leben hin zu langer Ewigkeit.
(Die Soldaten sind mit dem Laden der Geschütze beschäftigt.)

Zweiter Soldat

Des Adlers Hagel, Blitz und der Karthaunen Macht
Hat manchen schon zur sanften Ruh gebracht.

Dritter Soldat

Und ihme das Konzept in seinem Kopf verrückt,
Da eine Kugel ihm denselben hat zerstückt.
(Dunkel.)
Vordere Bühne:
(Wildberg und Elz kommen.)

Wildberg

Das süße Gift des Lebens ist in mir.

Elz

Die Liebe?

Wildberg

Zwischen Rausch und Pflicht zergeh' ich. –
Jetzt nicht den Tod! – Mein Freund, ich bin verloren.

Elz

Drei Nächte Schlaf!

Wildberg

Ich komme noch von Sinnen.
Sag, ist das nicht ein rechter Karneval?!
In Wien bereitet man ein großes Fest.
Jed' Weibchen girrt. Der Jude macht Geschäfte.
Goldmacher, Abenteurer sind am Werke,
Quacksalber, Okkultisten, Pietisten.
Dieweil ist Krieg. Und ich, ich liebe.
Zur Front mit mir, hin in den Kugelregen!

Sibylle (tritt ihnen entgegen)

Wohin, mein Freund?

Elz (wartet seitab.)

Wildberg

Wohin?! Mein Weg ist kurz.

Sibylle

Wohin?

Wildberg

Wenn Ihr mich fragt, so muß ichs sagen.
Zum gleichen Ziele stets, zu Euch, zu Euch!
Mein Herz verlor sich heillos, hohe Frau.

Sibylle

Das ist so Kornetts Art!

Wildberg
Sprecht nicht so lieblos!

Sibylle
Was wagt Ihr, lieber Freund!

Wildberg
Ich wage alles!

Sibylle
Ihr wagt zuviel!

Wildberg
Ich wage nicht genug.

Sibylle
Wo ist dein Feldherr?

Wildberg
Ja, da fragt Ihr richtig.
Gebt nur ein liebes Wort!

Sibylle
Geh, schütze ihn!

Wildberg
Ich wills. Doch Ihr sollt mir die Götter bitten,
— Man hört so dies und das; es ist nicht wahr! —
Daß er so groß bleibt, treu und groß; denn sonst — —
(Wildberg und Elz gehen. Sibylle folgt.)
Hintere Bühne bleibt unbeleuchtet. Es wetterleuchtet von jetzt ab in die vordere hinein. Ein Schuß wird abgegeben.

Markgraf (unsichtbar)
Treue um Treue!
Musketen schußbereit, ihr tapferen Badner!

Erster Soldat
Ludwig Wilhelm, hoch!
Vordere Bühne:

Die geheimnisvolle Stimme
Da kommt der Kardinal, ein mächtiger Mann!
(Kaiser und Kardinal kommen.)

Kardinal
Der Könige Macht beruht auf jenem droben.
Hier Christ, hier Antichrist, so steht die Welt.
So wahr ich Euer Beichtiger bin, wir wissen,
Der Bourbon hat damit nicht recht getan,
Daß er Euch Spanien streitig machte, doch —
Ist er nicht in ecclesia Euch verbunden,
Der Allerchristlichste?!

Kaiser
Er rührt die Heiden
Und rührt die Ungarn auf.

Kardinal
Mein Fürst und Herr,
Die Wege Gottes sind geheimnisvoll.
Vielleicht muß er das tun, vielleicht darum,
Daß Ihr den Türk vernichtet ehestens.

Kaiser
Kommt mit mir ins Ballett! Des Herrschers Bürde
Ist schwer, mein Kardinal, ergötzt Euch, kommt!
(Der Kaiser dreht sich um, geht hinterrücks. Der Hofmarschall als Mars tritt ein, stößt mit seinem Stab auf den Boden. Ballettmusik. Das Ballett erscheint: Das Wasser, die Erde, die Luft, das Feuer. Die Elemente sind von Naturgeistern umtanzt. Harfe: Die Ballettgruppe des Wassers tanzt.)

Das Wasser
Ich bin das Wasser, Wasser steigt und fällt.
Es ist in ewigem Fluß. Die Dinge fließen
Und ändern sich und bleiben ewig gleich.
(Die Ballettgruppe der Erde tanzt.)

Die Erde
Ich bin die Erde, bin die feste Erde.
Ich wanke nie und nehme alle auf.
Drum streiten sie sich um die Handbreit Erde.
Hintere Bühne leuchtet auf.

Thüngen
Potz Kreuz!

Markgraf
Sie haben einen Gefangenen massakriert?
Vordere Bühne:
(Die Ballettgruppe der Luft tanzt.)

Die Luft
Ich bin die Luft. Die Luft kann säuseln, stürmen,
Weh, wenn ich stürme, wehe, wenn ich säusle!

Kardinal (klatscht Beifall. Abfällig)
Es säuselt eine Mär, der Generalleutnant –
(Die Ballettgruppe des Feuers tanzt.)

Das Feuer
Ich bin das Feuer, Anfang ich und Ende.
Im Sturme bin ich groß, als Weltenbrand!
Hintere Bühne erhellt sich. Die vordere ist im bläulichen Halbdunkel.

Markgraf
Grenadiere, Lunten an! Sie kommen! Feuer!
(Das Geschütz wird abgeschossen. Der Narr springt herein und schlägt die Elemente in Wirrwarr.)

Der Kaiser
Wie kommt mein Narr daher? Mein lieber Narr!
(Angriffssignal.)

Markgraf
Das ist ihr Zeichen. Tapfer! Linien halten!

Kaiser
Ein neues Spiel!
(Ballettmusik und Tanz setzen erneut ein. Der Narr schlägt Grimassen, ahmt den Feldherrn nach. Die beiden Seiten der vorderen Bühne werden gleich Theaterlogen von Herren und Damen, worunter sich Lobkowitz, Marsigli und Franziska befinden, besetzt. Seltsame Vermischung von Musik und Schlachtenlärm. Das Ballett tanzt das Gefecht.)

Kardinal
Seht, welche schönen Damen!

Durlach (kommt)
Mein Regiment zur Stelle, großer Vetter!

Markgraf
Schwärmt ein, Durlach! Auf einen zehn: Parole!

Durlach (will ab, dreht sich noch einmal nach dem Feldherrn um)
Die Schwarzwaldpässe?

Markgraf
Hält der Fürstenberg!
(Durlach ab.)

Markgraf
Auf einen zehn! Soldaten! Ruhig zielen!

Lobkowitz
Der dicke Hofmarschall als Mars! Zum Lachen!

Franziska
Der Kaiser dort!

Marsigli (meint den Grafen)
Geht er uns erst nach Ulm!

Markgraf
Auf einen zehn, Soldaten!

Soldaten
Auf einen zehn!

Villars (unsichtbar)
En avant!

Markgraf
Muskete her! He, Marschall Villars!
(Reißt eine Muskete an sich. Die Franzosen stürmen mit Geschrei an. Einzelne tauchen auf. Werden über die Brüstung hinabgeschlagen.)

Kaiser
Mon Cardinal, comment cela vous plaît?

Kardinal
Très bien!

Markgraf

Wie Wespen, dieses Blei! Nur Blei!

(Greift nach den sirrenden Kugeln. Ein Geschoß trifft ihn auf den Panzer, daß er wankt, Beifall fürs Ballett, Gelächter.)

Kardinal

Ich lache mich gesund!

Markgraf

Auf einen zehn!

Soldaten

Auf einen zehn!

(Eine Granate schlägt ein. Viele Leute fallen oder werden verwundet. Schreie der Verwundeten.)

Marsigli

Vous dormez bien, madame? Darf ich Sie küssen?

Franziska

Sie sollten sich zur Ader lassen, monsieur!

Markgraf

Ersatz!

Ersatz (schwärmt ein)

Auf einen zehn!

Kardinal

Der Mars gibt uns die ernste Folie, Fürst!

Kaiser

Der ernste Hintergrund macht Heitres heitrer.

Erster Soldat (fällt)

Kameraden, schützt mein Niederbühl!

Lobkowitz

Der Narr! (Lacht schallend.)

Markgraf (drückt dem Gefallenen die Augen zu. Dann)

Vivat, er geht zurück!

Von allen Seiten

Vivat, Viktoria!

(Es wird Sieg geblasen. Wildberg kommt verwundet.)

Markgraf

Sibylle soll dich pflegen, Wildberg!

Franziska (lacht)

Narr als Faun!

Marsigli

Ich liebe Sie, ma chère!

Durlach

Das Land am Oberrhein ist frei,
Villars geschlagen, zieht nicht an die Donau!

Markgraf
Nun fühlt euch stolz, Soldaten, folgt dem Feinde!
(Soldaten ab. Der Markgraf will folgen.)

Ein Melder (kommt außer Atem)
Mein gnädiger Fürst! Zu schlimme Botschaft!

Markgraf (ihn auffordernd)
Heraus damit, ich bin genug gefaßt.
Seit Salankamen hassen mich die Götter.
Der Fürstenberg — — —

Melder
Er hielt die Kinzigpässe nicht.

Markgraf
Dacht' ichs?! (Höllisches Gelächter beim Feinde. Das Ballett ist zu Ende. Es stiebt nach beiden Seiten hinaus. Vorn großes Lachen und Beifallklatschen.)

Marsigli
Sie kommen mit mir zum souper?

Thüngen (kommt von der Seite herein, erwartet Befehl.)

Markgraf
Das Maß ist voll. Die Welt geht aus den Fugen.
(zu Thüngen) Ihr führt das Gros zur Donau, neben Villars.
Ich folge nach. —

Emotional gestimmte „Haltungen" zu erwecken, war das beabsichtigte Wirkungsziel des Dramas des Dritten Reichs, dem alle Bauprinzipien untergeordnet waren. Der Expressionismus lieferte einem Teil der Autoren die Mittel, dieses Ziel zu erreichen. R. Euringer führt in seinem „Totentanz" [25] eine expressiv gesteigerte Walpurgisnacht der modernen Welt vor. Musik, Bühnenbild, Choreographie und Sprachstil vereinigen sich zu einem lärmenden Pandämonium der modernen Zivilisation, wie Euringer sie sehen will. Die Konstellation der Gegenwart stellt sich nach dieser Bühnendichtung als Kontrast von verjudeter, rassisch dekadenter und moralisch verkommener Gegenwart und versunkenem, niedergetretenem Ideal der Volkheit dar, wobei die Toten der Gegenwart das Gericht halten und sie niederkämpfen, so daß am Ende wieder die guten, alten Werte gelten. Das eigentliche Bühnengeschehen beginnt mit einem wilden Tanz der Schieber, der Larven- und Lebewelt, in der sich die Strömungen der modernen Gegenwart darstellen sollen. Ein wildflackernder, sprachlich in kurze Satzfetzen hochgepeitschter, rhythmisch-dynamischer Tanz putscht die Zuschauer auf und läßt sie auf die gemeine Aggressivität, die von der Bühne herab auf

[25] R. Euringer, Totentanz, S. 16—19.

sie eindringt, mit einer Abwehrhaltung reagieren, die sich von der Darbietungsform auf den Inhalt übertragen soll:

(Im tollsten Tempo, im Tanztakt gestampft, tobt die Carmagnole der Schieber- und der Lebewelt um die Goldne Gliederpuppe.)

Puppe
Die Kugel rollt, die Welt ist rund
Und kreiselt um die Pole.
Chor der Schieber
Eh euch schlingt der Höllenschlund,
Puppe
Tanzt die Carmagnole!
Chor der Internationale
Was sich nicht zur Masse mobt,
Streicht sich selbst vom Mahle.
Chor der Schieber
Heilig seist du, hochgelobt,
Chor der Internationale
Internationale!
Oberbonze
Erst im Massenbrei gedeiht
Glück und Glanz der Erde.
Literat
Was sich nicht zum Hammel freit,
hample mit der Herde!
Mädchenhändler
Erst die Orgie vermählt,
Was apart in Massen.
Puppe
Einer nur ist auserwählt:
Chor der Internationale
Der Bastard der Rassen!
(Massenschrei und Tusch, im Takt.)
Nihilist
Trampelt nieder, was euch trennt!
Chor der Schieber
Auf, von Pol zu Pole!
Pazifist
Kontinent zu Kontinent,
Puppe
Tanz die Carmagnole!
Bankbandit
Nur heran zum Bacchanal,
Larven und Lemuren!
Noch bezahlt das Kapital
Seine Kreaturen.

Puppe
Wer sich selbst zum Fraß zu gut,
Mag sein Opfer wählen!
Chor der Schieber
Saugt den Saft und sauft das Blut
Aus den Kraftkanälen!
Puppe
Nistet euch in Samt und Seide,
Wucherjud
Nagt den Erdball ratzekahl!
Chor der Schieber
Weide dich am Eingeweide,
Weltverzehrer Kapital!
Puppe
Was nicht nackt ist, das entblöße,
Pazifist
Nicht zerhackt ist, das zerbreie!
Oberhetzer
Schlag die Zähne ins Gekröse!
Wen es würgt, der speie!
Chor der Schieber
Ehe die Welt nicht blankgeleckt ist,
Modert das Skelette.
Nihilist
Wenn der Korpus abgedeckt ist,
Endet das Gefrette.
Weltvampir (gräßlich)
Her, was noch an Haaren hängt!
Laß mich dein erbarmen!
Sieh, der Weltvampir umfängt
Mit Polypenarmen!
(Entsetzungsaufschrei. Flucht.)
Puppe
Puh, nun kreischt das Laffenpack
Unterm Liebesbiß!
Weltvettel
Wir sind eher nach Geschmack.
Schnapsgesicht
Schnaps
Weltvettel
Und Syphilis
Schnapsgesicht
Säuselsanft wie Schlummerpunsch
Träufelt sich's dir ein,

Weltvettel
  Rasch befriedigt frißt der Wunsch
  Sich durch Mark und Bein.
Beide
  Hirn und Herz wird pflaumenweich.
Pazifist
  Wenn das Rückgrat schwindet,
  Fühlen sich die Staaten gleich
  Inniger verbündet.
Chor der Internationale
  Wem das Mark noch nicht zermulmt ist,
  Packt ihn an den Nieren!
Weltvettel und Schnapsgesicht
  Fuselschnaps und Syphilis
  Helfen missionieren.
Oberhetzer
  Emissäre, gleichgesinnt,
  Überschwemmt die Staaten!
Literat
  Wenn der Rassenbrei gerinnt,
  Sind wir Demokraten!
Puppe
  Fehlt es dann dem Leibgericht
  Noch an Zubereitung,
  Gerbt die Haut, färbt das Gesicht!
Literat
  Abonniert die Zeitung!
  Was noch leidig souverän ist,
  Wird sie nivellieren,
Puppe
  Und das Weib, das nicht mondän ist,
  Modisch frikassieren.
  Will die Fratze ewig leben?!
Literat
  Pauk den Takt, Journaille!
Puppe
  Jazze, wem Gebein gegeben!
Chor der Schieber und der Internationale
  Vive la canaille!
Rüstungshetzer
  Stirbt der letzte Mohikaner
  An der Hysterie,
  Tippt der erste Börsianer
  Rüstungsindustrie.

Chor der Internationale
Proklamiert es allen Zonen,
Heiden, Juden, Adventisten:
Rüstungshetzer
Aus den Rohren der Kanonen
Dröhnt der Geist der Pazifisten!
Oberhetzer
Daß auf Erden Friede sei,
Müßt ihr euch erst noch zermalmen!
Aus dem blutigen Völkermai
Wird die Palme qualmen!
Rüstungshetzer
Schleudert Flotten in die Lüfte
Und verseucht das Meer mit Minen!
Chor der Internationale
Was nicht lähmen Gas und Gifte,
Das zerschmettert mit Maschinen!
Rüstungshetzer
Proklamiert es aus Kanonen,
Donnert es aus Höllenmund:
Erst der Blutrausch der Dämonen
Düngt den Völkerbund!
Nihilist
Pflügt die Fluren zu Fontänen
Und ersäuft den Mond im Meer!
Freßt Kulturen wie Hyänen!
Chor der Schieber und der Internationale
Massenmördermilitär!
Nihilist (in die plötzlich phantastische Stille)
Friede wird, wenn alles gleich ist,
Wenn die Anarchie
Das geeinte eine Reich ist
Tödlicher Monotonie.
Puppe (gellauf im Jazztakt)
Mörsert nieder, was sich wehrt!
Chor der Internationale
Lunte an die Pole!
Puppe
Wenn der Erdkreis sich verzehrt
Tanzt die Carmagnole!
(Toller tobt die Orgie los.)

Mit derselben Absicht, aber andern Mitteln arbeitet das Thingspiel. In ihm soll das Volk über sich selbst zu Gericht sitzen, sich selbst kultisch erleben. Handlung hat deswegen exemplarischen Charakter, und auch hier ist der verkündete Inhalt wichtiger als die Handlung, die meist minimal ist. Chöre, oft riesigen Ausmaßes, formulieren, mit Gruppen- und Einzelsprechern abwechselnd, die Sentenzen, die negativen und positiven Haltungen. Die Sprecherfiguren tragen ihre Qualitäten plakativ an die Brust geheftet: der Heimkehrer, der Kämpfer, der Schwankende, die Opfernde. Ihre Meinungen stehen blockartig gegeneinander; sie reden nicht zueinander, sondern zu dritten, etwa einem Chor und den Zuschauern, und dokumentieren ihre Gesinnung. Deswegen gibt es auch keinen Meinungswechsel, von Gesprächen ganz zu schweigen, sondern nur Sieg oder Niederlage weltanschaulicher Argumente, wobei das Ergebnis aus der ideologischen Voreingenommenheit bereits im voraus entschieden ist; der Fortgang des Stücks ist nicht offen. Als Beispiel eines solchen Thingspiels soll der Anfang aus K. Heynickes „Der Weg ins Reich" [26] angeführt werden, weil hier das blockartige Fügen als grundsätzliches Bauprinzip des Thingspiels besonders deutlich zu bemerken ist.

Der Kämpfer
Wach auf!
Wach auf, du deutsches Land.
Du hast genug geschlafen.
Bedenk, was Gott auf dich gewandt,
Wozu er dich geschaffen.
Bedenk, was Gott dir hat gesandt
Und dir vertraut sein höchstes Pfand,
Drum magst du wohl aufwachen ...
Der Hauptchor (steht auf, wendet sich mit Gesicht und Stimme zu den Zuschauern und in die Landschaft)
Wach auf, du deutsches Land!
Der Kämpfer
Wach auf!!!
(Fanfare — Aus dem Hauptchor tritt)
Ein Sprecher
Ihr Sterne, seid uns Zeugen,
Die ruhig niederschaun.
Wir wollen uns nicht beugen
Und falschen Götzen traun:
Wir wollen das Wort nicht brechen,
Nicht Buben werden gleich,
Wollen leben und wollen sprechen
Für unser neues Reich!
(Auf ein Zeichen des Sprechers erhebt sich)

[26] K. Heynicke, Der Weg ins Reich, S. 7—14.

Der Hauptchor

Wir wollen das Wort nicht brechen,
Nicht Buben werden gleich,
Wollen leben und wollen sprechen
Für unser neues Reich.
(Der Hauptchor setzt sich)

Der Abtrünnige (taucht an einer Ecke des Spielfeldes auf)

Setzt er euch wieder einmal in Brand
Der Traum vom ewigen Vaterland?
Das kehrt bei euch Deutschen immer wieder,
Die alte Sehnsucht, die alten Lieder,
Ein großes Reich aus Traum und Phantasie,
Ihr möchtet drin leben — und wißt doch nicht wie —
(Er kommt näher)
Ihr wollt immer was Eignes und seid viel zu ehrlich,
Die andern verstehn's nicht, und das ist gefährlich —
Und was wird das Ende von alledem sein?
Ihr seid verlassen . . . ihr seid — — — allein!
(Er geht an dem Chor entlang)
Was sitzt ihr verloren im schweigenden Chor?
Kommt her — ich flüstre euch etwas ins Ohr.
(Er nähert sich einigen und deutet in raschem Vorbeigehen mimisch Einflüstern an)
Ich sag euch die Wahrheit!

Der Kämpfer (auf der Spielmauer)

Nicht immer genau.

Der Abtrünnige

Bei mir ist die Klarheit.

Der Kämpfer

Drum malt er grau!

Der Abtrünnige

Ich bin zu euch offen. Anders wär's dumm!

Der Kämpfer

Doch geht seine Wahrheit hintenherum.

Der Abtrünnige (geht wieder am Hauptchor entlang zurück; es lösen sich — schon auf dem Hinweg, noch mehr auf dem Rückweg — einzelne und folgen ihm beflissen. Sie tragen alle sichtbar gleichfarbige Hemden)

Ich bin ein einfacher Mann. Ich mach mich nicht wichtig.
Ich rede sehr viel. Aber was ich sage, ist richtig.
Ich locke euch nicht mit gebratenem Speck,
Ich nehm euch nur eure Träume weg!

Der Kämpfer

Ihr lauscht ihm wohl gar? Laßt ihr euch packen?
Sitzt euch die Zwietracht schon wieder im Nacken?

Staunt ihn an und wehrt euch nicht?
Was lügt euch der Schwätzer ins erschrockne Gesicht?

Der Abtrünnige (lacht auf, dreht sich um, breitet die Arme mit großartiger Geste)
Aber sieh doch, wie sie sich an mich drängen,
Brauch mich nicht einmal anzustrengen!
(weist auf die Gruppe)
Denen gefällt verschiedenes nicht!
Man sieht's ja am Kleid — man sieht's am Gesicht!
Und wie sie sich drehn und wie sie sich wenden,
Sind sie wie Wachs in meinen Händen.
(zu der Gruppe)
Meine Flüstergarde! Komm her! Meinen Segen!
(Sie drängen um ihn)
Euer heimlicher Schwur: Seid immer dagegen!
(Der Abtrünnige legt mit allen die Hände zusammen — läßt los — kichernd)
Und nun wär er gegründet, unser Verein!
Was *die* sich auch mühen — wir sagen . . .??

Die Mitläufer
Nein!!!

Chor der Kämpfenden (stark einsetzend)
Ja und Ja und Ja und Ja!

Der Kämpfer (stark)
Ja!
(Paukenwirbel, kurz)
Ja, das dürft ihr nicht nur sagen,
Müßt es auch im Herzen tragen!

Chor der Kämpfenden (erste Gruppe)
Was wir erkämpft,
Was wir erstritten . . .

Chor der Kämpfenden (zweite Gruppe)
Was wir ersehnt,
Was wir gelitten —

Chor der Kämpfenden (erste Gruppe)
Was wir erschafft,
Was wir erhalten — —

Chor der Kämpfenden (zweite Gruppe)
Erbe der Helden,
Das wir verwalten — —

Chor der Kämpfenden (beide Gruppen)
Vaterland! Alles,
Alles ist dein!

Der Abtrünnige (auf den einen und anderen der Mitläufer einredend)
Laßt euch nicht stören und bleibt wo ihr seid!
Zeigt nicht gleich allen euer wirkliches Kleid.

Und merkt, was nicht ein Nein erreicht —
Das wird erschüttert durch ein . . . Vielleicht . . .!
(auf Hauptchor und Zuschauer zeigend)
Geht einer von ihnen im zaghaften Schritt,
So seid sein Begleiter und nehmt ihn mit —
Bringt ihn zu mir und prägt sie ihm ein:
Meine Parole: das ewige Nein!!

Mitläufer (um den Abtrünnigen)
Wir klönen.

Mitläufer
Wir stöhnen.

Mitläufer
Wir meckern.

Mitläufer
Wir schelten.

Mitläufer
Wir sind immer dagegen!

Mitläufer
Wir lassen nichts gelten!

Alle Mitläufer
Dagegen!
(Der Abtrünnige schickt die Mitläufer einzeln fort, sie verschwinden in verschiedenen Stellen des Hauptchors, nachdem sie ihren Rock über die Hemden gezogen haben)

Der Kämpfer (unterdes)
Da seht ihr sie nun. Zeigt keiner sein wahres Gesicht!
Und will man sie packen, erkennt man sie nicht.
Und fragt man, dann sind diese Helden stumm.
Sie drehen ihr Kleid und ihr Wort herum.

Der Abtrünnige (begibt sich zur Seite und geht dann langsam zum Chor der Kämpfenden)

Der Schwankende (kommt aus dem Zuschauerraum, geckenhaft gekleidet, Stock und weiße Gamaschen, er grüßt, tief den auffälligen Hut ziehend)
Halt! Halt! Was wird denn hier gespielt?
Wohin wird marschiert? Auf was wird gezielt?
Und ohne mich? — Ich halte gern Schritt,
Ich will auch etwas sagen, ich wirke gern mit —
Man kann zwar nie wissen, wohin so was geht —
Ich bin keiner, der gern bei den Verlorenen steht.
Doch hier bei dieser spielfreudigen Schar
Befürchte ich keine Überraschungsgefahr — (Alle schweigen)
Ihr schweigt? Bin ich etwa zu spät gekommen?
Habt ihr mir das etwa übel genommen?
Nun? Was sagt euer Schweigen?
(Schlagzeug, einmal kurz)

Chor der Kämpfenden (beide Gruppen)
Wir wollen dich nicht!
Der Schwankende (fliegt ein paar Schritte zurück)
Gott! Was für eine Demonstration!
Ich bitt um Vergebung, ich gehe ja schon!
Ich bin überzeugt, 's ist besser so!
Mitten unter euch würde ich doch nicht froh!
Ihr seid mir zu kraß, zu grell, zu kühn —
Ich will lieber vorerst — — abseits erblühn!
(rasch ab)
Chor der Kämpfenden I
Nie ist unser Kampf zu Ende!
Und auf Kampf sind wir vereidigt!
Chor der Kämpfenden II
Und die Arbeit unsrer Hände
Sei behütet und verteidigt!
Chor der Kämpfenden I und II
Will die Lüge uns umgarnen:
Das Gewebe wird zerrissen!
Weil wir alle Feinde warnen
Und uns selber — schützen müssen!
Hauptchor (steht auf)
Nie mehr Zwietracht, nie mehr Streit!
Sind geschlossen und bereit!

d) *Schlußkonstruktionen*

Die Ästhetik des Dritten Reichs — wenn man angesichts der Bruchstückhaftigkeit der Vorstellungen sowie der fehlenden Systematik überhaupt von einer solchen sprechen mag — sah im Kunstwerk (und ganz besonders in der Bühnenkunst) keine auf sich zentrierte oder in sich lebende Konstruktion, sondern ein Wirkmittel, Wirklichkeit und Bewußtsein zu verändern, deren Ziele durch die Weltanschauung gesteckt werden. In dieser Bestimmung wollte man sich aus der bürgerlichen Ästhetik des 19. und 20. Jahrhunderts (so wie man sie sich vorstellte) vollständig lösen. „Heute stehen Aufgabe und Geist des Theaters ohne die geringste Deutelei, eindeutig und eingefügt in dem umfassenden Willen fest: es hat einen wichtigen Teil des erzieherischen Auftrags für die Nation und der darin lebenden Gemeinschaft zur Volkwerdung übertragen bekommen. Die Kraft, die heute ausströmt, um das deutsche Volk ‚in Form' [Spengler] zu bringen, zur Geltung vor sich und der Welt zu bestimmen, bestimmt auch den Dienst am deutschen Bildungsgedanken, und der ergangene Ruf an das

Theater heißt: ‚Nationalerziehung' —, er geht das ganze Volk an." [27] Diese Bestimmung der Aufgabe des Theaters ist durchaus typisch; der Wille zum Engagement (das wurde zu Beginn dieser Darlegungen ausgeführt) ist subjektiv bestimmend für alle Erscheinungen auf dem Gebiet der Theaterliteratur. Dichtung — und vor allem die Bühnenliteratur — wird als Funktionsträger betrachtet, und die Antwort auf die Frage, wie ein Werk diesen Auftrag erfüllt, bestimmt seinen Kunstwert: „Darum sind auch alle kulturellen Leistungen erst insoweit ‚wertvoll', als sie der Art dieses Volkes charaktervollen Ausdruck geben und dadurch wieder geeignet sind, zur Lebenssteigerung des Volkes, zur Stärkung seines Lebensglaubens, seiner Selbstachtung beizutragen." [28] Diese Aufgabe sollte das Drama nun nicht dadurch erfüllen, daß es Parolen verkündete und einzelne Regierungs- und Parteientscheidungen darstellend rechtfertigte; diese plumpe Propagandaliteratur gab es natürlich auch, und vor allem in den ersten Jahren nach 1933; aber die Literatur, die Dichtung sein wollte, hielt sich von dieser direkten Methode eher zurück — und zwar nicht aus propagandapsychologischen Gründen, die Goebbels etwa auf diesem Gebiete bestimmten, sondern aus der Tradition konservativ-bürgerlicher Ästhetik, die das Direkte, Unmittelbare, Tages- und Ereignisgebundene als unkünstlerisch verwarf und statt dessen „Gestaltung" verlangte. Es sollte „Haltung", „Schicksalsfrömmigkeit" oder wie immer die Formeln des Einverständnisses lauten mochten, gestalten und dem Leser und Zuschauer übermitteln. Es sollten Energien mobilisiert und in eine bestimmte Richtung gelenkt werden, ohne daß aber der konkrete Entscheidungsfall einbezogen war. Die auf diese Weise vom Inhalt gelöste, formale Energie war dann von Fall zu Fall verfügbar. So appelliert denn die Kunst — und vor allem das Theater — nicht an den Verstand sondern an das Gefühl: „Der dramatische Vorgang erhält sein Gewicht durch seinen Erlebnisgehalt [. . .]. Das Drama der Entscheidung beschränkt sich nicht darauf, etwas vorzuspielen, sondern es will Energie lösen." [29]

Aus den Konsequenzen solcher Gedankengänge entwickelte H. Johst eine Theorie des offenen Schlusses, in dessen Konstruktion der Zuschauer integrierter Bestand des Stücks werden, als „Hinzu-Schauer" seine Distanz zur Bühne aufgeben und aktiv in den Ausgang eingreifen sollte: „Die

[27] H. Trautmann, Nationalerziehung!, Volksbildung 64. Jg., 1934, S. 13.
[28] W. Stang, Unsere Stellung zur Kunst, Nat.soz. Monatshefte, 6. Jg., 1935, S. 609.
[29] H. A. Frenzel, Das Drama der Entscheidung, Die Bühne 1938, S. 375.

Strenge der Gesinnung, die seelische Forderung, der konsequenteste Austrag, der metaphysische, schöpferische letzte Akt muß im Zuschauer spielen." [30] Die Schlußkonstruktion eines Stücks wird damit zum Angelpunkt der ganzen Werkökonomie. Die letzte Szene aus Johsts Drama „Schlageter", die die Erschießung Schlageters zeigt, ist eine Verifikation dieser Intentionen [31]:

(Sofort gellen von fernher Clairons auf, und man vernimmt das Dröhnen der Motore von Lastautos. Das letzte Bild schließt sich wie eine Vision der Szene an. Der Lärm der Motore schwillt an. Die Clairons sind ganz dicht in ihrem atemlosen Triumph. Sobald sich der Vorhang hebt, Totenstille.
Schlageter, Rücken zum Publikum, steht steil, Hände auf den Rücken mit einem Seil gebunden, dessen Ende zur Erde schleppt, als ob er die ganze Erde trüge. Dämmerlicht. Nur Schlageter steht im Lichtkegel der Scheinwerfer des Lastautos, dessen Motor jetzt leise im Leerlauf zittert. Ein französischer Sergeant schlägt ihm mit dem Gewehrkolben in die Kniekehlen, so daß er in die Knie bricht.)

Sergeant

... à genoux! ... à genoux! ...

(Im Hintergrund riegelt den Horizont, wie schwarzes Mauerwerk, ein französisches Peloton ab, das zur Exekution bereit steht. Links von Schlageter, im Dunkel, sein Geistlicher und sein Anwalt.)

Schlageter (wendet sein Gesicht nach links.)

Deutschland!
Ein letztes Wort! Ein Wunsch! Befehl!!
Deutschland!!!
Erwache! Entflamme!!
Entbrenne! Brenn ungeheuer!!
(Nach dem Hintergrund, befehlend)
Und ihr ... Gebt Feuer!!

Stimme des französischen Kommandanten

A mon commandement — feu!

(Vorher werden die Scheinwerfer langsam eingezogen, so daß die Feuergarbe der Salve wie greller Blitz durch Schlageters Herz in das Dunkel des Zuschauerraumes fetzt.

Alles Licht erlöscht jäh. Vorhang stürzt herab.
Die Motore donnern, die Clairons gellen Triumph. Einen Augenblick lang, dann jähe und unbedingte Stille ... Totenstille.
Licht im Zuschauerraum.) [32]

[30] H. Johst, Ich glaube!, S. 17.
[31] ders., Schlageter, S. 134 f.
[32] An dieser Stelle mag angemerkt werden, daß diese Praxis des emotionalen Aufrüttelungstheaters durchaus nicht nur dem Drama des Dritten Reichs eigen ist, sondern daß das engagierte Theater des 20. Jahrhunderts überhaupt die Erweckung von Emotionen als eines ihrer Hauptziele betrachtet. So heißt es zu einer Rostocker Aufführung

Das Stück ist eigentlich schon aus: die Handlung ist abgeschlossen, die Knoten gelöst, die Intentionen der Figuren dargelegt und gewertet; es wird aber noch eine Szene angehängt, die weniger mit dem Vergangenen zusammenhängt, als vielmehr die Stimmung des Zuschauers über das Stück hinaus provozieren soll; sie ist Epilog und zugleich Ansatzpunkt jenes fünften Akts (das Stück hat tatsächlich nur vier), der nach Johsts Theorie im Zuschauer spielen soll. Schlageter will seinen Tod als Aufruf an die Nation verstanden wissen, der in die Zukunft wirken soll. Der Zuschauer wird mit theatralischen Mitteln aktiviert, so daß er geradezu zum Mitspieler wird: Das Erschießungskommando ist so aufgestellt, daß es, indem es auf Schlageter schießt, ins Publikum feuert; d. h. der Zuschauer sieht sich selbst angegriffen, er identifiziert sich mit dem Schicksal des politischen Helden und wird in dessen Haltung hineingedrängt: Deutschland erwache. Dieser Identifikationsprozeß ist nicht das Ergebnis eines rational kontrollierbaren Überzeugungsversuchs, sondern resultiert aus der Abwehr eines Angriffs auf die eigene Existenz; so wird der Zuschauer unmittelbar Beteiligter: der Aggressivität kann er seinerseits nur mit Aggressivität entgegentreten. Und gerade das ist die gewünschte Haltung, die — formalisiert, d. h. vom Anlaß getrennt — der Zuschauer auch über die Spielhandlung hinaus mit aus dem abgezirkelten Bereich des Theaters in die politische Wirklichkeit hinausnehmen soll. Die Fixierung des Hasses ist eine ganz allgemeine: gegen das Erschießungskommando, das ein französisches ist. Die Verwendung der Fremdsprache vertieft diese Ausrichtung der

von Utpal Dutts Stück „Unbesiegbares Vietnam", das Rostocker Ensemble habe sich sehr dafür eingesetzt. „Kein Wunder, daß der Funke der Solidarität mit dem heldenhaft kämpfenden vietnamesischen Volk, auf der Szene ausgelöst, unmittelbar zündete. Das, was an tagtäglichen Nachrichten und Informationen über die Kämpfe und Leiden in jenem ‚fernen' Land auf uns einstürmt, wird in dieser Inszenierung, mit diesem Stück, lebendige Wirklichkeit. Hier wird mit aufrüttelnden theatralischen Mitteln der Gefahr der Gewöhnung, des Sichabfindens entgegengetreten, hier wird der Zuschauer vor eine Entscheidung gestellt, der er sich nicht entziehen kann. Das ist kein bequemer Abend, kein übliches Theaterereignis. Die Inszenierung provoziert Haß und Mitgefühl, sie entläßt den Zuschauer mit dem Wissen: Vietnam — das geht uns alle an." (H. Gebhardt, Welttheatertag 1967, Rostock: Unbesiegbares Vietnam, Theater der Zeit XXII, 1967, H. 9, S. 8). So wird der Urteilende darauf hingewiesen, daß er das Drama des Dritten Reichs nicht nur im Zusammenhang der deutschen (literarischen) Theatertradition und nicht nur unter dem Aspekt des Wechselbezugs von Dramaturgie und konservativ-völkischer Weltanschauung zu beobachten hat, sondern bedenken muß, daß Verbindungen zum engagierten Theater des 20. Jahrhunderts bestehen, die nicht mit Begriffen wie Abhängigkeit und Beeinflussung zu fassen sind, sondern durch die formale Ähnlichkeit der Aufgabe gestiftet werden.

Emotion, die durch eine aufreizende Stimmungskulisse, die durch Licht- und Tonwirkungen erzeugt wird, angestachelt werden soll. Die zeitgenössische Kritik erkannte die automatisierende und formalisierende Absicht des Stücks durchaus als das Eigentliche: „Das ist die Katharsis dieses Dramas, daß am Schlusse im Hörer der nationale Gedanke geboren ist, und das ist der Prüfstein für die dichterische Sendung dieses Dramas, daß es hoch über aller Aktualität und Reportage diese Geburt auf geheimnisvolle Weise bewirkt." [33]

Es wird also versucht, mit Hilfe des „Erlebnisses", durch Emotionalisierung des Zuschauers die Haltungen und Werte, die die Helden des Dramas verkörpern und vertreten, von der Bühne in den Zuschauerraum zu übertragen: „Das Theater, das wir wollen, soll *Erlebnistheater* sein. Dann erst kann es mehr als Pantomime, Tanz und Aufzug werden. Dann erst kann es zu wahrhaft kultischem Ausdruck des Massengefühls emporgestaltet werden." [34] So ist denn die positive Lösung auch jener Konflikte, die als tragische angelegt sind, ein überaus charakterisierender Zug im Drama des Dritten Reichs; man sprach zuweilen von einer „Fortinbras-Lösung". Der Ausgleich der tragischen Konflikte, den Langenbeck für sein Werk „Das Schwert" findet, ist ein deutliches Beispiel für diese Bemühungen: Gaiso hat aus Staatsnotwendigkeit seinen Bruder ermordet und die rassische Geschlechterschuld durch Selbstmord gesühnt. Er hatte bereits angedeutet, daß sein Tod dem Volk Heil bringen werde. Awa, die Mutter und Schicksals-Künderin, sucht nun den Mann, der willens ist, das Fürstenschwert zu führen: Gerri, der strahlende Held und Führer der „jungen Mannschaft", ist bereit, und die Seherin kündet den Sieg; aus dem opfervollen, tragischen Untergang erhebt sich die glückliche Zukunft [35].

Awa
Hier trage ich ein Schwert. Es ist das Schwert des Fürsten
Der Gaiso hieß und war mein erstgeborner Sohn.
Ich sage euch daß dieser Stahl erschlagen hat
Den nächstgebornen Bruder, meinen Evruin.
Ich sage euch daß dieser Stahl erschlagen hat
Durch seines Meisters Hand ihn selbst, den Schläger Gaiso.
Nun aufrecht bei den Bahren steh ich meiner Söhne,

[33] J. M. Wehner, Vom Glanz und Leben deutscher Bühne, S. 340.
[34] E. W. Möller, Wandlungen des deutschen Theaters, Hochschule und Ausland XIII, 1935, S. 48.
[35] C. Langenbeck, Das Schwert, S. 92—94.

Ich überlebend beide. Und den Krampf der Schmerzen
Abschüttelnd mit Entschlossenheit enthüll ich euch:
Daß ich, gehärtet für die göttliche Ewigkeit,
Mit diesen Opfern einverstanden war und bin.
Jetzt darf ich keine Umkehr, kein Verzagen dulden!
Ja! Wehe euch wenn hier umsonst geschah das Höchste!
Ich rufe laut: wo steht der Mann, der siegen wird
Mit Gaisos edlem Schwert, das alle Leiden kennt —
Verflucht war dieser Stahl und hat gesühnt: wer wagt's?

Skona

Gerri, mein Herr, mein Freund, geh hin zu ihr und ihm.
(Stille)

Gerri

Ja; es muß sein; nie war ein schwerer Gang so schön.
(Er geht langsam, mit gleichmäßigen Schritten hinauf, bleibt unter Awa stehn und küßt die Spitze des Schwerts, das sie immer gleich hielt, mit beiden Händen vor der Brust)
Zuerst für einen edelsinnigen Verräter
Empfange, mörderisches Schwert, du meinen Kuß.
Und nun, mit Ehrfurcht, Schwert, küß ich an dir das Blut
Des Helden der sich selbst erschlug mit dir für uns.
Dir, Mutter, die du alle Tapfren liebst, dir kniee
Zu Füßen ich und schwöre, ins Gebet geborgen:
In Ehren siegen oder fallen wollen wir,
Geführt von dieser Klinge die du mir verleihst.
(Sie preßt ihm den Knauf auf die Stirn, dann nimmt er das Schwert und steht auf)
Und so gehorchst dem Spruch du deines besten Sohns:
Daß ich ihm folgen soll mit der berühmten Waffe.
(Jetzt geht er zur Bahre Evruins)
Ich grüße traurig Gaisos Bruder Evruin.
(er steht ruhig und senkt den Kopf, dann geht er zu Gaisos Bahre)
Ich grüße Gaiso, unsren Helden, meinen Herrn;
Er führte uns ins Leben; Blumen blühen ihm;
Ich stehe weinend und in höchsten Freuden still
Beim Leichnam hier des besten Mannes unsrer Zeit
Und halte fest sein Schwert, wie's ihm und uns geziemt.
(er geht herunter)
Nun aber nehmt ein Zeichen künftigen Heils. Denn heute
Darf ich vermählen mich mit Gaisos Schwester Skona.
Willst du am Grabe deiner Brüder und vor Augen
Der allgeliebten Mutter dich bekennen jetzt?

Skona

Ja, bei den toten Brüdern, und vor Augen hier
Der Mutter: Gerri, ich bekenne mich zu dir.

Awa

Gott! Unser König, unser Herr! Wahrheit und Kraft
Der Welt! Du nimmst und schenkst uns alles. Und wir danken. –
Gerri, bringt euch ans Ziel; zu mir kommt jetzt das Schweigen.
(Stille)

Nicht nur die Klassizisten, auch die „Shakespeareaner" suchen diesen positiven Schluß; als Beispiel sei das Ende von Fr. Bethges Drama „Anke von Skoepen" zitiert [36]. Die Friedenspolitik des Hochmeisters des Deutschen Ritterordens, Küchmeister, ist kläglich gescheitert. Ulrich, sein Sohn, opfert sich für Anke, die dem Gebot des zaudernden Politikers zuwiderhandelte, als sie Ritter und Bauern gegen vertragsbrüchige, räuberische Polen führte, indem er sich von einem Dach stürzt, als Anke zum Richtplatz geführt wird, wo sie ihren Ungehorsam büßen soll. Küchmeister dankt ab und überträgt Crossin, dem Söldnerführer, das vorläufige Kommando. Anke ergreift Preußens Blutfahne und erhebt sie zum Kampf gegen den Volksfeind im Osten, die wilden Horden Polens und Asiens. Der Franziskaner Donatus zieht Gottes Segen herbei und Barbara, die sich bereits als Prophetin bewährt hat, verkündet den Anbruch einer neuen Zeit. Damit fällt der Vorhang.

Anke

[...] (Hörner) – Sie rufen mir, die Hörner rufen! – sie künden wie Posaune mir dein tönendes Gebot: daß ich die Fahne trage, die dich deckt! – die Männer führe! – ach, woher die Kraft mir?! – dein Wille ist's! – ich komme schon, – ich komme! – lächelst du?! – wie sollte ich mich dir, du Erzgeschienter, wehren? Laß mir die Fahne denn! – nimm es zurück – es brennt mich – das Kreuz! – das dich der Mutter wieder ganz verbinde! – der Mutter – – Erde nun!

Crossin

Führ uns zum Sieg die Fahne Sanct Mariens! – mit deines Vaters, deiner Brüder Blut geweiht –.

Anke (schaudernd)

Wie flammt so rot der Adler!

Crossin

Der Plauen führte sie vordem!

Barbara

Ein Reiher starb dir, Kind, – ein Adler steigt dir auf!

Anke

Er steigt – – gen Ost – –!

[36] Fr. Bethge, Anke von Skoepen, S. 36 f.

Küchmeister

Wir, Michael Küchmeister von Sternberg, durch Gottes Verhängnis Hochmeister des Ordens Sanct Mariä, entsagen allem Irdischen. Nicht verstehen Wir, was über Uns hereinbricht wie Hagelschlag. Ewig in dieser Welt des Truges herrscht das Schwert! – führt's denn an künft'gen Meisters Statt!

Donatus

Im Fall erhebt dich Gott zu seiner lichten Höhe, Bruder Michael!

Crossin

Gehen wir, Jungfrau, an das heil'ge Werk! Gelöscht hat Gott den Scheiterhaufen dir, nun hilf du löschen die Feuersbrünste, die der Pole in wilder Mordgier angefacht! Hilf du, ihn schlagen und die Wunden heilen!

Anke (vor dem Marienbild – stehend)

Mütterchen, du! – sie geben dir andre Namen; aber uns verzeihst du, wenn wir dich mit dem uns seit Kindheit vertrauten, teuersten anrufen: Mütterchen du, dieses mißhandelten, geschundenen Lands, das Fleisch von deinem Fleisch ist, Blut von deinem Blut, – hilf, die du uns in allen Nöten noch beigestanden, hilf, mach uns frei von aller Knechtschaft! – – –

Barbara

– – allen Fremden frei! –

Crossin

Stecht die Pestbeulen auf, die schwärenden des Lands! – das Schwert sei das Skalpell! – Werft all das schwarze Pack, all polnisch', all ermländ'sches in die Weichsel! – der schwarze Tod weicht dann von selbst im Nu! –

Anke

Du, Mütterchen, wirst uns – von Erzgeschienten ein neues Sonnenheer den Wölfischen entgegenwerfen, daß wir bei Tannenberg sie treffen – abermals! – Schon sind sie bei der Riesenburg gestellt – bei Eylau, – Kulm – von kühnen Jägern, Söhnen deines Bluts! – – –

Gesang

Gott, Christe und Marie sind fern, –
Die Welt muß neu geboren wer'n – – –

Crossin

Trag uns voran die Fahne deiner Brüder, Jungfrau, – – Preußens Fahne!

Anke

– – sie weht – – –! (Fanfaren; Aufbruch Ankes und Crossins – von der ergriffenen Menge gefolgt)

Gesang

Am Himmel steht der doppelt Stern, –
Die Welt muß neu geboren wer'n – – – (verklingt)
(an der Bahre kniend Küchmeister)

Donatus (leise)

Benedictus es, domine, in aeternum!

Barbara

Neues – ungekannt – wallet herauf! –

Bethge glaubt, die Geschichte des deutschen Ostens, die sich in den Kämpfen der Freikorps nach dem Ersten Weltkrieg, an denen er selbst teilnahm, und im Sieg des Nationalsozialismus erfüllt habe, sanktioniere die Prophetie und stelle den positiven Ausgang aus den im völkischen Sinne dunklen Ereignissen dar. H. Böhme kann sich auf diese außerliterarische „Rechtfertigung" in seinem Stück „Volk bricht auf!" nicht berufen; er muß die glückliche Zukunft zumindest andeutungsweise darstellen. Das Volk der Normannen ist vor Byzanz durch einen doppelten Betrug, durch den der Byzantiner und den der Guiskardkinder, geschlagen worden; das Heer ist zersplittert, die Flotte droht vernichtet zu werden. Abälard, der sich im Laufe des Stücks als der wahre Volksführer erwiesen hat, sammelt die zersprengten Haufen, gibt den Männern Mut und ordnet den Rückzug. Dieser wird als Aufbruch in eine neue völkische Zukunft begriffen. Die alte Fahne wird religiös verbrämtes Symbol des neuen Aufbruchs [37]:

Abälard
Der Morgen wächst – er wird den Wind vertreiben.
Bei Licht müssen wir auf dem Meere sein!
Reißt Euch zusammen! Fühlt Euch durch die Nacht!
Besonnenheit erfordert diese Schlacht,
Mit diesem Element – es ist ein Kreuzzug.
Franz
Ein Kreuzzug in das ferne Vaterland!
Astolf (eilt herbei)
Verraten ist das Heer!
Fort, fort, entflieht!
Abälard (stößt ihn nieder)
Ein Knecht, der nicht im Willen Freiheit findet.
Liebt einer sonst noch seine Heimat nicht?
1. Krieger
Die Anker brach das wilde Meer entzwei.
Wir sind verloren!
Franz
Traf Euch ein Blitz?
Normanne
Nähm' uns die Erde auf! Wir sind verloren!
Abälard
Rettungslos? Verloren?
Normanne
Fern der Heimat!

[37] H. Böhme, Volk bricht auf!, S. 68–70.

Andere
Arm und heimatlos!
Abälard
Normänner! Aufraffen! Stark sein!
Wir sind nicht verloren!
Hört Ihr das Lied nicht? Wie es lockt?
Es rufen die Toten. Sie mahnen zur Tat.
Sie haben ihre große Pflicht getan,
Die nicht bei ihrem Eigennutz gestorben,
Tun wir die unsre. Tambour, schlage an!
Wir haben ein Ziel, das über den Tod verbindet!
Hört Ihrs? Unser ewiges Lied? Wir sind nicht verloren.
Vaterland! Unser ist der ewige Sieg.
Tambour, Dein Lied: Volk bricht auf!
Gott will uns prüfen, ob wir noch ein Volk sind!
Wohlan! Wir können nichts verlieren!
Alles ist Gewinn,
Jetzt stürmt! Stürmt durch die Nacht mit mir,
Wir werden unsern Weg zur Heimat finden,
Und ginge dieser Weg durch Ewigkeiten!
Volk
Heil Abälard!
Abälard
Volk bricht auf!
Greis
In den Tod!
Abälard
Volk wird den Tod überwinden!
Normänner!
Zwischen dem Meer und der Stadt ist Raum.
Durchbruch! Zwängt Euch hinein!
In die Nacht! Zwischen Meer und Stadt!
Wir müssen noch siegen!
(Tumult im Volk)
Menge
Heil Abälard!
Abälard
Volk bricht auf!
Greift in das Räderwerk seines wilden Schicksals!
Noch stärker als das Schicksal ist der Mensch.
Volk
Heil Abälard!
Abälard
Glaubt und siegt!
Gott gibt uns unser Vaterland zurück!

1. Normanne
  Und die Fahne?
Abälard
  Nicht die Kreuzzugsfahne. Sie ist zu schwarz,
  Sie hat uns betrogen!
  Vier Männer such' ich aus.
  Den toten Herzog deckt mit dieser Fahne,
  Ehrt mir den Riesen, wenn er auch stürzte.
  Der selbst Byzanz halbtot erzittern ließ,
  Und über sich vergaß, was Heimweg ist.
  Mir gebt die alte Fahne mit dem Zeichen,
  Das Robert Guiskard nie vor Augen sah,
  Die Fahne gebt, zur Heimat trag' ich sie,
  Und auf dem höchsten Gipfel pflanz ich sie
  Wie eine Altaresche heilig ein, daß sie zuerst uns
  Unsern Morgen grüßt.
  Ihr schwört jetzt zu.
  Und glaubt an unsern Sieg.
Normanne
  Wohin?
Franz
  Voran!
Abälard
  In der Erstarrung beten wir zu Götzen!
  In der Bewegung dienen wir dem Gott!
Volk
  Heil Abälard!
Abälard
  Mit dieser Fahne ewig in die Freiheit —
Volk
  Heil Abälard!
  (Abälard streckt die Fahne gebannt empor. Erstarkt steht das Volk, und der Führer schreitet voran, das Volk ihm nach mit der Siegesstrophe seines Liedes auf den Lippen.)

Darin nun lag nach Auffassung der Theoretiker des Dramas des Dritten Reichs die letzte und tiefste Aufgabe des Bühnenstücks und der Theateraufführung: die Volkwerdung zu befördern: Das kultische Drama — und das ist jedes „echte" Drama — „wendet sich an tiefere Triebe des Menschlichen: *an die Urtriebe zum Schicksalswissen und zur Schicksalsmacht.* Es bleibt also nicht auf eine hauchdünne Oberschicht beschränkt, wie die Spielstück-Verehrer immer wieder behaupten. Denn diese Triebe umfassen *das ganze Volk.* Diese Triebe wieder zu wecken und für die Erhebung zur Kunst fruchtbar zu machen, wird Ziel künstlerischer Volkserzieher werden müssen. Denn in germanischen Bezirken ist das *Theater des Schicksals* eine Blutsforderung. Im Rhythmus fremden Schicksals wollen wir uns selber finden, wollen kultisch überindividuell um unser eigenes unergründliches Wesen kreisen, um unser Ziel und unsere Richtung zu erschauen, um Macht zu gewinnen über uns selbst und unser Schicksal, um *Volk* zu werden." [38] Das historische Stück, das die Anschauung der eigenen Gegenwart in die Geschichte verkleidend hineinbildete, war die Erfüllung dieses Programms; Fr. Roth schließt sein Kampfstück „Der Türkenlouis" [39] mit einer Deutung (der es allerdings kaum bedurfte) und einem Appell, Volk zu sein und Adolf Hitler als dem Erfüller der Reichsgeschichte treu zu folgen:

Kulpis
Befreiung! (Er sprengt seine Fesseln und flüchtet an die Rampe. Der Zwischenvorhang fällt rasch)
Ja, alles Lebens Höchstes ist die Freiheit!!
Des pflichtbewußten Mannes wahre Freiheit,
Erwachsend aus des eigenen Volkes Freiheit. –
Ihr, die ihr in der Knechtschaft schmachtet, Männer
Und Frauen, denen es das Herz beklemmt,
Ihr alle, Deutsche, von der deutschen Memel
Bis zu den steilen Alpen, firngekrönt,
Ihr Bayern, Preußen, Franken, Sachsen, Hessen,
Seht, Kulpis lebt und bittet euch, seid einig!
Die Hölle selbst hat keine Macht um euch!
Was war noch gestern, Freunde? sagt mir das!
Zerrissen war das arme deutsche Land,
Wie es vor zweimal hundert Jahren war.
Ein Spott war dieses Volk der Welt, ein Raub
War es des gierigen Feinds. Warum?
Weil Zwietracht und Verrat und Niedertracht
Die Zeichen seines Handelns waren, Freunde!
Die Besten mit dem Schmutze der Verleumdung
Schamlos beworfen wurden. Liebe Freunde,
Was war denn mit dem deutschen Rhein?! – – Verräter!! –
Was mit dem Main?! – Wo saßen die Verräter?!
Was mit dem Osten?! Was ists *noch* damit?!
Ob Hunnen, Türken, Slawen und Chinesen,
Es ist ein Urgesetz von Anbeginn,
Daß sich die Völkerschaften dieser Erde
Von Ost nach West bewegen. Oh, Gefahr!!
Und Frankreich, blind, gibt Geld und Instrukteure.

[38] F. Emmel, Theater aus deutschem Wesen, S. 33.
[39] Fr. Roth, Der Türkenlouis, S. 84.

Ach, daß es aufrecht mit uns Frieden wollte!
Und Wien!! – Du liebe Schwester Wien, kehr wieder
Aus der Verirrung heim ins heilige Reich!
Aus dir ward uns der starke Held geboren,
Der aller Helden, die hinabgegangen,
Sehnsüchte nun erfüllt. Der Himmel gab ihn.
So folget *ihr* ihm nach und schwört ihm zu,
Auf daß ein Reich in Glück und Fried gelinge!
Denen, die in der Vorzeit kämpften, Ehre!
Dem einen aber Heil, das walte Gott.

Was bei Roth Appell bleibt, versucht K. Heynicke in seinem Thingspiel „Der Weg ins Reich" darzustellen [40]: In einem Tal ist die Wasserflut durch den Bau eines Staudamms gebannt worden. Nach vollbrachter Arbeit stellt sich die Gemeinschaft für sich selbst dar und bekennt sich zu sich selbst. Sie wird nicht durch gemeinsame Interessen, wechselseitige Abhängigkeit oder gemeinsame Lebensbedingungen zusammengehalten, sondern durch eine mythische Mitte, die durch das Wort Deutschland eher angedeutet als gedeutet wird; es ist die schicksalhafte Volksgemeinschaft. Der Impuls der Handlung ist auch hier (wie bei Roth und allen bisher genannten Beispielen) nicht bühnenimmanent, sondern bezieht sich nach außen, auf die Zuschauer. Die Bühnengrenze (Spielfeldgrenze) wird durchbrochen, und am Ende bilden im Absingen der Nationalhymne Spieler und Zuschauer eine Einheit; die Zuschauer sind ins Spiel integriert und Glied der auf der Bühne konstituierten Gemeinschaft geworden [41].

(Der Hauptchor und der Chor der Kämpfenden marschiert — von der Spielmauer her — wieder auf den Platz. Einige Gruppen tragen Handwerkzeuge, Hacken, Spaten, Äxte, Brecheisen, Maurerkellen, Hämmer, Sägen usw.)

Marschgesang
Die Arbeit braucht Soldaten,
Soldaten neuer Zeit,
Mit Hacke und mit Spaten,
Zu jungem Dienst bereit.

[40] K. Heynicke, Der Weg ins Reich, S. 42–49.

[41] Der literarhistorische Ursprung des Thingspiels — gerade hinsichtlich dieser Funktionen — ließe sich wohl in den fêtes der Französischen Revolution suchen, in denen das Volk sich selbst für sich selbst in seinem Siegestriumph, in der Trauer um die Toten der Revolution und in der Verehrung des Etre Suprême darstellt. Zugleich sei an die Arbeitslieder erinnert, die in der Revolution in riesigen Massen produziert wurden.

Nicht Heldenlieder sagen
Der Welt den Ruhm ins Ohr
Von Schlachten, die geschlagen
In Feld und Wald und Moor.

Durch Arbeit sind wir Sieger
Wohl über Not und Streit.
Wir allesamt sind Krieger
Für eine neue Zeit.

Um unser Werk zu schützen,
Da stehn wir stark und frei.
Doch wenn einst Wetter blitzen,
Dann sind wir auch dabei.

Wir sind die Wegbereiter,
Und das ist unser Stand,
Des Friedens frohe Streiter
Fürs deutsche Vaterland.
(Die Chöre haben sich gruppiert)

Der Heimkehrer
Ich hatte, ihr Freunde und Kameraden,
Mich wieder in Deutschland zu Gaste geladen.
Ich wollte nur glauben, was ich *sah,*
Denn rings um die Heimat viel Lüge geschah!
Ich wollte wissen, und nicht nur fühlen.
Ich wollte in die Herzmitte zielen.
Ich suchte des Reiches Geist und Sinn.
Da traf es mich selber. Da gab ich mich hin!
Durch Menschenhand ward es vollbracht,
Ist Abbild der großen, strebenden Macht.

Der Kämpfer
Ja, was im *großen* rings geschieht,
In jedem von uns singt es sein Lied!
Und was ein Menschensinn erdacht,
Durch Menschenhand ward es vollbracht,
Und in unerhörter Reinheit
Wurden Faust und Stirn zur Einheit.

Chor der Kämpfenden
Das Erstandne ist ein Zeichen,
Das Gewordene befiehlt!

Hauptchor
Woll'n uns stets die Hände reichen,
Wenn ein Unhold nach uns zielt!

Der Heimkehrer
Das Werk ist gelungen!

Hauptchor
Die Arbeit getan!
Der Kämpfer
Hat jeder seinen Teil daran!
Einzelstimme aus dem Chor
Du!
Einzelstimme aus dem Chor
Und du!
Einzelstimme aus dem Chor
Und der!
Einzelstimme aus dem Chor
Und die!
Einzelstimme aus dem Chor
Und ich!
Einzelstimme aus dem Chor
Und der!
Einzelstimme aus dem Chor
Und sie!
Hauptchor
Wir alle!
Der Kämpfer
Denn es kommt auf jeden an!
Hauptchor
Jedermann ist Nebenmann!
Der Schwankende (taucht auf zwischen Zuschauern und Chören)
Ich weiß noch immer nicht, wohin ich gehöre.
Gehör ich zu euch oder unter die Chöre?
Am besten ist's die ganze Pracht
Jetzt unauffällig mitgemacht!
Chor der Kämpfenden I und II
Ja, es kommt auf jeden an! –
Alle (mit Geste zu den Zuschauern)
Auf euch alle kommt es an!
Der Schwankende (eifrig)
Was ihr hier sagt, hab ich ja immer gesagt,
Ich hab mich nur nicht so hervorgewagt.
Jetzt reiß ich das Maul auf, jetzt bin ich da –
(er drängt sich in den Chor)
Bloß, wie immer, mit Vorsicht – hurra!
Chor der Kämpfenden I
Nie ein klares Wort gesagt!
Chor der Kämpfenden II
Nie die klare Tat gewagt!
Der Kämpfer (packt den Schwankenden am Kragen, wirft ihn hinaus)
Weg mit ihm – – ein halber Mann!

Chor der Kämpfenden I und II
Nicht auf diesen kommt es an!

Hauptchor
Nein, auf *den* kommt's gar nicht an!

Der Schwankende (humpelt davon, steht)
Na wartet! Euch schlägt eines Tags das Gewissen!
(schreiend)
Daß doch die besten Kräfte verkümmern müssen!
(am Rande des Spielfeldes, gegen die Zuschauer, klagend)
Da hat man's wieder! Auf einen Meister, ein Genie –
Auf einen Kerl wie mich – – verzichten sie!
(Er verschwindet)

Der Kämpfer
Im Wollen, dem *reinen*,
Entfaltet sich Macht!
Wir zeigten im kleinen,
Was im großen vollbracht!

Chor der Kämpfenden
Aus Glaube ward Wille!
Aus Wille wird Macht!

Hauptchor
Und mächtig ist Deutschland
In uns erwacht!

Der Kämpfer
Von Zwietracht und Hader
Kamen wir los,
Jeder für jeden,
So sind wir groß.
(Trommeln und Fanfaren – Der Fackelträger erscheint auf der Spielmauer)

Der Fackelträger (hebt die Fackel)
Die Fahnen hoch!
(Unter Trommelwirbel – Fahnen hoch)
Vom Winde geschwellt
Stehn sie vor uns und stehn vor der Welt!

Chor der Kämpfenden I
Sie sehen uns an und ziehen uns mit!

Chor der Kämpfenden II
Ein ganzes Volk im gleichen Schritt!

Chor der Kämpfenden I und II
Das ganze Volk zusammengeschweißt – –

Hauptchor und Chor der Kämpfenden
Vor uns die Fahne . . .!

Der Kämpfer (fällt ein)
Und in uns der Geist!
Das heilige Zeichen, in dem wir verbündet!
Die Fackel her! Und die Feuer entzündet!
(Unter ganz leisem Trommelwirbel eilt der Fackelträger mit der brennenden Fackel zu dem Kämpfer. Er überreicht dem Kämpfer die Fackel. — Gleichzeitig ordnen sich die Chöre in neuer Gruppierung. Sie sind, wie beim Beginn des Spiels, im Halbrund, aber näher an der Spielmauer, sie stehen in feierlicher Erwartung, bis der Fackelträger, der durch ihre Mitte eilt, die Fackel dem Kämpfer gegeben hat. — Auf dem Platz sind fünf Säulen — Feuerstellen — errichtet)

Der Kämpfer (eilt zu der ersten Säule, die er entzündet. — Er spricht den Feuerspruch)
Licht und Flamme unsrer Ehre,
Feuerzeichen der Altäre,
Jag dich, Fackel, so hinein,
In den *andern* Flammenschein:
Segne, Flamme, unsre Taten,
Laß sie alle recht geraten.
Gib den Feinden keinen Raum,
Hüte unsern deutschen Traum.
Volk und Land bewahr in Frieden,
Doch gib uns auch Kraft hienieden,
Einigkeit der Welt zu zeigen.
Also, Flamme, sollst du steigen!
(Er geht von einer Feuerstelle zur anderen und entzündet alle. Während dies geschieht, wiederholen Hauptchor und Chor der Kämpfenden singend den Feuerspruch. Dann setzt ein)

Chor der Kämpfenden I
Denn Einer brach aus trüber Zeit
Den Traum — und gab uns Wirklichkeit.
Chor der Kämpfenden II
Einer trug sieghaft das Wort durch die Nacht,
Einer hat herrlich die Flamme entfacht.
Eine helle Stimme
Wie heißt die Fahne, zu der wir schwören?
Und das Wort, auf das wir hören?
Hauptchor und Kämpfende
Deutschland!
Chor der Kämpfenden I
Nun knattern die Fahnen uns Sturmgesang!
Chor der Kämpfenden II
Nun stürmen die Lieder die Straßen entlang!
Hauptchor und Kämpfende (alle)
Deutschland!

Chor der Kämpfenden I und II
Und lischt der Flammen
Feuriger Chor,
Eine ewige Flamme
Lodert empor:
Hauptchor und Kämpfende (alle)
Deutschland!
(Die Feuer brennen)
Der Kämpfer (ohne Fackel)
Hebet alle nun die Hände,
Schwört an dieser Zeitenwende:
Wie des Schicksals Los auch fällt:
Alle
Deutschland! Deutschland über alles!
Über alles in der Welt!
(Gesang der beiden Nationalhymnen [42])

An den letzten Beispielen aus der Bühnenliteratur des Dritten Reichs wird deutlich, wie die „Dichtung" in Theorie und Praxis eingespannt wurde in das, was die Doktrinäre des Nationalsozialismus — vor allem in SA und Arbeitsfront — den Volkssozialismus nannten. Dieser völkische Sozialismus, der den Kriegssozialismus des 1. Weltkriegs erneut aufleben ließ, sollte der wahre sein, während Marxismus und Sozialdemokratie als der ideologische Ausdruck des westeuropäischen Kapitalismus und des jüdischen Bolschewismus hingestellt wurden, deren politisches Ziel es sei, Deutschland nicht nur militärisch zu zerstören sondern auch gesellschaftlich aufzulösen. Diesem „Sozialismus" war aller sozialistischer Impuls genommen, er leugnete alle gesellschaftlichen Antagonismen, hielt sie vielmehr nicht für wesentlich; an der Stelle der Klassen und Interessengruppen standen die Stände und Berufsgruppen, anstatt von der Auseinandersetzung zwischen gesellschaftlichen Gruppierungen sprach man von der völkischen Gemeinschaft, deren gemeinsame Zukunft die Aufgabe der Gegenwart sei, für den Interessenkampf setzte man lieber den Führerwillen als Inkarnation der volonté générale, und wo diese Konstruktion nicht mehr verständlich zu machen war, trat das Schicksal ein, d. h. die Faktizität der bestehenden Machtverhältnisse. Der spannungsvollen gesellschaftlichen Situation der bürgerlichen Welt wurde der kleinbürgerliche Traum des interessenharmonisierenden Ständestaats auf „natürlicher" Basis entgegengestellt, der nach innen Konflikte im status quo beruhigt und nach außen

[42] D. h. des „Deutschlandliedes" und des „Horst-Wessel-Liedes".

— wie besonders die Passage über den „Helden" und dessen weltanschauliche Begründung zeigte — den Feind siegreich und kompromißlos zerschmettert. Wo sich dieser Traum von der stabilen, konflikteinfrierenden Gesellschaft nicht in die historische Wirklichkeit übersetzen ließ, mußte die Bühnen-Poesie Realität liefern, indem sie die gewünschte Zeitanschauung als realisierbar vorstellte oder in der Geschichte das der Gegenwart Verweigerte suchte oder im vorgeblichen Mythos die ersehnte Situation metaphysisch gerechtfertigt „zur Anschauung" brachte. Ihren höchsten Grad erreichten diese Betrebungen in den Schlüssen der Dramen, wenn sie christlich-religiöse Vorstellungen in sich aufnahmen, und sich das Leben des völkischen Helden ins Heiligenleben wandelte. So wird Giordano Bruno in Kolbenheyers Drama „Heroische Leidenschaften" [43], in denen er als germanisch-deutscher Lebensphilosoph auftritt, in die Glorie eines Religionsstifters gehoben: Bruno hat sich ganz zu seiner Lehre bekannt, indem er allen Versuchungen, der Gewalt der Inquisition zu entkommen, widerstanden hat, da seine Lehre nach seiner Meinung seinen Opfertod fordert:

> (Giordano ist gegen das große Kreuz gewandt, er breitet die Handflächen gegen das Kreuz, ohne die Hände vorzustrecken. Unter den Kreuzarmen erscheinen in mattem Lichte die Visionen des Christus und des Sokrates.)

Christus
Bist du bereit?
Giordano
Ich bin bereit.
Sokrates
Du sprichst noch von *deiner* Wahrheit?
Giordano
Ich will sterben für sie.
Sokrates
Auch wir sind für die Wahrheit gestorben. Nicht aber für *unsere*.
Giordano
So lehre mich, großer Meister von Athen!
Sokrates
Du wirst sterben. Die Menschen werden deine Wahrheit nehmen, und sie wird nicht mehr die deine sein. Sie werden deine Wahrheit zu der ihren machen. Mit deinem Staube wird das verwehen, was an der Wahrheit, für die du sterben willst, dein gewesen ist. Schonungslos werden die Menschen mit deiner Wahrheit umgehen, denn alles Lebende ist der Vergewaltiger des Toten. Und du wirst deine Wahrheit nicht wiedererkennen, wenn etliche Geschlechter darüber hingegangen sind. Auch uns ist so geschehen.

[43] E. G. Kolbenheyer, Heroische Leidenschaften, S. 75 f.

Christus

Bist du bereit? Bist du auch dann bereit?

Giordano

Lehre mich, großer Meister von Nazareth!

Christus

Du wirst sterben. Die Menschen werden deine Wahrheit nehmen und sie werden deinen Namen eitel nennen, wenn sie von dem reden, was sie aus deiner Wahrheit gemacht haben. Nicht nur mit deiner Wahrheit, auch mit dir selbst wird ohne Schonung umgegangen werden, denn alles Leben fürchtet nur das Lebende und achtet das Tote nicht.

Giordano

Wird es nicht genug sein, wenn die Menschen ihrer Art und Unvollkommenheit nach auf dem Wege weitergehen, den ich meine Offenbarung genannt habe, geschehe auch alle Grausamkeit des Lebens an mir? Wird das nicht meines Todes wert sein?

(Christi Vision und die des Sokrates winken Giordano feierlich.)

Christus

So freue dich deines Todes!

Sokrates

Sei gegrüßt, du Bruder!

(Giordano breitet ihnen die Arme entgegen.)

Die aus pantheistischen Gedankengängen gespeisten Variationen der Grundlagen der Lebensphilosophie, die im Stück durch den Helden vorgetragen werden, werden durch die Schlußvision entindividualisiert; sie werden von der Person des Protagonisten gelöst und zu Wahrheiten schlechthin erhoben; die Sätze, die der Bühnen-Bruno verkündet, sollen durch die Schlußvision philosophisch und religiös bestätigt werden. Indem die formulierten Lehren sanktioniert werden, erscheint der Kolbenheyersche Lebens- und Gottesgedanke, den Bruno verkündet, als gleichwertig in der Reihe der griechischen Philosophie und der christlichen Verkündigung. Ja, indem visionär prophezeit wird, die Nachwelt werde der Lehre Brunos — Kolbenheyers folgen, erhebt diese den Anspruch, der philosophische Ausdruck der Gegenwart zu sein, der sich würdig der Tradition der großen Weisheitslehrer anschließt. Damit erhält der Schluß einen Ruf zur Gefolgschaft.

Manchen Dramatikern indes genügte diese Durchbrechung des Bühnenraums unter Zuhilfenahme religiöser Vorstellungen nicht; sie sahen das Geschehen ganz in sakralen Zusammenhängen, und scheuten sich nicht, christliche Heilslehre und völkische Weltanschauung zu identifizieren: Der Unbekannte Soldat des Ersten Weltkriegs ist wiedererstanden; er hat den bösen Geist — als Jude dargestellt — überwunden, indem er das geknechtete

Deutschland erneut zu dem Volk der Arbeitenden zusammenschweißte. Der böse Geist will ihn wieder in die Erde der Schlachtfelder verbannen — das ist die Konstellation vor der Schlußszene in Euringers „Deutsche Passion 1933"[44]. Der Autor zögert nicht, das Geschehen von Golgatha und Christi Himmelfahrt mit den Ereignissen von 1933 zu identifizieren und den politischen Vorgängen nebst ihren Initiatoren religiös-christliche Weihe zu geben.

Toter Vater
Gern will ich mich bescheiden.
Gern gönn ich ihnen Kampf und Plag,
Schlaf selig bis zum jüngsten Tag.
Komm, Bruder Wurm! Zerstäub mein Gebein!
(entschlummernd)
In Frieden will ich schlafen ein.
Böser Geist
Sonst hätt ich euch noch was erzählt!
Das hat mir grade noch gefehlt!
(schlägt mit Latte aufs Erdreich)
Und er, mit seinem Stachelkranz!
Wie steht das nun mit der Vakanz?
Es wandeln mir nicht Leichen
Zugleich in beiden Reichen.
Wer hat den Paß ihm ausgestellt
Für Ober- und für Unterwelt?
Entscheidung, bitte! Und zwar schnell!
Leib oder Geist! Los! Zum Duell!
Die Mutter
Maßt du dir an, zu richten?
Den Leib magst du vernichten.
Böser Geist
Zu Ende, sag ich, die Vakanz!
Die Mutter
Aus seinen Wunden bricht ein Glanz.
Sein Geist strahlt aus der Dornenkron.
Unsterblich stirbt der Mutter Sohn.
Guter Geist (der namenlose Soldat)
Ein Volk am Werk. Es ist vollstreckt.
Es wacht mein Geist, der euch erweckt.
Böser Geist
Gut! Guter Geist! Reiß dich entzwei,
Und fahr zur Hölle mit Geschrei!
Den Leib hinunter in die Nacht!

[44] R. Euringer, Deutsche Passion 1933, S. 45—47.

Viele Frauenstimmen
Die Mutter
Da schwebt er auf!
Guter Geist (aus der Höhe)
Es ist vollbracht.
Böser Geist
Verdammt! Jetzt fährt das Aas empor!
Viele Frauenstimmen
Kinderstimmen
Hört! Hört! Aus Chören hört . . . den Chor!
Chöre der seligen Krieger (aus Himmelshöhen Stimmen der Jungdeutschland-Regimenter)
Mutter, klag nicht, daß wir geendet!
Es war nicht umsonst: wir sind vollendet.
Die Mutter (erschüttert, aber stark)
Selig die Vollendeten, schwerebefreit.
Selig die Lebendigen; denn ihrer ist die Zeit.
(Schluchzende Mütter. In das Schluchzen dringt ein irdisch Marschlied heran.)
Böser Geist
Das auch noch! Da zerplatz doch gleich!
Das also gibt's: ein drittes Reich!!?!!
(Mit Getöse in die Tiefe. Aus den Himmeln Orgelton. Fernwerk. Sakral. Rhythmisch und harmonisch vermählt dem irdischen Marschlied.)

In diesem Stück, das ursprünglich als Hörwerk angelegt war, sind die Personen wenigstens keine individuellen Bühnenfiguren; in Ewers/Beyers Stück „Stürmer!" [45], einem realistischen Bühnenwerk, dagegen erlebt die Hauptfigur Stürmer (H. Wessel) ihre leibhaftige (angedeutete) Himmelfahrt! Stürmer erwartet seine SA-Kameraden, die ihn abholen wollen, um ihn zur Bahn zu geleiten. Aber er hat seinen Entschluß, vor den Kommunisten zu fliehen, mittlerweile revidiert und ist entschlossen zu bleiben. Inzwischen sind die Kommunisten bereits in der Wohnung, in der er logiert, erschienen, um ihn zu ermorden; mitten in einer Vision vom neuen Menschen trifft ihn die Kugel, und am Ende erhebt ihn eine wahrhafte ascensio in die Morgenfrühe des neuen Reichs.

Stürmer (ist durchs Zimmer gegangen, schaut durch die Gardinen am Fenster, kommt wieder zurück. Fast visionär)
Werden schon kommen, die Kameraden! — Die sind mein, mein Fleisch und Blut — die Prachtkerle vom Sturm! — Hast du mal was von Goethe gehört, Mädel? War so 'n alter Geheimrat, hat viel geschrieben, was du nicht begreifst. Aber schön, schön — alles! Und Gedichte — als ich auf der Schulbank

[45] H. H. Ewers/P. Beyer, Stürmer!, S. 133—137.

saß, konnt' ich sie stundenlang hersagen. Eines — „Prometheus" heißt das. Und es schließt: „Hier sitz' ich, forme Menschen nach meinem Bilde, ein Geschlecht, das mir gleich sei!" Siehst du, Kind, das ist es! Das ist's, was in Deutschland der Führer tut und in Berlin unser Doktor — und — und — auch ich in meinem Sturm! (Er geht wie begeistert durchs Zimmer.)

Eva (still ihm nach)

Oh — bitte, bitte —

— — — — — — — — — — —

Dombrowsky

Von sein' Sturm quatscht er!

Lydia

Quatsch *du* nicht — macht eure Knarren fertig.
(Man hört das Entsichern der Pistolen)

Emil

Jetzt klopp ick an — un denn — —

— — — — — — — — — — —

Stürmer (sehr begeistert)

Menschen schaffen — Menschen! Ein neues Geschlecht — eine neue deutsche Gemeinschaft. Einer kommt nach dem andern — mehr, immer mehr! Und einmal, einmal kommt die Zeit — (Es klopft hart.)

Stürmer

Da sind die Kameraden! Her zu mir — her! (Er geht zur Tür, öffnet, tritt einen Schritt in den Flur) Nun, kommt doch, Jungens! (Dann drei Schüsse, hintereinander. Stürmer, mit blutbespritztem Hemd, taumelt zurück ins Zimmer, fällt beim Tisch auf das Liegesofa nieder.)

Dombrowsky

Nazi verrecke!

Emil

Det ham wa jeschafft!

Stanek

Ick war et!

Lydia (schrill)

Tod allen Faschisten!

Eva (schreit)

Mörder! Tiere! Tiere!

(Durcheinander)

Hahn

Nu raus, nu schnell raus! (Sie drängt alle aus der Flurtür, verschwindet nach hinten. Eva stürzt zu dem Schwerverwundeten, richtet den Oberkörper mühsam auf, schiebt Kissen in den Rücken. Er liegt nun grade zum Zuschauer auf dem Sofa, den Oberkörper erhoben.)

Eva (bei ihm kniend, wimmernd)

Herrgott — Herrgott — — (dann schreiend) Tiere! Tiere!
(Das Zimmer hat sich so verdunkelt, daß außer Stürmer, der von einem dünnen weißen Strahl getroffen wird, nichts mehr zu erkennen ist, auch Eva nicht. Während des Folgenden glüht — die Zimmerwand ist rasch hochgezogen — der Rund-

horizont in einer ganz leichten Röte auf, die sich allmählich zu einer klaren, vollen Morgenröte steigert. Eine tiefe Glocke schlägt an — dann fernher Orgelchoral)

Stürmer (richtet sich noch einmal auf, öffnet die Augen, breitet die Arme aus, spricht halblaut, sehr innig, in die tiefe Stille das eine Wort)

Deutschland —! (Dann sinkt er zurück, schließt die Augen. Der Orgelchoral setzt wieder ein)

Stimme aus dem Raum

Am Tage der Freiheit,
An Deutschlands großem Tage —
Wenn zum letzen Appell
Die Trompeten blasen —
Jeden wird man rufen
Jeden —
Und auch deinen Namen,
(Wie beim Aufruf, stark)
Kamerad Stürmer!!

Ganzer Chor (groß)

Hier!!

Harte Stimme

Und alle antworten für dich — alle! — Denn die S.A. — das ist Stürmer.

Weiche Stimme

Und Stürmer —

Harte Stimme

Und Stürmer —

Ganzer Chor

— ist die S.A.!
(Pause)

Weiche Stimme

Einst war er ein Wanderer zwischen zwei Welten, zwischen dem Gestern und dem Morgen, zwischen dem, was war, und dem, was kommen wird. Er war ein Kämpfer für das erwachende Deutschland, für Freiheit und Brot, war ein junger Held —

Harte Stimme

Wo immer Deutschland ist, da bist auch du, Stürmer. —

Ganzer Chor

Wo immer Deutschland ist, da bist auch du, Stürmer. —
(Pause)

Weiche Stimme

Alle kennen dein Leben.

Harte Stimme

Alle kennen dein Leben, dies eisenharte, eisklare Leben.

Ein Stimmenquartett

Zeugen von ihm alle!

Ganzer Chor
Alle! Von ihm! Der sein Leben Deutschland einhauchte!
Harte Stimme (stark)
Von ihm! Der nie sterben kann, solang' Deutsche leben!
Weiche Stimme (zart)
Von ihm! Dessen Leben ist: Gleichnis und Vorbild!
Harte Stimme
Gleichnis!
Ganzer Chor (stark)
Und Vorbild!!
(In das gewaltig anschwellende Orgelbrausen hat sich großes Glockengeläute gemischt. Der rote Hintergrund glüht jetzt am stärksten. Stürmer, ekstatisch, im weißen Lichtstrahl mit erhobenen Armen, scheint zu entschweben — wie körperlos)

Alle Mittel, die benutzt werden, ein Schlußbild zum emotionalen Gipfel eines Bühnenstücks zu machen, findet der Betrachter hier wieder: Durchbrechung des Bühnenraums durch Licht und Ton, religiöse Bezüge, das Bekenntnis und der Aufbruch aus dem Niedergang, die schicksalshafte Lebensmacht des Todes, Appell auf Gefolgschaft; es fehlt allein der direkte Einbezug des Publikums ins Spiel, aber durch eine gesteigerte Emotionalität hoffen die Autoren auch hier, eine Wirkung über den Augenblick hinaus zu erreichen, indem die „Haltung" von ihrem Träger abgelöst und als allgemeines Vorbild dargestellt wird. Einziges Ziel ist es, eine frei verfügbare Emotionalität, die auf Kampf gerichtet ist, zu gewinnen, ohne daß allerdings der Inhalt und die Art und Weise dieser „heroischen" Auseinandersetzungen bereits fixiert wären; das bedeutet — mit den Worten E. W. Möllers — ein tragisches Weltgefühl entwickeln, ein „Gefühl dafür, daß sich alles Leben aus Kampf gebiert, durch Kampf entwickelt und im Kampf erfüllt. Das ist eben keine Frage der Erkenntnis, die nur aus der Vernunft entspringt, sondern allein des Gefühls, welches den Glauben erzeugt"[46]. Wenn dieses Ziel erreicht ist, dann „werden große Tragödien neuer Prägung entstehen, aus denen der Zuschauer mit wuchtigem Schritt hinausgeht, mit hoher Haltung, das Auge klar, die Nacken aufgerichtet. Denn: wie der Zuschauer *hinausgeht,* darauf kommt es an. Nicht, daß er überhaupt hineingeht."[47]

Dem „Helden" entspricht somit ein Zuschauer; beide sind in der Dramaturgie aufeinander bezogen. Denn jener soll keine reine Bühnengestalt blei-

[46] E. W. Möller, Die deutsche Tragödie, S. 116.
[47] P. Beyer, National-Dramaturgie, S. 15.

ben, der sein Wesen in ästhetischen Kategorien erfüllte; vielmehr ist die (weltanschauliche) Wirklichkeit den Theoretikern des Dritten Reichs Teil der kunsttheoretischen Sphäre. Deswegen soll der „Held" dem „Geist der Zeit" verpflichtet sein, auf den Zuschauer bezogen werden, der seinerseits — suchend — im „Helden" ein Urbild für seine menschliche Situation im rassischen und völkischen Kampf ums Dasein finden soll. Beide sind ohne einander gar nicht zu denken und insofern Fixpunkte der Dramaturgie des Dritten Reichs.

Da diese aber nun durchaus kein systematisches Gefüge ist, ja oft sogar widersprüchlich konzipiert wurde und am Ende in der Weltanschauung immer ihren Bezugspunkt finden sollte, so sind auch die oben genannten Beziehungen nicht bei jedem Autor und Theoretiker in gleicher Weise gesehen und dargestellt worden; so ist etwa — um extreme Positionen zu formulieren — Bacmeister fast ausschließlich an der ihm innerliterarisch und philosophisch erscheinenden Frage des Helden interessiert gewesen, Johst dagegen vor allem an der Wirkung, die ein Stück auf den Zuschauer haben sollte. So bestätigt sich am Schluß dieser Betrachtungen eine Beobachtung, die bereits zu Beginn der Darlegungen mitgeteilt wurde, daß es nämlich „das Drama des Dritten Reichs" im Sinne einer geschlossenen Theorie und einer harmonisierenden Praxis nicht gibt, eine Feststellung, die bereits von kritischen Zeitgenossen getroffen wurde: „Das Drama der heutigen Zeit weist auch [wie es keine zusammenhängende Darstellung des dramatischen Schaffens dieser Zeit gibt] keine so deutlichen Zusammenhänge und Polaritäten auf, wie dasjenige des Expressionismus; dazu ist es nicht literarisch genug, ist es zu stark in die Gesamtbewegung der Zeit verflochten." [48] Die weltanschauliche Bindung stiftet dann allerdings doch eine Art Zusammenhang, die es dem historisch distanzierten Betrachter der Szene erlaubt, von einem Drama des Dritten Reichs zu sprechen, unter dem Vorbehalt, daß man darunter keine geschlossene Erscheinung, sondern eine Summe von Verwandtem verstehen will.

Die voraufgegangene Darstellung hofft, Ansätze gezeigt zu haben, mit literaturwissenschaftlichen Fragestellungen über die Klassifizierung der Literatur des Dritten Reichs als Propagandaliteratur oder als epigonale Produktion hinauszukommen, indem sie darauf aufmerksam macht, daß Epigonalität auch ein historisch-gesellschaftliches Ereignis ist: Gerade indem sich die Theaterliteratur peinlich bemüht, die formalen und inhaltlichen

[48] R. Petsch, Drama und Theater, DVjS 14, 1936, S. 649.

ästhetischen Muster einer aus dem 19. Jahrhundert tradierten Kunstauffassung zu erfüllen, kann sie die ideologischen Werte „Haltung" oder „Ausharren" in einer angeblich zeitlosen Kunst, die individuelle Aussage und interessengebundenes Meinen zu übersteigen vorgibt, als ewige Daseinshaltungen des wahrhaften Menschseins auszuweisen hoffen. Wo naturalistische und expressionistische Formelemente aufgenommen werden, d. h. wo der Kunstcharakter am wenigsten traditionell ausgewiesen ist, schrillt der Propagandaeffekt am ehesten durch. Das Theater des Dritten Reichs stellte die Begegnung von Mensch und Schicksal im Sinne des völkischen Geschichtspessimismus dar, der erklärte, hinter der (zugegebenermaßen miserablen) Realität die noch realere Realität des Tragischen als Wesen der Geschichte zu zeigen, vor der sich die geschichtliche Wirklichkeit in ihrer Faktizität als ein So-und-nicht-anders erweisen mußte und das, was real aller Wünschbarkeit Hohn sprach, ontologisch gerechtfertigt erschien. So war diese Literatur gerade als Dichtung, die mit der Miene auftrat, ewige Kunst zu sein, aufs innigste Bestandteil des Dritten Reichs. Sie wollte denn auch weniger neue Anhänger gewinnen als vielmehr das ideologische Selbstbewußtsein der Gefolgsleute festigen, ihre Wirkungsintention liegt am ehesten in einem Akt der Autosuggestion. In dieser Weise sind die literarischen Formen und der „Geist der Zeit", wie er sich dem Dritten Reich darstellte, aufs engste verbunden. Somit wird (klein)bürgerliche Kunstauffassung zum Politikum, und zugleich erweist es sich als ein Politikum, daß diese bürgerliche Nachfolgekunst die Realität erkennen und das Handeln (bzw. Nicht-Handeln) bestimmen zu können meinte. Die historisch-gesellschaftliche Situation war dadurch charakterisiert, daß sie die künstlerische Epigonalität als Moment ihres Kulturmusters in sich einschloß.

IX. KURZGEFASSTE INHALTSANGABEN DER ZITIERTEN DRAMEN

E. Bacmeister: *Der Kaiser und sein Antichrist*

Bei der Teilung des Reichs Karls des Großen soll Pippin als Erzbischof von Trier die geistige Mitte des neuen Reichs sein; aber er schlägt aus und eröffnet seinem Vater als Alternative zu dessen christlicher Reichsidee seine Lebenslehre: Christus habe nicht durch seinen Tod, sondern durch sein Leben heilbringend gewirkt. Der Mensch solle sich selbst in der Tat erlösen und für sich selbst zeugen. Er, der Reine, wird ins politische Intrigenspiel gezerrt, so daß Karl seinen Tod für politisch notwendig hält. Pippin akzeptiert seinen Tod, den er — freiwählend — als schöpferischen Tod versteht, indem er sich freidenke, sich zur Lichthöhe, zu Christus, zu Baldur emporschwinge.

E. Bacmeister: *Kaiser Konstantins Taufe*

Im Streit der Religionen setzt Kaiser Konstantin, sich auf freies Geist- und Menschentum berufend, sich selbst göttlich; in den Auseinandersetzungen mit den Absolutheitsansprüchen der christlichen Kirche muß er allerdings erkennen, daß er historischen Unabwendbarkeiten unterworfen ist. Im Opfertod ermöglicht der Philosoph Sopater dem Kaiser, den Mechanismus des Handelns zur tätigen Freiheit zu überschreiten und — indem er sich beugt — im Geiste frei zu bleiben.

Fr. Bethge: *Rebellion um Preußen*

In den Auseinandersetzungen des deutschen Ritterordens mit dem Polenkönig Jagiello kann der männlich-kriegerische Hochmeister Heinrich v. Plauen nicht der innenpolitischen Opposition Herr werden, die eine absolute Verständigungspolitik treibt. Da kommt es zu einer nationalen Erhebung des Landadels und junger Ordensritter, die Plauen gegen die Erfüllungspolitiker verteidigen und das Ordensland in ein weltliches Herzogtum verwandeln wollen. Aber Plauen verurteilt die Rebellen zum Tode, weil er Gottes Auftrag nicht zu haben glaubt, und räumt den feigen Intriganten und Landesverrätern unter der Führung Küchmeisters das Terrain.

Fr. Bethge: *Anke von Skoepen*

Michael Küchmeister, nun Hochmeister des deutschen Ordens, hat mit seiner unmännlichen, widernationalen Erfüllungspolitik gegenüber Jagiello von Polen jämmerlich Schiffbruch erlitten. In letzter Not hat ein junges Mädchen, Anke von Skoepen, Landbewohner und Ordenssoldaten in einen Kampf gegen räuberische Polenhorden geführt. Küchmeister verurteilt sie zum Tode; da opfert sich Ulrich, der illegitime Sohn Küchmeisters; der dankt ab, die Landesverräter ziehen sich zurück, und Anke erhebt die Fahne Preußens zum Kampf gegen den Osten.

Fr. Bethge: *Marsch der Veteranen*

Als der russische Staat den Veteranen des napoleonischen Kriegs die Versorgung verweigert, organisiert der aufrechte, soldatisch gesonnene Hauptmann Kopejkin einen Hungermarsch auf Petersburg, während der anarchistische ehemalige Student Otoff auf dem Wege der offenen Gewalt das Recht erzwingen will. Der russische Generalgouverneur, ein aufrechter Preuße, erkennt das verbindende Glied der soldatischen Werte und setzt sich für die Veteranen bei der korrupten Hofgesellschaft und gegenüber der moralisch korrumpierten Regierung ein. Aber Otoff bringt immer wieder Disziplinlosigkeit und niedere Instinkte in die Reihen der Soldaten, so daß Kopejkin schließlich einen Opfertod für die Reinheit der Bewegung sterben muß.

H. F. Blunck: *Kampf um Neuyork*

Der Führer der Siedler in Neuyork, der Deutsche Leisler, versucht — nach einigem Sträuben — die Freiheitsidee Amerikas und den deutschen Reichsgedanken zu verwirklichen. So gerät er mit dem englischen Gouverneur Sloughter, der eben aus England gekommen ist, in Konflikt, der von den erfolgbesessenen Großgrundbesitzern und raffgierigen Krämern noch gesteigert wird. Für die Idee der Freiheit nimmt Leisler den Tod auf sich, und Sloughter zerbricht der Traum einer deutsch-englischen Alliance, an der die Welt erstarken sollte.

H. Böhme: *Volk bricht auf*

Vor Byzanz stirbt der Normannenherzog Guiskard, und seine machtgierigen, völkisch minderwertigen Kinder reißen die Gewalt an sich. Das Heer gerät in einen Hinterhalt, und nur mit Mühe kann Abälard, der wahre Volksführer, die Reste sammeln und auf den verbliebenen Schiffen in die Heimat führen. Dieser Rückzug ist der Aufbruch des Volks in seine neue Zukunft.

Fr. Büchler: *August der Starke*

August, der König von Sachsen, baut in seiner Phantasie den Traum vom deutschen Reich, das die niedere Realität übersteigen soll. Er versucht, den nüchternen Friedrich Wilhelm von Preußen für seine Ideen zu gewinnen; doch dieser lebt mit realistischeren Plänen. Die Auseinandersetzung geht vor allem um den künstlerisch ambitionierten und feinfühligen preußischen Thronfolger Friedrich. August taktiert unklug und ohne letzten Einsatz, so daß Friedrich Wilhelm Sieger bleibt und seinen Sohn für ein kraftvoll-tätiges Herrscherleben gewinnt. Augusts Welt bricht zusammen, und nach dem Freitod seiner Tochter fühlt er sich ganz den Mächten des Schicksals anheimgegeben.

P. J. Cremers: *Rheinlandtragödie*

Als die Franzosen, gestützt auf ihre militärische Macht und kriminelle Landesverräter, nach dem Ersten Weltkrieg im Rheinland separatistische Bewegungen ins Leben rufen, erheben sich die volksbewußten Bauern unter Gessingers Leitung, um das fremde Joch abzuwerfen. Der junge Philipp Klas wird durch die Brutalität der Separatisten zum Märtyrer der nationalen Bauern- und Befreiungsarmee: aus seinem Blut wird sich das neue Reich und die Macht des Führers erheben.

W. Deubel: *Die letzte Festung*

Dem Verteidiger Kolbergs gegen Napoleons Truppen, Gneisenau, zerbricht im Verlaufe der Kämpfe das bisherige Leben: sein Freund Schill fällt, dessen Ehre wird von der eigenen Partei beschmutzt, seine Geliebte, Klothilde Loucadou, wird von einer Granate zerfetzt, der König gibt den vaterländischen Kampf auf, der Hof ist unheroisch. Da steigert sich Gneisenaus Widerstandswille zu einer Metaphysik des Kampfs, und es bildet sich eine idealistische Reichsidee heraus: Das Reich lebt allein in der Idee, und das ewige Deutschland ist bei den Toten.

K. Eggers: *Schüsse bei Krupp*

Bei Krupp ist im Ruhrkampf ein französisches Kommando aufgezogen, um Lastwagen zu requirieren. National und sozialistisch gesonnene Arbeiter nehmen eine drohende Haltung ein, wagen aber nicht, offen vorzugehen; dennoch schießen die Franzosen in die weichende Menge, rücken dann aber plötzlich ab. Das Blutopfer der deutschen Arbeiter läßt die Hoffnung einer neuen nationalen Morgenröte aufkommen.

K. Eggers: *Das Spiel von Job dem Deutschen*

Der Herr der Herrlichkeiten verspricht dem „bösen Geist" den Sieg über die Welt, wenn er den besten aller Menschen, Job den Deutschen, zum Abfall von Gott verleiten könne. So schickt dieser Krieg, Tod, Armut, Seuche und Laster, aber Job verharrt gläubig. Da setzt der Herr der Herrlichkeiten Job den Deutschen zum Herrn der Welt bis ans Ende der Zeit; sein Volk soll das Volk der Offenbarung sein.

O. Erler: *Thors Gast*

Der durch Schicksalsumstände seiner germanischen Heimat und Religion entfremdete Mönch Thysker kommt durch Zufall in das angestammte Land seiner Sippe, wo ihn Thurid zum Thorsglauben seiner Väter zurückführt. Das Christentum erweist sich in seinen minderwertigen oder gebrochenen Vertretern als lebensunmächtig. Die völkische Lebenskraft in Religion, Wesensart und Sitte siegt über alle südländisch-christlich-jüdischen Zerstörungsversuche. Der Tod des Sippenältesten Thorolf besiegelt diesen Sieg mit Heldenblut.

R. Euringer: *Deutsche Passion 1933*

Gegen den bösen (jüdischen) Geist der modernen Zivilisationswelt, der Deutschland knechtet, erhebt sich der dornengekrönte Unbekannte Soldat des Weltkriegs. Er richtet das moralisch ruinierte und wirtschaftlich verödete Volk wieder auf und schließt es zu neuer Volksgemeinschaft zusammen. Das Volk faßt Tritt, der Unbekannte Soldat fährt auf zum Himmel und das Dritte Reich bricht an, während der (jüdische) böse Geist in die Tiefe sinkt.

R. Euringer: *Totentanz*

Die Lebenden stellen sich als eine Gesellschaft von Schiebern, Larven und Lebeleuten dar; sie wird im heißen Rhythmus eines exotischen Zivilisationstanzes gezeigt. Die Toten der europäischen Armeen zerren die Larvenwelt in ihren Totentanz und fegen sie ohne Erbarmen aus der Welt des Existenten hinaus, so daß das Gute, Grade und Bäuerliche wieder zum Vorschein kommt und die Welt regiert.

H. H. Ewers/P. Beyer: *Stürmer!*

Die SA muß in ihrem Kampf um Deutschland gegen die Kommunisten unerhörte Schmach und Mühen erleiden, schließlich wird sogar einer ihrer Führer, Stürmer (= Horst Wessel), ermordet.

Aber der Geist der Gemeinschaft ist so stark, daß der Tod zum Symbol einer neuen Zukunftshoffnung werden kann. Der Ermordete erlebt in der Morgenröte des Neuen Reichs eine Himmelfahrt.

S. Graff: *Die Heimkehr des Matthias Bruck*

Der im Krieg verschollene Bauer Matthias Bruck kehrt nach langen Jahren auf seinen Hof zurück, wo er unerkannt als Knecht arbeitet. Er muß erfahren, daß er aus dem Leben gedrängt worden, daß sein Platz ausgefüllt ist; so hängt er sich auf. Das Leben „schreitet unbeirrt weiter von Saat zur Ernte und von der Ernte zur Saat." (Graff)

Fr. Griese: *Der heimliche König*

Im 30jährigen Krieg hat sich die Magd Katherin dem Hauptmann eines herumstreunenden Soldatenhaufens hingegeben, um ihr Dorf vor den Soldaten zu retten; aber die Bauern verstoßen sie als Hure. An ihrem Schicksal erkennt sie, daß der Acker und das (weibliche) Fleisch tragen müssen, und sie ersticht sich schließlich; auch der reine Hütejunge Hans Jörg kommt im Moor um, und der Bauer Rose wird wahnsinnig. Zum Schluß entpuppt sich der dämonische Stelzbeinige, der durch das ganze Stück hindurchgeistert, als mythischer Volksführer, der die Reinen in den Tod schickt, damit das Leben rein bleibe!

Fr. Griese: *Mensch, aus Erde gemacht*

Da der Mahr Wulsch „seinen" Menschen niederringen muß, um Ruhe zu finden, treibt er den vitalen, sinnlichen Bauernvorsteher Biermann in den Tod. Dieser zieht alles, was ihn umgibt, in den Strudel seiner erdhaften Wesensart. Biermanns dämonische Natur bricht sich endlich, und er erhängt sich.

E. v. Hartz: *Ōdrūn*

Die ehemalige Priesterin Ōdrūn ist dem Gott entflohen, hat einen strahlenden Krieger-König geheiratet und diesem drei Kinder, eine Tochter und Zwillingsbrüder, geboren. Die Rache der Gottheit wird zunächst durch den Opfertod des Vaters aufgehalten, aber endlich greift das Schicksal doch ein: auf einer Insel im Weltmeer, wohin Ōdrūn mit ihrer Tochter geflohen ist, erscheinen unerkannt die beiden Brüder, verlieben sich in ihre Schwester, ermorden sich wechselseitig, die Schwester entleibt sich, Ōdrūn stellt sich dem Weltgericht; das Schicksal zerschmettert sie und stellt die kosmische Ordnung wieder her.

K. HEYNICKE: *Neurode*

Der nach Neurode zurückgekehrte Bergmann Radke findet, da er anstelle seines in der Grube verunglückten Bruders arbeiten kann, wider Erwarten eine Beschäftigung. Das Konsortium der Grubenbesitzer will das Bergwerk aus Sicherheits- und Rentabilitätsgründen stillegen. Mit der Parole „Glaube und Heimat" reißt Radke die Bevölkerung so hin, daß alle ohne Entgelt arbeiten wollen, um die Grube zu retten; das mißlingt aber. Da erscheint der Fremde, eine Allegorie des Reichs, und fängt den wirtschaftlichen Zusammenbruch auf: die Volksgemeinschaft des Neuen Reichs wird glühend gefeiert.

K. HEYNICKE: *Der Weg ins Reich*

Der Heimkehrer will sein Dorf gegen drohende Wassergefahr durch den Bau eines Staudammes schützen; aller Widerstand gegen das Werk wird beseitigt, und schließlich gibt auch die Opfernde ihr Land für die Gemeinschaft. So bildet sich die Gemeinschaft des Neuen Reichs im Kleinen ab und beweist sich. Gläubig und kämpferisch werden Bekenntnisse zum neuen Staat, seiner Gemeinschaft und seinem Führer abgelegt.

FR. W. HYMMEN: *Beton*

Gegen den Willen der Experten bezwingt der junge Brückeningenieur Krüger ungünstige Bodenverhältnisse, indem er der widerstrebenden Natur nicht die tote Technik und den kalten mathematischen Kalkül entgegenstellt, sondern den glühenden, schicksalsbezwingenden Willen. Schließlich besiegelt er sein Werk durch das Opfer seines Bluts, das die Natur versöhnt. So wird der Volksgemeinschaft Lebensraum erhalten.

FR. W. HYMMEN: *Die Petersburger Krönung*

Weil der Festungsbauingenieur Münnich in seiner deutschen Heimat wegen der Bequemlichkeit der Leute kein Tätigkeitsfeld findet, geht er nach Rußland, wo er versucht, die russische Kultur zu verbessern. Er feiert auch technische, militärische und vor allem moralisch-politische Erfolge. Aber er scheitert am Ende an den gottgegebenen Blut- und Rasseeigenschaften des russischen Volks. Er erkennt seine Schuld, das göttliche Gesetz der schicksalhaften Art der Rasse verletzt zu haben und sühnt seine Verkennung durch Selbstaufgabe. So gewinnt er seine (metaphysische) Freiheit zurück.

H. Johst: *Thomas Paine*

Als sich die amerikanischen Kolonien von England lösen, formuliert der Dichter Thomas Paine flammend die Ideale der Freiheit und gibt so der Unabhängigkeitsbewegung des jungen Volks, das sich vor allem in den Soldaten repräsentiert, eine geistig-seelische Mitte; auch in militärisch schwierigen Situationen bewährt sich sein Pathos. Als er in der Französischen Revolution die Stimme der Gerechtigkeit und der Freiheit erhebt, wird er eingekerkert. Nach 17 Jahren kehrt er nach Amerika zurück, seine Gestalt ist vergessen, aber sein Revolutionslied lebt, ist der Ausdruck der Jugend Amerikas.

H. Johst: *Schlageter*

Nach langem Zögern entschließt sich der ehemalige Frontoffizier und Freikorpsmann Schlageter, der nach dem Krieg als Student versucht hat, ein bürgerliches Leben zu führen, im Ruhrkampf doch eine aktive Rolle zu spielen. Er wird gefaßt und zum Tode verurteilt. Noch im Tode ruft er zur Gefolgschaft im Kampf um ein neues deutsches Reich auf.

K. Kluge: *Ewiges Volk*

Als die österreichische Heeresleitung und die Regierung am Ende des Kriegs den in Kärnten stehenden Truppen den Rückzug auf Wien befehlen, desertieren viele Soldaten und bilden mit den Bauern Freikorps. Nach Überwindung seiner Skrupel übernimmt der Leutnant Michael die Führung; er will Kärnten aus militärischen Gründen auf einer zurückgezogenen Linie gegen die nachdrängenden Serben verteidigen. Dagegen erhebt sich der Feldwebel Lewt mit der Losung „Das ganze Kärnten", und als er Michael nicht überzeugen kann, ermordet er ihn. Damit ist die Bahn zum Sieg des Volks frei, und aus dem Blut des Opfers sprießt die neue Zukunft.

E. G. Kolbenheyer: *Gregor und Heinrich* 1935

In Rom ist der dunkel-fanatische Hildebrand Papst geworden, in Deutschland sitzt der helle, heldische Heinrich auf dem Thron. Beide sind absolute Vertreter ihrer Rasseideale und damit ihrer Herrschaftsidee. Als sich die egoistische innerdeutsche Fürstenopposition gegen den König mit dem Papst verbündet, geht Heinrich über die Alpen, um den Papst selbst niederzuringen. Um des Reiches willen demütigt er sich und trägt einen strahlenden

Sieg davon; das Reich ersteht in neuem metaphysischem Glanz, und die germanische Rassenseele hat sich aus der Herrschaft der mediteranen gelöst.

E. G. Kolbenheyer: *Heroische Leidenschaften*

Der deutschstämmige Giordano Bruno entwickelt einen biologischen Pantheismus, so daß er mit der Kirche in Konflikt kommt. Er entflieht dem Kloster und wird ein berühmter Gelehrter. Er wird in die Händel der Welt gezogen und gerät in die Hände der Inquisition. Sieben Jahre dauert der Ketzerprozeß, aber Bruno widerruft trotz allen Verlockungen nicht. Selbst der Papst muß sich überwunden geben; in einer Vision nehmen Sokrates und Jesus den opferbereiten Bruno in ihre Gemeinschaft auf, dadurch Gefolgschaft stiftend.

C. Langenbeck: *Der Hochverräter*

Der provisorische Gouverneur von New York, Leisler, wird bei dem Versuch, in chaotischer Zeit Ordnung zu stiften, mit einer Welt der Unehrenhaftigkeit und des niederen Egoismus konfrontiert: der Verleumder Nicolls hintertreibt seine völkische Aufbauarbeit, der arrogante und brutale Ingoldsby beleidigt seine militärische Ehre und der neue Gouverneur Sloughter, ein unsoldatischer Karrieremacher, macht mit den Händlern und niederen Charakteren gemeinsame Sache. Leislers Kraft reicht nicht aus, die Gemeinheit der Welt aufzuheben, zumal ihm durch seine aufrichtigen und soldatischen Ehrvorstellungen die Hände gebunden sind. So nimmt er den Schicksalsspruch, der seinen Tod fordert, willig an.

C. Langenbeck: *Das Schwert*

Im dritten Kriegsjahr geraten die fürstlichen Brüder Gaiso und Evruin in Konflikt: Gaiso will den Krieg um den völkischen Lebensraum um jeden Preis fortsetzen, Evruin dringt wegen der schlechten Kriegslage auf ein Arrangement mit den Gegnern und hat mit Maro, dem Führer des feindlichen Völkerbunds, bereits Kontakt aufgenommen. Als Gaiso Evruin nicht von seiner schicksalhaften Führerrolle überzeugen kann, ermordet er ihn. Um diese Blutschuld aus tragischer, völkischer Notwendigkeit zu sühnen, begeht er Selbstmord, nachdem er in Gerri, dem strahlenden Führer der jungen Mannschaft, eine kraftvolle Heldennatur gefunden hat. Sein Tod überzeugt Maro von der Lebensmacht des Volks, und er räumt der sich im Blut der Toten mystisch verjüngenden Gemeinschaft das Lebensrecht ein.

R. Lauckner: *Bernhard von Weimar*

Herzog Bernhard von Weimar ist der Vertreter des deutschen Reichsgedankens im 30jährigen Krieg, aber er scheitert an den kleinlichen Widerständen fürstlicher Machtegoismen. Der Reichsgedanke lebt nur in den Soldaten, während die Politiker niederem Gewinnstreben nachjagen. So erliegt er schließlich einem jesuitisch-welschen Anschlag und wird vergiftet. Der Traum vom Reich ist zerronnen.

R. Lauckner: *Der letzte Preuße*

Da der letzte heidnische Preußenherzog Herkus Monte nicht in Knechtschaft unter christlichem Regime leben will, erhebt er sich gegen die Herrschaft des verräterischen, landgierigen Ritterordens, der von Rom gesteuert wird. Mit diesem persönlichen Konflikt verbindet sich die religionsgeschichtliche Auseinandersetzung zwischen dem heidnischen Gott der Wälder und dem christlichen der Städte. Letzterer erringt den Sieg, und Herkus Monte fällt im Kampf. Er wird nach altem Ritus unter einer Eiche verbrannt und verlodert als Mahnmal völkischer Freiheit. „Hier gibt es kein Verstehen — hier kämpfen Mächte."

E. W. Möller: *Das Opfer*

Im deutschen Siedlungsgebiet im Südosten des Reichs hat Agneta vor langer Zeit aus rassetypischem Mitleid einen Slawenjungen, den die Gottheit als Rassenfeind gebrandmarkt hatte, zu Leben und Freiheit verholfen. Dieser ist nun erwachsen und verheert — ein Privileg des Kaisers mißbrauchend — das deutsche Land. Er verlangt als Preis des Friedens die Auslieferung Agnetens, um durch Rassenschande die Grundlage zur Rassenzerstörung und -assimilierung legen zu können. Um die Rassengemeinschaft nicht wieder zu belasten, sühnt Agneta ihren Rassenfrevel, indem sie ihr Blut opfert. Der kaiserliche Hauptmann stellt sich nun auf die deutsche Seite, so daß deutscher Volksraum und der deutsche Rassenbestand gerettet werden.

E. W. Möller: *Rothschild siegt bei Waterloo*

Der jüdische Bankier Rothschild wird geschäftstüchtiger, unheroischer Beobachter der Schlacht von Waterloo. Blut der Helden in Aktien ummünzend, lanciert er an der Londoner Börse die Nachricht von einer englischen Niederlage; als scheinheiliger Retter der Nation wird er der reichste Mann seiner Zeit. Seine niedere, artgemäß jüdische Kapitalistengesinnung läßt ihn zu einem Erfinder einer neuen, völkermordenden Strategie werden, die Heldentum durch spekulative Intrigen ersetzt.

E. W. Möller: *Die Verpflichtung*

Der „Bann" der Versammelten schwört der Fahne das neue Glaubensbekenntnis, nämlich an Gott, den Herzog der Welt, an die Heimat, die Mutter aller, und an die Volksgemeinschaft, die alle umfängt, zu glauben.

Fr. Roth: *Markgraf Ludwig von Baden — Der Türkenlouis*

In heroischer Pflichterfüllung steht der Markgraf Ludwig von Baden am Oberrhein, um das Reich gegen Ludwig XIV. zu verteidigen. Aber der Hof, der von slawischen und italienischen Landfremden beherrscht wird, unterstützt seinen nationalen Kampf nicht. Zänkische Egoismen und profithungrige Rivalitäten verhindern es, den Traum vom Reich zu verwirklichen. So fällt denn der Markgraf als Mahnmal für heldische, völkische Pflichterfüllung in dunkler Zeit.

J. G. Schlosser: *Ich rief das Volk!*

Das Volk geht in Banden wirtschaftlicher und nationaler Knechtschaft. Die gebärenden Mütter rufen zur Freude auf und wollen den Haß vernichten. Da erscheint der Führer, vernichtet Wuchergesinnung und Zwietracht, bildet die Volksgemeinschaft. Aus Anlaß dieser volksbefreienden Tat wird der 1. Mai als Gedenktag gestiftet.

G. Schumann: *Entscheidung*

Da sich die Regierungsgewalt während eines Kommunistenaufstands nicht zum Durchgreifen entschließen kann, handelt das wertetreue Militär selbständig: Hauptmann Schwarz hat aus privater Initiative Truppen zusammengezogen. Der Student Bäumler, ein ehemaliger Kriegs- und Freikorpskamerad Schwarzens, sucht nach einer revolutionären Gemeinschaft und glaubt sie bei den Kommunisten gefunden zu haben. Deren Führer Alex gibt ihm den Auftrag, Schwarz zu ermorden. Mittlerweile erweisen sich die Kommunisten als eine Rotte übler Gesellen, die Soldaten dagegen kämpfen für eine saubere Revolution. Wegen der Gewissensbisse mißlingt der Anschlag auf Schwarz, dieser und Bäumler werden verwundet. Als Schwarz an seiner Verwundung stirbt, übernimmt Bäumler — unter Gottes lenkender Hand — das Kommando.

G. SCHUMANN: *Das Reich*

Während eines Aufstands bemühen sich die Roten und die SA um den suchenden Studenten Bäumler, der sich zunächst auf die Seite der Kommunisten schlägt und den Auftrag erhält, einen SA-Führer zu erschießen. In einer Vision erscheint ihm der nein-sagende Kommunistenführer Alex und der ja-sagende Gott; als er den Neinsager töten will, schießt er sich durch die eigene Brust. Im Krankenhaus kommt er mit einem Kriegs- und Freikorps-freund, dem SA-Führer Schwarz, zusammen; als dieser stirbt, übernimmt er von ihm das Kommando über die SA-Truppe.

TH v. TROTHA: *Engelbrecht*

Um seine schwedische Heimat von der Herrschaft des dänischen Königs zu befreien, stellt sich Engelbrecht an die Spitze der re-bellierenden Bauern. Er vertreibt die Dänen, stellt die Ordnung wieder her und wird Reichshauptmann. Als die Aristokratie den dänischen König wieder ins Land holt, wird Engelbrecht erneut gerufen; ehe er aber die Zügel wieder fest in die Hand nehmen kann, wird er von einem persönlich gekränkten Adligen ermor-det.

TH. v. TROTHA: *Gevatter Tod*

Der Tod macht ein armes Kind zu einem berühmten Arzt, ver-bietet ihm aber, jemals gegen seinen Willen zu heilen. Der Arzt verliebt sich in eine Königstochter, die der Tod eben holen will; dennoch rettet er sie. Dafür wird er ins Totenreich verbannt. Als ihn der Prinz, der Verlobte der Königstochter, zurückholen will, lehnt er ab: Freudig geht er ein in das Reich der seligen Schatten.

H. UNGER: *Opferstunde*

Als Hilde erfährt, daß ihre Mutter erbkrank und sie selbst mög-licherweise Träger kranken Erbguts sei, als ihr Verlobter Fritz, der Arzt ist, die nationalsozialistischen Gesetze zur Rassenhy-giene vom medizinischen Standpunkt interpretiert, beschließt sie, obwohl sie in der Mutterschaft den einzigen Inhalt weiblichen Lebens sieht, nach inneren Kämpfen, ihre Verlobung zu lösen und der Gemeinschaft ihr privates Glück zu opfern.

H. ZERKAULEN: *Jugend von Langemarck*

Vaterlands- und kriegsbegeistert rückt der Student und Jung-Fabrikant Franz Gärtner 1914 ein und findet sich vor Lange-marck wieder. Dort verschmelzen alle Freiwilligen zur deutschen Jugend. Franz Gärtner kommt ums Leben, aber 1918 rückt der

Arbeiter Karl Stanz, der mit ihm in Langemarck war, aber am Leben blieb, in dessen Stellung als Fabrikdirektor nach und erfüllt so das Vermächtnis der bei Langemarck für das Reich gestorbenen Helden.

Die Zitate aus diesen Werken sind den im Literaturverzeichnis angeführten Ausgaben entnommen; sie sind in sich ungekürzt. Druckfehler wurden berichtigt und das Druckbild vereinheitlicht.

X. LITERATURVERZEICHNIS

a) Zitierte Bühnenwerke

BACMEISTER, Ernst, Der Kaiser und sein Antichrist. Tragödie in fünf Aufzügen, Berlin 1935.

—, Kaiser Konstantins Taufe. Religionstragödie (= Bücherei der dramatischen Dichtung, Bd. 1), Berlin 1937.

BETHGE, Friedrich, Anke von Skoepen. Tragödie in einem Aufzug, Berlin 1941.

—, Marsch der Veteranen. Schauspiel in drei Akten, 8.–10. Taus., Berlin 1937.

—, Rebellion um Preußen. Tragödie in fünf Akten, Berlin 1939.

BLUNCK, Hans Friedrich, Kampf um Neuyork — Jacob Leisler. Ein dramatisches Spiel, Hamburg 1940.

BÖHME, Herbert, „Volk bricht auf". Schauspiel. Sonderdruck für die Freilicht-Uraufführung, Sommer 1934 auf der Freilichtbühne Wienkopp b. Bochum, Berlin 1934.

BÜCHLER, Franz, August der Starke. Tragödie in fünf Akten, Berlin 1937.

CREMERS, Paul Joseph, Rheinlandtragödie. Ein Schauspiel, Berlin 1933.

DEUBEL, Werner, Die letzte Festung. Schauspiel, Berlin 1942.

EGGERS, Kurt, Schüsse bei Krupp. Ein Spiel aus deutscher Dämmerung (= Deutsche Spiele 11), Hamburg 1937.

—, Das Spiel von Job dem Deutschen. Ein Mysterium (= Aufbruch zur Volksgemeinschaft Nr. 1), Berlin 1933.

ERLER, Otto, Thors Gast. Bühnenwerk in drei Aufzügen, 3. u. 4. Taus., Leipzig 1937.

EURINGER, Richard, Deutsche Passion 1933. Hörwerk in sechs Sätzen (= Schriften an die Nation Nr. 24), Oldenburg i. O. (1933).

—, Totentanz. Ein Tanz der lebendig Toten und der erweckten Muskoten (= Deutsche Spiele Nr. 3), Hamburg 1935.

EWERS, Hanns Heinz / BEYER, Paul, Stürmer! Ein deutsches Schicksal, Stuttgart 1934.

GRAFF, Sigmund, Die Heimkehr des Matthias Bruck. Schauspiel in drei Aufzügen, Berlin 1933.

GRIESE, Friedrich, Der heimliche König. Eine dramatische Dichtung in fünf Aufzügen, Berlin 1939.

—, Mensch, aus Erde gemacht. Ein Drama in 5 Aufzügen und einem Vorspiel, 2., veränderte Auflage, Berlin 1933.

HARTZ, Erich v., Ōdrūn. Tragödie (= B. d. D., Bd. 7), Berlin 1939.

HEYNICKE, Kurt, Neurode. Ein Spiel von deutscher Arbeit.
—, Der Weg ins Reich, Zusammen erschienen unter dem Titel: Der Weg ins Reich, Berlin 1935.

HYMMEN, Friedrich Wilhelm, Beton. Drama in drei Akten, Hektographiertes Bühnenmanuskript, Berlin (1938).
—, Die Petersburger Krönung. Eine Tragödie in drei Akten mit Vor- und Nachspiel (= B. d. D., Bd. 18) Berlin 1941.

JOHST, Hanns, Thomas Paine. Schauspiel, München 1927.
—, Schlageter. Schauspiel, 16.–20. Taus., München 1933.

KLUGE, Kurt, Ewiges Volk. Ein Schauspiel in fünf Akten, Berlin 1933.

KOLBENHEYER, Erwin Guido, Gregor und Heinrich. Schauspiel, 9.–11. Taus., München 1935.
—, Heroische Leidenschaften. Die Tragödie des Giordano Bruno in drei Teilen, 6.–10. Taus. (= Die deutsche Folge Nr. 12), München 1929.

LANGENBECK, Curt, Der Hochverräter. Tragisches Schauspiel (= B. d. D., Bd. 5), Berlin 1938.
—, Das Schwert. Tragisches Drama, München 1940.

LAUCKNER, Rolf, Bernhard von Weimar. Drama in 4 Akten, München 1933.
—, Der letzte Preuße. Tragödie vom Untergang eines Volkes in vier Akten, Berlin 1937.

MÖLLER, Eberhard Wolfgang, Das Opfer. Spiel in drei Akten (= B. d. D., Bd. 22) Berlin 1941.
—, Rothschild siegt bei Waterloo. Schauspiel, 3.-4. Aufl., Berlin 1937.
—, Die Verpflichtung, 1.–5. Taus., Berlin 1935.

ROTH, Friedrich, Markgraf Ludwig Wilhelm von Baden. *Der Türkenlouis.* Ein Kampfstück vom Oberrhein, Karlsruhe o. J.

SCHLOSSER, Johannes G., Ich rief das Volk! (Die Befreiung). Ein chorisches Spiel von der deutschen Schicksalsgemeinschaft, 1. u. 2. Aufl., Berlin 1935.

SCHUMANN, Gerhard, Entscheidung. Schauspiel (= B. d. D., Bd. 24), Berlin 1938.
—, Das Reich. Drama (= Die Tukanbühne Bd. 5), München (1935).

TROTHA, Thilo v., Engelbrecht. Ein bäuerliches Trauerspiel in fünf Aufzügen, München 1937.
—, Gevatter Tod. Ein Spiel von Tod und Leben, in: ders., Stern des Nordens, Potsdam 1938, S. 66–106.

UNGER, Hellmuth, Opferstunde. Schauspiel in drei Akten, Berlin 1934.

ZERKAULEN, Heinrich, Jugend von Langemarck. Ein Schauspiel in drei Akten und einem Nachspiel, Leipzig 1933.

b) Sekundärliteratur

ABENDROTH, W. (Hrsg.), Faschismus und Kapitalismus, Frankf./M. 1967.

BACMEISTER, E., Der deutsche Typus der Tragödie. Dramaturgisches Fundament, Berlin 1943.

BARTELS, A., Geschichte der deutschen Literatur, [16]Braunschweig 1937.

BEINEMANN, E., Das chorische Element im Drama der Gegenwart, Masch. Diss. Jena 1941.

BEST, W., Völkische Dramaturgie, Würzburg 1940.

BEYER, P., National-Dramaturgie. „Ein erster Versuch", Berlin 1933 (= Schriftenreihe des Theaterblatts: Der Weg zum deutschen Nationaltheater, Nr. 1).

BODENREUTH, F., Die deutsche Dichtung der Gegenwart, in: Weimarer Reden 1938, S. 71–80.

BRENNER, H., Die Kunstpolitik des Nationalsozialismus, Reinbek 1963 (= rde 167/168).

CLAUSS, L. F., Rasse und Seele. Eine Einführung in den Sinn der leiblichen Gestalt, [18]München 1943.

–, Die nordische Seele. Eine Einführung in die Rassenseelenkunde, 13.–20. Taus., München 1934.

CONRADY, K. O., Deutsche Literaturwissenschaft und Drittes Reich, in: E. Lämmert, W. Killy, K. O. Conrady, P. v. Pohlenz, Germanistik – eine deutsche Wissenschaft, Frankf./M. 1967, S. 71–109 (= es 204).

DAHLE, W., Der Einsatz einer Wissenschaft. Eine sprachinhaltliche Analyse militärischer Terminologie in der Germanistik 1933–1945, Bonn 1969.

DEUBEL, W., Der deutsche Weg zur Tragödie, Dresden 1935.

EGGERS, K., Die kriegerische Revolution, Berlin 1941.

EMMEL, F., Theater aus deutschem Wesen, Berlin 1937 (= Schriftenreihe der Preußischen Jahrbücher, H. 38).

EMMERICH, W., Germanistische Volkstumsideologie. Genese und Kritik der Volksforschung im Dritten Reich, Tübingen 1968 (= Volksleben 20).

EURINGER, R., Ist zeitgeschichtliche Dichtung möglich?, Der Autor XVI, 1941, S. 2–3.

ERDMANN, H. H., Forderungen zum „nationalen" Drama, Die Neue Literatur 35, 1934, S. 260–269.

FRELS, W., Die deutsche Dramenproduktion 1939, Die Neue Literatur 41, 1940, S. 185.
[Diese Übersichten erschienen jährlich bis 1941 einschließlich.]

FRENZEL, H. A., Das Drama der Entscheidung. Am Beispiel E. W. Möllers, Die Bühne 1938, S. 374–376.
–, E. W. Möller, München 1938 (= Künder und Kämpfer, Nr. 5).

GEBHARDT, H., Welttheatertag 1967, Rostock: Unbesiegbares Vietnam, Theater der Zeit XXII, 1967, H. 9, S. 8.

GEISSLER, R., Dekadenz und Heroismus. Zeitroman und völkisch-nationalsozialistische Literaturkritik, Stuttgart 1964 (= Schriftenreihe der Vierteljahrshefte f. Zeitgesch. 9).

GERLACH-BERNAU, K., Drama und Nation. Ein Beitrag zur Wegbereitung des nationalsozialistischen Dramas, Breslau 1934.

GOEBBELS, J., Rede des Propagandaministers Dr. Joseph Goebbels vor den Theaterleitern am 8. Mai 1933, Das deutsche Drama V, 1933, S. 28–40.

GOEPFERT, H. G., Der Dichter und das Drama unserer Zeit, Die Neue Literatur 38, 1937, S. 231–34.
–, Rez. zu C. Langenbeck, Das Schwert, Die Neue Literatur 42, 1941, S. 25 f.

GÜNTHER-KONSALIK, H., Der Gegenspieler im Drama, Deutsche Dramaturgie II, 1943, S. 172–175.
–, Der Ruf nach neuer Klassik, Deutsche Dramaturgie II, 1943, S. 106–109.

HAGEMANN, J., Die Presselenkung im Dritten Reich, Bonn 1970.

HAGEN, H. W., Deutsche Dichtung in der Entwicklung der Gegenwart, Dortmund 1938.
–, Der Schicksalsweg der deutschen Dichtung, Berlin 1938.

HARTUNG, G., Über die faschistische Literatur, Weim. Beitr. 14, 1968, S. 474–542, Sonderheft 2, S. 121–159, S. 677–707.

HARTZ, E. v., Wesen und Mächte des heldischen Theaters, Berlin 1934 (= Bücherei für Spiel und Theater, Bd. 3).

HAUG, W. F., Der hilflose Antifaschismus, Frankfurt./M. 1967 (= es 236).

HITLER, A., Mein Kampf, [12]München 1932.

HITLERS zweites Buch. Ein Dokument aus dem Jahre 1928, hrsg. v. G. L. Weinberg, Stuttgart 1961 (= Quellen und Darstellungen zur Zeitgeschichte, Bd. 7).

HÖVEL, P., Wesen und Aufgabe der Schrifttumsarbeit in Deutschland, Essen 1942.

HOPPENHEIT, R. R., Das Schrifttum als Ausdruck nationalsozialistischen Lebensgefühls, Deutsche Kultur-Wacht II, 1933, H. 25, S. 1–4.

JOHST, H., Ich glaube!, München 1928.
–, Was ist Kulturbolschewismus?, Die Propyläen, 30. Jg., S. 266.
–, Standpunkt und Fortschritt, Oldenburg 1933.

KETELSEN, U.-K., Heroisches Theater. Untersuchungen zur Dramentheorie des Dritten Reichs, Bonn 1968.
—, Kunstcharakter als politische Aussage. Zur völkisch-konservativen Literatur des Dritten Reichs, Lit. in Wiss. u. Unterricht 2, 1969, S. 159—183.

KLAGGES, D., Idee und System, Leipzig 1934.

KOCH, Fr., Dichtung und Glaube, 9.—18. Taus., Berlin 1940.

KOLBENHEYER, E. G., Gesammelte Werke, Bd. VIII (Aufsätze, Vorträge und Reden) München o. J.

KÜHNL, R., Deutschland zwischen Demokratie und Faschismus, München 1969 (= Reihe Hanser 14).

LANGENBECK, C., Über Sinn und Aufgabe der Tragödie in unserer Epoche, Völkische Kultur III, 1935, S. 241—252.
—, Die Wiedergeburt des Dramas aus dem Geist der Zeit, Das Innere Reich VI, 1939/40, S. 923—57.

LANGENBUCHER, H., Volkhafte Dichtung, [6]Berlin 1941.
—, Dichtung der jungen Mannschaft, Hamburg 1935.

LENNARTZ, Fr., Dichter unserer Zeit, [4]Stuttgart 1941.

LIPSET, S. M., Der Faschismus — die Linke, die Rechte und die Mitte, Kölner Zeitschrift für Soziologie und Sozialpsychologie, 11. Jg., 1959, S. 401—444.

LOEWY, E., Literatur unterm Hakenkreuz. Das Dritte Reich und seine Dichtung, Frankf./M. 1966 (als Taschenbuch: fi 1042, Frankf./M. 1969).

LOTSCH, M., Der Dramatiker C. Langenbeck. Sein Leben und seine Entwicklung bis 1932. Vorarbeiten zu einer künftigen Biographie. Masch. Diss. Hamburg 1958.

LUKÁCS, G., Die Zerstörung der Vernunft, Werke Bd. 9, Neuwied 1962.

LÜTZKENDORF, F., Bewährung vor der Gegenwart. Kölnische Zeitung Nr. 626/27, 8. Dez. 1940, S. 2.

METTIN, H. Chr., Der Dramatiker C. Langenbeck, Das Innere Reich III, 1936/37, S. 118—126.

MÖLLER, E. W., Die deutsche Tragödie, Anhang zu „Das Opfer", Berlin 1941, S. 97—117.
—, Wandlungen des deutschen Theaters, Hochschule und Ausland XIII, 1935, April, S. 41—50.

NOLTE, E., Der Faschismus in seiner Epoche, München 1963.

NUFER, W., Volkstheater im Dritten Reich, Völkische Kultur II, 1934, S. 201—205.

PAGEL, K., Gegenwart als Dramenstoff, Deutsche Dramaturgie III, 1944, S. 15.

PAULSEN, R., Der Weg der deutschen Lyrik, Deutsche Kultur-Wacht II, 1933, H. 1, S. 7 f.

Peters, F. E., „Die Tragödie ohne Schuld und Sühne", Niederdeutsche Welt, 16. Jg., 1941, S. 17–20.

Petersen, J., Geschichtsdrama und nationaler Mythos. Grenzfragen zur Gegenwartsform des Dramas, Stuttgart 1940.

Petsch, R., Drama und Theater, DVjS 14, 1936, S. 563–653.

Pitsch, I., Das Theater als politisch-publizistisches Führungsmittel im Dritten Reich, Masch. Diss. Münster 1952.

Pott, H., Um einen neuen Dramenstil. Nach einem Gespräch mit Fr. Bethge, Die Bühne 1940, S. 425.

Rosenberg, A., Der Mythus des 20. Jahrhunderts, 107.–110. Aufl., München 1937.

–, Revolution in der bildenden Kunst?, München 1934.

Rostocky, Fr., Vers und Prosa auf dem Theater, Deutsche Dramaturgie II, 1943, S. 82–87.

Schlösser, R., Das Volk und seine Bühne, Berlin 1935.

Schöne, A., Über politische Lyrik im 20. Jahrhundert, Göttingen 1965 (= Kl. Vandenhoeck Reihe 228/29).

Schumann, G., Ruf und Berufung, München 1943.

Sengle, Fr., Das deutsche Geschichtsdrama. Geschichte eines literarischen Mythos, Stuttgart 1952.

Stang, W., Gedanken zum Drama der Gegenwart, Nat.soz. Monatshefte X, 1939, S. 508–516.

–, Unsere Stellung zur Kunst, Nat.soz. Monatshefte VI, 1935, S. 609–611.

Steinbömer, G., Politische Kulturlehre, Hamburg 1933.

Strothmann, D., Nationalsozialistische Literaturpolitik. Ein Beitrag zur Publizistik im III. Reich, [2]Bonn 1963.

Trautmann, R., Nationalerziehung!, Volksbildung, 64 Jg., 1934, S. 11–13.

Trotha, Th. v., Shakespeare und wir, Nat.soz. Monatshefte V, 1934, S. 1146–47.

Wanderscheck, H., Deutsche Dramatik der Gegenwart, Berlin 1938.

Wehner, J. M., Vom Glanz und Leben deutscher Bühne, Hamburg 1944.

Winckler, L., Studien zur gesellschaftlichen Funktion faschistischer Sprache, Frankfurt/M. 1970.

Wolf, Fr., Die Dramatik des deutschen Faschismus, in: Fr. Wolf, Werke Bd. 15 (= Aufsätze 1919–1944), Berlin 1967, S. 480–491.

Wulf, J., Literatur und Dichtung im Dritten Reich. Eine Dokumentation, Gütersloh 1963.

Ziegler, H. S., Wende und Weg, Weimar 1937.

XI. PERSONENREGISTER

DATE DUE

NOV 4 '92	
MAY 0 9 1995	

BRODART Cat. No. 23-221